La Rage

Données de catalogage avant publication (Canada)
Hamelin, Louis
    La rage
    (Collection Littérature d'Amérique).
    ISBN 2-89037-470-X

I. Titre. II. Collection.

PS8565.A43R33 1989 C843'.54 C89-096226-X
PS9565.A43R33 1989
PQ3919.2.H35R33 1989

La Rage

Louis Hamelin

roman

ÉDITIONS QUÉBEC/AMÉRIQUE

425, rue Saint-Jean-Baptiste, Montréal, Québec H2Y 2Z7 (514) 393-1450

À mes parents
En souvenir de Café et de Pinotte.

langue ampoulée
{ *allitérations*
calembours
{ *comparaisons*
périphrases

+

Anglais omniprésent

+

Vocabulaire précieux

[...] de ma foudre vengeresse j'ai renversé sur lui sa demeure, pénates bien dignes d'un tel maître. Épouvanté, il s'enfuit et, après avoir gagné la campagne silencieuse, il se met à hurler ; en vain il s'efforce de parler ; toute la rage de son cœur se concentre dans sa bouche [...]

Les Métamorphoses
Ovide

CHAPITRE 1

LA MACHINE À BOULES

Les Jumbo Jets me servent de girouettes. Quand ils se fondent dans l'horizon austral, leur strict profil d'insecte brouillé par les ondulations de l'air surchauffé, c'est que le vent reste ancré au sud-ouest. Il fait un temps à mettre tous les chiens dehors, la canicule crépite et fait rage sur toute la contrée. Sirius, le chien-étoile de la chaleur, est le cerbère d'une voûte embrasée. Le pays se dessèche, la campagne craque de partout et les fentes qui crèvent la terre durcie réclament à boire comme des bouches écrasées.

Ça me fait rêver au Sahel, à tous les trous que les sourciers africains doivent creuser pour retrouver la vie. Moi, je n'ai pas besoin de fouir le sol pour me rafraîchir. Comme un grand verrat visionnaire ayant flairé une truffe, Mirabel a fouillé la terre pour moi. J'enfourche Tinorossinante, ma fière bécane, et après avoir franchi la Rivière-du-Nord sur le vieux pont de fer, je prends par le rang Saint-Rémi, je roule sur les rats musqués écrabouillés que la sécheresse a lancés sur les routes, je m'engage sur un bout de chemin asphalté qui mène officiellement nulle part, puis je dissimule mon vélo dans des fourrés ombreux et, à quatre pattes, comme un renard, je me faufile sous la grande clôture de métal interdisant l'accès du pays exproprié. C'est écrit : NO TRESPASSING. FEDERAL PROPERTY.

De l'autre côté, le paysage présente un aspect lunaire. La carrière s'ouvre dans le sol comme un éblouissant cratère. Pour s'en approcher, il faut passer près d'anciens fossés que l'eau emplit la plupart du temps, et que voilent des rideaux de quenouilles derrière lesquels des petits poissons paniquent pudiquement, parce que la terre est en train de boire tout, et que le sol est soûl. Ensuite, je me tiens sur le bord de la carrière, je la domine du haut d'impressionnantes falaises de calcaire. Et là, l'eau me saute à la face, étreint mes yeux brûlés par le sel, turquoise comme une mer du sud, pure comme un lac du nord, comme si un glacier avait fondu précisément là, la seconde ou le siècle d'avant, après s'être labouré un lit. Alors je deviens fou, je danse comme un sorcier indien sur le bord du précipice, je me mets à poil et je plonge dans le vide, le long de la paroi à pic, en poussant des cris de guerre, et ça fait un puissant plouf dans l'onde de choc glacée.

Tant que dure cette immersion lustrale, ce bain jusqu'au cou dans la régénération translucide de l'eau verte, je me sens incorruptible comme un mammouth sous sa gangue de glace. Mais quand j'entends venir l'hélicoptère, je sais qu'il est temps de décamper. J'enfile mes vêtements sans me sécher, j'entame un sprint en direction de la clôture, et je sens la grosse libellule se rapprocher dans mon dos. Si elle était équipée d'une mitrailleuse, si j'étais un vrai rebelle dans un vrai désert, je n'aurais aucune chance.

Ils possèdent la maîtrise des airs et ils contrôlent les communications. Quand je saute en selle et me mets à pédaler, la voiture bleue de la flicaille fédérale s'engage déjà sur le moignon de route menant à la carrière. En les croisant, je leur décoche mon plus beau sourire et leur adresse un petit salut de la main. Tant qu'ils ne me prendront pas les deux pieds plantés en plein sol prohibé, ils ne pourront rien contre Édouard Malarmé, occupant illégal de son état et utilisateur ponctuel de la carrière caduque de Mirabel. Tandis que je file vers la sécurité de ma frontière à moi, l'hélicoptère me survole ROD-GER OVER NOW, et je ne songe pas du tout à lui disputer l'espace aérien.

* * *

Malcolm Lowry laissait entendre que le véritable péché originel pourrait bien avoir été la propriété foncière du paradis. J'ai tendance à partager cet avis. Quand on a les mains vides, elles sont d'autant plus faciles à débarrasser de la fameuse tache première. Dieu a peut-être été logique lorsqu'il a mis en branle la plus vieille expropriation du monde.

* * *

Situé aux confins de la plaine du Saint-Laurent, mon coin de villégiature est curieusement désert, avec ses trois chalets abandonnés. Il y stagne un air légèrement inquiétant, une douce désolation, une déréliction diffuse. Après avoir été sacré agronome et biologiste (deux pour le prix d'un), je suis venu me terrer dans ce trou perdu pour ne pas avoir à travailler, pour ne pas avoir à payer de loyer, pour ne pas avoir à travailler pour payer un loyer. Le seul livre que j'ai emporté, c'est celui qui contient tous les autres. Lorsque je lis le dictionnaire dans l'ordre, je lis tous les livres dans le désordre. Ils m'ont fait apprendre la terre et la vie, maintenant je me contente des mots, le nez fourré dans les affaires de monsieur Robert.

Devant le chalet que j'occupe, j'ai planté un flamant rose que j'ai rescapé de la vase jaune du ruisseau où il s'était enlisé. Par association d'idées, je me sens chez moi. Le second chalet est occupé par deux chiens : deux labradors mâtinés d'une bonne douzaine d'espèces, mâle et femelle. Dans la troisième villa, il n'y a que des souris. Les chiens sont la propriété légale de Jean-Pierre Richard, un brave type qui habite tout près et qui tond son gazon comme un vrai banlieusard. J'ai rebaptisé les chiens Hospodar et Icoglan et ils sont devenus mes têtes de Turc favorites. Ils pourraient profiter d'une situation avantageuse au sein du bungalow de briques blanches de leur maître officiel, mais ils préfèrent de loin squatter dans leur niche de luxe. En tant que meneur subrogé de cette mini-meute, je jouis de certaines prérogatives, mais je fais aussi face aux obligations normales de tout bon propriétaire de chiens : je dois les promener, garder les atavismes vivants. Souvent, je les emmène au pont. C'est leur parcours préféré. Ils en connaissent chaque parfum, ils en reniflent le moindre effluve avec frénésie, ils prennent bonne note, chaque matin, des messages olfactifs déposés sur les monticules et les touffes d'herbe lors du passage nocturne des animaux envolés.

Un matin, prenant les devants avec enthousiasme, ils arrivèrent au vieux pont de fer bien avant moi. Il faisait encore très chaud. La canicule nous collait au corps. Je les entendis

aboyer furieusement, de loin, et à mesure que je me rapprochais, je pouvais les voir s'agiter sur place et tourner en rond,
comme des chiens courants qui ont réussi à brancher l'objet de
leur convoitise. J'ai allongé le pas, mon ombre flétrie s'accro-
chant à mes semelles. C'est un étrange gibier que mes fidèles
cabots venaient de lever là. Perché sur la rambarde poussié-
reuse, appuyé à une poutrelle diagonale dont la peinture
pelait, un vieil homme se tenait debout en vertu d'un équilibre
précaire, penché au-dessus de la rivière sirupeuse qui se traînait majestueusement, quelques mètres plus bas, et qui puait
sa putridité des beaux jours. Le concert des deux chiens ne
semblait en rien perturber son visible effort de méditation. Il
était vêtu d'un coupe-vent, malgré la touffeur de l'air, et
affichait une paire de ces grotesques pantalons bleus bouffants
que les vieux affectionnent.

Parvenu au pied de la poutre, pour prendre le relais des
cabots qui s'étaient tus, j'ai demandé :

— Ça va, monsieur ?

Il a sursauté et il m'a regardé, complètement ahuri. Il suait
beaucoup. Il paraissait affaibli. L'hallali des chiens semblait lui
avoir été une musique naturelle dont le son de ma voix serait
venu troubler l'harmonie. Comme il ne disait toujours rien, je
renchéris, pour rire :

— Qu'est-ce que vous faites là ? Vous cherchez une potence ?

Sans répondre, il consentit à descendre de son perchoir, et
grommela en se tournant vers mes effectifs canins :

— Retiens tes chiens !

— Ils sont pas méchants.

— C'est ce qu'on dit toujours.

Il se laissa flairer. Hospodar et Icoglan continuaient à
gronder sourdement, avec hostilité. Le vieux était sûrement
un client du *Pullford Lodge*, une vaste et antique auberge sise à
quelque distance, qui revêt les dehors d'un hospice pour
vieillards et qui a l'âme d'une nécropole. Il tendit impérieusement la main vers moi et demanda :

— Veux-tu, tu vas m'aider ?

J'eus un haussement d'épaules.

— Ça dépend pourquoi.

Alors il indiqua, d'un geste vague, les hauteurs du pont, et au-delà, le vide surchauffé et la rivière grumeleuse, et prononça :

— Tu vas m'aider à sauter.

Comme je ne répliquais rien, il dit très vite :

— Je vais te payer. Il faut que tu m'aides ! Je vais te donner de l'argent. Tiens !

Il tira son portefeuille de sa poche et un billet de cent dollars, brun comme une feuille morte, faillit partir sur les ailes du vent. Je le rattrapai de justesse. Je le tenais entre le pouce et l'index, devant mon nez, de façon telle que la face décatie décorant la coupure me masquait la bouille fripée du vieux. J'avais le vertige. Combien de parties de *pinball* pourrait-on se taper avec cent douilles ? Parties gratuites comprises... Je me mis à regarder le vieux de plus près. Il souffrait beaucoup de la chaleur, mais cette dernière n'agissait visiblement que comme catalyseur d'une douleur plus ancienne et plus dure, quelque chose qui devait œuvrer dans les profondeurs, hors d'atteinte des rayons dispensateurs de vie. Sa carcasse se desséchait et sa peau se parcheminait. Je jetai un coup d'œil à la rivière, par-dessus la rambarde. Ce n'était pas ragoûtant. Je dis au bonhomme :

— Vous n'avez quand même pas l'intention de vous jeter là-dedans ! À en juger par la qualité de l'eau, vous auriez toutes les chances de rebondir dans les airs. Il n'y a même pas assez de liquide là-dessous pour vous noyer comme il faut. En tout cas, vous sortiriez de là plus sale que mort, je vous en passe un papier à torcher, monsieur !

Il secoua la tête. Il ne voulait rien entendre.

— Aide-moi, je te dis. Prends l'argent pis aide-moi à sauter.

Je regardais autour de moi. Là-bas, de l'autre côté d'une étendue de taillis, le *Pullford* se dressait, grosse bâtisse chenue et austère. Je savais que les vieux tenanciers, eux-mêmes toujours à cheval, au petit trot quotidien, entre la vie et le coma, étaient loin d'avoir les forces physiques et les ressources mentales nécessaires pour porter assistance à un élément de leur clientèle, fût-il nanti de si grosses coupures. Tout reposait sur moi. Je me sentais tout à coup très fort, gonflé de ma jeunesse comme d'un virulent poison aux effets imprévisibles.

ENVIE &
VOLONTÉ

Je me tenais bien droit en face de ce débris d'humanité aux velléités suicidaires, et je représentais, puissamment, tranquillement, la simple chiquenaude qu'il attendait pour lâcher la rampe. Il ne tenait qu'à un fil, qu'à moi. En comparaison des sauts de cent pieds que je pratiquais quotidiennement pour me retremper au fond de la carrière, le pauvre petit plongeon qui rebutait le vieux m'apparut si dérisoire que je ne pus m'empêcher d'éclater de rire. J'étais incapable de prendre au sérieux ce qui se tramait sous son crâne séreux. En lui montrant le lourd flot de mélasse qui se frayait un chemin sur le lit bien lisse de la rivière, je lui dis, tout joyeux :

— Allez, je sais bien qu'il fait chaud, monsieur ! Si vous voulez seulement vous baigner, je connais un endroit qui convient mieux que cette rivière de boue. Mais si vous voulez absolument sauter là, attendez au moins le printemps, que le niveau du jus monte un peu.

Je fis crisser le billet de cent dollars entre mes doigts, puis lui enlevai son portefeuille et remis l'argent dedans. Je crois que j'ai distingué le nom qui apparaissait sur une carte d'identité dépassant de l'étui plastifié.

— Je suis tout seul, murmura le vieux en regardant la rivière.

— Moi aussi, et puis après ? répondis-je.

— Tu veux pas m'aider ?

Je lui rendis son rectangle de peau de crocodile en déclarant :

— Gardez votre argent. Mais on ne sait jamais, je pourrais changer d'idée. Je vais laisser monter les enchères.

J'ai rameuté les chiens et je l'ai laissé là, à regarder la rivière.

* * *

J'étais venu chercher la paix. J'avais cru pouvoir oublier le monde, mais le monde revient me hanter. Sous forme d'ectoplasmes de fer-blanc, le monde me survole en pièces détachées, enfermé dans les flancs des Jumbo Jets de tous les pays. Il n'en passe pas souvent, heureusement. Le taux d'achalandage de l'aéroport, en cet été 1983, continue de couvrir le pays de ridicule. Mais quand la brise vient du nord et descend doucement des premiers contreforts des Laurentides, les gros

Boeing s'orientent en sens inverse, se frottent la panse contre le ventre du vent et grimpent le ciel avec effort, juste au-dessus de ma tête promise au vide qu'ils s'appliquent à remplir de leur rugissement et de leurs traînées laiteuses. Quand le vent vient du nord, les avions viennent du sud et vont à sa rencontre.

Parfois, quand je ferme les yeux, ce bruit d'enfer devient le mugissement d'un immense aspirateur, un aspirateur de rêve qui aurait été promené à la grandeur du pays, et je vois les oiseaux prendre de l'altitude, s'élever à l'envers, former des vols compacts dans le sillage de l'appareil, puis s'engouffrer en nuées sombres dans les réacteurs vomissant les flammes. Ensuite, c'est au tour des écureuils, arrachés à la ténuité des rameaux, de monter à la verticale, la queue ouverte en parachute. Les lièvres les suivent, pattes détendues, oreilles droites, pour un dernier grand saut, puis les ratons laveurs, crachés des troncs creux comme de la gueule de noirs canons, et les porcs-épics, roulés en boule comme des bogues meurtrières, et les chevreuils devenus de vrais cerfs-volants, et jusqu'aux pesants orignaux, soustraits dans un bruit de succion à la gluante gravité des marécages.

Si un autre avion suit de près le premier, les arbres, eux aussi, déploient leurs racines jaillies du sol, les font tournoyer comme des hélices et montent droit aux cieux, et toutes les plantes de la terre repoussent ensemble le substrat nourricier et agitent leurs feuilles comme de fines ailes nervurées. Chaque arbuste, buisson, broussaille et fleur subit le même sort, s'arrache au sol et s'envole vers le soleil, et bientôt c'est l'humus lui-même qu'emporte ce vaste soulèvement, le grand courant ascendant le roule comme un tapis et dénude le sable, le sol minéral, puis le tuf, la roche-mère, chaque strate proprement délitée et convertie à la verticalité, la terre devenue une vaste pâte feuilletée sous l'étincelante fourchette céleste, jusqu'à ce que le magma originel, pour finir, fuse dans l'air en un geyser formidable avalé là-haut par les sphincters en feu des quatre moteurs.

Lorsque je rouvre les yeux, tout est resté en place, sauf dans ma tête, et le grand déracinateur s'éloigne lentement, lourdement, en virant sur l'aile pour reprendre son cap. Ce matin, quand mon iris a refait contact avec la lumière, un renard roux me regardait. Il n'avait pas eu peur de l'avion. Il est resté là un instant à m'observer, assis au pied du raidillon, avec une sorte

de sourire ou de ricanement retenu sur ses babines décou-
vertes. Puis il a fait volte-face et il a gravi la côte, gagnant de
l'altitude à sa façon à lui, en posant une patte devant l'autre,
avec précaution.

                              * * *

Le renard, c'est mon totem. Quand j'étais plus jeune, chez
les scouts, c'est cet animal que j'avais choisi, entre toutes les
bêtes. Et comme, à l'instar de bien d'autres enfants, je rêvais
de devenir pilote, j'ai voulu me faire appeler Renard-des-Airs.
Il fallut l'intervention de mon chef de patrouille pour me
rappeler à l'ordre. Il insista sur la règle voulant que la seconde
partie du nom scout soit constituée par un adjectif identifiant
une qualité que l'on souhaite catholiquement acquérir. Ce
second baptême fut l'un des premiers problèmes que me réser-
verait la norme. Je trouvais que Renard Aérien se prononçait
moins bien que Renard-des-Airs. Renard Volage ayant aussi
été refusé, je dus me soumettre. Mais je désertai peu après les
rangs du gros méchant Baden Powell.

Un jour, à la banlieue, lors d'une exploration solitaire dans
un sous-bois épargné jusque-là par l'avance des bulldozers, je
suis tombé en arrêt devant un renard roux qui dormait tout
bonnement, comme une sentinelle assoupie, roulé en boule au
milieu du sentier. Les poils de sa queue étaient parcourus par
le souffle de sa respiration. Je me suis penché. J'avais envie de
le prendre dans mes bras, comme un animal familier. Mais je
craignais trop la paire de canines qui se tenait au repos, à la
frange humide des babines. Je me suis contenté d'effleurer de
mes doigts tremblants la longue queue rousse. Ouvrant alors
un œil rusé, l'éternel courtisan me tint à peu près ce langage :
Fox est qui vers seigneur estrive. Il faut être fou pour résister à
son seigneur. Ce fut notre première rencontre, le renard et
moi. Ensuite, il s'est rendormi, plein de malice. Et on dirait
qu'au fond de moi, le renard dort toujours.

                              * * *

J'ai fait un rêve curieux la nuit dernière. Un avion passait
au-dessus de ma cabane et son souffle rauque habitait la nuit.
Je n'étais plus en bas, cette fois, à laisser les aéroplanes me
trépaner. Je me trouvais à l'intérieur de l'appareil. Je partais,
ou je revenais, du Brésil ou du Mexique, je ne sais plus. Une

hôtesse de l'air me tendait un miroir, et je me fraisais moi-même une dent, fraisant bien à fond jusqu'aux racines tandis qu'elle m'exhortait en criant : Carie ! Carie ! et à la fin, il n'y avait plus qu'un profond trou noir à la place de la dent (la canine de droite, je crois). Le slogan de la compagnie aérienne était sans cesse scandé par les haut-parleurs : AIR ADAM, C'EST VOTRE PREMIÈRE PATRIE. Ce message ne laissait pas de m'intriguer au plus haut point.

* * *

Il y en a qui se prennent pour Napoléon, moi, je suis plutôt porté vers la monarchie. Je ne veux plus apprendre, je ne veux que me prendre pour un roi. Je me sacre de tout et je me sacre sur-le-champ Édouard Neuf, successeur du huitième du nom, qui devint le premier souverain de la lignée des drop-out en abdiquant de son trône pour les faveurs d'une roturière. Cette couronne dont il s'est départi dans l'humilité, je me baisse et la ramasse comme on déterre un os, dans l'humus immémorial de la forêt. Si je n'ai pas l'hérédité, j'ai au moins le milieu de mon côté. Mes bâtards reconnaissent mon règne. Ils se prosternent devant moi, à l'envers, ventre à l'air, et tandis que je les gratifie de quelques grattouillis, que je leur accorde la grâce d'une caresse distraite ou d'un compliment pensif, leurs hommages montent vers moi :

— Ô très puissant seigneur Édouard ! Veuille disposer, dans ton infinie bonté, de la totalité de nos chétives existences. Oui, c'est cela, seigneur Édouard, nous te défendrons jusqu'à la mort, oui, encore, un peu plus à droite, par pitié, aie l'incommensurable bonté de continuer, seigneur Édouard, un peu plus haut, oui, c'est ça, plus à droite, oh, tes bienfaits sont innombrables, que ton règne dure cent ans, que ton règne se fasse sentir cent ans, plus haut, à droite, encore...

Je flatte les chiens et les chiens me flattent. L'autorité de Jean-Pierre Richard devient de plus en plus symbolique, réduite à la dénomination des médailles qu'ils portent au cou. Autant que la sainteté, le pouvoir doit être une question d'odeur. Hospodar et Icoglan me sentent et me suivent. Nous prenons un malin plaisir à aller narguer les autres corniauds que les propriétaires des environs, unanimes dans leur bel effort de protection paranoïaque de la propriété privée, gar-

dent enchaînés sous leurs murs, confinés à leur carré de
pelouse. Ces malheureux cerbères s'étouffent de rage au bout
de leur longe lorsque nous passons avec sérénité sur le chemin.
Ils deviennent à demi fous quand Hospodar s'avance avec
majesté vers eux pour lever la patte négligemment, comme si
c'était une prérogative princière, sur un arbuste situé stratégiquement juste hors de leur portée. Devant cet outrage territo-
rial bien calculé, les roquets indignés se jettent sans relâche en
avant et leurs bonds furieux sont chaque fois coupés net par
l'absence de possibilité d'extension de la chaîne. Ils se rattra-
pent en hurlant à mort.

Lorsque l'affrontement, jusqu'alors purement olfactif et
psychologique, menace de dégénérer en foire d'empoigne, je
rappelle mes fidèles grognards auprès de moi en leur disant :
« Venez, les clebs. Laissons là cette plèbe. » Et notre bien
modeste caravane se conforme alors au célèbre proverbe arabe.

* * *

Ce matin, les chiens ont levé des perdrix qui sont parties
en peur, à la fine épouvante pétaradante. Les perdreaux du
printemps, encore chichement emplumés mais capables de
voleter, se sont réfugiés dans les bouleaux et les trembles
froufroutants où ils parvenaient à conserver un équilibre instable. C'était une rencontre de routine. Mais au vieux pont de
fer, Hospodar et Icoglan, qui m'y avaient précédé, ont une fois
de plus lancé un gibier sortant de l'ordinaire. Lorsque je les ai
rejoints, ils sautaient en l'air au pied de la rambarde et leurs
aboiements avaient la tonalité excitée des chiens de meute
quand le renard se montre enfin le bout de la queue. Cette
fois, l'objet de l'attention haletante de mes féaux fidos s'était
hissé dans la poutraison, du côté opposé à celui qui avait
accueilli le vieil homme la veille. C'était une fille, jeune, les
cheveux ras, ayant visiblement de la difficulté à s'assurer une
position confortable tandis que sa poitrine formidable semblait
la déséquilibrer et la projeter en avant. Décidément, pensai-je,
ce pont est de plus en plus fréquenté.

Sentant tout de suite, grâce à un coup d'œil ascendant, que
ce beau crâne au front orgueilleux et aux tempes lisses comme
des étraves et tranchantes comme des lames me pénétrait la
peau comme un projectile et m'enfonçait le cœur comme un

coin, j'ai considéré la scène une seconde et j'y ai vu la possibilité de me faire valoir en jouant de mon pouvoir sur les deux chiens qui n'avaient pas cessé de japper. J'ai fait, d'une voix grave où je ménageais un peu de place à l'ironie :

— Holà, les chiens. Ça suffit comme ça. Ouste ! Arrêtez-moi ça, mes braves...

Je suis sûr que, en fait de paroles historiques, Jules César aurait eu la langue plus heureuse en la circonstance. Mais mes quelques mois de claustration squattoriale avaient porté un rude coup à ma verve d'autrefois. Comme la fille ne disait toujours rien, j'ouvris la bouche pour, puisant sans trop de mérite à Lafontaine, m'exclamer : « Si votre ramage se rapporte à votre plumage... », mais je fus brutalement interrompu par la victime de l'incident. Elle me fit savoir, sur un ton où la hargne ne donnait pas sa place, qu'elle ne descendrait pas tant que les chiens occuperaient le pont. J'eus beau lui rétorquer que l'intention évidente de mes deux cabots avait été de la sérénader dans les règles et que seul le registre un peu rude auquel était limitée leur voix avait pu créer un tel malentendu, elle s'écria, péremptoire :

— Je sais qu'il y a des chiens dangereux dans les environs ! Si tu permets, je préfère ne pas prendre de chance.

Je la regardais. Près de sa si belle figure, qu'elle tenait penchée vers moi et dont chaque trait était pour l'instant maintenu dans une crispation agressive qui chapeautait la posture défensive du corps, j'apercevais des dessins en forme de cœurs approximatifs, tracés à la hâte et à la craie sur les poutres poussiéreuses, et contenant maladroitement, comme des organes amplectifs fragiles, le message universel que les amoureux transis dérobent aux regards curarisants de leurs dulcinées : Initiales Love Initiales, Initiales Aime Initiales, Initiales Love Initiales. Un peu plus loin, au creux d'une encoignure, un pénis, dont le profil ithyphallique ne laissait aucun doute quant à son état physiologique, avait été représenté de façon assez réaliste, et d'autres surgissaient à sa suite, poussant là dans la couche de saleté gommeuse comme des plantes engraissées par une crayeuse aphrodisie. On distinguait aussi des formes féminines lascives bourrées d'imprécisions anatomiques, offertes à la pluie, au beau temps, à la neige.

Tandis que je me livrais à cet examen fascinant, la fille n'avait pas cessé de me regarder. Mon immobilité commençait à la rendre perplexe. Et je me rendis compte, avec quelque gêne, que je n'avais pas cessé de l'observer non plus, et que je n'avais capté les signes l'environnant que comme une gangue surajoutée ou un rayonnement qui aurait émané d'elle, un friable cocon constitué d'inscriptions naïves ou cochonnes dont elle restait le cœur infrangible prêt à s'épanouir.

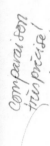

Comparaison trop précise !

— Éloigne les chiens, tu m'entends ? Je ne descendrai pas avant !

Bien sûr que je voulais qu'elle descende. Je n'attendais que ça. Mais je trouvais pour l'instant une obscure satisfaction à la voir là, en haut, hors de portée. J'appréciais sa position, je mesurais la distance, je savourais sa proximité, je la reluquais comme un connaisseur évalue une œuvre d'art offerte à son bon goût sur les cimaises.

— Qu'est-ce que t'attends ? s'impatienta-t-elle.

Je venais de remarquer quelque chose qui était situé plus près de moi, qui me pendait littéralement au bout du nez, en fait : un hameçon attaqué par la rouille, sur lequel était enfilé le résidu séché et plutôt répugnant d'un ver depuis longtemps arraché par le trépas aux affres de l'appâtage. Remontant le long du fil monobrin fluorescent qui partait d'une poutre de l'armature du pont, presque sous les pieds de la belle, et qui brillait vivement au soleil, mes yeux butèrent tour à tour sur un petit plomb fendu et sur un bouchon de plastique bicolore de la taille d'une pomme d'api se balançant mollement dans la touffeur de la brise. Un ti-cul, probablement l'un des sagouins qui s'amusaient à grimper là-haut pour immortaliser leurs fantasmes au moyen d'innocents graffiti, avait dû pêcher la perchaude à partir du pont et, à la faveur d'un lancer imprécis, emmêler sa ligne dans les structures supérieures de l'ouvrage. Pendant un court et magique instant, j'eus l'impression que le fil lumineux descendait de la fille jusqu'à moi, et que je n'avais qu'à mordre pour me retrouver près d'elle.

Enfin, me secouant de cet envoûtement passager, je réussis, à force de grands moulinets explicatifs de mes deux bras, à convaincre mes compagnons canins de prendre du champ. Prenant moult précautions, la jeune fille, avec des allures de princesse punk, descendit de son trône improvisé, refusant

avec une superbe dédaigneuse le secours de la main moite que
je lui tendais. Elle prit pied sur la chaussée, à deux pas de moi,
et de près, elle se révéla à la fois si pleine de pudeur dans son
attitude et si provocante dans son maintien que je faillis me
comporter en prédateur oublieux de toute prudence. Son buste
se dressait entre nous comme une ligne de fortifications. Je
voulus dire quelque chose, pendant qu'elle époussetait les pans
de son T-shirt souillé par l'escalade. Mais à ce moment, un
Boeing 747 qui, imperceptiblement, s'était approché dans
notre dos en prenant de l'altitude, fut tout près de nous tout à
coup et le vacarme que répandaient ses réacteurs à la ronde
mit un mur entre nous.

Au milieu de l'écrasant fracas, nous nous sommes regardés,
vertigineusement. Elle rejetait les épaules en arrière, avec
pugnacité, et donnait même l'impression de se hisser sur la
pointe des pieds, au bout de ses jambes de ballerine effilées.
Elle eut un haussement de tout le buste (buste qui me parut, à
cause du T-shirt blanc veiné de crasse bleuâtre, être celui d'une
impératrice taillée dans la mémoire marmoréenne du monde),
comme pour se rengorger, paonner subtilement, et par une
sorte d'émulation, m'avisant que mes propres épaules avaient
tendance à s'affaisser comme celles d'Atlas sous le poids de la
voûte céleste, tandis que le Jumbo Jet passait juste au-dessus,
je me redressai légèrement en bombant le torse de mon mieux.
On aurait dit un couple d'oiseaux en pleine parade prélimi-
naire. Comme pour étaler un jabot à ma vue, elle étirait le cou
et pointait son menton volontaire vers moi, un menton
comme en ont les généraux, les vrais, ceux qui ne clignent pas
de l'œil sous la décharge des canons et la mélodie meurtrière
des orgues de Staline, ceux pour qui la vie d'un homme ne
vaut pas tripette, un de ces mentons qui se sont baladés
au-dessus de tous les champs de bataille de l'Histoire et au-dessus des charniers, un menton de vainqueur. Elle a tracé un
signe mystérieux dans l'air, avec ce menton-là, et avant que
j'aie pu entreprendre quelque tentative d'interprétation que ce
soit, c'est à la nuque pleine d'univers en bataille que j'avais
affaire. Elle m'avait tourné le dos, avec la grâce animale d'une
gymnaste, en un mouvement tournant qui semblait procéder
plus du souffle de l'air à cet endroit que de composantes
matérielles. Au passage, les chiens la reniflèrent avidement, à

distance. Seuls mes gestes impérieux les empêchaient de se lancer à ses trousses, comme il font toujours avec toutes les bêtes. M'abandonnant le pont, elle s'éloigna. L'avion aussi, mais il était trop tard pour parler.

* * *

Depuis cette rencontre sur le pont, je pense à elle souvent. Jusqu'à présent, mon désir avait été général et immense, en expansion par tout l'univers, dérivant au gré de fantasmes intersidéraux, à la merci de la météorologie. Mais maintenant, il a acquis une densité effrayante, des milliards de molécules bien tassées l'ont assimilé d'un coup à leur rigoureuse structure, il s'est incarné, il ne m'appartient plus et moi je n'appartiens plus qu'à lui.

Pour me changer les idées, qui menaçaient à tout moment de sombrer dans la monomanie, je suis allé jouer au pinball, au *Pullford Lodge*. Car moi, au contraire des princesses, le soir, je ne vais pas au bal. Je vais au *pinball*. De loin, je pouvais voir l'enseigne de la vieille auberge flamber de ses lueurs sanglantes dans la nuit, à l'orée de la forêt noircie. Le double L, lui, ne s'illumine plus, court-circuité, et c'est cette tmèse : PU FORD PU FORD qui bat faiblement la mesure dans l'obscurité venteuse. Jadis, le *Pullford* connut sans aucun doute des jours de gloire, à tout le moins des jours meilleurs. Avant la grande contraction spatiale résultant de la percée de l'autoroute à travers ce qui constituait alors pour le Montréalais moyen les mythiques pays-d'en-haut, le *Pullford* pouvait peut-être faire illusion, avec son minuscule lac privé tirant sur la mare à grenouille, avec sa faible dénivellation où s'accrochent encore les ruines d'un remonte-pente, avec son paysage agreste évoquant vaguement la Nouvelle-Angleterre. Mais quand les mamelues montagnes et les cristallins plans d'eau du pays de Séraphin se sont soudain rapprochés par la magie de la voirie, le *Pullford* ne faisait plus le poids, contre Saint-Sauveur, Sainte-Agathe et consorts. La prospérité est alors montée plus au nord.

Le *Pullford Lodge* est vaste et désert, grosse bâtisse d'une blancheur d'hôpital. C'est un pathétique fantôme de lieu de réjouissance. Une clochette fixée au chambranle signale par un tintement gai mon irruption. Je viens de traverser l'impressionnant terrain de stationnement, présentement libre de tout empiétement motorisé. Les vieux sont au poste : le bonhomme, tête d'une quadrature parfaite atténuée par l'orbicularité de verres correcteurs cerclés d'argent, fourrage méthodiquement dans une épaisse pile de factures qui semble vouloir déborder le champ de sa compétence comptable. La bonne femme, un cauchemar d'Amérique fait sur mesure pour grosses roulottes climatisées, lunettes elle aussi et l'air de tranquille effarement d'une Sélénite à peine débarquée, me sert ma Golden puis reprend sa position, penchée par-dessus l'épaule du vieux, y allant de ses commentaires de contre-maîtresse dont la pertinence semble problématique aux yeux fatigués du bonhomme Pullford colleté à la rigidité des chiffres.

— Have we paid the Hydro bill ?
— Yes, we did.
— No, we didn't.
— Yes..., we...

Ils perdent la mémoire, évidemment, avec l'Alzheimer national. Je suis devenu familier avec leurs gentilles algarades. Ils ne se gênent même plus pour se chicaner en ma présence. En face de mon *pinball*, je deviens un meuble. Les Pullford sont pour moi comme des grands-parents dont on sait que s'ils sont parvenus à tolérer leur présence physique mutuelle pendant cinquante années, ils ne vont pas commencer à se mettre en morceaux pour une abstraction numéraire, dût-elle refléter des réalités aussi concrètes que l'argent du budget mensuel et l'électricité. Non, les vieux ont atteint ce point de non-rupture où les deux parties sont soudées précisément par un sens de la querelle devenu essentiel, ciment obligé des vieilles chairs relâchées. Malgré la fatigue, ils vont de l'avant sur la voie de la chicane, parce qu'ils n'ont plus au monde, hormis cet antique palace en désaffection, que la profonde connaissance du caractère éminemment détestable, parce que parcouru en tous sens, du conjoint décrépit. « Have we paid the Hydro bill ? »

La salle s'étend immense devant moi, avec la patine des tables alignant de rectangulaires flaques luisantes qui vont se perdre vers le fond, là où les instruments de musique brillent d'un éclat voisin de l'absence, intégrés au décor de force par ce silence pour lequel ils ne sont pas faits. Trois silhouettes voûtées, devant la batterie étouffée sous ses peaux, brisent la ligne sobre du mobilier. Les musiciens sont attablés, discutent à voix basse, se lèveront tantôt pour disputer un billard. Ils attendent leur aléatoire public. L'endroit est immense, durement éclairé, vide, froid comme une bouteille de bière oubliée au congélateur. J'entends dans mon dos la vieille qui pérore au téléphone : « Yes, yes, yesterday, you should've seen it ! Was full of people, we ran short of waiters... » Et je devine le vieux, à ses côtés, qui secoue sa vieille pomme ridée, qui marmotte No No No par habitude, par réflexe, comme on siffle une chanson éculée du bout des lèvres, et qui feuillette son paquet de factures, qui tombe sur un autre impayé et se penche laborieusement sous le cône de lumière jaunâtre que dispense une lampe de faible puissance : « Now, have we paid the Bell bill ? »

Quant à moi, je limite mes activités au narthex de cette antique cathédrale du divertissement. Mon péché véniel m'attend dans un angle de la pièce exiguë qu'une rangée de baies vitrées maintient en contact visuel avec la grande crypte glacée. Un imperceptible pouls allume de faibles feux rouges sur le billard électrique. Je pose ma bière blonde sur la table de mississipi et je m'élance vers le rêve américain scellé sous vide dans sa grosse cannette quadrupède. Je me colle l'hypogastre tout contre l'extrémité chromée de l'engin éteint. PUNK PUNK les trente sous lui rendent vie, lui remettent des couleurs au ventre. Sur le tableau illuminé spasmodiquement qui me fait face, des kids californiens bien bronzés paradent sur leurs planches de surf, belle annonce de Bud, déifiés dans un panthéon de plastique. Les as de la surface en mettent plein la vue aux traditionnelles sylphides éthérées, bien hâlées alleluia, bikinis étirés à la limite du portable, appétissants épis de blé arénicoles montés sur tiges de bronze. Ma petite plage de Californie miroite pour moi seul, mise en boîte pour consommation immédiate, pour tir sans sommation, fantasme de plastique moulé, et allez, que résonne le plexiglas !

Le jeu s'appelle *Air Glider*, car le tableau de pointage effervescent figure l'un de ces cerfs-volants grâce auquel, muni de skis aquatiques, le brave baigneur peut se servir des vagues comme de tremplins pour gagner la voie des airs. Un anglophone de mes amis disait *bitch* quand il voulait désigner le *pinball.* J'aime assez à voir dans cet engin une chienne soumise. Allez, *bitching beach*, obéis à mes désirs ! Sois belle et aboie !

Là-bas, les vieux se demandent des comptes, dans le rouge jusqu'au cou, dans le bain jusqu'au bout, en grignotant leur demi-portion de petit Québec déserté et dénataliste. Ils font les comptes de toute une vie, le calcul du meilleur et du pire. Ils feuillettent les factures comme on tourne les pages d'un vieil album de famille, avec des clichés des jeunes mariés au temps où les illusions n'étaient pas dissipées, les ondes non encore brouillées comme les œufs éternellement resservis du matin. Ils pourraient être les grands-parents que j'ai perdus, d'abord de vue, puis tout court, ce grand-père qui adorait la pêche et n'attrapait jamais rien mais racontait des histoires et cette grand-mère qui raffolait du poisson, jusqu'à manger du meunier noir et de la barbotte boueuse. Où sont donc passés les pêcheurs de cœlacanthes ? Have we paid the Hydro bill ?

Je ne les entends plus. La balle est en jeu. Dans mon camp. Je ne pense plus à rien. Je ne pense plus. Le coup part, l'instinct s'allume. Les naïades se vautrent dans le sable, là-bas, se roulent sur les châteaux des enfants. C'est moi qu'elles regardent, maintenant. La balle rebondit là-haut, perd de sa puissance de frappe, tombe THUMB THUMB Je tire Le drapeau tournoie affolé Les nationalismes battent de l'aile Souliers ont beaucoup voyagé Semé du pays avec leurs semelles de plombs PAN dans les PLOTS Le drapeau tournoie et le compteur tourne Le tableau enregistre. Là-bas, au-dessus des vieux, comme des anges gardiens, les Expos se débattent sur le losange réarrangé de la télé, contre Los Angeles. Ce sont de braves perdants. Je sympathise. Ils font partie de la résignation collective. La balle est partie, monte en chandelle, descend, élude les rayons d'action brutalement balayés de mes organes prothétiques, disparaît. Sans toucher à rien. Se faufile derrière ma batterie impuissante qui bat l'air, de l'aile. Encore.

La machine ressemble à un cercueil glacé, incliné comme si on allait le larguer à la mer sous des fusées éclairantes, dans ce Pacifique lointain où éphèbes blonds et néréides de souche norvégienne s'ébattent en toute innocence, sans se souvenir que sur ces mêmes plages en 41, on attendait l'invasion des kamikazes et que des milliers de beaux boys, des All American Kids ont eu comme sépulture l'horizon invisible de ces fabu-

leux rivages si propices aux vagues déferlantes susceptibles
pourquoi pas de rejeter sur les planches de surf les restes
bouffés par les requins et les zygènes PUNK PUNK Le PULL-
FORD est désert, immense, à moi tout seul, glacé, crypte
cryogénique où je me conserve pour de futures copulations
COP COP COPULL C'est parti pour le feu d'artifice, de Pearl
Harbour PEA PEAS PLEASE PAC mes petits, j'expédie la
balle en force Je canonne un coup en flèche et les circuits
s'illuminent comme coulent les CUIrassés HArassés au-delà
des VAVAgues POW POW PATTON Générâle à vos ordres
On vous demande le sacrifice SAC CRIC CRIS toute cette
aveuglante jeunesse américaine sous les bombes vautrée BOM
BOM MOB BAN THE BOMB BAN THE BOMB sur les
plages charnues et néanmoins rapprochées ROC ROCCA-
BILL du désert DÉS DIEU joue au DÉSert de la Californie
CALLAC CLAC PITON PETUN qui firent FIRE FIRE du
surfing sur des mers de napalm d'or FINGER FIRE PATA-
CLAN ARCH Mes petites palettes s'agitent frénétiquement
et par trois fois TER TER TERRE EN VUE BÉVUE COL
d'utérus plein du péché potentiel POT POT TENT COLOMB
gaffeur FIRE PAC PACifiste FIRE FIST Je renvoie la balle
dans les hauteurs TIRE NABAB BABE Mers de napalm d'or
Old PAL PAL Oui les Japonais PONG PONG ont bel et bien
BING BANG CROSS BY réveillé l'AMérique I AM AM
MIAM mérique AIE AIE SIRE FIRE FINGER GINGER
RODGER AIE AIE SIR où elle s'emploie avec zèle à enfoncer
les parties Elle est PARTIE sensible de cette structure à vif
TUE TUE ARG DEAF DEFense de discuter devant une
clôture ou une cour martiale COURS COURS RUN Je de-
viens cet être fabuleux, avec l'immense métaphore métallique
TALL TAIL I AM AM MIAM AMERIC Et périls entre les
cuisses CUI CUI Honey SWAT Celui CUI CUI mal y pense
et rêve de mes anciennes blondes, de vraies blondes, comme
dans le PINBALL BLO BLOO BLOW OH THERE CAN
CACAN YOU SEE SIRE AYE AYE FIRE RIF deux au moins,
AGNUS DEI deux, qui étudient aujourd'hui en Califournie
CAL CLAC LAC Mon général vous êtes chauve et plutôt
chauvin même pour le vin californique LIF LIFE LIFT RUN
RUN en cette Calif de toutes les convergences COCO CLOC
TIC TIC TACATACATAC au TAC CON CON UTERus

omniprésence de l'anglais dans le français dit québécois.

US USA TER TERRE COLOMB CON COLO EH COLO SHNELL PACifist FIST FIRE FINGER convergences VERG VERGE of extinction fantasmatiques de l'AMérique amère AMAMIAM ME ME RUN NO RUN Les Japonais PONG PONG ont réveillé Rêve éveillé HEIL HEIL la Califourchue que je me plais Lait LAIT LET GO HUGH GOG GOGO RUN FIRE FINGER GERONIMO à pourfendre POUR Milk PLEA PLEASE LEASE Lait s'il vous plaît à pourfendre FENCE HENCE HEIL HIT HIT FIRE RUN à travers cet éminent petit symbole TIT TIT TILT GAME OVER GAME AMAMIAM OVAIRE GAME OVER.

Mais je dispose d'une partie gratuite PUNK PUNK GRR GRR Je peux recommencer COM CUM CUCUM Je ne compterai bientôt plus COUNT CUM CUNT ET ENCORE CORE AT THE CORE HABS GO STUBBORN IN THE USA C'est bien un de ces soirs gratuits CUI CUI Je dépasse encore le 50 000, le 60 000, le 64 000 Je joue pour rien pour RIRE POURRIRE La MACHine vibre dans mon organisme C'est si bon quand on a le CONTRÔLE CON CON CUM COUNT COLOMB PEACE PLEASE LEASE PEAS PEACE C'est la rédemption en vue REDS REDS FIRE FINGER GINGER RODGER GERONIMO GERONNIE RAY RUN RUN REDS ma terre TER TERRE COLOMB PEACE CON CON terre de spiritualité LIGHT FIRE FINGER FIND SEARCH DESTROY comprise dans un gros boulier anarchique CHIQUE HIC ABAQUE BACK BACK RUN RUN BACK je CONTRÔLE CON CUNT je COMMande REDS REDS à la profonde pulsion PULL PULL BACK RUN qui COMMandite IT IT TIT Comment dite la représentation de l'Univers.

Pour vingt-cinq sous, je peux recommencer. Je suis peccable comme seul l'impécunieux peut être peccable, comme seul le pauvre peut être prodigue. Seuls les riches sont radins. Les riches sont rats et ragondins. Si on me payait pour jouer, je serais riche. Il faudrait que le jeu devienne mortellement sérieux. Nulle cagnotte ne s'offre dans ce coffre de chrome et de plexiglas qui s'étire devant moi comme une putain froide. Il faut payer pour jouer, payer pour avoir du plaisir, payer ne serait-ce que le prix d'un neurone, et toutes les filles deviennent des flippers illuminés par la grâce de la free game. Il faut payer pour jouer et il faut payer pour vivre. La mort seule est une partie gratuite. La plus parfaite des parties gratuites.

* * *

Les jours s'écoulent et je n'écris pas toujours. Le cœur de l'été s'écaille et se refroidit, la pointe aimantée vers le passé, maintenant. Là-bas, à la grande banlieue des cases de bandes dessinées, à la banlieue-barbecue où guette la mort à petit feu, les travailleurs sont de retour en cortèges harassés, et le solfège de la fatigue familiale et les cantiques klaxonnés montent vers saint Christophe qui s'en câlice. Et la nuit, la ville veille.

Les soirées sont longues, dans le silence et la solitude de ma vaste hacienda nordique, quand on est un squatter à la chair triste, qui a lu tout le dictionnaire. Parfois, je m'empare de mon vieux Baïkal, je le soupèse un peu, et je fixe longuement la double orbite vide des canons à travers laquelle la mort, noire, me regarde. Je ramasse les vieux journaux jaunis qui traînent sur le sol en guise de moquette et je me repais des vieilles nouvelles. Je reviens en arrière avec délice, assis sur ma peau d'ours noir, l'animal sacré des Attikamegs de la Haute-Mauricie où enseigna une vieille tante à moi. Cette livrée velue, c'est mon seul luxe, ma miette de confort. Je la caresse rêveusement et il me semble parfois qu'elle pourrait décoller un jour, comme un tapis fabriqué à Bagdad, et m'emmener très loin.

Mais les vieux journaux, eux, me ramènent sur terre. Il y a quinze ans, la famille Beauséjour, comme plusieurs autres, apprend par la radio le choix de Sainte-Scholastique comme site du futur aéroport international de Montréal. Puis les journaux annoncent ensuite qu'elle est expropriée pour les besoins du complexe aéroportuaire. Pour les Beauséjour, on peut dire que les nouvelles étaient vraiment d'actualité. Pour moi, ce n'est qu'un événement qui a l'âge d'un très vieux chien. Ce n'est que du papier, ça n'existe plus. « On a été traité comme du bétail, monsieur ! », affirme monsieur Beauséjour à monsieur le journaliste. Alors là, il a tort, monsieur Beauséjour. Car les vaches sont parfois bien mieux traitées que les humains, par les journaux. Dans certaines fermes expérimentales, on leur donne les vieux numéros à bouffer, c'est plein de fibres, aussi bon que du foin. Vive la littérature alimentaire ! Vive les nouvelles rances !

* * *

Le soir, je fais des promenades, je me balade, je baguenaude avec les chiens, comme un bon banlieusard. Je me promets toujours, avant de partir, que ce sera l'occasion de penser un peu à mon sort, mais le simple mouvement et le souffle de l'air frais procèdent doucement à l'élimination du besoin même de penser, comme à une délicate ablation, une lobotomie naturelle. Ne subsiste qu'une musique de fond conquérante, sous mon crâne.

Les membres de ma garde royale jaillissent du chalet de planches vernissées qui leur sert de niche tout confort et m'entourent joyeusement, se prêtant en haletant d'enthousiasme à mes taloches distraites. Tandis que la nuit s'abat sur les parages, Hospodar patrouille à l'avant, délimite olfactivement nos possessions, brave les interdits territoriaux, lève sa patte bionique (celle armée d'une plaque de fer, séquelle d'une confrontation avec une auto) et déclenche de généreux jets de sirop de poteau sur les surgeons rabougris qui ont grand-peine à proliférer sous cette douche d'urée rituelle. J'ai d'ailleurs tendance à l'imiter : ma pollakiurie chronique, ou manie de faire pipi partout, me pousse à calquer mes mœurs, en matière de miction, sur celles de ce vieux bâtard bravache.

Quand vient une voiture sur le chemin de la Rivière-du-Nord, Hospodar exécute le petit numéro qu'il a longuement mis au point. Il se précipite sur son rival de fer, la gueule béante et bavante, jappant férocement, et ses mâchoires claquent habituellement à moins d'un pouce de l'aile arrière du bolide qui accélère furieusement, le conducteur étant désormais convaincu d'avoir un chien écrasé sur la conscience. Moi, j'encourage Hospodar de la voix, surtout quand c'est une G.M. Les G.M. m'horripilent particulièrement depuis que mon père s'en est fait concessionnaire.

* * *

Jean-Pierre Richard, lorsqu'il a décidé de construire sa maison de banlieue en plein bois, a d'abord pris l'initiative de raser les magnifiques pins blancs qui dominent hautainement le couvert végétal de ce coin de pays. En guise de justification, il répétait à la ronde : c'est pour les bébittes ! Les arbres, c'est bon pour les bébittes ! Maintenant, il passe ses samedis après-midi à pousser une rutilante tondeuse Lawn-Boy sur la belle pelouse qui a remplacé les vénérables patriarches. Il la passe souvent, sa tondeuse. Il n'aime rien moins que quand l'herbe devient longue et menace de se transformer en foin. « Le foin, c'est bon pour les bébittes ! », aime-t-il à répéter.

Hier, justement, je revenais du *Pullford*, environné d'un impressionnant nuage de moustiques besogneux, quand je suis passé au bout de son terrain. Jean-Pierre Richard, qui s'y activait comme par hasard, a aussitôt laissé sa valeureuse tondeuse vociférer et trépider sur place en face de trois coura-geuses graminées rebelles, et, après m'avoir adressé un signe impérieux, il s'est rué dans son garage. Quand il est revenu, il ployait sous le poids d'une énorme bombonne munie d'un bec vaporisateur, et il m'a crié, surexcité :

— Bouge pas, Édouard ! Ferme les yeux, respire pas trop fort !

La seconde suivante, je disparaissais à l'intérieur d'un brouillard chimique chuintant qui adopta approximativement la configuration d'un champignon atomique. Lorsque je pus voir de nouveau à plus de trois pas, Jean-Pierre Richard se tenait devant moi, la bombonne toujours brandie, triom-phant :

— Pas un moustique qui va te piquer, maintenant, mon gars ! Te v'la aussi toxique qu'une poche de pesticides !

Il semblait vouloir engager la conversation, mais j'étais pour l'instant trop occupé à tousser toutes mes tripes. Il regarda un instant le ciel, où virevoltait erratiquement un diptère affolé ayant échappé par miracle à la pulvérisation. Je crus que Jean-Pierre Richard allait émettre derechef quelques considérations sur la température, mais il se contenta de prononcer rêveusement :

— Un bon arrosage aérien qu'il faudrait, par ici. Un arrosage aérien, à la grandeur du comté. Ça serait pas beau, ça ?

J'en ai profité, une fois la faculté de la parole revenue, pour demander à Jean-Pierre Richard des précisions sur le statut du bonhomme qui possède la moitié des terres de la région, portion de pays comprenant les trois chalets abandonnés. Il m'a dit qu'il s'appelait Bourgeois, qu'il habitait une grosse demeure blanche non loin, qu'il avait un fils en politique provinciale, un autre qui se trouvait à la tête d'un véritable petit empire financier, et un troisième qui travaillait aux États, quelque part. Les chalets, à l'origine, auraient été construits pour les fils de Bourgeois. Ils n'ont pas été habités depuis longtemps. Ce nom de Bourgeois évoqua chez moi une impression qui me sembla fraîche. Mais je n'eus pas le temps de creuser la piste, car Jean-Pierre Richard continuait :

— Il a le cancer, le vieux Bourgeois. Il est en train de crever. Et tant qu'à moi, il peut bien se dépêcher. C'est un malcommode, il paraît qu'il veut rien savoir de se faire soigner. Il est pas très aimé dans la région. Il néglige tous ses terrains, c'est terrible de voir ça...

Je comprenais maintenant pourquoi Jean-Pierre Richard ne m'avait causé aucun problème, quand j'avais investi les lieux sans demander de permission à personne. Il n'était pas fâché de voir quelqu'un, fût-ce un jeune vaurien, se placer en conflit avec le vieux. Et puis, Jean-Pierre Richard a horreur des habitations qui ne sont pas habitées.

* * *

Insomnie. Mugissements dans la nuit. Le vent doit venir du nord. Les Jumbo Jets s'élancent à sa rencontre et parviennent tout juste à s'élever assez pour éviter de percuter le friselis géologique qui marque la naissance des montagnes. Parfois je baisse la tête, par réflexe. J'entends le bruit qui enfle, le brassage terrible des réacteurs qui avalent toute la nuit pour la recracher en flammes dans leur sillage. On rentre les épaules instinctivement, même si on sait très bien que le train d'atterrissage se balade à quelques centaines de mètres au-dessus du sol et de soi. Le son terrifiant occupe la nuit comme une armée sans corps et fait naître la certitude déraisonnable que le gros aspirateur va vous soulever de terre, vous faire tournoyer dans les airs jusqu'en son sein pour vous intégrer de force au flot des touristes assoupis le menton sur leurs dépliants bariolés. On jurerait que l'avion va tout aspirer, tout arracher, que la terre déracinée va se décoller comme un tapis et qu'on verra enfin ce qu'il y a dessous. Les avions me sucent le sommeil comme de grosses limaces adhérant à mon paysage mental. Le vent vient du nord, et les avions vont contre le vent.

Quand je relève la tête, à la lueur de la lampe à pétrole, il y a toujours un autre moi qui me dévisage, qui m'arrache mon masque pour se le mettre. Cette résidence secondaire dispose de ressources spéculaires proprement inouïes. Les murs sont pratiquement couverts de miroirs de tous formats. Chaque salle de bain, crottée et encroûtée, compte le sien, idem pour les quatre chambres où la bourrure s'échappe des lits éventrés et jonche le sol comme de la tripaille sur un champ de bataille. Celle du milieu se distingue même avec deux surfaces réfléchissantes. Dans le couloir, où on marche parfois sur de la crotte de chien, parfois dans une des crevasses qui orne le plancher, un grand miroir mural me détaille de la tête aux pieds et dans le salon démesuré, au fond duquel s'ouvre le foyer éclaboussé de suie, une glace stylisée au tain fracassé continue de s'accrocher au mur et de se poser en anamorphoseur de tout ce qui bouge. La cuisine, vaste comme un océan où feu les appareils ménagers font figure de pathétiques icebergs à la dérive, se trouve elle aussi encerclée par ces ouvertures de perspective dont le point focal est le poêle de fonte pendu à son tuyau charbonneux qui court au plafond, comme un végétal carbonisé qui aurait encore la force de pousser et de fuir les flammes. Je me sens moins seul en compagnie de ce moi multiplié : tous ces doubles me suivent pas à pas, me renvoient tous mes états d'homme virtuel à travers mes regards réverbérés. Je me dédouble à répétition, je m'éclate et je deviens une armée à moi tout seul.

* * *

Entre ces murs, je n'échappe pas à mon image. Je constate que j'ai un gros nez. Je suis né avec un gros nez. De face, il n'y paraît pas trop. La perspective s'écrase, l'organe s'aplanit harmonieusement. On devrait toujours se voir de face. C'est comme voir un paysage de haut : on se domine mieux de face. De côté, c'est différent : mon visage est plutôt dissymétrique, et même, je suis carrément acrocéphale.

Les chiens me présentent un miroir plus aimable que ceux des murs. Quand il me regarde avec une défiance respectueuse, Hospodar me dit : Seigneur Édouard, tu présentes un profil au nord, et un profil au sud. Tu montres au monde un portrait bourbonien, une silhouette d'aigle romaine. Ton nez est au centre de tout, et son arête est un pont. Ton nez est un signe qui changera la face de la terre. Il a un destin, il fend l'air comme la proue d'un navire de guerre.

Icoglan, elle, du fond de ses grands yeux mouillés, me rappelle en exemple les nez célèbres : Cyrano, qui séduit avec ses traits d'esprit plutôt qu'avec ceux de son visage. Gogol, auteur d'une sternutation scripturaire intitulée *Le nez*. Le nez, poursuit-elle, est le véritable organe de la pensée. Les narines sont les écluses du cerveau. Ton noble tarin, seigneur Édouard, aspire à une position plus élevée que celle de simple tare morphologique.

Mais ces tirades réussissent mal à tromper mon ennui. Je repense constamment à la fille perchée du pont. En l'absence de toute donnée biographique, mes pensées me portent vers ses plénitudes charnelles observées une seule fois dans ma vie. Cette nuit, je bande à part sur l'exacte frontière entre la plaine de ce vieux Saint-Laurent et le moutonnement granitique amorçant l'élévation de ces bonnes vieilles Laurentides. Cette nuit, la Rivière-du-Nord et sa pollution turpide me séparent de l'objet de ma quête graalique. Quel droit une pure inconnue possède-t-elle de me faire souffrir ainsi, de m'infliger par la seule grâce épiphanique d'un instant envolé la délicieuse torture qui me taraude, me turlupine, me tarabuste, me travaille et me tue ? De quel droit m'impose-t-elle l'obsession de ses débordements mammaires, la vision de son fantastique appareillage biochimique dont la lactation suffirait à assouvir à jamais mes soifs les plus égoïstes ? Je me créerai un désert pour n'avoir soif que d'elle.

Les chiens hurlent au loin dans la campagne. Hospodar et Icoglan reprennent en chœur : Il pend pour l'instant inutile dans ton champ de vision, comme une borne milliaire sur une route abandonnée, mais ton nez veille, seigneur Édouard, il attend son heure et il attend son air. Sa déviation irréductible est l'inscription physionomique sûre de la tangente que prendra bientôt ta vie. Comme les réacteurs des Jumbo Jets qui continuent de monter à l'assaut des contreforts, ton nez inspire la nuit et en réclame la jouissance au même titre que tous les pachydermes de la terre. Cette chère blandice d'un coup de dés de tous tes sens, tu la conquerras en chargeant, comme un rhinocéros noir en pleine aphrodisie, comme la licorne mythique ou le narval des mers glacées, tu remonteras les rivières les plus souillées pour aller t'échouer sur ses rivages de cocagne. En attendant, va te coucher, ô maître. Nous veillons sur ton rêve. Et la nuit est blanche de ses sécrétions.

* * *

Ce matin, je suis allé explorer les confins du royaume, en compagnie des chiens. Je voulais baliser un sentier qui puisse me conduire, en cas de coup dur, jusqu'à une ancienne cabane à cheval qui se trouve dans les collines, au-delà de la zone des marécages qui sert de fabrique de moustiques à toute la région. Je compte restaurer sommairement la cabane pour qu'elle puisse me servir de refuge, si jamais des sbires, séides quelconques ou autres empêcheurs de dormir en rond venaient à me chasser de mon chalet. À travers collines et coulées pierreuses, j'ai donc traversé la placide prucheraie où la pénombre verdâtre n'est pas sans évoquer une baudelairienne cathédrale, et suivi la ligne des crêtes escarpées qui court d'est en ouest. Les chiens trottinaient dans la brande, la truffe clouée au sol, démêlant sans relâche l'inextricable écheveau que forme le réseau invisible retraçant fidèlement les allées et venues des habitants de ces bois.

J'essayais moi aussi de humer les parfums capiteux et les effluves puissants que devait dégager la forêt à son apogée, verte et mûre. Mais je n'avais aucun accès à ce qui ruisselait dans les sinus de mes auxiliaires canins. Le maëlstrom des odeurs naturelles me laissait insensible, impuissant. J'étais un myope du nez sans ses lunettes, regardant les yeux plissés en direction d'un tableau réputé dont deux experts voulaient me faire partager l'appréciation, et je ne distinguais qu'un camaïeu là où une féerie polychrome s'étalait. Les chiens frémissaient à la moindre senteur colportée par la brise, ils se tendaient devant moi comme des antennes, de longues ramifications prothétiques de mon flair atrophié. Ils étaient les cannes blanches de mon odorat moribond. Je les suivais en prenant en patience mon enchifrènement chronique.

Lorsque nous avons atteint la forêt de repousse, embrouillamini de trembles et de bouleaux auxquels se mêlent de jeunes conifères isolés et des essences arbustives, Hospodar a commencé à manifester des signes d'inquiétude, adoptant un comportement nerveux qui tranchait avec son assurance coutumière. Il cessa de lever la patte à intervalles réguliers pour arroser de sa liqueur uréique la végétation buissonneuse des environs. Il reniflait par ailleurs avec un grand intérêt certaines touffes herbacées stratégiquement situées et Icoglan alla le seconder dans cette expertise dont le résultat semblait fort les préoccuper tous deux. La tête haute, ils inspiraient avec méfiance en scrutant la pénombre dense de la forêt alentour. Pour les railler, je pris la relève : faisant descendre avec ostentation le curseur de ma fermeture-éclair, j'effectuai une rapide vidange de vessie, riant au nez des deux corniauds dubitatifs.

Je m'étais exécuté en visant le poteau penché d'une antique et désuète clôture barbelée fondue dans la régénération des broussailles. Enjambant orgueilleusement le discret fil de fer et invitant les chiens à en faire autant, je me suis avancé jusque sur le bord de la paroi rocheuse, d'où on dominait la plaine s'étalant vers le sud. Entre les troncs torves de grands pins quasi déracinés, la basse et blafarde maison de mon cher propriétaire se profilait en contrebas. Alors, étendant les bras comme un orateur voulant imposer le silence, je déclarai, avec une componction de circonstance : « Ohé, propriétaire de mon cul ! Propriétaire nié qui ignore l'existence de son locataire, comment va la santé ? Je suis venu m'en enquérir. Car sois assuré que ton locataire ne t'ignore pas, lui. Bientôt, j'irai sur ton lit de mort, vieux mourant, et je t'arracherai avec ton dernier souffle un testament nuncupatif, comme on dit, car ta descendance n'a sûrement pas besoin de toi, merde, elle n'a sûrement plus besoin de toi, alors que moi j'ai besoin d'un logis, et si ça se trouve, de sous, et de gros bidous. Ah sois tranquille, vieil homme, je ne te laisserai pas mourir intestat ! En même temps que de rendre l'âme, tu me rendras des comptes, parce que je suis un héritier, un héritier sans hérédité, peut-être, mais il faudra bien que j'hérite de quelque chose en ce bas monde ! »

Les chiens me regardaient, interloqués par le ton et la gratuité de l'allocution. Les dernières syllabes de cette parodie de philippique, hurlées sans retenue, avaient fait résonner toute la forêt et ça me gênait un peu, à la réflexion. Glapir des imprécations est en train de devenir mon passe-temps préféré. Je pouvais presque suivre, dans l'air immobile, mes menaces qui, comme des missiles à tête chercheuse, traquaient leur destination, leur destinataire obligé, ce vieil homme qui se mourait pendant que je le maudissais.

* * *

Marquant une pause sur un grand pan de rocher couvert de ces lichens qui craquent sous le pas, j'ai laissé ma vue glisser sur le panorama qui s'offrait vers le sud, spectacle auquel les chiens de ma garde opposaient une indifférence béate. De l'autre côté de la rivière, la route provinciale épousait le contour de celle-ci, la suivant parfois de très près, puis s'en écartant brusquement et s'en tenant éloignée un certain temps avant d'opérer un rapprochement tangible. La route était irrégulièrement jalonnée de vieilles maisons canadiennes, la pureté historique de leur alignement étant entachée par des bungalows de brique.

C'étaient des fermes expropriées, pour la plupart, dont certaines arboraient encore des traces d'activité, et qui affichaient leur indignation grande comme les portes de leurs granges, à l'intention de lointaines et douteuses oreilles fédérales : HOLD-UP À MIRABEL ON VEUT NOS TERRES M. TRUDEAU. Je me demandais où pouvait bien se trouver ma bien-aimée, la dulcinée qu'en preux chevalier je chérissais d'autant plus qu'elle se trouvait comprise à l'intérieur d'un seul épisode scopique de ma vie. Je n'avais qu'une icône mnésique à adorer. Je me demandais : laquelle de ces habitations autrefois coquettes et aujourd'hui enserrées par le cerne sombre et le lâche collet de la bureaucratie donne-t-elle refuge à la dame de mes pensées peu pieuses ? Quelle touchante cuisine bien frottée et bien reluisante peut jouir du privilège insigne de suivre le matin, dans la réverbération du grille-pain, les majestueuses ondulations de son corsage, à l'heure du déjeuner de saines céréales gorgées de lait ?

J'étais frappé par une espèce d'appréhension terrifiante de ce que pourrait être la concrétisation extatique de tous mes désirs convergeant vers ce petit corps robuste à la poitrine de duramen ou de marbre, de tous mes désirs s'unissant en un flot ravageur, rageur, pour s'engouffrer dans cette gorge érotisée à mort dont la pulsion doit absolument devenir le rythme épuré à l'extrême de ma folie d'elle. J'étais baba, bombe A, bombe-

Homme piaffant d'impatience au fond d'un silo à missiles du Nouveau-Mexique.

Au loin, vers le sud-est, on pouvait deviner, plutôt que voir vraiment, la ville, rassemblée comme arbitrairement en ce nœud de communications rugissantes qui sait si bien ébaubir le badaud. On distinguait le cerne d'air vicié, cocktail de photo-polluants lâchés dans l'air comme des entités tirées d'un épisode canonique d'*Au-delà du réel*, entités sans contours se mêlant, intriguant, se livrant réciproquement aux combinaisons les plus corrosives, et qui pèse sur Montréal comme une cloque dont l'éclatement à retardement fait blêmir le ciel à cet endroit, dissolvant le beau bleu céruléen qui barbouille le reste de la voûte céleste. À l'avant-plan, je voyais une espèce de périscope sortir de terre au milieu des champs. Je savais que de plus près, ça ressemblait à un automate géant écrasant la campagne de ses grosses pattes de ciment. Mais de mon observatoire, ce n'était qu'un pieu formidable fiché en terre pour une grandiose et inimaginable opération d'arpentage. C'était un clou planté dans un pays crucifié. C'était surtout un phallus d'acier, un godemiché menaçant comme une divinité, baisant bien toute la région.

La tour de contrôle était en vue. Je m'élevais pratiquement au niveau de sa protubérance bombée et fongiforme, grâce à l'assistance de la fort ancienne orogénèse dont la poussée affaiblie et érodée, sous mes pieds, continuait à propulser quelque chose en moi. Je pouvais voir les avions, insectes insignifiants à cette distance, lever tranquillement de terre en bout de piste, péniblement, avec la lenteur implacable de l'aigle arrachant une proie trop lourde à un troupeau centripète. L'un d'eux venait dans ma direction, aspirant l'air et recrachant des nuages, emplissant le ciel de cire de son rugissement de terrifiant moulin à vent, emportant dans ses flancs une autre cargaison de touristes tarés qui vont s'amuser à mettre les pays en boîte pour les redisposer bien logiquement dans le confort de leur salon. Je ne sais pas trop pourquoi, quand le Jumbo Jet m'a survolé, j'ai levé le poing.

* * *

Le temps passe. Arrive cette période de l'année où, enfant, je voulais désespérément pleurer, par la seule faute d'une nuance de douceur sur le point d'être révolue dans l'air. Nous sommes à la mi-août. L'automne souffle déjà la charge dans son cor de chasse. Les jours appartiennent encore à l'été, mais les nuits se défilent fugacement dans la brise. Le jour, inlassablement, je marche, je cours les bois, essayant d'exercer mon odorat sur la trace de mes maîtres les chiens. Et sans cesse, mû par l'impossible et pénétrant désir, je retourne au pont, au vieux pont de fer vert de la Rivière-du-Nord. Je fais semblant de m'y attacher à suivre les évolutions gracieuses des hirondelles bicolores, des hirondelles des granges et des hirondelles à front blanc, toutes confondues dans leur colonie mixte, et cette ronde des arondes me réjouit un peu. Puis j'observe les canards noirs, les canetons déjà impossibles à distinguer de leur mère, l'atmosphère de paisible convivialité qu'ils dégagent et qui me distrait. Constamment, mes jumelles sont déportées sur la gauche, et bientôt mon corps entier, et je scrute les champs au-delà du rideau d'arbres rivulaire, les champs et surtout les maisons de ferme au bout des champs, tentant de repérer la gracieuse chose qui m'a fait don un jour d'une unique représentation de sa pleine personne et qui m'a sonné comme un poids léger dont les gants de boxe velléitaires et rebondis auraient été remplacés par deux seins fermes visant juste. Mais merde ! Le match n'aura duré qu'un round, à peine le temps d'étudier l'adversaire au pas dansant ! J'ai droit à une revanche ! J'exige que l'on m'accorde une revanche !

Le soir, je continue à jouer au *pinball*. Plus je joue, moins ça coûte cher. Les parties gratuites figurent avec une régularité sans cesse accrue à mon tableau. Je suis devenu le roi du *pinball*, pas le roi du nord, peut-être, mais le roi et maître de toute cette électricité que le Septentrion provincial canalise avec pugnacité et opiniâtreté pour que mes doigts crispés la fassent rejaillir en fontaine d'éblouissements heureux. Le bas-ventre collé à la grosse chose, je suis une batterie qui se décharge en elle, elle suce ma vie infatigablement, tandis que le vieux et la vieille, au comptoir, sont plongés dans leurs liasses de factures, dans leurs mensonges et dans leurs songes. La machine se fait ma complice. Je me dresse de toute ma taille contre elle, ponctuant mes jets habiles de coups de rein péremptoires, l'empoignant à pleines mains, la serrant entre mes paumes moites, la dominant comme on domine une bête domptée, me fondant en elle dans une espèce de divine transsubstantiation. La machine m'avale, prédatrice. Nous devenons un seul animal en cage qui se brûle d'onanisme électronique. Ses glougloutements se mêlent aux borborygmes de mon estomac, ses courts-circuits font sauter mes synapses, sa profonde trémulation fait trembler mon être comme la terre elle-même paraît parfois pouvoir trembler. Lors de ces transports épiphaniques, nous formons un hybride sensible et supra-intelligent, un centaure cuirassé de chrome, une créature mythique lançant des éclairs dans la nuit des temps retrouvée, dans l'inconscient meuble où tout va tout seul, où il devient superflu de penser. Je vais taper sur le *pinball* jusqu'à ce qu'il se répande en feux d'artifices, jusqu'à ce qu'il réponde enfin de ma furie et de ma rage de vivre, le secouer jusqu'à ce qu'il déclare dans son délire d'onomatopées la guerre au banal, qu'il me livre aux bacchanales balnéaires de ces frêles beautés californiennes anxieuses d'atteindre les sommets promis par tous les rapports Hite, qu'il explose en une apothéose de flammes et de fumée, de bluettes et de brandons, en un Viêt-Nam à ma mesure, maquis sous le maquillage, avec chute gravitationnelle jusqu'au fumeux point G, problématique pont de la rivière Couille. Je deviendrai le *pinball* lui-même, ses bras ses jambes, *transformer* invincible éternellement tourné du côté cour, tombé sur la face Jeu du jeton de la vie. Toutes ces femelles affriolantes qui sont écartelées au-dessus de la faille de San-Andreas, qui trépident au rythme des marteaux-pilons de la musique mondiale ! Je ne joue plus, c'est la machine qui me joue. J'atteins à l'orgasme de la game.

* * *

Hier soir, en revenant du *Pullford*, je suis allé près de l'étang à canards, me plongeant quelques instants dans une vague velléité de méditation orthostatique. Vers le sud, les lumières de la ville diluaient un peu les flots d'encre piqués d'étoiles du grand cahier d'écolier de la nuit. Plus près, au-dessus du vaste aéroport que rien ne permettait d'imaginer rampant sur la campagne derrière les rideaux d'arbres, un Boeing injectait dans la nuit le puissant pouls de ses feux de position. À la verticale, un mouvement a capté mon attention. Un satellite passait lentement, tournant sur lui-même et réfléchis-

sant par intermittence la lumière invisible du soleil. Il paraît
que ces espions haut placés peuvent détecter la présence d'un
homme au sol, à cette altitude. Mais ce qui les intéresse
vraiment, ce sont les bombes, que l'on conserve en silo,
comme le blé. De l'étang devant moi montaient les ricane-
ments nasillards d'une couvée de canards. Derrière, les trembles frissonnaient au moindre souffle de brise, serrés frileusement le long du chemin. Il faisait frais.

Je regardais en l'air, perdu par osmose dans le questionne-
ment infini de l'éther. Le ciel était un magma d'étoiles et de
nébuleuses et de novas, une pâte de lumière plus ou moins
consistante, délayée par endroits dans l'épais jus noir que le
grand poulpe du centre de l'univers sécrète sans arrêt pour
nous confondre. Des milliards d'étoiles tremblotaient dans
cette gelée noire, ce caviar stellaire, vibraient faiblement
comme de minuscules embryons chargés d'électricité. On aurait dit le négatif photographique d'une formidable masse
d'œufs de grenouille, avec les futurs têtards grouillant imperceptiblement dans la gélatine originelle. Des milliards de
chances, des milliards de mises au monde dans le grand jeu de
hasard intergalactique. Pourquoi a-t-il fallu que je tombe ici, à
cheval sur la ligne de démarcation entre la montagne et la
plaine, entre le nord et le sud, adossé à l'antique bouclier
laurentien, à cet écu géologique auquel semble m'acculer toute
la planète ? Pourquoi moi ici ?

Je guettais, je quêtais un signe, une miette de sens échap-
pée à la signification astronomique, une goutte de voie lactée
ambrosiaque qui saurait m'expliquer le pari de ma naissance.
Et soudain, c'est comme si le firmament trop prégnant s'était
crevé d'un seul coup. D'abord, un éclair furtif a attiré mon
attention au-dessus de la ligne des arbres. J'ai cru avoir été
victime d'une hallucination visuelle, du genre de celles que
favorise le recours trop fréquent à certaine fumée odorante.
Mais comme j'allais partir, le phénomène s'est répété : le voile
noir s'est déchiré et une étoile filante a fulminé une seconde
avant de s'évanouir. Pendant que je tentais fébrilement de
formuler un vœu, un troisième météore s'est détaché de là-
haut, laissant flotter une traînée phosphorescente pendant un
très bref instant. Alors là, ça s'est mis à pleuvoir, à percer la
nuit de toutes parts, à s'entrecroiser, à se télescoper, à se

bousculer pour faire flamboyer le ciel devant mes yeux écarquillés. Certaines zébraient la nuit d'un horizon à l'autre,
comme des sagettes trempées dans de la lumière. D'autres
striaient un segment restreint de la voûte bleutée, puis s'effa-
çaient à la façon d'un songe. D'éphémères traces de couleur
subsistaient dans le sillage de quelques-unes, le rouge et le vert
se disputant l'espace aérien. Ça circulait tout en flammes
glacées, comme des flagellés filipendules se débattant dans les
affres d'une agonie fantastique. C'étaient des filons d'or, des
flammèches de phosphore, ça coulait comme de la cire fondue
brasillante tombée d'un innombrable candélabre abattu, c'é-
taient de complexes constellations en constante réorganisa-
tion, des gerbes de fusées éclairantes, des girandoles d'éclats de
galaxies en guerre, de la poussière d'étoiles retombant lentement une éternité après un cataclysme lointain, ça faisait rage
à la grandeur du cosmos et ça s'infiltrait dans ma tête ouverte,
offerte.

Je ne pensais plus à un vœu. Instinctivement, le long des
coutures de mon jeans, mes index poinçonnaient le vide en
vain, à la recherche des boutons qui me permettraient de
contrôler, d'orchestrer ce déchaînement apocalyptique, ce cy-
clone carnavalesque dont j'étais fortuitement l'œil immobile.
Deux étoiles incandescentes, l'une verte et l'autre rouge, au
vol parallèle et puissant, tracèrent un pont aérien suspendu
pendant une infinitésimale éternité dans le vide. Le ciel tout
entier allumait des torches pour m'indiquer un passage quelque
part. Frottées à la troposphère, des douzaines d'allumettes
célestes me tendaient du feu et traçaient un ballet de toute
beauté, d'une magnificence qu'aucun feu d'artifice ne pourra
jamais atteindre. Mes neurones surexcités me restituèrent,
avec une fulgurance douloureuse, les formes généreuses et
débordantes de tendre fluidité de la fille au menton de général
en campagne, ces formes qu'elle avait eu l'indicible bonté,
avant de regagner la plaine, d'exposer un moment à mes
prunelles dilatées. Je lui criais, par-delà le ciel : allez ! serais-tu
un ange, je te retrouverais quand même, dussé-je aller te
chercher sur un nuage où tu t'offrirais nue à ma rage de te
posséder ! Serais-tu un démon, je me taperais la géhenne et
tout le trip orphéen pour te présenter le seul bijou que ne peut
ciseler aucun orfèvre : la première goutte adamantine qui

sourd de la profondeur des bourses déliées. Moi, Édouard Malarmé, roi du *pinball* à qui sont destinés ces serpentins de feu et cette pluie de confettis en fusion je me vois déjà éparpiller mes synapses jusque dans le ciel, prendre les commandes d'un grand *pinball* céleste dont je ferai flamber de mes index frénétiques les circuits surchargés et qui m'emmènera loin, bien loin sur les ailes d'Icare et de Pégase et des cavaliers porteurs de ma petite apocalypse à moi.

* * *

CHAPITRE 2

LE DÉSIR ET LE DÉSERT

J'ai souvent passé des samedis soirs fin seul au *Pullford*, à ébranler le *pinball* vespéral et à laisser mes regards se perdre, au-delà du panneau de plastique soulevant les planches de surf, dans l'immense salle déserte qui gère le vide lugubrement, comme une cathédrale à la nef balayée par l'athéisme et la course à la lune, triste comme un rêve américain en flammes et le discours d'un télévangéliste. Au fond de cette étendue désolée, parfois, trois ou quatre musiciens moroses tétaient leurs grosses BLACKs, ruminaient leurs rêves de succès sonores et se levaient pour jouer un billard fracassant, avant de se rasseoir pour sucer et resucer l'écume des aspirations noyées et poursuivre l'imbibition de leurs ambitions.

Mais hier, surprise, le *Pullford Lodge* s'est animé comme par magie et a retrouvé un peu de la vigoureuse énergie qui devait caractériser ses activités d'antan. J'avais perçu de loin, avant même d'avoir quitté les plantations de pins qui bordent la route, le martèlement sourd d'une batterie primaire et le grondement pénétrant et peu nuancé de la basse. Même l'enseigne au néon semblait avoir retrouvé une partie de son lustre d'autrefois, et les grosses lettres rougeoyaient comme des braises ravivées dans la nuit. Le tonnerre métallique de la musique se répandait sur la campagne et ses vibrations profondes allaient se perdre dans les bois de trembles où les feuilles agitées se communiquaient un frémissement croissant. Dès l'abord, j'ai été confronté à l'indubitable présence d'une clientèle consistante sur les lieux, à la vue de nombreuses voitures garées, certaines avec l'arrière relevé, comme des chattes parées au coït, et de rutilantes motos posant en retrait sur le terrain de stationnement.

Parvenu dans le pronaos de mon temple de la dissipation solitaire, force fut de me rendre à l'évidence : remplaçant la paisible vacuité habituelle et le tintamarre bien personnel de mon billard électrique, une activité que l'on pourrait sans dépasser les bornes de la plausibilité qualifier de fébrile régnait bel et bien dans l'immense salle déployant son faste provincial au-delà des baies vitrées vibrotantes. On faisait les choses en grand, en ce singulier samedi. Pas moins de deux groupes rock endiablés se relayaient vigoureusement sur la scène bancale qui levait de terre sous l'ébranlement des rythmes scandés par les talons bottés. Les trois hurluberlus que je connaissais de vue (les suceurs de rêves de succès envolés), dont c'était présentement le tour d'incommoder le public dans sa station assise, n'avaient plus rien des flancs mous découragés qui avaient souvent excité mon sens de la compassion à l'ombre de leur matériel de location silencieux. Les Kids du Heavy se prenaient visiblement pour des étoiles montantes, ce soir ; c'était leur soir et ils redoublaient d'ardeur en martelant sans ménagement leurs instruments flamboyants, les guitares brandies bien haut comme des flamberges devant ouvrir la voie d'une quête mystique. La batterie tressautait sur place derrière des volutes de fumée déchiquetée tandis que le préposé à la scansion brute caressait ses peaux avec l'acharnement méthodique d'un forgeron infernal penché sur son enclume. Les Brains Blasters (c'était le nom qui se détachait du logo stylisé gothique imprimé sur la grosse caisse) s'y entendaient assez bien à déballer un Heavy Rock d'une brutalité inouïe (et pourtant très éloignée d'être inaudible) et d'inspiration ostensiblement satanique. Les cheveux très longs, drus, raides ou calamistrés, les torses tors enserrés dans des blousons hybrides brodés d'écussons qui constituaient autant d'appels crus à la violence tous azimuts et sous lesquels des T-shirts lacérés à l'effigie d'Ozzie, d'Iron Maiden et de Judas Priest laissaient entrevoir des épidermes blêmes, les Kids se démenaient comme des damnés sous la protection tutélaire de leurs icônes sanglantes et de leurs idoles de fer.

Ils avaient sans doute bénéficié, au début, d'un classique effet de surprise qui leur avait permis d'assommer proprement leur public sur place, de l'électrocuter sous une douche de brûlants décibels sortis tout droit du soufflet de Vulcain. Mais en certains endroits de l'alignement maintenant plus relatif et anarchique des tables et des chaises, aux places surtout qui étaient situées à une distance suffisante des colonnes de son crachant leurs notes en forme de pavillons noirs à tête de mort, on voyait des formes humaines recommencer à se mouvoir en état de choc, des silhouettes agitées de soubresauts convulsifs qui se dirigeaient les bras tendus en avant vers la piste de danse frontale où tout paraissait l'instant d'avant avoir été soufflé par un ouragan. Des miracles se produisaient sous les yeux prodigieusement intéressés que je gardais braqués tout contre une vitre trémulante imprimant les secousses sismiques inhérentes à ce genre musical sur mon front sceptique. Des petits vieillards égrotants, redevenus fringants au contact d'une de ces grosses bières qui couvraient toutes les tables d'une forêt vitrifiée dont les panneaux publicitaires auraient été constitués par les étiquettes, entraient dans des transes inexplicables, se levaient d'un coup et se mettaient à trépigner comme s'il eût été toujours temps pour eux de vendre leur âme au diable. Arborant des rictus luisants où la bave filtrait des dentiers rudement secoués, ils arrachaient leurs petites vieilles à la sécurité des chaises auxquelles des ceintures de chasteté invisibles les avaient jusqu'alors clouées et les entraînaient en ricanant dans la ronde des relaps.

Je me demandais, dans l'ahurissement, qui étaient ces gens, d'où ils sortaient, quelle sorte de public était-ce qui s'assemblait si soudainement, avec un synchronisme si improbable pour écouter, entendre ou seulement subir les exhortations méphistophéliques d'un groupe de suppôts du Heavy ? Regroupés près de la porte principale (comme d'ordinaire, je m'étais introduit dans l'auberge par l'entrée des initiés, qui donnait sur la pièce restreinte, attenante à la grande salle, où se trouvait le *pinball*), je pouvais voir quelques portiers en chemises blanches aux manches retroussées et aux cols largement évasés, tous d'une corpulence imposant le respect, qui rendaient les premiers hommages aux nouveaux arrivants dont les grappes irrégulières franchissaient ponctuellement le seuil.

Dans les rangées flexueuses permettant l'accès aux tables cir-
culaient de grands gaillards de serveurs au gabarit tout aussi
respectable que celui des malabars de l'entrée. Sur les plateaux
portés haut, le voilier toute toile dehors de la compagnie
Molson voguait allègrement, plaqué sur l'étiquette des grosses
bouteilles qui fendaient la foule comme une mâture robuste
encaissant la tempête.

Je me suis approché du comptoir pour réclamer ma Golden
coutumière, et comme le service débordé connaissait des ratés,
j'ai porté mon attention sur l'exemplaire quotidien de *The
Gazette* qui traînait sur le zinc fatigué. L'avait lu quelque
anglophone buté n'ayant appris du français que le strict discours nécessaire aux échanges de nature économique et encore, la langue des affaires était véritablement l'anglais et
serait toujours l'anglais, n'en déplaise à ce maudit gouvernement porté au pouvoir par une majorité aveuglée, l'anglais qui
régnait autrefois sur tout l'empire victorien ne voyant jamais
un coucher de soleil, sur les possessions britanniques sillonnées
de puissants vaisseaux au tirant d'eau accru en juste proportion
des richesses fabuleuses qui emplissaient à craquer les cales
grâce à la généreuse productivité des colonies prospérant sous
la tutelle éclairée de la métropole... Golden Days... Et moi ?
Ma Golden !

Une grande main généreusement sillonnée de veines se
posa abruptement sur le journal déplié sous mon nez. Me
redressant vivement, je me suis retrouvé face à face avec un
vieil homme aux traits fatigués, extrêmement renfrogné, qui
me jeta sur un ton mauvais, en agrippant la *Gazette* de ses
doigts courbes aux ongles non entretenus :

— C'est à moi. C'est mon journal.

J'attendais qu'il me regarde de plus près et me reconnaisse.
Apparemment, les eaux bourbeuses de la rivière n'avaient pas
voulu de lui. Mais après avoir affirmé si péremptoirement ses
droits sur son numéro du quotidien, il m'ignora totalement.
Trouvant la chose plutôt cocasse, je haussai les épaules et le
laissai se débattre avec la profusion des cahiers (c'était samedi). Le vieux avait tant de difficulté à replier en bon ordre le
déferlement persifleur de la prose journalistique que je vis
venir le moment où les pages du journal, échappant à tout
contrôle, se déploieraient et le recouvriraient d'un linceul

souillé d'encre. En maugréant, il parvint finalement à maîtriser *The Gazette*, après m'avoir permis l'audition de quelques exemplaires de ses sacres d'inspiration résolument religieuse. J'étais tout disposé à lui abandonner la lecture de ce ramassis de titres torves et de sophismes étirés aux dimensions d'articles. Je m'aperçus néanmoins que le vieux avait laissé tomber, dans sa lutte contre l'inflation verbale des scribes et le zèle des imprimeurs, un cahier qu'il avait ensuite oublié de ramasser. Le saisissant pour le déposer distraitement sur le comptoir, je notai qu'il s'agissait de la partie la moins intéressante, à mon avis : les annonces de propriétés.

D'ailleurs, madame Pullford accourait pour me servir. Ce soir, elle arborait son sourire des grandes occasions, une triomphante gymnastique labiale qui semblait ne nécessiter aucun effort. Elle aussi, c'était son soir. Je prononçai Golden avec la solennité qui sied à une formule magique, provoquant chez la bonne femme les gestes attendus. Ensuite, pour parler, je fis : « Y a du monde à soir ! », et ma physionomie devait refléter un effarement bien marqué. Elle répondit d'une voix tonitruante, car il fallait élever le ton pour combattre les conséquences sonores de l'ultime avatar de l'impérialisme britannique : « Oui, big crowd hein ? Ça swing, hein ? Ça arrive, comme ça, des fois... » Elle avait bien raison : ça arrive comme ça, des fois. Ça tombe du ciel, ça coule de source. Elle exultait. Elle paraissait avoir retrouvé le souffle de ses vingt ans, et elle disparut aussitôt, aspirée par ses obligations, forcée de vaquer aux mille petits tracas de l'intendance. Son bonhomme, lui, sombrait de plus en plus dans la sénescence génétiquement programmée. Je le repérai qui faisait une sieste, affalé de tout son long, les souliers encore aux pieds, sur un antique fauteuil que le séisme musical faisait trembler et craquer de toutes parts. Une sieste ! Avec ce tohu-bohu ! Insomniaques, levez votre chapeau.

Je me suis dirigé vers mon coin favori, où le *pinball* éteint semblait suranné et de peu d'envergure face à la débauche acoustique et lumineuse ayant cours de l'autre côté du mur mitoyen. Pour la première fois, le PUNK PUNK prévu par le manuel d'instruction refusa de saluer l'introduction impatiente de mes trente sous de la tentation. J'ai eu beau m'agiter, frapper les bords de l'engin du plat de mes mains, brasser

furieusement l'amuseur aboulique, allant jusqu'à le soulever de
terre pour le laisser retomber vicieusement, rien n'y faisait. Les
voyants multicolores s'obstinaient à éviter de me laisser la
moindre occasion d'espérer. J'ai cherché la bonne femme des
yeux, comprenant dans le même temps qu'il serait vain, en
raison de son taux d'occupation, d'essayer d'exiger séance
tenante des explications. Je me sentais affreusement décontenancé, comme lorsqu'une hôtesse jusqu'alors pleine de préve-
nances inquiètes et d'attentions affectueuses vous lâche soudain seul au milieu d'une soirée peuplée d'un paquet de
poseurs intimidants. Tout au plus un échanson aux épaules
massives et à la mine définitivement rébarbative daigna-t-il
ponctuer d'une moue sans appel ma question inaudible dans le
brouhaha : « Qu'est-ce qui arrive avec le flipper ? »

Je me découvrais spontanément des inquiétudes dignes des
parents d'un grand accidenté. Mon *pinball* ne marchait plus.
Ma prothèse du plaisir avait finalement pété à la chaleur. Mon
pinball était en panne et je me retrouvais seul à raser les murs,
abandonné comme Ismaël sur l'océan avant que le cercueil en
bois des îles de son ami Queekeg ne refasse surface. (Ah le
surf ! Mon *pinball* de la plage du Pacifique !).

Je me suis jeté dans la foule qui piétinait maintenant de
concert le plancher de danse savonné à la mousse de bière.
Mes trois disciples de Lucifer continuaient à invoquer à grands
râles, là-devant, les mauvais esprits, les racailles et les en-
geances moyenâgeuses leur servant de modèles et de muses
quand ils s'échinaient à écrire dans leur anglais scolaire les
quelques morceaux de leur cru qui seraient timidement insérés
dans leur véhémente théurgie de bas-fonds. Le public, composé de marionnettes pathétiques dont les fils auraient été les
nerfs extirpés brutalement de la chair malmenée, révélait à
l'examen une teneur composite. On trouvait là de vieux
débris, des aïeux arrachés pour un soir à leur terroir et trans-
plantés par on ne sait quelle magie noire en pleine fin de siècle
décadente, et on devinait à la hideur joyeuse de leurs grimaces
et à l'ardeur hircine qu'ils mettaient dans leurs obscènes
déhanchements de catins décaties qu'ils prenaient tous tant
qu'ils étaient un malin plaisir à la chose. Ils aimaient à se
frotter lubriquement aux jeunesses du coin pour leur prouver
que ce n'est pas parce qu'on a passé quatre-vingts ans qu'on est

condamné à l'ignorance de la bonne musique et des bonnes choses de la vie et que surtout, ce n'est pas parce qu'on est vieux qu'on devrait être empêché de pécher.

Car il y avait des jeunes, aussi, la fine fleur des environs sans doute, des types costauds au poil noir et au teint graisseux et des blonds à bedon rond portant des T-shirts insuffisants et maculés de beurre et de cambouis et arborant des bouts de barbe et des moustaches en pinceaux éternellement moucheé tées de mousse de bière. Ils étaient accompagnés de leurs blondes, des créatures plantureuses aux visages arrondis maquillés comme des tranches d'arc-en-ciel, au profil grotesquement déformé par des talons battant tous les records de hauteur et des jeans et T-shirts mettant en relief des topographies intimes très accidentées. Tout ça, c'était propriété privée. Et ça s'agitait en cadence suivant les lois d'un appariement strict, car on respectait au *Pullford* les us et convenances anglomaniaques voulant qu'il soit messéant de danser seul, de draguer en dansant ou de simplement approcher, en s'exécutant, du rayon d'action d'une demoiselle qui n'aurait pas été invitée dans les formes. Or les formes de ces demoiselles m'intéressaient beaucoup, mais de là à faire la courbette... J'étais bien trop roide et bien trop roi pour accepter de mettre ma dignité au même niveau que le plancher. Affolé par l'indescriptible pagaille que le torrent électronique jetait au milieu des consommateurs consentants, je faisais circuler à toute vitesse mes regards à la ronde, à la recherche d'un havre pour tympans trépanés, d'une oasis pour buveur bousculé, d'un asile pour agoraphobe en rechute.

C'est alors que j'ai aperçu la table de billard, tout au fond, beau rectangle massif d'une riche viridité, avec les touches claires, polies, éclatantes de couleur des boules éparpillées sur le doux tapis recouvrant l'ardoise, tout ce spectacle étant illuminé d'une sobre et troublante manière par une lampe basse qui se balançait à hauteur de tête des plus grands joueurs. Ils n'étaient que deux à tourner tour à tour autour de la longue et lourde table, se penchant alternativement, avec insistance, sur les arrangements inopinés des boules d'ivoire, supputant les combinaisons possibles, se prodiguant même, à l'occasion, dans une espèce de parodie de fair-play britannique, de péremptoires conseils sur la façon la plus sûre d'expédier telle

cible sans coup férir dans la poche. Instinctivement captivé
par le déroulement du jeu, je me suis approché en catimini,
m'appuyant mine de rien sur une colonne massive dont la
proximité judicieuse du théâtre des opérations me permettait
une vue d'ensemble sur la partie en cours.

Les joueurs en présence devaient être propriétaires des
scintillantes mécaniques près desquelles j'étais passé quelques
instants auparavant en traversant le terrain de stationnement.
Ils avaient le mot *motard* écrit dans la face. Ils m'adressèrent
un discret coup d'œil inquisiteur avant que le plus solide des
deux, un beau barbu aux cheveux de jais bouclés, d'allure
calme et réfléchie, avec des biceps faisant saillie sous le cuir
craquelé de sa veste, ne s'apprête, queue en main, à caler un
long coup dans le coin. Je prêtais nerveusement attention au
jeu, étant cependant fréquemment distrait par des remous
creusant la cohue dansante près de mon point d'appui. Lorsque je reportais mon attention sur la table de billard, le barbu
noir avait invariablement progressé. Ce fut très bientôt la
boule noire qui devint l'objet de sa précision. Il la fit disparaître d'une détente prompte, d'un de ces coups secs qui ne
laissent subsister aucun doute quant à la supériorité réelle du
vainqueur et dont le choc bref s'imprime toujours très favora-
blement dans l'imagination.

L'adversaire défait, un type blond avec des cheveux fins et
raides et un sourire flirtant avec la niaiserie, remit de mauvaise
grâce un billet de un dollar chiffonné que le gagnant fit
disparaître prestement dans les profondeurs de sa veste noire.
Le second groupe avait relayé les Brains Blasters sur scène.
Constitué de deux nègres élancés et d'un claviériste chevelu,
cette formation crachait des flammes de feu de camp plutôt
que celles de l'enfer, et distillait à la ronde de la guimauve
brûlée fondant dans la bouche, archétype de la camelote
commerciale servie partout à longueur d'ondes et qui fore des
trous dans l'âme le matin à la radio AM AM AM AMAM-
MIAMERICA ! Ils étaient plus ou moins sûrs d'eux, paraissant répéter les pièces à mesure qu'ils se produisaient. Ils
étaient les faire-valoir d'un système d'alternance dont même
les vedettes ne pourraient jamais que surnager à vie dans la
médiocrité du milieu de nulle part, hors de portée de la
métropole. Après un court flottement, les gens ajustèrent leur

pas chancelant au rythme de la pénible improvisation, ne faisant pas la différence au fond entre les deux intensités sonores et les deux registres aux antipodes. Le grouillement ponctuel d'une bêtise attendrissante que les humains nomment généralement danse ne participe que rarement d'un consentement sans réserve de tout le corps à la pulsion musicale. Ce n'est pas une question de fond, c'est une question de formes.

Le joueur de billard blond retourna le fond de ses poches, gestuelle par laquelle il désirait signifier l'impossibilité où il se trouvait d'engager une autre partie. Le barbu avait dû le décaver correct. Heureusement, les Kids du Heavy rappliquaient en force, hâbleurs, acidéifiés au nième degré, roulant des épaules meurtries par leur musique musclée. Pendant que je bissais le serveur, le barbu bardé de cuir les battit tous les trois, sans pitié, enchaînant les prouesses techniques et appliquant les lois de la physique avec une justesse exemplaire. Le blond personnage précédemment défait vint me faire un brin de causette, de sa voix cassée dont il se servait avec un sens agaçant de la syncope. Il ne craignait ni la redondance, ni l'insistance, ni les procédés tels que tautologie et compagnie, en dehors desquels sa conversation ne s'aventura guère. Il parlait vite, ne cessant de répéter :

— C'est son soir, Johnny, à soir. Tchèque le ben aller. C'est son soir, Johnny. Pis quand c'est son soir, c'est son soir. Comprends-tu, man ? Y m'a faite les poches, le maudit. Quand yé pas battable, yé pas battable, comprends-tu, man ? Qu'est-ce que tu veux que chte dise, c'est son soir !

Après examen de cet échantillon, et à la réflexion, je ne voulais guère qu'il en dise plus. Mais je songeais à la formule itérative dont il me rebattait les oreilles et j'y trouvais quelque matière à méditation. Je m'étonnais entre autres de ce constant recours à l'adjectif possessif : SON soir, SON soir. Y avait-il quelqu'un ici ce soir qui pouvait posséder le soir, dont c'était le soir ? Et si oui, qui était-ce ? Ce dénommé Johnny ? La bonne femme Pullford ? Ou plutôt chacun de ces vieillards qui avaient curieusement et collectivement redécouvert le diable au corps ? SON soir SON soir... SON ET LUMIÈRE. Le son et la lumière peuvent-ils être possédés ? Endigués, contrôlés, oui, mais possédés, possédés par le déMON ? Le temps peut-il être possédé, possédé par une MONtre ? Pris à des rets et arrêté ?

Je commençais à être éméché. Les Kids du Heavy, honteusement mis en déroute, renâclant et renaudant, s'en retournèrent faire de la musique d'enfer. Alors Johnny, maître de la table, en fit le tour lentement, de sa démarche chaloupée, interrogeant les prétendants potentiels de son regard narquois. Il n'avait pas tellement le choix : il se planta devant moi et demanda d'une voix assurée : « Sais-tu jouer ? » Juste assez baveux. J'ai dodeliné du chef et me suis retrouvé baguette en main, sans avoir le temps d'y penser, fouillant mes poches pour en faire jaillir deux pièces sonnantes et trébuchantes. Une fois le mécanisme de payage de la Minnesota Fats actionné, l'avalanche des boules multicolores a dévalé les canaux intérieurs le long des flancs du meuble, produisant ce fracas exaltant et si caractéristique qui, je le sens, ne quittera maintenant plus les régions mnésiques desservies par mon oreille interne. Penché sur la table, tout à son privilège de la casse pendant que je disposais, feignant la fiabilité, les boules à l'intérieur du triangle, le gars déclara, avec une aménité modérée :

— Moi, c'est Johnny.

— Moi, c'est Édouard, lui appris-je avec prudence.

— Salut, Eddy, me baptisa-t-il, mettant en œuvre une économie verbale dont il ne se départirait pas souvent par la suite.

Il me jaugea subrepticement, sans en avoir l'air, en frottant avec application le bout de sa queue luisante contre le carré de craie idoine, tandis que j'achevais de former, à l'aide du moule de plastique, le parfait triangle nécessaire à la casse réglementaire. Le chanteur s'époumonait sur scène, la glotte pratiquement arrachée de ses gonds. WATCH THEM THEY'RE GONNA BREAK THEIR CHAINS HEY ! CHALK A TALC A POM POM PLAQUE. Le début fracassant du sieur Johnny, qui envoya promener les boules bariolées aux quatre coins de la table, se voulait un sérieux coup de semonce. Une boule d'un chiffre supérieur à huit alla chuter en bout de course dans une ouverture médiane. « J'ai les grosses », observa-t-il finement. Le blond, avec son débit vertigineux que la pulsation de la musique hachurait, s'écria à l'improviste : « Envoye mon Johnny vide-moi ça c'te table-là t'as les grosses mon Johnny vide-moi ça pis parlant de grosses vide-moi ta grosse aussi t'es le meilleur mon Johnny y m' ressassez d'argent pour te payer une grosse d'encouragement man c'est ton soir mon Johnny c'est ton soir. »

Johnny opina du bonnet, sans cesser de se concentrer sur la quatorze que sa blanche décochée virilement vint percuter comme si elle avait été destinée à passer au travers. KEY PLOW BAM BALLS TO THE WALL MAN YOU'LL GET YOUR BALLS TO THE WALL Passant devant moi qui attendais immobile au cours de l'une de ses évolutions résolues autour du lieu restreint de l'affrontement, Johnny dit entre ses dents, comme formulant une arrière-pensée :

— Y me fatigue, moi aussi.

Puis sans me laisser le temps de placer une réplique, il fit bruyamment disparaître deux des cibles relevant de ses attributions BAMB BACK POÏNG WATCH THEM OH THEY'RE GONNA BREAK THEIR BACK BLACK POÏNG tandis que la blanche, rebondissant avec force sur la bande BAND, veillait à libérer une troisième boule d'un encombrement susceptible de nuire à la poursuite de l'action. « Bien joué, mon Johnny ! C'est comme ça. C'est comme ça qu'on fait ça. C'est ton soir. C'est ton soir mon Johnny ! », fit une voix fusant de l'ombre. Je suçotais placidement ma Golden tandis que l'un des musculeux serveurs déposait sur une table branlante des grosses BLACKs à l'usage exclusif des deux motards et qu'une petite blonde potelée et pas trop grimée, coquette sans être exaspérante au premier coup d'œil, venait se blottir contre le mur, bien en vue de la table, après avoir salué d'un signe les deux compères, celui qui contrôlait la table de billard et celui qui contrôlait la table des bières. Je commençais à me demander si j'allais pouvoir produire une bonne impression, ou même une impression quelconque. Mon expérience de ce jeu remonte à plusieurs années et a ses racines dans un sous-sol de banlieue où nous faisions aller les boules toute la nuit en ingurgitant de la tequila jusqu'à ne plus pouvoir nous assurer de nos identités réciproques. Ensuite, j'ai été un joueur très régulier, à l'université, foxant de nombreux cours, comme un bon drop-out d'avenir, pour entretenir la constante collision des boules dans un café étudiant qui coupait court à la clarté de l'après-midi et aux lumières de nos braves professeurs.

Après avoir réglé le sort d'une quatrième boule BAN BOMB BALLS TO THE WALL MAN YOU'LL GET YOUR BALLS TO THE BAAL qui l'avait forcé à laisser filer sa blanche vers une position fort désavantageuse TO THE WALL Johnny faisait de son mieux pour placer une boule à lui près d'une poche et me faisait signe d'y aller, me tendant une baguette d'allure piètre qui avait reposé inutile contre le mur jusque-là, et serrant contre son abdomen la merveille démontable qui venait de si bien le servir.

— Celle que tu tiens dans tes mains est fêlée, observa-t-il.

Puis, agitant légèrement son trésor, il précisa :

— Celle-là est à moi. Ça se prête pas. C'est mon bébé à moi !

La jeune fille gloussa contre le mur. Je pensais : décidément, il en prend large, le Johnny. C'est son soir, c'est sa baguette, et je parie que la donzelle qui soupire le long du mur, c'est à lui aussi. Mon premier coup fut catastrophique et me couvrit de ridicule, la boule visée ratant l'ouverture par un bon pied BALLS BULL POU Je pus voir du coin de l'œil des sourires réprimés et sentis des coups d'œil complices se croiser dans mon dos. « Laisse Go Johnny Boy Laisse Go Johnny Boy » entendait-on.

Le susdit débarrassa l'ardoise de deux autres boules BAC BONN WHAM WALL TO THE BALLS MAN WALL TO THE BAÏL, se trouvant confronté par la dernière à un exploit quasi impossible qu'il vint à un cheveu de réussir. Entretemps, j'avais requis les services du personnel affecté à la distribution des boissons alcoolisées, et une troisième et une quatrième Golden offraient leur rassurant contact glacé à portée de mes paumes qui en profitaient à un rythme accéléré, dans un effort désespéré pour me mettre dans l'ambiance, pour accéder si possible, si une telle chose existait aussi à ce jeu qui est proche parent et ancêtre de mon *pinball* refroidi, à l'espèce d'état de grâce qui me permettrait de faire ravaler leur suffisance insinuante à ces gars de bicycle débonnaires assurés déjà de l'issue de la partie. Sur la scène, les Kids du Heavy hurlaient et se démenaient comme des chiens enragés, ayant entamé une autre pièce depuis peu, et la résistance de la membrane tympanique du commun des mortels depuis longtemps. FLY ON YOUR WAY LIKE AN EAGLE FLY AS HIGH AS THE SUN Je comptais aussi évidemment me sauver avec, en prime de plaisir, la blondinette au physique malléable qui tressautait sur place à cause de la vibration démentielle des murs bombardés de décibels se communiquant à son petit corps. BALLS TO THE WALL MAN

Johnny opéra promptement pour nettoyer la poche de résistance (formée par mes boules à moi qui encombraient la table de leur gênante multiplicité) au fond de laquelle la quinze avait trouvé un refuge précaire. BLACK BACK POÏNG AS HIGH AS THE BALLS TO THE WALL MAN Mais il rata la noire qui s'offrait pourtant pour ainsi dire en toute simplicité, à quelques pouces du petit précipice ouvrant toute grande l'issue prévue de la partie. BLACKABACK AS HIGH AS THE SUN CARE CARE ICARE BALLS TO THE SUN MAN Ça l'ébranla. Je le vis se raidir pour encaisser les conséquences de sa faute mentale. Mais il avait encore tout le temps et la source mousseuse des Laisse Go Johnny Boy Laisse Go Johnny Boy BALLS TO THE BLACK MAN n'avait pas tari dans la pénombre. Il y avait encore surtout de la pitié dans les œillades que la blondinette m'adressait, mêlée à un brin de curiosité. Mais moi je sentis le changement. AS HIGH AS Édouard Malarmé, narine frémissante, sentit venir quelque chose, sentit le vent tourner. C'était subtil, imperceptible, j'étais le seul à l'avoir remarqué, ou peut-être le gars au blouson de cuir le savait-il lui aussi dès cet instant, que la chute du champion était chose certaine TO THE WALL MAN maintenant.

J'étais gonflé d'un curieux sentiment de fierté tout à coup, se renforçant au fil des coups BLACK BACK BELLS HELLS BELLS Je me suis mis à marquer comme un pro, enfilant cinq boules d'affilée et imposant de ce fait le silence au partisan indéfectible, l'ami Ben BACK BLACK BEAR OH SAY LIKE AN EAGLE AS HIGH AS THE BELLS BAT Je me sentis soudain comme un vengeur ailé, un héros américain, justicier mystique qui ne peut pas perdre parce que BALLS TO THE BELLS MAN la vie est du cinéma et j'étais Paul Newman l'homme nouveau ALL-AMERICAN KID BEAU BON comme un BUVEUR DE BUD BALLS MAN et la partie se déroula alors inexorablement comme une pellicule imprimée de toute éternité et le BON ne peut pas perdre et AM AM AMMIAM MERICANCAN LIKE AN EAGLE AS THE SUN BALLS TO THE BUD MAN je suis entré dans la fiction que ma vie doit être, quand on sait ce qui vient et qui est déjà écrit et que je joue mon rôle oui un rôle et la blondinette me regarde comme ces sylphides éthérées du *pin-ball* du Pacifique me regardaient AM AM AM SAY CAN YOU FLY YOU'LL GET YOUR WAY TO THE WALL MAN

Johnny, d'abord médusé, sidéré, mais ne laissant voir qu'une vague préoccupation, récupéra son aplomb en partie. La huit BLACK BALLS TO THE présentait une certaine difficulté mais restait à sa portée. Il se concentra plus que de coutume mais je savais qu'il était hors d'équilibre, en chute libre BACK TO THE HELLS MAN et il échoua lamentablement LIKE AN EAGLE IN THE SUN BLACK Alors il fallait me voir, et c'est ce qu'ils firent, FIRE FINGER m'approcher avec un sourire modeste, modérément mystérieux, pour manipuler le sort à ma guise CONTRÔLE rayer de la surface de la table BUD TO THE BELLS MAN les deux misérables objets dont le numéro ne dépassait pas huit, pour aligner ensuite calmement mon outil effilé OH SAY CAN YOU BEAR sur la blanche statique, la blondinette retenant son BUD CAN YOU SAIL souffle, la blanche apparaissant recueillie, les aligner sur la noire réfugiée contre une bande là-bas, sûre de demeurer imprenable à cet endroit, le coup étant carrément compliqué OOH BALLS CAN YOU FLY et les motards goûtant un répit, pensant Il la rate Johnny Boy a encore une chance Laisse Go Johnny Boy mais non. BLACK A BACK A BUD A BELLS BALL J'exécute le plus merveilleux, en douceur RRRRRRRRRRRRRoulement tout en douceur, merveilleux petit cross-side avec atterrissage tout brumeux comme en rêve, terminé par la chute moelleuse dans la cavité invisible au fond BALLS et ça les confond, câlice.

* * *

Après avoir avalé sa dure défaite, et une autre grosse bière qui pourrait figurer au Guinness comme le contenant à avoir été le plus rapidement séparé de son contenu, Johnny s'ouvrit quelque peu, mais si peu, comme un mollusque dans l'eau bouillante. Il émit prudemment l'impression que j'avais sûre-ment déjà joué quelque part, ce à quoi je répartis que j'avais en effet de nombreuses nuits blanches à mon actif, des nuits d'une blancheur de banlieue à traquer la boule noire aux quatre coins de la table, la boule noire dense de toute la nuit et pesante de toute la profondeur de nos abîmes personnels.

Johnny ne disait rien. Ben ne disait rien non plus, parce qu'il était trop occupé à parler. Il ne parlait à personne en particulier, et à tout le monde, à une vitesse folle, en fait il s'adressait ostensiblement à Johnny mais son camarade sem-blait avoir acquis une certaine immunité contre ce babil incoercible que je ne me mettrai pas en frais d'essayer de retranscrire dans toute sa monotone étendue. Le soliloque servile du partisan constituait le gros de sa conversation. La parole de Johnny, beaucoup plus rare, me parut d'emblée plus précieuse. S'efforçant encore de digérer sa défaite, il se tourna soudain vers moi, se frappa la tempe d'un index crochu et scanda simplement :

— Là-d'dans. C'est là-d'dans que ça se passe.

Puis il fit silence, comme si le mot définitif eut été pronon-cé sur l'affaire.

Sur la scène, les Kids du Heavy se défonçaient avec un entrain qui faisait plaisir à voir, un plaisir un peu effrayant. BANG YOUR HEAD TOM PATATOTOM Johnny poursui-vit :

— C'est pour ça que j'ai perdu, Eddy. Parce que j'ai com-mencé à penser. C'est pas bon de jongler, quand on joue avec des boules.

Encore cette fois, la sentence avait des accents d'irrévoca-bilité. Il fallut que je le relance :

— Et à quoi tu pensais, Johnny ?

Il haussa les épaules, bourru, comme si ma question ano-dine avait possédé le pouvoir de menacer des frontières sa-crées. Il lâcha :

— À un film que j'ai vu hier soir, à tévé. BANG YOUR HEAD BUM BOUDDHA BUM BUM Mais c'est pas ça, Eddy. Tu vas me faire perdre ce que je voulais dire. Quand j'ai commencé à jouer contre toi, je pensais à rien, comprends-tu ? Tout allait bien. Avant de taper sur la boule, je savais que c'était ça, comprends-tu ? BANG YOUR HEAD BUM BUD-

DHA BUM BALLS Mais je le savais sans le savoir, comprends-tu ? Ça se peut-tu, ça, le savoir sans le savoir ?

— Le savoir sans le savoir, c'est ce qu'on appelle l'instinct ? avançai-je.

Mais Johnny poursuivait, lancé sur la piste de ses réflexions brutes :

— Quand tu t'enlignes avec la boule, pis que tu sais déjà qu'elle est d'dans, tsé veux dire ? Ça y allait tout seul, man, c'est de Pas y Penser qui fait ça. Ta tête est plus là. Ta tête devient la boule, mon man !

— La non-pensée positive, alors ? ponctuai-je. Les têtes de boule !

— Appelle-ça comme tu voudras ! s'écria Johnny. Je te laisse les mots, Eddy. J'te laisse les mots, espèce de philozouave. Mais c'est quand même ça, quand j'ai vu les boules aller en plein où je voulais qu'elles aillent, que j'ai pensé au film.

— Quel film ?

— Un film que j'ai vu hier, en fin de veillée, Eddy. Un film avec Lino Ventura. Ça racontait l'histoire d'un homme qui pouvait pas dormir à cause des avions qui arrêtaient pas de passer au-dessus de sa maison. Fait qu'il les faisait tomber, les avions, rien qu'en se concentrant dessus. Il fermait les yeux, il voyait l'avion tomber pis l'avion tombait. Aimerais-tu ça être de même, toi, Eddy ?

Éludant la question, je fis observer :

— C'est ce qu'on appelle, théoriquement, la télékinésie... comme les types qui tordent des cuillers à distance... ?

Johnny et Ben se regardèrent d'un air entendu et n'eurent pas besoin d'échanger des sons pour se mettre d'accord sur mon cas : j'étais bien un philosophe, un philozouave, un clown des idées, un avaleur de mots. Et tant qu'à y être, ça ne me dérangeait pas du tout de m'enferrer davantage, d'engamer complètement. J'ajoutai donc :

— C'est fascinant, ton histoire, mon Johnny ! Tu sais, on peut la prendre comme une variante du mythe d'Icare : c'est l'Homme qui veut voler, sauf qu'au lieu d'atteindre le soleil, il a atteint une autre sorte de limite, située celle-là à l'intérieur du cerveau humain. Il a atteint la limite de la tolérance humaine au bruit, mais il teste en même temps son cerveau à un autre niveau, au niveau de ses possibilités illimitées...

Découragé, Johnny vida d'un trait le reste de bière qui avait croupi sur le cul de la bouteille durant notre conversation, puis s'efforça, à l'aide d'une démonstration de sémaphore qui menaça de nous décocher, à Ben et moi, de grandes claques au visage, d'attirer l'attention d'un des serveurs colossaux qui fendaient la foule en posant à la statue de la liberté, la grosse bière prenant le relais du flambeau.

— J'te paie une p'tite bière, Eddy ! Pis deux, pis tant que tu voudras. Parce que tu déconnes ben trop. Parce que BANG YOUR HEAD BOMBOMB BANG YOUR BLACK A BACK BALLS

Je me suis donc désaltéré aux frais de mon opposant détrôné, entendu que l'expression p'tite bière, litote limpide, ne saurait servir au *Pullford* qu'à désigner les grosses bouteilles se multipliant partout sur les tables, excroissances hyalines et malignes abouchant sans relâche leurs petites ventouses de vitre aux lèvres baveuses des buveurs. La formalité monétaire complétée, Johnny soupira :

— En tout cas, avant que t'arrives, Eddy, je l'avais, l'affaire.

J'ai tenté de le rasséréner :

— Un champion, c'est fait pour être battu, Johnny. Quelqu'un qui est au sommet, c'est fait pour tomber. C'est ça, le mythe d'Icare, Johnny. On ne peut pas monter éternellement.

La tête de Johnny roulait doucement. Il avoua, la bouche pâteuse :

— J'te suis pas toujours, Eddy, mais je suis sûr que t'as raison. Sauf pour une chose, maudit philozouave. Sauf pour une chose. J'suis sûr qu'il existe un endroit quelque part où on peut monter, et continuer à monter, et jamais redescendre, Eddy. Rester au top. Aller toujours plus haut, comprends-tu ? Continuer à monter...

Ça commençait à tourner dans ma tête, alors j'approuvai à moitié, distraitement :

— Ouais, c'est à y penser, Johnny. C'est à y penser. En tout cas, je suis sûr d'une chose, mon gars. Il n'y a jamais rien d'acquis ici-bas. Non monsieur. Jamais rien d'acquis.

Nous devenions rêveurs. Nos pensées étaient devenues douces et infiniment lourdes, s'enfonçant dans une série de cercles concentriques vers une vérité qui ne serait certainement pas révélée ce soir, tandis que les grosses bières montaient et descendaient en cadence, comme les fantastiques pistons d'une machine allant en se détraquant. Et j'étais bien content d'avoir gagné contre Johnny. Parce que perdant, je me serais effacé aussi vite qu'un chiffre sur un tableau vert. Vainqueur, je faisais coup double, car j'avais aussi gagné un ami.

* * *

De temps à autre, nous nous levions pour disputer une partie, et c'était un signal pour la jeune fille blonde : elle regagnait son poste d'observation, le dos au mur, tout près de la table. Il faut dire qu'après ma victoire surprise, la blondinette, jusque-là fort réservée dans son appréciation du jeu, s'était élancée spontanément vers l'under-dog glorieux que je devenais et s'était exclamée, ravie :

— Ah, you're a sting ! You're a sting ! You know, like Paul Newman ! Everybody thought you didn't know how to play. You're wise, you're a sting !

Décidant que l'épithète était flatteuse, je ne fis rien pour contredire cette affirmation vigoureusement exprimée. La menue personne entreprit alors, au fil des parties suivantes, de se coller à moi avec une application que l'on avait de plus en plus de mal à croire innocente. Passant près de moi, Johnny me glissa :

— C'est la blonde du chanteur des Brains. Si tu veux du trouble, man, continue comme ça. Mais si tu veux du trouble, inquiète-toi pas. Ben pis moi, on sera là. Comme ça, on sera trois contre trois.

L'effet émollient de la bière avait suffisamment progressé pour que je puisse me permettre de considérer le danger avec un certain cynisme. « Le trouble et l'amour font un cocktail merveilleux ! » fut l'avis auquel je me rangeai intérieurement. Cocktail ! Queue de coq ! Quizyviennent les heavy mentals ! À un certain moment, me relevant, j'ai pris note de l'évolution rapide de mon état d'ébriété. J'ai hurlé à l'adresse de Johnny : « L'homme est un animal condamné à se conduire en état de brièveté ! » Puis j'ai vacillé jusqu'à la table de billard, vacillé au bord de la vacuité de toute idée, pas tellement en raison de mon taux d'alcool sanguin devenu respectable, tentai-je de me convaincre, qu'à cause de ma jambe gauche que

la station assise et un point d'appui douteux avaient entièrement plongée dans un engourdissement béat et douloureux. Le
sang redescendu, j'ai joué comme un dieu, usant tour à tour
d'audace folle et de fine stratégie, culbutant l'une après l'autre
les boules, écrasant sans ménagement les deux gars de bicycle,
gagnant quelques dollars chiffonnés ce faisant, fouetté tout à
coup par la prestation des Kids du Heavy à la direction
musicale. Ma main baladeuse se posait comme un gros papillon sur les hanches largement échancrées de la petite bonne
femme qui redoublait d'encouragements naïfs à mon endroit,
jouant son jeu de bonne grâce, se mettant à tourner autour de
la table, paraissant toujours trop loin, ou alors brusquement
elle était collée contre moi, et je la malmenais gentiment, et
elle me laissait faire dans les limites assez reculées de la
décence que l'on est en droit d'exiger en un recoin exigu situé
commodément hors de la circulation dense, et les boules me
réclamaient sans cesse dans leur infatigable jeu éclaté, dans
leur entrechoquement de petites planètes de fin du monde. La
bière coulait en crue et la petite Anglaise callipyge ne m'apparut bientôt plus que par flashes, par saccades de chair dodue
assimilée à la collision perpétuelle. Le billard, curieusement,
m'éloignait de son corps virevoltant, peut-être parce que le jeu
c'est l'innocence, mais pourtant le *pinball* c'était les sulfureuses
sylphides éthérées de la plage du Pacifique rendues, il est vrai,
inaccessibles par le panneau de plexiglas formant frontière. Je
voulais je désirais ardemment la posséder, cette petite blonde
charnue, je l'aurais possédée baisée là sur la table mise, sur le
tapis vert comme le suggèrent quelques affriolants fantasmes
play-boyens des All-American Kids qui bouffent de la pizza en
plébéiens prosaïques tout en causant légèrement de leurs de-
voirs après l'amour et ce sont des blondes comme cette petite
qui entrouvrent leur vulve pour le bénéfice des corpulents
Kids. Je voulais la fourrer là, je le jure, et en jouir incontinent
quand ses seins chatouillaient mon estomac cave affamé
comme une caverne primordiale et qu'elle susurrait : « You're
good, you're very good » et je voulais lui montrer jusqu'à
quelle extrémité biologique cela pouvait se mesurer pendant
que Johnny titubait autour de nous, hurlant sans plus de
retenue, vociférant comme un prophète : « C'est à ton tour,
Eddy. Ouais, hostie, c'est ton soir, mon man, c'est toi qui l'as

l'affaire à soir ! » Puis après deux coups tirés en professionnel, avec un aplomb inattaquable, et alors que je m'apprêtais à viser la boule noire me défiant tout contre la bande, j'aperçus le vieillard qui m'avait réclamé son exemplaire de *The Gazette* au comptoir plus tôt en soirée, révélant par ses manières disgracieuses une sorte de malignité naturelle.

Il regardait les couples convulsés sur la piste de danse, les yeux ronds et injectés de sang, avec un sourire que je qualifierais de mauvais. À moins que l'ivresse ne m'ait donné des idées... Mais ce n'est pas son regard qui me frappa. Plutôt son corps. Il semblait porté par la musique comme par un mascaret. Chaque coup de batterie le soulevait de terre comme si le plancher eût été parcouru d'une ample ondulation. Il vibrait au rythme de la musique comme si son cœur eût été branché directement sur les amplificateurs. Je le jure sur tous mes sens noyés par l'alcool mais pourtant précis comme des microscopes électroniques, je le jure sur la tête de maître Renard mon totem : ce vieux bonhomme de plus de quatre-vingts ans écoutait la musique qui déferlait de la scène et il la laissait fondre sur lui et le ravir et il y prenait plaisir. Ce vieux gâteux aimait le Heavy Métal ! Et qui plus est, trop égrotant pour se mettre à gigoter comme les autres sur la piste de danse, il n'en regardait pas moins, avec une sorte d'intensité diabolique, les petits vieux se livrer corps et âme aux incantations sataniques des Brains Blasters, il contemplait leur grouillement lubrique avec une approbation enthousiaste peinte en traits très sombres sur sa face en pointe. Il semblait se réjouir silencieusement, discrètement, comme un maître de cérémonie quand tout est sous contrôle.

Et soudain, la musique Heavy cessa. Le silence s'installa comme une descente de police, prenant tout le monde de court. Le vieux bonhomme me regardait jouer maintenant. Tout était suspendu. Il me sembla que mon coup mettait des millénaires à s'accomplir, et je ratai pitoyablement la cible. Ben termina la partie et ricana, stupidement triomphateur :

— Ah c'est à moi maintenant. C'est moi qui suis le maître maintenant. C'est moi qui contrôle la Game !

Mais curieusement, tandis que je soutenais toujours fixement le feu du regard supposé sénile, là-bas, les phrases impersonnelles et prévisibles de l'ami Ben me parurent émaner directement de la conscience de ce vieil homme qui m'observait.

Je fus encore plus étonné quand je le vis discuter et négocier avec le leader du groupe Heavy qui faisait relâche. Le jeune rocker lui remit un paquet en le dissimulant de son mieux, et l'autre lui donna de l'argent. Jésus-Christ ! Je regardais autour de moi. Étais-je le seul à avoir été témoin de cet échange aux allures de pacte ? Et puis, quelle importance cela pouvait-il avoir, hein ? C'est sûrement ce que m'aurait dit Johnny, dans son gros bon sens de génie sorti d'une grosse bouteille de bière. Tout de même, un ancêtre de quelque quatre-vingts années qui fait des affaires avec un jeune drogué du Heavy ! Johnny m'apporta une autre bière.

Le reste m'apparaît maintenant comme une suite fragmentée d'images incohérentes dont la petite blonde fut éclipsée à un certain point par la répétition de plus en plus fréquente de grands trous noirs buvant la réalité comme la table bancale buvait les bouteilles et comme la table de billard avait bu les boules. La dernière fois que j'ai vu la petite blonde, en fait, je ne l'ai pas vue, parce que j'étais trop occupé à l'embrasser collé au son d'un blues sur bande magnétique bandante. C'est à ce moment-là que le Kid aux cheveux raides m'a empoigné. Je crois bien que mon coup de poing a raté son objet, ou alors l'a atteint bien faiblement, parce que le Kid était parfaitement sthénique quand il m'a balancé un direct dans la face que j'ai vu venir au ralenti (je le vois encore venir, en fait : des phalanges métalliques bardées d'un coup de poing américain AM AM AM AMMAMIA).

Je suis content d'avoir attendu, pour m'évanouir sous la table de billard qui me recouvrit comme un dolmen de l'ère du design, que Johnny décoche sa terrible combinaison de crochets gauche-droite sur le menton à peine poilu du Heavy métalliste qui alla dinguer un peu plus loin. Parce que ce coup-là aussi, je le revois encore, et je crois que je le reverrai aussi longtemps que Johnny sera mon ami, c'est-à-dire aussi longtemps que l'un de nous deux n'aura pas levé les pattes. La dernière scène à avoir imprimé distinctement mes lobes frontaux est celle-ci : je suis assis, écrasé, affalé sur le siège d'une monstrueuse motocyclette, avec le vaste dos cuirassé de Johnny me bouchant toute la vue, l'air frais me fait du bien, et nous rugissons dans la nuit de la forêt comme la moto bondit en avant entre mes jambes floches. Soudain, Johnny freine à mort et se penche de côté, hurlant pour se faire entendre à travers la paroi coussinée de son casque : « Regarde en avant, Eddy ! Regarde en avant ! »

Oui, je revois très nettement la scène, la scène d'une netteté de zoopsie qui hantait les brumes de ma noèse trébuchante ce matin au réveil : un renard roux traversait la route au trot, juste devant nous, balançant sa superbe queue caramélisée dans le faisceau du phare cyclopéen ; un renard qui, comme il arrive souvent à ces bêtes-là, semblait ricaner doucement en nous regardant venir ébloui. Et Johnny accélérant après sa disparition dans la nuit observa, avant que le feulement du moteur n'enfle jusqu'à recouvrir ses paroles : « Il y en a beaucoup cette année. »

* * *

Je suis en rut et je tourne en rond. Mon désir en liberté revient sans cesse à ma vision du pont, tourne autour de cette houri d'un paradis de poutrelles, choisit sa cage et attend la dompteuse, étalon éclos d'un cocon, piaffant d'anticipation dans le haras de mon obsession. Depuis peu, ce désir se trouve circonscrit davantage, localisé plus précisément sur l'atlas de mes souffrances.

Ce matin, en effet, je me suis rendu au vieux pont de fer à pied, encore une fois, dans un effort louable pour chasser la céphalée doublée de nausée qui se dressait en séquelle vengeresse de ma cuite récente, et aussi dans le but gratifiant d'observer les oiseaux rares de la région, y compris bien sûr cette famille de canards noirs fréquentant assidûment les abords immédiats de la structure métallique. Mais ni l'un ni l'autre de ces fallacieux prétextes ne suffisait à me voiler, dans ma lucidité encore fragile, le motif véritable de cette excursion. Sitôt appuyé à la rambarde de l'ouvrage, et après avoir consacré aux canards une rapide reconnaissance visuelle, je me suis mis à balayer la plaine du faisceau concentré de ma vision disciplinée par la paire de Bushnell, m'arrêtant dans les arrière-cours des fermes, au gré de mes intuitions d'abord, puis les fouillant méthodiquement, à la recherche du moindre indice révélateur de la présence de la petite aiguille qui avait su piquer ma curiosité passionnelle, avant de retourner se perdre dans la damnée profusion de bottes de foin que personne ne ramassait plus sous la coupe de la bureaucratie.

Et soudain, par miracle (le miracle de la multiplication 7 par 35), je suis tombé en arrêt sur elle, figé comme un braque allemand, suspendant mon souffle, refusant à ma carcasse tremblotante le plus léger mouvement qui aurait menacé de brouiller l'apparition parfaite : elle, là-bas, penchée sur un jardinet (avec toutes les connotations édéniques inévitables), cassant des tomates et des concombres. La promiscuité subtile et à sens unique que permettait la paire de jumelles me remplissait d'euphorie. Je la voyais, enfin. C'était déjà beaucoup. Mes yeux devenaient les organes de la possession, s'éjectaient de leurs orbites et convergeaient comme des boules de *pinball* sur la cible chérie, tirées à grande puissance par le gros double-canon de mon appareil de visée.

Les pans de son grand chandail gonflés des produits de la terre, elle s'en est retournée vers le bungalow de briques jaunes traditionnel. Elle s'en est retournée d'un pas de ballerine, m'offrant à admirer la grâce souple de son petit corps plein, balançant ses jambes pointues en avant dans une espèce de sublimation parodique et adoucie du pas de l'oie. Oh oui, c'est ma générale géniale, avec un menton capable de se lancer sur tous les fronts ! Maintenant, c'est comme si je l'avais enfermée dans un donjon horizontal ; elle appartient à ce cercle de lumière au bout du tunnel noir auquel j'accède un œil fermé. C'est comme si je l'avais prise en photo, mais une photo fugace, d'une extrême fragilité, tirée d'un film d'une affolante ténuité, un instantané au vrai sens du terme, autodestructeur.

Je me sens fébrile comme Achab lorsque du nid-de-pie est tombé le premier THERE SHE BLOWS ! signalant la baleine blanche. Même après l'avoir ratée une fois, le vieux capitaine savait les retrouvailles inévitables, imminentes. Il le savait malgré l'immensité de l'océan, malgré l'irrégularité aléatoire du vent, malgré l'entêtement de tous les courants contraires et l'inertie des probabilités hostiles. Il le savait parce que la poursuite d'Achab est une poursuite d'amour, amour du mal, amour de la haine, mais amour quand même. Et moi, je ne suis séparé de ma proie que par quelques champs misérables et quiets et quelques guérets, et ma proie limite son rayonnement au jardin de ses parents au lieu de courir les mers du globe. Je n'ai vraiment pas à me plaindre.

Je suis pleinement conscient d'être en train de l'idéaliser jusqu'au vertige, d'être incapable d'imposer aucun frein décent à ma capacité de fabuler sur une simple pensée relative à un être seulement entrevu et croisé, qui devient ainsi mythique avant même d'avoir pu me donner à mordre quelques miettes de sa réalité, avant même d'avoir eu la chance de donner une base terrestre à ces envolées oniriques auxquelles je succombe anxieusement. Je suis un monstrueux inventeur de petites personnes. Je les préfère ainsi, cloîtrées dans mon imaginaire. Je suis cruellement conscient du fait que l'inaccessibilité constitue le plus sûr garant de la passion amoureuse, ce qui ne rend pas cette dernière moins douloureuse pour autant. Il y a les bandits de l'ouest qui tirent avant et réfléchissent ensuite. Il y a les gens cultivés qui connaissent avant et découvrent ensuite. Et il y a les mâles maudits qui bandent avant et qui pleurent ensuite.

* * *

Je rue dans les brancards. Icoglan, avec ses grands yeux de femelle compatissante, m'a apporté une vieille poupée qu'elle a dénichée dans un coin et qui avait jusqu'ici échappé à mon attention. La poupée, rondelette, blonde et bouclée, me sourit au nez, insolemment, comme si elle n'avait jamais oublié le bonheur qu'elle a donné jadis à un enfant. Je suis pris d'une espèce de mauvaise humeur coupable devant cette félicité figée et caricaturée. Je la jette au loin et je rumine sombrement, m'adressant à Icoglan qui croyait bien faire : « Si au moins elle était gonflable, ta poupée, ma vieille, je lui trouverais un usage certain ! Oh oui je la gonflerais, la petite poupée, je la gonflerais comme un ballon, comme une montgolfière et je m'envolerais en elle, je partirais à la conquête du ciel de tous les lits de la terre. Mais tu t'en fous, hein, vieille chienne ? »

Pour canaliser mes énergies et les engager sur un bief productif, j'ai décidé de me prévaloir de mon droit d'affouage et de me bûcher quelques cordes de bois sur les terres de Bourgeois. Ces terres, j'en réclame l'usage au nom de ma couronne imaginaire, couronne qui a des dents. Moi, Édouard

Neuf, je proclame les terres boisées qui s'étendent sur ces collines chaotiques, forêt communale à l'usage de tous les déshérités de la terre. Bourgeois ne tire son pouvoir que du papier. Son pays est un pays de papier. Je tirerai le mien directement du bois, de la matière brute. Ma couronne, c'est celle des arbres au-dessus de ma tête. Ma lignée, elle s'inscrit dans la structure même de la fibre ligneuse.

Je me suis donc lancé hardiment à l'assaut des collines basses aux végétations lascivement offertes, la hache et la scie balancées à bout de bras, sifflotant un air guilleret sous un soleil radieux. À mi-chemin du raidillon, j'ai dû déchanter très vite. Deux grandes silhouettes hostiles venaient de se matéria- liser à contre-jour, au sommet de la côte. Deux énormes mâtins venaient vers moi dans le petit matin. Deux molosses. Deux monstres. Il y avait là un grand danois à tête de cheval qui me rappela aussitôt, en une rédintégration fulgurante, le toutou d'un voisin, à la banlieue, qui prenait plaisir à me terroriser en posant ses pattes de devant sur mes épaules et en appuyant son menton dégoulinant de bave sur mon sinciput. Il avait failli, une fois, m'arracher la tête. L'autre moitié de la paire était constituée d'un de ces gros huskies incroyablement vicieux qui sont descendus d'une longue lignée de chiens de traîneaux pour qui la vie n'était qu'une longue course quotidienne ponctuée de bagarres brutales pour la possession d'un bout de viande gelée. Ça vous forge un caractère. Ces chiens-là ont conservé, au fond de leurs yeux bleu ciel, une lueur pâle et féroce, évocatrice des immenses solitudes glacées.

Mes deux bêtes noires approchaient. Le concert d'aboie- ments haineux qui éclata quand ils me virent aurait suffi à faire croire que le vieux craton laurentien lui-même s'écroulait sous mes pieds. Même si aucun écriteau n'était en vue pour confir- mer le fait de façon formelle, ces deux chiens étaient mé- chants, ça se voyait. Pas méchants : extrêmement méchants. Ou alors, s'ils ne désiraient que jouer, ce serait à la façon dont le chat joue avec la souris, s'assurant au préalable de lui avoir bien broyé tous les organes de la fuite. Durant une seule seconde, je me suis rattaché au mince espoir de voir une longe renforcée ou une chaîne se tendre derrière les deux bêtes lancées à toute vitesse sur la pente, briser net leur élan et étouffer derechef la vocation sanguinaire de leurs bonds souples. Mais les chiens s'avérèrent aussitôt parfaitement libres de me mettre en menus morceaux. Ils seraient sur moi en deux secondes environ.

L'effet de ralenti imposé par mon cerveau à la perception de l'événement n'était évidemment d'aucune conséquence sur la durée réelle de la ruée précédant l'hallali. Mes facultés motrices, passablement éprouvées par les libations de la veille, se trouvant momentanément paralysées par un excès de données, mon cerveau en était platement réduit à des tentatives de rationalisation comme en ont les citadins toujours sûrs de leur bon droit. Face au péril, j'étais tenté d'invoquer mentalement et puérilement la loi, pour me rappeler aussitôt que je venais d'en réfuter, en bon conquérant, toutes les dispositions théoriquement applicables au cas présent. Finalement, au bout d'une éternité neurologique, tandis que le grand danois, semblable à un petit cheval apocalyptique avec ses muscles saillants sous des flancs distendus, fondait littéralement sur moi, suivi de près par le gros hypocrite superbement proportionné, j'ai actionné mes bras mécaniquement, faisant tournoyer, d'abord avec une injustifiable timidité, puis avec l'abandon d'un déchaîné, ma francisque improvisée dont le tranchant émoussé vint bien près, à l'apogée du premier moulinet rageur, d'entailler les deux truffes humant déjà l'odeur de ma mort. Les deux molosses crurent plus sage d'esquisser un mouvement de recul temporaire. Le tourniquet de fer meurtrier, qu'alimentaient la force de mes poignets et la verdeur de mes vociférations, était parvenu à entamer leur détermination. L'explosion formidable de leurs hurlements rauques et redoublés ébranla de nouveau le granit sous mes pieds.

Les deux voix se complétaient à merveille, d'ailleurs, comme si j'avais eu affaire à un duo de formation prédestinée. L'une était basse et tonnante et roulait comme les salves tirées par un canon de gros calibre. L'autre était plus aiguë et unie, avec une intonation hystériforme et assassine et un infléchissement vers la fin qui la cassait et la terminait en plainte inassouvie. Je me suis mis à retraiter lentement sans cesser d'emplir l'air du sifflement tranchant du métal, tenant mon bout comme le chevalier Bayard son extrémité de pont, prenant bien garde de ne pas trébucher, ce qui aurait signifié la mort sûre. Les chiens s'étouffaient de fureur et d'indignation devant la lâcheté du procédé, laissant partir des chapelets d'aboiements lourds d'une colère à son paroxysme. Après une sorte de muette concertation, fondée sans doute sur l'habitude de travailler ensemble, ils mirent en œuvre une tactique dont l'analyse sommaire me procura ample matière à inquiétude. Tandis que le danois, feignant de s'enhardir, projetant son long cou musculeux en avant, faisait claquer ses mâchoires en direction de mon ventre, cherchant une ouverture à travers le barrage de mouvements frénétiques qui drainait peu à peu l'énergie de mes bras, le husky, avec un rictus malin, entreprit de me contourner et de me prendre à revers, m'interdisant du même coup toute retraite précipitée sur la voie salutaire du chalet. Continuant d'attaquer de front, le grand danois, ragaillardi par l'évolution positive de mon exténuation, menaçait de plus en plus précisément le petit paquet d'entrailles nouées que je refusais de lui abandonner.

Galvanisé par la terreur, bandant mes biceps douloureux, je visai la petite tête déformée par le désir de mordre et la manquai de peu. La violence de ma tentative créa tout de même un flottement chez mes assaillants, en même temps hélas qu'elle me déséquilibrait de façon très désagréable. Subodorant un souffle rauque dans mon dos, je lançai une vive ruade et sentis une double rangée de crocs se refermer au son d'un râle caverneux sur le coup de pied de ma bottine que je ne réussis à récupérer qu'au prix d'une prouesse de fil-de-fériste. Ça allait mal. La garde baissée comme un boxeur estourbi par une pluie de crochets, je tournais maintenant sur moi-même avec une obstination faiblissante, traçant de ma hache oscillante des cercles concentriques dont j'étais le point de convergence fatidique. Tout se mettait à tourner. Jouant le tout pour le tout, j'ai rassemblé mes dernières forces et volontés dans le manche rugueux et j'ai décoché un coup terrible en direction du husky qui ne s'est pas esquivé assez vite, et qui a roulé sur le côté en glapissant puis en geignant selon un decrescendo dramatique, le fer ne l'ayant cependant atteint que de son plat sur la hanche, le mettant temporairement hors de combat. L'inconvénient était que l'instrument de ma défense avait échappé du même coup à mes mains moites et ma seule arme roulait sur le tapis d'aiguilles roussies vers le bas de la pente... Le temps de me retourner, le grand danois posait ses deux pattes antérieures sur mes épaules et sa gueule béante me bavait dessus et s'apprêtait à engloutir ma tête. Cette fois, ça y serait ! La revanche de la banlieue !

Le reste s'est passé très vite. Les mâchoires luisantes ont claqué à quelques pouces de mon visage en y soufflant leur haleine fétide, les grandes pattes osseuses ont battu l'air au-dessus de moi et ont disparu de mon champ visuel pendant que je plongeais et boulais le long de la déclivité salvatrice. Lorsque je me suis rétabli, le grand danois affrontait deux malingres labradors mâtinés d'une bonne douzaine d'espèces, Hospodar et Icoglan, ayant rallié de toute urgence le site du combat ! Fou d'enthousiasme, je me suis écrié : « À moi la garde ! Allez-y les dogues ! » C'était au tour du monstrueux cerbère de devoir diviser sa force de frappe en deux, dardant sa tête étroite à gauche, à droite, confondu, mystifié par la rapidité avec laquelle mes deux fidèles gardes du corps multipliaient les feintes, les esquives, les coups de gueule téméraires et les morsures vicieuses, rompant toujours au bon moment, se mettant d'un bond leste hors d'atteinte de la furie déconfite de ce damné danois.

Celui-ci, à la fin, décida de concentrer ses velléités malveillantes sur un seul ennemi, et choisit Hospodar, de loin l'adversaire le plus préoccupant. Sans plus se soucier d'Icoglan qui alternativement lui mordait les flancs et hurlait à la mort, le danois parvint à s'assurer une prise de cou impitoyable, mortelle, sur le pauvre Hospodar qui en affrontement singulier n'était pas de taille. Les deux mâles, toutes anatomies confondues, roulaient maintenant pesamment sur le sol aigre, les crocs du grand démon s'enfonçant sans merci dans la gorge secouée de hoquets convulsifs de son opposant. Accourant dans un état second, je me suis mis à secouer les deux protagonistes, à tirer le grand agresseur en arrière, lui saisissant les oreilles ou la peau lâche de la nuque à pleines poignées. Rien à faire. Les chiens rivaux étaient étroitement emmêlés dans leur lutte à finir, et il semblait que seule la mort pourrait les séparer. Le duel suivait un cours inexorable.

Soudain une détonation a fendu l'air sèchement. J'ai regardé autour de moi sans comprendre. Alors j'ai vu Jean-Pierre Richard, personnage sorti de nulle part, ou plutôt directement issu d'un western hollywoodien de bonne cuvée. Jean-Pierre

Richard, grand et blond, sec et solide. Il portait un couvre-chef qui me parut le produit du croisement entre le chapeau de paille de l'inoffensif garçon de ferme du Missouri et le stetson du vrai cow-boy de l'Ouest. En tout cas, il brandissait un vrai revolver. Marchant lentement, comme un shérif joué par un John Wayne ou un Clint Eastwood, profondément imbu de son rôle de justicier arrivant juste à temps, il vint se camper au-dessus de l'informe mêlée et, levant son bras armé en l'air, il fit feu de nouveau, comme pour seulement signaler un innocent et sportif départ. Voyant que les bêtes, entièrement absorbées par leur haine mutuelle et mortelle, demeuraient sourdes à la semonce, il se pencha, colla le court canon de son soufflant contre la petite tête essorillée du grand danois et, fouillant avec assurance le léger pli présenté par le pavillon de l'oreille, il tira encore, la détonation paraissant cette fois assourdissante. En quelques longues enjambées et en ne laissant à la traîne qu'une effilochure de piaillements plaintifs, le grand danois avait disparu, emportant comme seul souvenir de l'accrochage un petit trou bien rond dans la peau rose de son oreille droite, la cuisante morsure de la poudre sur le sommet de son crâne exigu et une surdité partielle qui mettrait sûrement quelque temps à se résorber. L'autre, le husky amoché, avait filé lui aussi sans demander son reste.

* * *

Jean-Pierre Richard est affublé de lèvres épaisses qui creusent des sillons autour de sa bouche quand elles remuent, ce qui est fréquent et constituait le cas présentement, tandis qu'il fixait la ligne des arbres, le front soucieux. Tout en parlant, il agitait son revolver en ma direction, comme un marshall ayant investi d'autorité les lieux d'un forfait.

— Je crois, Édouard, que je t'ai jamais parlé des chiens à Bourgeois, hein ?

Je fus moins surpris que je ne le laissai paraître :

— Les chiens à Bourgeois ?

— Oui, mon gars, les chiens à Bourgeois. J'aurais dû te mettre en garde. Le vieux laisse ses chiens en liberté sur ses terres, et je pense que c'est pas exagéré de dire qu'ils font régner la terreur. Ils font la loi, dans le bois, ici. Il y a eu plusieurs incidents, des enfants ont été attaqués, même. Il y a une petite fille de sept ans, de Saint-Colomban, qui va porter toute sa vie les traces de sa rencontre avec les chiens à Bourgeois...

J'étais hors de moi. La peur, rétrospectivement, avait tout le temps de me travailler maintenant.

— Et personne ne lève le petit doigt ?

Jean-Pierre Richard sembla prendre en charge toute la résignation et toute la fatalité du monde sur ses épaules, l'espace d'un haussement de celles-ci.

— Bourgeois est un gros morceau, dans le coin, Édouard. Un très gros morceau, même. Il est comme qui dirait... omni-potent... c'est un mot que j'ai entendu dans une série améri-caine. Ouais, omnipotent, Édouard. Tout le monde le craint. Tiens, je vais te dire une bonne chose, Édouard, et tu sauras me dire si je dis la vérité ou non : les chiens des riches ont plus de droits que les enfants des pauvres. C'est une grande vérité sur cette terre. Pour être conseiller municipal, j'en sais quelque chose, mon gars : il n'y a rien à faire contre Bourgeois. Rien d'autre que d'attendre qu'il crève et d'espérer que ses héritiers ne se pointeront pas pour s'installer aux alentours. C'est une maudite race...

Il avait conclu d'une voix très basse. Mais moi je m'insur-geais, mon sang bouillait.

— Il doit y avoir quelque chose à faire, non ? Tiens, les gardes-chasses peuvent tirer à vue sur tout chien errant qui est aperçu sur des lieux fréquentés par le gros gibier. Il y a du chevreuil par ici, on voit des pistes ! Alors ?

Jean-Pierre Richard secouait patiemment la tête, avec un demi-sourire d'indulgence.

— Les gardes-chasses ? Ils ne mettront jamais les pieds sur les terres à Bourgeois. Ils en ont peur, de ces chiens-là, eux autres aussi. De toutes façons, le bonhomme les a dans sa poche, depuis qu'il a dénoncé Goulet, le plus gros braconnier de Saint-Canut, à propos d'une question d'honneur. Ça faisait des années que les gars du ministère essayaient de le coincer. Bourgeois a juste des ennemis parmi la population... ses amis sont placés plus haut que ça. Il a ses amis là où il faut, tu comprends ?

Puis Jean-Pierre Richard se tourna vers moi, et dans ses yeux il y avait une ironie pas du tout cruelle, seulement un peu triste et compatissante. Il dit :

— D'ailleurs, si je me trompe pas, Édouard, tu n'es pas exactement dans une position pour appeler la loi à ton secours, est-ce que j'ai pas raison ?

Ça, ça me cloua le bec correct.

* * *

Bourgeois veut la guerre, il l'aura. Et d'abord, Malarmé ne se promènera plus qu'armé.

* * *

C'est Jean-Pierre Richard qui a résolu mon problème d'approvisionnement en bois. Au-delà de sa cour, qu'il a dévastée et gazonnée avec amour, il possède un grand terrain boisé qui isole sa maison de briques de la route asphaltée, et à travers lequel passe le chemin de sable bien droit qui permet d'accéder chez lui. Parfois, je le surprends au bout de sa cour, appuyé sur son râteau, regardant rêveusement ce segment sableux qui vient nous rappeler que la forêt ici a pris racine sur du sable, que l'humus, le sol vivant, ne sert qu'à recouvrir du sable, que nous marchons par conséquent sur un désert souterrain qui n'aspire qu'à faire surface, qu'à se gondoler en dunes mobiles et majestueuses qui partiront un jour, vagues d'assaut minérales et arènes en mouvement, à la conquête du monde. Partout, et surtout ici, je ne vois qu'un désert en sursis.

Jean-Pierre Richard me dit souvent, avec des trémolos dans la voix, les yeux sur ce long i arénacé dont la maison serait le point et qui relie celle-ci à la civilisation comme un tombolo relie une île à la terre ferme :

— Un jour, Édouard, mon chemin va être municipalisé. Ça s'en vient, tu vas voir.

Le mot « municipalisé » a une consonance toute maternelle dans sa bouche lippue. Son chemin, c'est un succédané de cordon ombilical le reliant à la mère-banlieue. En attendant le grand jour de l'officialisation de cette fonction, Jean-Pierre Richard épand du gravier sur son bout de chemin, pour faire un fond, comme il dit. Parce que c'est le fond qui manque le plus. Et chaque fois le sable avale tout, dissout le gravier comme si c'était du sel, l'aspire en son sein. Les caulophylles

faux-pigamons, les petits prêcheurs, les sanguinaires, les asclépiades de Syrie, les trilles blancs, rouges ou versicolores et le
sceau-de-Salomon, les pins, sapins, pruches, épinettes de Norvège, ifs et mélèzes laricins, tout cela n'est que parure tempo-
relle. Seul le désert est éternel, et il nous guette là-dessous. Je
suis patient. Lors de son avènement glorieux, je serai déjà
arénicole, je porterai le burnous et le keffieh et lirai les hadiths
et les sourates couramment. Le khamsin peut souffler, et
l'harmattan, et tout le pataclan, je me draperai dans mon
chèche et j'attendrai. Allez, vas-y, Mou à mort Kadhafi !
Envoie-la, ta bombe atomique, hostie !

* * *

Je me retrouve sur le terrain de Jean-Pierre Richard, sorte
de ségrais où j'ai carte blanche pour la coupe. Jean-Pierre
Richard a dit : « Ça nettoiera le bois. » Il en parle comme
d'un simple coup de balai. Je repère de nombreux bouleaux
blancs qui sont las et penchés, s'étant vu imposer une posture
de pénitents par le grand verglas de l'hiver dernier, et qui
pensent déjà à la succession en laissant pendre tels des bouts
de parchemin testamentaire leur écorce blanche et frisée. J'ai
entendu dire que le bouleau blanc brûlait bien. Alors je
balance ma cognée sur l'un d'eux, ma cognée qui d'ailleurs a
tout à l'heure mérité les attentions de Jean-Pierre Richard :
vigoureux frottement à la laine d'acier et aiguisage strident et
impérieux. Il est équipé, Jean-Pierre Richard. Bricoleur
comme tout. Parfait voisin, en y pensant bien.

Il y a longtemps que je n'ai pas travaillé de mes mains...
Mène une vie trop facile, dit ma mère... Tout le monde doit
travailler, dit mon père... Ton pain est pas gagné, mon garçon,
dit ma mère... Tout le monde travaille... Mon père travaille...
Ma mère pense à travailler depuis que mon père est parti... lui
laissant une pension alimentaire à la place de la passion...
PLAQUE Le fer de la hache mord dans la chair blanche,
jusqu'au cœur de l'arbre, fend le duramen jusqu'à l'aubier
tendre. La sève jaillit et une goutte sucrée atteint mes lèvres.
PLAQUE Encore un coup... Avec tout le corps et un cri...
HAN Une bouchée digne d'un castor du Canada se détache
et les Chinois de basse caste par milliers se fraient un chemin
pour une bouchée de pain... HAN Je cogne comme mes oncles

et grands-oncles, bûcherons et bouilleurs d'étrons, sur les chantiers de Haute-Mauricie... HAN Haut-les-cœurs, et à bas les arbres qui cachent la forêt qui cache les Indiens... HAN Je retrouve les gestes peu à peu, comme une cognition intime PLAQUE Bûcherons et bouilleurs d'étrons, sur les chantiers de Haute-Mauricie... HAN Ils pouvaient passer l'hiver dans les mêmes combines de moins en moins roses, loin de la chaleur des femmes... HAN Comme les Chinois à tresses étaient loin du Levant, au milieu des Rocheuses, dans la passe du Nid-de-Corbeau... HAN Maître Renard, par l'odeur de fromage alléché... HAN Comme c'est facile... serrer le manche à deux mains... Frapper toute la journée... HAN Pas penser aux ampoules... Pas penser aux idées... Et frapper bas sur le bois HAN PLAQUE Répéter, élargir, évaser l'entaille en V, penser aux castors poilus... évaser les entrailles... HAN Oncles et grands-oncles, bûcherons et bouilleurs d'étrons, sur les chantiers de Haute-Mauricie... HAN HAN HAN Leur hache inspirée, aspirée par la bouche des bouleaux... PLAQUE Bûcher jusqu'à ce que l'arbre tombe, bûcher jusqu'à ce que le jour tombe, comme si les arbres en étaient les piliers... HAN Le lendemain matin, manger, se bourrer, se bourreler mentalement puis s'y remettre HAUT-les-cœurs HAN Manger de la marde toute la journée, dans les mêmes combines de moins en moins roses... HAN Bûcherons et bouilleurs d'étrons... Et les Chinois faméliques, progressant vers le Pacifique, comme des bêtes, comme des bêtes... HAN Encore un coup, encore un coup de cœur, encore un coup de corps, pas penser aux femmes, penser au ragoût... Il y a des bouleaux jaunes et des bouleaux blancs et des bouleaux gris... Il y a des bouleaux dans tout le pays... HAN Il y aura toujours des castors, encore un coup, encore un castor... HAN Ils font rager les Jean-Pierre Richard, inondent les chemins... HAN Les castors poilus du Canada, qui sont de bons pères de famille HAN Nous a appris le commandant Cousteau, qui lutte contre les pétroles du désert envahissant la mer HAN HAN Chinois saxicoles, à travers les Rocheuses, tout ça pour de la peau, de la peau de castor du Canada de cinq cennes de... HAN Bûcherons et bouilleurs d'étrons, en chantant sur les chantiers... HAN Chinois bon pères de famille pour la Confédération... HAN Blanchissant les combines, de moins en moins roses... HAN

D'un bout à l'autre du pays, à travers l'océan de sueur... HAN
Le cri du corps retentit, tous au boulot à bûcher sur les
bouleaux... HAHAN Chinois blanchisseurs colletés aux bouleaux, comme des bêtes, comme des bêtes... HAN Pins, sapins,
épinettes, infligeant nos blessures nettes HAN pas le temps
pour la femme, pension alimentaire à la place de la passion...
HAN Tous les conifères sous la morsure du fer, la mort sûre du
fer du rail... HAN Le fleuve de la forêt, couchée dans son
cercueil, sur le Saint-Maurice mort HAN HÉ Bûcherons et
bouilleurs d'étrons, sur les chantiers de là-haut... Le Saint-
Maurice Mythique Majestueux, passé Grand-Mère... HANG
Sous le vieux pont de fer vert... Castors poilus et on veut de
la pitoune !... AHAN La forêt flotte et la forêt nage et
bûcherons et bouilleurs d'étrons sont en nage et les Chinois
ont des cernes autour du col aux environs de la passe du
Nid-de-Corbeau Lui tint à peu près ce langage HAN HAN
Gagnaient de bonnes gages, bûcherons et bouilleurs d'étrons
et le cri retentit du Saint-Maurice au Pacifique
TIMMMMMM BERRRRR et mon premier bouleau vacille
sur sa souche, tire sur ses racines... bûcherons et bouilleurs
d'étrons... Castors poilus... CRAC Mon premier bouleau
tombe et je sue mon fleuve, mon sang s'écoulant du haut de
mon Saint-Matrice d'eau douce, coulant jusqu'au Pacifique,
jusqu'aux plages du *pinball*... Accroche-toi à la hache, j'enlève
la forêt !

* * *

J'ai dormi comme une bûche. Au réveil, j'étais complètement courbatu. Ma production de la journée précédente se
révélait mince au mesurage. Mais je tenais mordicus à poursuivre l'exercice, à continuer de réduire à l'état de minuscules
copeaux les frustrations m'assaillant en essaims. L'arbre se pose
devant moi en matérialisation verticale du défi de la survie. Je
peux mentalement y sculpter tous mes ennemis, superposés
comme en un totem haïda de la Côte-Ouest, et les mettre à
mort l'un après l'autre, par séparation de la tête d'avec le
tronc, comme on disait dans le temps des rois de France.

Ce matin cependant, j'ai été empêché par un facteur quasi
incontrôlable (en fait, totalement hors de contrôle) de prolon-
ger ma thérapie par le travail en dilettante. J'avais à peine

entaillé un premier bouleau bien soumis que Jean-Pierre Richard a fracassé le cristal du silence forestier :

— Salut, Édouard ! Ouais, heureusement que t'es pas à contrat pour une compagnie, mon gars. Payé à la pièce, tu mangerais pas du bacon tous les matins... Ôte-toi de là, mon vieux. Je vais pas laisser vingt siècles et plus de progrès technologique te regarder du haut des arbres sans rien faire. Fais attention, pousse-toi de là, mon vieux, et emporte tes bébelles démodées qui suffiraient même pas à faire paraître un seul exemplaire de *La Presse* du samedi. Attention, j'entre en action mon gars. Laisse-moi faire...

Jean-Pierre Richard se lance en avant, me gratifiant d'un grand sourire de sa scie à chaîne Homelight qui s'est mise à rugir sur un simple coup de courroie. La tenant à deux mains devant lui, à hauteur de ceinture, comme un phallus mécanique d'une agressivité exacerbée, Jean-Pierre Richard respire la force, et les gaz d'échappement le nimbent d'une douce vapeur, un halo d'essence divine. Ivre d'hydrocarbures, il s'exalte du déchaînement d'enfer qu'il contrôle à volonté, quoique, très rapidement, c'est la scie elle-même qui paraît vouloir l'entraîner à sa suite dans sa rage de mordre dans le bois stoïque, balayant les broussailles de sa lame étincelante, cherchant le contact de la matière impuissante à se dérober. En pénétrant la fibre, la scie hurle comme l'orignal en rut, sa plainte de grosse bête inassouvie monte des bois comme un appel antédiluvien, s'étouffant de rage contre les piliers de cellulose alignés chaotiquement. RAAAAAAAAAAAAAIL Rictus du fer railleur RAAAAAAAAAAAAAILLEUR Une fine poussière de bois fuse comme une fumée de l'engin, de fins copeaux se détachent de la fibre et se recroquevillent, le bois déroule ses anneaux, ses années, tandis que Jean-Pierre Richard délire joyeusement, un cigare au bec, sciant sans souci, frappant tout ce qui ne bouge pas, à gauche à droite, pendant que je me demande : Si cent six scies scient cent six cigares, six cent six scies scieront-elles six cent six cigares ? et que le grand panache folié s'affaisse dans un froissement chantant, le tronc percutant d'autres troncs tendus, le réseau des racines et radicelles, vaisseau démâté, frémissant dans le sol de la forêt repoussée plus loin, et pendant que l'autre vocifère tout le temps que le fer se fraie un passage dans le duramen amen amenamène RAAAAAAAAAAAAAAAAAIL :

— Oui, je sais, Édouard, je sais. Tu vas me dire : ça c'est du tremble. Pis le tremble, ça vaut pas de la crotte de lapin en fait de combustible, mais c'est parce que tant qu'à m'y mettre, j'ai décidé de faire le ménage un peu... débarrasser le bois de ces suckers-là. Le tremble, c'est un arbre parasite, savais-tu ça, Édouard ? C'est un arbre sangsue : ça suce toute l'eau de la forêt, des vrais buvards, des trous sur pied, des pompes naturelles, ça te siphonne la nappe phréatique c'est pas long... Ça tire toute l'eau du sol pis ça l'envoie en l'air. Reste rien pour les autres... Ce bois-là, c'est de l'éponge, ça prend des années à sécher pis quand l'eau est évaporée, il reste seulement une espèce de carton qui suffirait même pas à chauffer des bécosses. Tiens, regarde-moi l'eau qui revole ! C'est pas un arbre, Édouard,   c'est   un   tuyau   branché   sur   les   nuages ! TIMMMMMMM BERRRRRRRR

Il est comme Lucky Luke, en plus bavard : il a beau s'ouvrir la trappe toute grande, son bout de cigare reste fidèlement rivé à sa lèvre inférieure. Ah il peut parler, parler, parler... la forêt tremble devant lui. La forêt sirote ses sources souterraines et crache en l'air. La forêt continentale n'est qu'une fabrique de lourds nuages. Il peut bien parler et se servir de sa scie, Jean-Pierre Richard, il n'empêchera pas le désert de s'instaurer.

* * *

Je suis plus doué pour jouer que pour travailler. Aujourd'hui, j'ai encore joué à l'espion. Je suis retourné au pont de fer remplir ma petite mission quotidienne. Cette fois, j'ai délaissé les abords du pont pour me couler le long de la rivière, dans l'intrication des hautes herbes, des quenouilles et des phragmites, perturbant au passage la couvée des canards plongés dans leur méridienne de l'après-midi. Le rideau d'arbres (pour la plupart, de grands ormes morts, à cause d'un virus hollandais volant) me mettait à l'abri d'une éventuelle curiosité trop bien placée, encore que les maisons de ferme fussent à une bonne distance de la ligne fluctuante de la berge, conformément aux critères en usage sous le régime seigneurial. Parvenu à un fossé qui courait perpendiculairement à ma ligne

de progression, et dont le fond avait été soigneusement assé-
ché par la canicule, je me suis glissé entre les deux lèvres
d'argile gris, dérapant maintes fois, cassé en deux comme un
Peau-Rouge sur le sentier de la guerre, me faufilant jusqu'à une
croisée de canaux d'écoulement où une profusion de phragmites frissonnants servit à me dissimuler. Je me suis jeté à plat
ventre dans la boue, semblable à un piou-piou en rase campagne, jumelles rivées aux globes oculaires, scrutant avec
intensité mon objectif.

La ferme où vit l'objet de ma convoitise concupiscente a
visiblement l'élevage de la volaille pour activité principale. J'y
distinguais plusieurs basses-cours grillagées où évoluaient avec
un air de stupidité caractéristique des pintades dodues, des
faisans somptueux, des canards balourds et des dindons fats et
imposants. Une cacophonie babélienne montait de ces instal-
lations avicoles. De la possible concrétisation charnelle de mes
vœux de bonheur les plus élevés en même temps que de mes
songes les plus obscènes, il n'y avait pas trace. Je n'ai vu qu'un
petit garçon blond qui s'amusait à déranger les gras volatiles à
l'aide d'un lance-pierres. Dans le ciel, que maculaient à peine
les nuages ivoirins, une buse à queue rousse planait, hautaine,
probablement intéressée par le prodigieux vacarme sorti de ces
centaines de becs cloués au sol. À cause de la fatigue oculaire,
j'ai baissé les yeux un instant. Sur une roche plate qui faisait
irruption de terre à environ dix centimètres de mon nez (qui
fait lui-même plusieurs centimètres), j'ai aperçu un petit cylindre noir de texture irrégulière dont une extrémité se terminait
en pointe effilée. C'était sec et je pus manipuler la chose à
mon aise, y décelant des poils blanchâtres et des noyaux de
petits fruits, des mûres, je crois. Ça ne sentait rien, malgré les
efforts que je consacrai à renifler la matière sombre. Mais j'ai
tout de suite compris, instinctivement, ce que c'était : je tenais
là les fèces de Maître Renard, qui doit lui aussi convoiter de
bien belles choses dans le domaine de l'aviculture. Décidément, le destin met une troublante obstination à vouloir
entrecroiser nos sentiers.

* * *

Cet après-midi, Johnny est venu m'aider à sortir le bois du
bois et à le scier. Il a des bras aussi gros que les miens, mais qui

ont servi plus souvent. « Le tree planting, Eddy ! Le tree planting ! » Chaque printemps, Johnny se rend dans l'Ouest pour planter des arbres et combattre les effets d'une frénésie Jean-Pierre Richardienne à grande échelle. Johnny est de belle humeur. Il m'a raconté de quelle façon son ami Ben et lui, l'autre soir, ont mis en déroute les Kids du Heavy accourus à la rescousse de leur lead singer. « On les a plantés, Eddy ! Y en a un qui m'a laissé deux dents dans les doigts, c'est pour te dire, mon man ! »

Nous sommes de la même hauteur, Johnny et moi. Cela se vérifie aisément quand nous transportons les billots que sont devenus les arbres ébranchés et tronçonnés en les chargeant à grand renfort de soupirs sur nos épaules bien alignées. Le billot est exactement horizontal. Johnny devant, moi derrière, nous fonçons en soufflant dans le bois, comme si nous tenions un bélier destiné à enfoncer la porte d'un château ennemi. Je me fatigue trop pour parler. Johnny, parfois, s'épanche avec la brièveté qui lui est coutumière : « C'est rien, ça, Eddy, c'est rien, ça. Tu devrais voir ça dans l'Ouest, mon man ! Là, ils en coupent, du bois ! Les billots, là-bas, ils ont cent pieds de long, Eddy ! Quand on plante, on avance dans des vrais déserts ! » Le billot me soude à l'épaule de Johnny. Je le suis tout en sueur.

Ensuite, nous avons scié, scié, scié, assujettissant les troncs tors sur un chevalet improvisé et accomplissant un parfait travail d'équipe, tour à tour tenant le billot ferme pendant que l'autre s'escrime et faisant glisser la lame réticente dans la rainure grossière qui s'approfondit. La poussière blanche vole, revole... Hospodar et Icoglan, paisiblement affalés sur un confortable tapis d'aiguilles de pin, observent, blasés, notre manège. Sans cesse de faire aller et venir vigoureusement la scie qui est devenue une ramification vibrante de son gros bras, Johnny dit, malgré la crispation de ses muscles malaires : « Ça fait penser au *Survenant*, hein, Eddy ? Quand le père Didace et le Survenant se servent du godendard... » Moi, ça me faisait plutôt penser à Kesey, à ses rudes bûcherons de la Côte-Ouest, Stamper et Cie, qui atteignent à un certain moment, dans leur travail, une espèce de synchronie parfaite, un peu comme le IT qui sanctifie parfois les efforts des musiciens de jazz. J'ai demandé à Johnny :

— Tu en lis souvent, des livres ?

— J'en ai lu deux, qu'il m'a répondu. *Maria Chapdelaine*, trois fois. Ça traînait dans la chambre de ma sœur. *Le Survenant*, c'est parce que ça parle de chasse aux canards. J'le relis chaque année, à ce temps-ci...

Après notre dur labeur, Johnny s'est éclipsé un moment sur sa scintillante mécanique garée de l'autre côté du ru, et il est revenu avec, bien en selle, deux six-packs auxquels nous étions impatients de faire honneur. Nous nous sommes écrasés au soleil, torses nus, bien. Nous aurions fait une belle annonce de Bud.

* * *

Je suis allé à la carrière avec Johnny. Nous sommes passés par un autre chemin qui aboutit tout près du cratère de calcaire et qui est accessible en moto. Nous avons franchi des tas de dunes de sable où Johnny m'a fait peur avec sa manie de se prendre pour un cow-boy sur deux roues. À certains endroits, le long du trajet, des castors du Canada avaient érigé des barrages en travers de simples fossés inondés, et de mornes étangs s'étendaient sous la lumière crépusculaire. Je dis à Johnny : « Peut-être qu'un jour, les castors auront reconquis tout Mirabel ! » Il n'a peut-être pas entendu. Mais en débouchant sur la carrière, il a arrêté son engin. Car à la carrière, on sent vraiment le poids du ciel sur la terre. Comme si partout ailleurs, dans la forêt, les arbres n'avaient rempli que la fonction d'étançons. À la carrière, on se sent sur le seuil du désert.

De ce côté du grand trou, on pouvait voir des jouets que les hommes avaient laissé traîner en partant : un vieux camion au capot éventré, au moteur mordant la poussière, aux moyeux rouillés enlisés dans le sable, au châssis se désagrégeant loin des routes ; puis un bélier mécanique amputé de sa pelle, placide comme un bouc châtré qui ne peut plus que ressasser les réminiscences de ses morceaux de bravoure, de ses victoires répétées sur la Nature revêche, des viols collectifs en compagnie des grues. La corrida humaine était bien finie. Il n'y avait plus que le désert qui remontait à la surface, comme dans un sablier dont le flux serait inversé. La désolation presque palpable et les épaves à la peinture pelée rappelaient irrésistiblement un champ de bataille où le maréchal Rommel aurait taillé en pièces quelque convoi allié poussif. Le temps se défaisait sur le bord de ce cratère qui permettait la juste jonction du sol et du soleil.

Johnny a fait quelques pas, puis s'est penché sur quelque chose, comme un pisteur aux aguets, et il a murmuré tandis qu'il scrutait l'orée de la forêt :

— Orignal !

— Ici ?

— Y en a quelques-uns dans le coin. Peut-être que je devrais m'acheter un arc... on a seulement le droit à l'arc, par ici.

L'empreinte était énorme et bien conservée et la piste courait de façon erratique à travers le cirque inégal nous entourant. J'essayais d'imaginer cette grosse bête, l'orignal, éternel égaré, tout l'opposé du mouton, s'aventurant partout où le pousse la piqûre de son tourmenteur interne, imprimant ses grands cœurs de corne à l'envers sur le sol, complets avec leurs ventricules et leurs oreillettes. Je dis à Johnny :

— Tu savais qu'ils ont parfois un parasite dans le cerveau, qui leur est transmis par le chevreuil ? C'est pour ça qu'on les retrouve dans les villes, à l'occasion.

Nous nous sommes baignés, imprégnés de sueur et de bran de scie que nous étions. Nous avions apporté trois cannettes de bière chacun, dans un havresac. Johnny fit le pari de n'en pas renverser une seule goutte, tandis qu'il se jetait dans le vide du haut de la falaise, la cannette au poing, comme un parachutiste qui aurait tenu une grenade. On sautait de si haut qu'on pouvait croire avec angoisse qu'on n'arriverait jamais en bas, et le choc était alors si brutal que c'était comme si toute l'eau, par un processus physique inédit, s'était pétrifiée entièrement pour se conformer à la nature minérale de l'environnement.

Puis nous nous sommes étendus au soleil. La carrière s'évasait comme une baie, s'incurvait comme un long croissant de plage. Il n'y manquait que le Pacifique, avec les naïades dorées et les surfeurs. Les carrières sont les mers des pauvres. Quand j'y allais seul, je me dénudais complètement, pour faire profiter chaque grain de ma peau de la longue langue de lumière que le soleil tirait à son zénith. Avec Johnny, j'étais un peu gêné.

J'avais apporté mon fusil. J'avais le goût de parler. Je jouais machinalement avec l'antique pétoire, avec les canons d'un bleu presque noir, avec la crosse polie par l'âge et l'usage, avec le mécanisme de la détente, délicieusement archaïque. Je dis à Johnny :

— La dernière fois que j'ai vu mon grand-père vivant, il est monté du sous-sol avec le fusil qu'il avait décroché du ratelier, il me l'a tendu et il a dit : « C'est à toi, Édouard. » Puis il a porté la main entre ses jambes et il a dit : « C'est comme ce qu'il y a là. Ça sert plus tellement souvent. » C'était l'automne. On aurait vraiment dit que c'était une cérémonie de passation de quelque chose, d'une sorte de pouvoir. Il m'a ensuite sermonné en se raclant le gosier et en crachant de la glaire sur le bout de ses bottes : « Ti-gars, oublie pas, oublie jamais que quand tu tiens ça, tu tiens la mort entre tes mains. Sois prudent ! » Et j'ai remarqué qu'il ne mettait pas tellement son conseil en pratique, parce qu'en même temps qu'il me parlait, il tenait le canon du fusil collé contre sa poitrine.

Nous avons regardé défiler un Jumbo Jet dans le ciel lisse et immaculé (sauf à l'horizon, où des nuages sombres se dessinaient). Pour changer de sujet, j'ai dit :

— Ça paraît que l'automne approche, hein, mon Johnny ? Regarde les touristes qui retournent par paquets à la mer, par pleins avions. Ils retournent à tire-d'aile vers le berceau de la vie, mon vieux, pour panser leurs plaies dans le sel.

Johnny sourit avec indulgence et remarqua :

— Tu capotes, Eddy, tu capotes. Mais je trouve qu'ils sont chanceux, moi. On devrait y aller, nous autres aussi.

Nous contemplions la longue houache bien droite, légère dans le ciel bleu.

— Mais non, répliquai-je. Les ultra-violets vont les détruire, Johnny... Question de temps. Et ici, ça sera la même chose, un jour. Je suis sûr que j'ai raison, à propos du désert. Les grands lacs fuient, les arbres, qui sont les contrôleurs aériens du trafic de l'eau, dépérissent ou sont fauchés sur pied. Renverser le cours de la Baie James ne changera rien, mon gars. Les Américains ont soif et bientôt ça va être notre tour. Le désert va être saupoudré jusque dans notre assiette. Il va falloir devenir géophages pour survivre. Demain, c'est le combat dans l'arène qui va être la règle du jeu, Johnny ! La vie tourne au vinaigre, mon gars, la vie est un vin acide : il y a de l'espoir seulement dans la tête piriforme de ceux qui ont les yeux trop rapprochés pour voir plus loin que le bout de leur nez. Et quand je parle de nez, Johnny, je sais de quoi je parle. Je peux parler de nez sans parler du nez ! Nez est un mot du dictionnaire ! Un mot, ça ne sent rien ! Tu ne trouves pas que ça sent le néant ici, Johnny ?

Il eut un sourire perplexe, peut-être un rien méprisant, et il dit doucement :

— Ton monde, c'est vraiment les mots, hein ?

Puis il se releva, ajoutant :

— Mais tu me donnes soif, avec tes histoires.

Il vida sa dernière cannette d'un trait puis il cria, d'une voix qui engendra de nombreux échos le long des parois grises :

— Eddy, tu rêves, hostie, tu rêves ! Envoye ! Mets deux balles dans ton gun ! On va se pratiquer un peu !

Il alla placer les contenants en guise de cible, sur un petit monticule situé à quelque distance, et il me prit le fusil des mains. BANG BANG Il se mit à tirer sur les brillants objets qui effectuèrent des bonds dans les airs, comme des oiseaux métalliques affolés. Excité par le bruit à la fois sec et amplifié des détonations, je hurlais tout ce qui me passait par la tête, étrangement heureux :

— T'es un militaire, Johnny ! Un militaire de carrière ! Les militaires sont faits pour le désert ! Le désert est le corol-laire de la guerre au cœur du militaire ! Les cannettes sont nos cœurs humains, et même nos calices !

Les deux canons tonnaient, nous faisaient trembler les tympans et la grenaille criblait les cannettes et Johnny criait :

— Supposons que ça soit des canards !

Une espèce de frénésie a soufflé sur nous, un vent de folie nous a soulevés sans qu'on le sente. Johnny rechargeait à toute vitesse et tirait au jugé, maintenant. Moi, je hurlais :

— Feu sur le CACA, sur le crottin cylindrique qui contient le vide de la civilisation ! On fait la guerre au COLA, Johnny, on est en état de belligérance avec tout l'empire américain ! Sus à tous les dyspeptiques buveurs de Pepsi ! On va se battre à coup de fusil, à coup de crosse, à coup de couteau dans les ventres météorisés !

Johnny fit face aux carcasses indolentes des machineries enlisées et obsolètes et il tira. BANG BANG Deux autres cartouches ! BANG BANG Deux autres bières ! C'était la foire et ça remplaçait la foi. La grêle de grenaille s'abattait sur les rejets du progrès industriel, sur le camion en joue dont le pare-brise explosait en de tortueuses étoiles, créant des trous noirs, des zones d'ombre sous les soleils de plomb. Nous étions fous. Les détonations toniques emplissaient nos petites forges acoustiques et nous grisaient. Le fusil crachait, reculait, Johnny avançait en tiraillant. BANG BANG Alors au comble de l'euphorie, je me suis juché sur le bulldozer qui était devenu un tank et j'ai hurlé :

— La guerre ? Yes sir ! La guerre des rangs ! Moi je sais mon rang, Johnny ! Je suis mon rang à moi tout seul ! À nous deux, on est une division au grand complet ! Allez viens, Rommel ! Viens, renard du désert ! Créons de nouveaux El Alamein, atomiques cette fois ! Étendons le désert et ses affres à toute l'Afrique et au monde entier ! Nous régnerons sur les regs et sur les ergs !

Puis, il n'y eut plus un son. Sauf celui d'un autre avion qui passait. Johnny leva la tête, et comme il lui restait une cartouche, il épaula encore, ajusta soigneusement l'appareil et tira en direction du gros Boeing inaccessible là-haut. Ensuite, le fusil fuma, pour se détendre, et Johnny, las, dit simplement :

— Tu parles trop, Eddy...

* * *

Le lendemain de cette séance de luddisme ludique et attardé, je suis allé me promener le long de la ligne des crêtes, mon vieux fusil ne quittant guère la saignée de mon bras. J'ai encore une fois pu jouir du panorama offert par la plaine qui s'étendait de la rivière aux eaux mates et plombées jusqu'au fleuve puissant que l'on devine à l'horizon, derrière la macule urbaine, tout comme on peut imaginer la rivière des Outaouais et le lac des Deux Montagnes par-delà la double montérégienne d'Oka bien visible d'ici. Je me demandais si la vue pouvait être meilleure du haut de la tour de contrôle qui se dressait plus près, bien phallique avec sa coupole en forme de gland. Comme pour confirmer gracieusement cette interprétation un peu monomaniaque de l'architecture aéroportuaire, le hasard, à ce moment précis, m'a fait poser le pied sur un petit gland vert tombé d'un chêne rouge *Quercus rubrum* qui agitait ses feuilles sommairement dentelées sur mon passage.

Je connais maintenant l'emplacement exact de la petite maison dans la plaine (d'ailleurs ma situation, ce qui est troublant, est tout à fait feuilletonnesque) où habite, dort, boit et mange (c'est tout ce que mon ignorance malheureuse m'autorise à émettre en fait d'hypothèses) la jeune fille fantas- mée et fantômale qui monopolise sans le savoir ma virilité virtualisée. Ainsi, elle passe sa vie à travers cette volaille variée, caquetante, cancanante, gloussante, cacabante et quoi encore ? Et moi, je suis ici à la désirer, sur le rebord du premier plissement géologique amorçant la grande chaîne des pays- d'en-haut. Je suis un homme des orées, des lisières et des frontières, tout comme Goupil, d'ailleurs, dont le terrier doit se trouver tout près d'ici, sur l'adret, au milieu de ces éboule- ments de rochers instables. La cacophonie avienne qui monte jusqu'ici doit exercer une puissante attraction sur mon ami rouge. Renart habite le nord, mais reste orienté au sud.

Et moi, qu'attends-je pour franchir la frontière, pour sauter cet obstacle somme toute dérisoire qu'est la rivière pesante, et mordre enfin dans la vie, mordre à cette gorge plantureuse qui me nourrira spirituellement, y plonger ma figure pour un bain lustral ayant le pouvoir de stopper net le cours des années ? Tu vieillis, Malarmé. Tu es déjà à demi quinquagénaire ! Pourquoi suis-je volontairement confiné à ces contreforts chaotiques par un réflexe obsidional qui me retranche du grouillement de l'humanité ? Quand donc en aurai-je assez de cette solitude monastique librement consentie qui fait de moi un vieillard précoce dans ce coin de pays perdu, oublié de tous, ce pays qui n'appartient qu'à une clique de politiciens dévoyés qui plani- fient leurs programmes nationaux pour tous, parlementent, palabrent interminablement, se partagent la terre en fiefs selon son potentiel électoral ? Mon Dieu, je me sens l'âge de ces vieilles pierres qui s'usent sous mes pieds. Je vais devenir un fossile psychologique. Je ne suis qu'un grain de pollen sur le granit.

* * *

J'ai aperçu un jour un jeune chevreuil, un chevrillard qui courait sur le territoire de l'aéroport, de l'autre côté de la clôture. Je montais ma fidèle Tinorossinante et j'avais dépassé l'aérogare depuis peu. La tour de contrôle trônait toujours dans mon champ de vision, avec sa protubérance bombée, pareille à un œil de poisson aplati qui paraissait pivoter sur mon passage. Alors j'ai vu ce cerf qui filait à fond de train, selon une trajectoire parallèle à la mienne. Nous avons fait un bout de chemin ensemble. Il suivait de près la clôture grillagée qu'il semblait menacer, à intervalles réguliers, de l'embryon de panache qui lui crevait le front. Surmontée de deux fils barbelés courant suivant un plan incliné par rapport à la route, la clôture était juste assez haute pour que l'animal ne puisse la franchir d'un bond et descendait juste assez bas pour l'empêcher de se faufiler dessous. Alors il courait, courait, sans doute depuis longtemps. Il avait l'air harassé, sa langue pendait sur une babine inférieure écumante. Il devait avoir soif. Il était beau à voir, les pattes éployées, les yeux fous, la langue tirée, la queue bien droite comme un drapeau blanc claquant au vent, les muscles pelviens bandés creusant des labours dans ses flancs au poil clairsemé, sa tête secouée spasmodiquement avec une obstination fougueuse, agitant sur son front le germe de virilité encore fragile qui frôlait les mailles de métal. Il était la quintessence de la peur intrinsèque.

Il me fit penser à ces bancs de poissons que les bordigues de clayonnage dirigent à leur insu, le long des côtes, vers un sort encore dissimulé, mais certain. Il a fini par s'arrêter brusquement, plantant ses sabots dans la terre interdite de Mirabel et son regard noir et luisant dans le mien. J'ai mis les freins doucement tandis qu'il tentait de récupérer, renâclant, ses naseaux battant l'air comme les ailes d'un papillon. J'aurais voulu lui demander : « Qu'est-ce que je peux faire, mon vieux ? », mais il est reparti sans prévenir, comme une flèche, rasant toujours la clôture qu'il continuait, par saccades dérisoires, de menacer de ses andouillers à peine ébauchés. Je poursuivis ma route aussi, de mon côté de la clôture. Et à force de regarder celle-ci, j'ai fini par comprendre que, malgré toutes les apparences, mon chevreuil était en cage. C'était une très grande cage. Bien des pays ne sont pas aussi grands. C'était une christ de grande cage ! Mais c'était une cage quand même.

* * *

Ça a fini par arriver. Question de probabilités. Tôt ou tard, il fallait bien que nous y allions simultanément de nos petites perpendiculaires en direction du pont. Cette fois, les chiens ne m'accompagnaient pas. Ma petite générale tenait le pont à elle seule, les mains posées sur la rambarde, ses regards tournés vers l'amont. Nous étions à un contre un. Je n'allais pas reculer, pas après avoir appelé cet instant sur tous les registres de mon monologue intérieur. Je l'ai abordée d'aplomb, m'accoudant au parapet du pont près d'elle, lui disant « Salut ! » de façon engageante, comme si nous nous étions tenus debout devant le comptoir d'un bar en ville, un bar où on se rend dans le but précis de faire des rencontres, comme si mon approche avait pu être une chose naturelle, alors que justement, à cause du décor naturel, le geste devenait déplacé, étranger. Le pont de la Rivière-du-Nord n'était surtout pas un bar, et la rivière, avec ses eaux sirupeuses, invitait davantage à la miction qu'à de prometteuses libations.

Elle m'a jeté un regard rapide. Si jamais elle a éprouvé le moindre émoi, elle a eu le temps de le maîtriser avant mon entrée en matière. J'ai demandé très vite :

— Qu'est-ce que tu regardes ?

Elle a haussé les épaules et répondu platement :

— La rivière, je suppose.

— C'est pas très joli, comme couleur, hein ?

Elle secoua la tête :

— C'est à cause du vieux salaud qui possède une usine de papier à Saint-Jérôme. Ils jettent leurs teintures usées dedans, chaque jour. J'ai un professeur qui a vu ça du haut des airs, dans son avion privé. Il dit que c'est comme un arc-en-ciel, à la sortie des égouts de l'usine.

J'eus un mouvement de la main :

— Bof, j'imagine que les fermiers y contribuent bien un peu aussi, non ?

Elle se redressa légèrement, et je la sentis se raidir, tandis que l'air dans son entourage immédiat semblait gagner en densité.

— Les fermiers ? Pour ce qu'il en reste... Non, je te dis... C'est l'usine du bonhomme Bourgeois, à Saint-Jérôme, qui donne son coup de mort à la rivière. Tout le monde sait ça...

Je portai la main à ma joue, machinalement. Le parfum putride de la rivière ouvrit une vanne dans mon souvenir :

— Bourgeois... Ça me dit quelque chose. Voilà, c'est ça... ça s'est passé ici même : un vieux monsieur qui voulait sauter en bas. Il a même offert de me payer. Je me souviens d'avoir vu son nom sur sa carte d'assurance-maladie, quand il m'a tendu son portefeuille. Bourgeois ! Ce serait donc lui, le vieux monsieur suicidaire, le propriétaire du chalet que j'habite !

Indifférente à mon travail de déduction, elle confirma distraitement :

— Il habite une grande maison blanche, sur le chemin de la rivière. Il est malade, et tant qu'à moi, il peut bien crever au plus vite ! Si on pouvait mettre le cadenas sur son usine aussi facilement que le cancer est en train de lui régler son cas...

En dessous, la coulée de boue liquide suivait son lit, alentie, se laissant parfois iriser, à la faveur d'une tache d'huile, par les rayons obliques d'un soleil déclinant.

Pour changer de sujet, et puisque je m'étais muni de mes jumelles, j'ai lancé gaiement :

— Veux-tu voir des canards ? Il y en a une couvée par là. Les canetons commencent à grandir...

Elle n'a pas dit non. Je lui ai passé la courroie de l'instrument autour du cou, et je me sentais comme le cow-boy qui parvient à refermer son lasso sur l'échine d'une bête à cornes particulièrement rétive. Elle déclara sur un ton dépité :

— Je vois rien. C'est tout brouillé.

Je me suis approché un peu plus, presque collé, pour manipuler à mon aise le mécanisme de mise au point sans qu'elle cesse de regarder par la lentille, le visage impassible. Je crois que nous retenions tous les deux notre souffle. Je ne pouvais m'empêcher de penser que ces longues-vues dont je m'étais servi naguère comme d'un appareil de préhension pour l'arracher à l'anonymat de sa vie rurale étaient maintenant soudées à leur ancienne cible. Elle avait franchi le tunnel noir de l'éloignement, elle était passée de mon côté de la lorgnette.

— Comme ça, ça va, tu vois quelque chose ?

— Rien que du vert, du brun... ça marche pas, ton truc...

C'était en effet laborieux. Nous essayions de nous ajuster, elle à l'appareil optique, moi à elle, par l'intermédiaire du même appareil. Elle finit par dire, avec l'excitation d'une fillette :

— Ça y est ! Je les vois ! Les petits sont beaux. Ils me font penser à Saturnin, en plus brun.

— Brun, on le serait à moins, fis-je, l'air pénétré. Mais c'est bizarre, ce nom de Saturnin, quand on pense que saturnien est synonyme de triste, dans le vocabulaire dérivé des planètes.

— Ça se peut... Remarque, ils auraient toutes les raisons d'être tristes. C'est un miracle qu'ils ne se déplument pas spontanément en pataugeant là-dedans. Et bientôt, les chasseurs vont leur tirer dessus. Et même quand les chasseurs seront partis, les canards mourront encore, empoisonnés par tout le petit plomb qui tapisse le fond de l'eau.

— Je sais. (Je hochais la tête, grave et compréhensif.) Je connais le phénomène : empoisonnement par le plomb, comme pour les Romains décadents. Saturnisme, voilà le terme exact. Les petits Saturnins vont périr de saturnisme. N'est-ce pas saturnien ?

Elle me lança du feu. Puis elle secoua la tête avec commisération :

— Tu te penses drôle, peut-être ? On dirait que tu sais jouer avec les mots. C'est tout ce que tu sais faire ?

— C'est important, jouer... répondis-je en la regardant dans les yeux. Toi-même, tu jouais avec quoi, quand tu étais petite ? Avec une poupée ? Avec des canards dans ton bain ?

Elle détourna les yeux. J'essayais de l'imaginer petite fille, prenant son bain sous l'égide parentale. Mais je ne parvenais pas à concevoir ses seins plus petits, pré-pubères. Il me semblait d'une évidence incontournable qu'ils avaient toujours possédé cette élasticité agressive qui les faisait rebondir et se dresser en avant, comme mus par une volonté bien à eux, et par une indignation, une colère leur étant propre. Ah ! voir ces seins !

Sentant le fléchissement de mon regard, elle se détourna à demi, troublée. Je voulus lui parler doucement, mais elle avait reporté les jumelles à ses yeux, et elle s'exclama :

— Qu'est-ce que c'est que ça ? Ah ben, ça alors !

Elle me tendit l'instrument. Je fis tourner la roulette d'ajustement et, dans mon champ de vision rétréci aux dimensions d'un cercle, se précisa l'image baroque d'un landau enlisé dans la vase. J'ai scruté un instant, en silence, cette bizarre épave alluvionnaire, puis, laissant les jumelles retomber dans mon cou, je me suis tourné vers la fille avec un beau sourire et j'ai rendu mon verdict :

— Érosion de la natalité.

Elle ne trouva pas ça drôle. Comme elle ne disait rien, j'ajoutai :

— En tout cas, voilà au moins un débris qui ne vient probablement pas de l'usine du bonhomme Bourgeois. Peut-être ont-ils voulu tourner un remake du *Cuirassé Potemkine* sur la Rivière-du-Nord ?

— On trouve vraiment de tout dans cette rivière, fit-elle, comme en écho à autre chose.

Il y eut un long silence. Là-bas, un caneton téméraire s'était éloigné du groupe compact de ses frères et sœurs et venait de se percher, maladroitement, sur l'une des roues du landau qui émergeait du banc de vase. Je prononçai sombrement :

— La grande roue de la vie va bientôt le broyer, on n'y peut rien.

Sursautant, ma voisine demanda sur un ton vindicatif :

— Je suppose que tu chasses, toi aussi ?

Désireux d'éviter ce terrain miné, j'optai pour la moquerie défensive :

— Ne me dis pas que tu t'es juré de devenir la Brigitte Bardot des bébés canards ! Ah oui, eh bien, souviens-toi de Mirabel, quand elle a été arrêtée aux douanes, en possession d'une statuette d'ivoire d'importation interdite ! Parlez-moi des principes ! Et puis, je me rappelle que quand j'étais plus jeune, je feuilletais les journaux jaunes, le genre de publications qui tirent tout leur jus et tout leur pus de la vie des vedettes, tu vois ce que je veux dire ? J'étais tombé sur un gros scoop, des photos inédites et sensationnelles montrant nulle autre que la Bardot recevant chez elle un de ses amants. Le photographe avait dû se poster dans l'immeuble d'en face, un étage au-dessus. On bénéficiait d'une vue en plongée, ils faisaient l'amour sur le plancher, et son amant était une espèce de grand Noir, genre coureur de marathon kényen, la Bardot avait l'air plus blanche que blanc en dessous de lui... Elle peut bien faire des affaires avec les trafiquants d'ivoire...

J'avais voulu être drôle, mais mon auditrice en avait assez entendu. Elle se détourna sans un mot et se dirigea vers la sortie du pont, me forçant encore une fois à me raccrocher, comme à une planche de salut, à cette majestueuse nuque dont le roi en moi aurait voulu faire sa montagne. Elle s'en allait. Elle s'en allait, m'éconduisant comme un vulgaire dragueur urbain, comme si je n'avais voulu mener que de plates négo-ciations enrobées d'esprit, de celles qui doivent conduire à l'horizontal accomplissement que chacun s'accorde à recon-naître comme aboutissement souhaitable de tout entretien sexualisé. Elle fuyait comme une petite bête blessée, devant moi qui n'aurais voulu que déposer des baisers balsamiques sur ses bobos. Pourquoi était-ce si compliqué ? Même si j'avais voulu la posséder comme un primitif, la nuque rase était là pour rendre problématique la classique prise de la couette. Pris de court, je lui ai crié, plein d'un désespoir exalté :

— Comment tu t'appelles ?

Et elle, ma future conquête, le point focal de tous mes soupirs, la porteuse de tous les présents potentiels de mon amour fou, sans se retourner, a répondu :

— Christine.

J'ai répété silencieusement, comme dans un film muet : Christine.

* * *

Pour me désennuyer, je multiplie les séances de réverbéra-tion. De quoi j'ai l'air ? Je suis vêtu d'un pantalon ample et kaki, avec des pièces de cuir aux genoux, d'un T-shirt noir me découvrant les bras jusqu'aux épaules, et un bandeau rouge m'enserre le front et discipline une chevelure plutôt longue, bouclée et effrontée : je suis le Rambo des Basses-Laurentides, avec mon fusil léger que je peux tenir d'une seule main, le dressant à la verticale comme si c'était un de ces pistolets-mi-trailleurs avec lesquels on nettoie un attroupement de Vietna-miens en quelques secondes, une arme comme celle que bran-dissait à la face des actualités internationales un garde du corps pris de court juste après que Hingsley eut tiré sur Ronald Reagan, pour les beaux yeux d'une jeune actrice de cinéma.

Oui, je revois ce garde du corps désemparé : son pistolet-mitrailleur pointait vers le ciel, inutile, paranoïaque, comme si de là allait venir la prochaine attaque.

* * *

Il me semble que d'année en année, l'automne devance chaque fois davantage la chronologie normale de ses manifestations. Les érables rougissent déjà, fin août, et cette rubéfaction précoce se double d'une perte prématurée de leurs feuilles symboliques. Le Canada, qui n'est un pays que sur le papier, ne le sera bientôt même plus dans ses feuilles de feu à la souveraineté attaquée. Le péril, comme le salut, vient toujours du ciel.

L'automne souffle sur la nuit. Les petites cervelles d'oiseau le savent. La grande débandade annuelle est commencée. Les oiseaux se sauvent de nuit, comme des voleurs, mais leurs pépiements à peine perceptibles les trahissent. Ils sont là quelque part au-dessus de ma tête. Je peux presque les sentir ; je les entends, je les comprends, je les sais. Voleurs d'été, ils s'enfuient à tire-d'aile, ils l'emportent avec eux, l'été, blotti contre un cœur minuscule qui bat à cent à l'heure. Peep Peep Chaud là-haut ! Peep Peep Ce sont des parulines, surtout, toutes parures confondues dans le plumage d'automne. Difficile de distinguer les jeunes des vieux. Légères bouffées de chaleur magnétisée, elles s'orientent sur les étoiles, elles font partie elles aussi du grand flipper intergalactique. Et quand les humains se mêlent de concurrencer les étoiles en élevant une tour et en ceignant de lumière le sommet de cette tour, les oiseaux se dirigent droit sur cette pâle imitation et s'y fracassent le crâne avec enthousiasme. J'ai vu ça, en Ontario, sur le bord des Grands Lacs : une haute tour violemment éclairée avec, le matin à son pied, des milliers de petits cadavres désarticulés, comme une poussière vivante retombée des cieux.

* * *

Je retrouve maintenant, quasi quotidiennement, Johnny et son ami Ben autour de l'autel servant aux rites ténébreux de ce culte bien particulier qu'est la recherche de la précision à tout prix. Je les retrouve plongés dans le recueillement sacrementel qui est de rigueur à ces offices bachiques où le sang du dieu offert en pâture n'est qu'une lymphe tiède enfermée sous pression dans les hautes bouteilles brunes. Le fracas des combinaisons monte dans l'abside de notre lugubre cathédrale. Ici, les prières sont remplacées par les pulsations profondes que vomit le magnétophone de Johnny. IF YOU'RE GONNA DIE IF YOU'RE GONNA DIE IF YOU'RE GONNA DIE DIE WITH YOUR BOOTS ON Les boules sont comme de lourds fruits édéniques qui emplissent le poing de leur masse concrète. La table basse et sobre est un tombeau, on se penche dessus, on s'y appuie, on s'y couche presque, et ce meuble massif offre la résistance des grands monuments mathématiquement prodigieux. En guise de communion, il y a sur la table cette boule blanche qui est présence de toute lumière, car au commencement était la lumière, et au terme d'une lutte épique et ludique passant par toutes les couleurs du spectre visible qui prête vie à toute beauté et à toute laideur, au terme des sept vies circulaires que nous accorde la règle incontournable de la Loi des tables, on se retrouve seul, en face de l'orbe noir du néant, absence de toute irradiation qui nous absorbe inexorablement en elle, néant d'où sont nées toutes les fourmis, d'où sont sortis tous les génies, et j'en passe.

À force de fermer avec moi le *Pullford* soir après soir, Johnny commence à s'ouvrir un peu, quand il est soûl comme une huître qu'on aurait fait bouillir dans la bière. Il m'a raconté son histoire, par fragments que j'ai recollés, en laissant de côté quelques mensonges faciles à déceler. Autant dire tout de suite que ça ressemble au scénario d'une série américaine, un épisode qu'on pourrait situer avec succès au temps du Dust Bull en Oklahoma.

SOMMAIRE :

Johnny était garçon de ferme, garçon de son père qui était propriétaire d'une grosse ferme laitière. Quand il avait douze ans, il faisait le train, soir et matin, et les foins durant l'été. C'est là qu'il a commencé à se faire les bras. Il connaissait toutes les vaches par leur nom, il les aimait bien même s'il fallait leur donner de grands coups de pied dans le derrière pour les faire lever. Disons que donner des coups de pied, pour Johnny, c'était aussi une façon d'aimer. Ça sentait bon le lait chaud dans l'étable. Et même si son père ne le lui avait jamais promis solennellement en embrassant toute la terre d'un vaste regard rêveur, Johnny savait que tout cela serait à lui plus tard.

Son père ne parlait pas beaucoup, mais Johnny savait. Il connaissait le silence.

SCÈNE 1 :

Un beau matin, après le train, le jeune Johnny est à nettoyer la laiterie. Une auto noire fait son entrée dans la cour. Il y a deux hommes dedans, vêtus de complets sombres, plutôt propres pour marcher sur une ferme. Ils parlent au père, parlementent un moment, puis marchent avec lui jusqu'à la première clôture. Ils regardent la terre, puis retournent tous trois vers la maison. Zoom sur le père : il marche entre les deux, penché, on dirait un prisonnier. Les deux hommes pénètrent dans la maison, encadrant toujours le père, y restent un bout de temps, ressortent, repartent.

SCÈNE 2 :

Une semaine plus tard. Le père est par terre. Quand Johnny a entendu les cris, il a couru vers la maison. Dans le salon, le père a les quatre fers en l'air, il est en train d'avoir son infarctus du myocarde, sa crise du cœur. Il bave partout pendant que la petite sœur de Johnny pleure en agitant sa poupée démembrée. Faire un enchaîné avec la

SCÈNE 3 :

Grand encan. Tous les voisins sont là. Et tout doit partir. Et tout part. Vaches et machinerie. Johnny est minuscule au milieu de cet attroupement. Il a le goût de pleurer, quand il voit le gros John Deere quitter la cour de la ferme. Le symbole de la compagnie, peint sur le tracteur, s'imprime avec netteté dans sa mémoire : un chevreuil lancé au grand galop. John Deere, c'est tout dire ! Johnny se sent rejeté. Plus justement, on pourrait dire qu'il se sent sevré. Super-sevré par soixante laitières. Le cow-boy a perdu ses vaches.

SCÈNE 4 :

Ben et Johnny rampent au fond d'un fossé. Ils brandissent des carabines à plomb et poussent des cris de guerre. Leur objectif : une maison de bout de rang autour de laquelle ils ont vu s'affairer des hommes un peu plus tôt. Ils s'en approchent avec précaution. Ils en sont encore relativement éloignés quand soudain, BANG, la maison saute devant leurs yeux et s'écroule comme un château de cartes.

SCÈNE 5 :

Johnny et Ben sont un petit peu plus vieux. Ils grandissent vite, Johnny arbore déjà une bonne paire de bras. Suant et maugréant, ils sont en train de sortir une vieille commode d'une maison visiblement abandonnée (les volets sont placardés). Un bruit de moteur se fait entendre, venant de la route, se rapprochant. Ils se regardent. L'encombrant meuble bascule sur le côté tandis que les deux amis se précipitent dans un taillis non loin, s'y jetant à plat ventre à l'abri des regards. Sur la petite route de rang, une grosse voiture passe en halant une remorque ouverte dans laquelle s'entassent un réfrigérateur, une table ronde, d'autres pièces de mobilier pêle-mêle. Ben et Johnny se regardent.

Ben : « J'ai eu peur, mon gars, j'ai eu peur que ça soit eux autres ! »

Johnny : « Ben non, tu vois ben. Encore une gang de Montréal qui fait le tour des rangs. Ça doit être un p'tit couple de jeunes mariés qui se cherche des antiquités. (Se redressant) : Bon, allons-y, mon man. Si le bahut est pas trop brisé, on le ramasse. Il doit valoir pas mal cher. Le reste, on le laisse là. La maison est presque vide. »

Ils se remettent au boulot.

SCÈNE 6 :

Une ancienne maison de ferme, le long d'un rang. Une musique tonitruante s'échappe de la grange, où un groupe de Métal Hurlant, les Raging Dogs, est en train de passer au travers de son répertoire. Johnny et Ben sont affalés sur la pelouse, devant la maison, et fument un bon joint. De l'autre côté de la route, en diagonale, il y a une autre maison, très ancienne. Un vieux pépé se berce sur le perron, tirant sur sa pipe et crachant des postillons. La galerie est située si près de la chaussée que l'ancêtre se trouve à un jet de jus de pipe de la ligne blanche. Les musiciens sortent de la grange en se bousculant et en se lançant des bouteilles de bière. Un silence relatif se rétablit sur la campagne. Johnny se lève, appuie sur un bouton, et un déluge de décibels, en provenance de

CHAUME-FM, s'abat sur les champs. Le pépé se met à se bercer plus vite.

* * *

La croissance de Johnny, si elle contraste en général fortement avec la mienne, la rejoint aussi par certains de ses aspects. Ainsi, le nœud névralgique de mon enfance fut une maison vide, dévastée par le divorce, d'abord désertée physiquement par un père toujours parti, puis mentalement par une mère elle aussi partie, mais sur les pilules. Quant à mes frères, ils ont vite suivi mon paternel quand il s'est relogé pour de bon. Johnny a connu lui aussi des maisons vides, mais c'étaient les maisons évacuées de l'expropriation. Un terrain de jeu fabuleux, où faire des parties de cache-cache avec les factionnaires appointés par Ottawa, avec de temps en temps, en prime, le dynamitage d'une bâtisse que les employés du gouvernement perpétraient presque en cachette, eux aussi, de peur de réveiller les habitants des alentours. On préférait les prendre par surprise. De toute façon, comme on allait l'apprendre quelques années plus tard, des activités telles que le sabotage d'une vieille grange entraient tout à fait dans les attributions d'un salarié du gouvernement fédéral. Johnny a vécu l'expropriation comme certains enfants vivent la guerre à Beyrouth : une grande fête et une joyeuse entreprise de démolition du monde adulte. Il était trop jeune pour ressentir l'humiliation des tracas bureaucratiques, pour avoir à faire face à l'invasion des fonctionnaires à formulaires qui se mettaient tout à coup à prendre le territoire pour un vaste champ d'expérience où la seule activité agricole possible restait la cueillette de données. Johnny était jeune et joyeux, au milieu du grand dérangement.

Le seul problème, c'est que le père de Johnny avait perdu à peu près tout contrôle sur son aîné. Dans la tête de Johnny, son père, plus le respect qui lui était dû, s'étaient écrasés comme un avion, CRASH, le jour où il avait vendu la ferme. Le père était passé du statut de propriétaire à celui de prisonnier, quand Johnny l'avait vu défiler penché entre les deux épaules investies de pouvoir. Johnny avait alors choisi son côté. Il n'allait pas être un prisonnier de la terre, comme son père. Il préférait devenir un homme en noir. Mais comme le tissu délicat d'un complet-veston ne lui convenait pas, son noir à lui, ce serait le noir du cuir, le noir d'une veste de cuir. Et Johnny aussi, à sa façon, chercherait du pouvoir. Du pouvoir comme celui qui avait fucké la pompe de son père, du pouvoir comme celui qui avait fait péter la patate paternelle. Du pouvoir comme au pool, quand on devient une tête-de-boule. Il trouverait la source de ce pouvoir-là.

* * *

Vendredi soir, *Pullford Lodge*. La mécanique des grosses bières fait aller ses pistons. L'iris éclaté du billard nous entraîne dans son tourbillon. Le vieux Pullford et sa vieille Pullford, derrière le comptoir, près de l'entrée et de ma machine à boules éteinte, se plongent encore dans les comptes, factures, reçus et récépissés, veillent aux affaires temporelles comme un vieux couple de sacristains depuis longtemps acculé à la ladrerie.

À un certain moment, Johnny, en pleine déroute au niveau du billard, lance à son ami Ben :

— Eh, mon Ben, t'as le compas dans l'œil, à soir, mon grand ! Si ça continue, LA SEPT AU COIN, mon maudit, tu vas faire un massacre sur la rivière, demain matin !

Intrigué, je m'informe de ce qui doit se passer en ce lendemain dont le matin approche à grands moulinets d'aiguilles sur l'horloge. Johnny ne m'entend pas, mais se laisse aller, derrière ses yeux vitreux, à une rêverie à demi éveillée dont les temps forts, ponctués d'exclamations enthousiastes, se transforment en lointaine réponse à ma curiosité :

— Ah la chasse aux canards ! La chasse aux canards ! L'ouverture de la chasse aux canards. Ça, c'est du sport ! Te souviens-tu, Ben, de la fois qu'on a tiré LA TROIS AVEC UNE BANDE sur les Italiens qui voulaient nous voler le gros malard qui était tombé entre les deux caches. Ah maudits fous ! On a tiré au moins quatre, cinq coups. Y en a un qui criait Ayoye Ayoye pis qui appelait la madone à son aide, pis ça riait des deux côtés de la rivière...

Brusquement, Johnny se redresse :

— Eddy ! Eddy ! Tu viens avec nous autres à la chasse aux canards, demain matin, à quatre heures et demie.

Ce n'est pas une demande, c'est une décision qu'il me communique. Je sursaute :

— Demain matin ? Voyons, les gars ! Il est pas loin de minuit, on est presque sur le dos, LA DEUX AU SIDE, à nous trois on ferait exploser tous les ivressomètres de la province, et vous voulez aller à la chasse aux canards dans moins de cinq heures ! Ça va pas du tout. Vous êtes complètement fous, complètement flous, vous flottez, vous êtes en pleine dérive, les boys...

Johnny se remet péniblement debout, assure son équilibre et marche sur moi. Il colle sa bouche légèrement baveuse contre le petit bouclier dérisoire formé par le tragus de mon oreille gauche :

— Eddy, ah, Eddy ! T'as pas compris, j'ai ben peur. T'as rien compris : la chasse aux canards, ça se passe le premier matin à la barre du jour. Tout se décide à l'ouverture, tout se JOUE à l'ouverture, mon man. Ça va pétarader pendant une heure, ONZE CROSS-SIDE, peut-être un peu plus, et c'est là qu'on va faire notre chasse. Après ça, on verra plus un canard, plus un chasseur. Si tu veux avoir une chance de voir un canard au lieu d'une cacanne au bout de ton fusil, Eddy, il faut que tu viennes avec nous autres.

L'ami Ben approuve à grands coups de chef :

— Oui, mon man, tu vas voir, les canards, les canards, tu vas voir, ça tire, ça tire partout, partout...

Pour appuyer cette offensive en règle, LA QUATORZE COMBINE, la voix de Johnny, d'une raucité sans cesse accrue par l'alcool, se mit à adopter des accents lyriques ne pouvant que sombrer dans ce grotesque pathétique qui sied à la poésie de la chasse :

— Eddy, ah, Eddy, il faut que tu voies ça au moins une fois dans ta vie : le bois la nuit, les champs pleins de rosée, la buée à la bouche, les canards, les p'tits christs, que t'entends caqueter dans le noir, et tu te dis ils vont y goûter, LA QUATRE TRIBINE, pis le jour qui se lève, Eddy... impossible de mieux voir le jour se lever qu'à la chasse aux canards. Parce qu'à la chasse aux canards, Eddy, quand la barre du jour commence à brûler, le gibier rentre, mon man, pis tu guettes comme si c'est ta vie qui en dépendait, mon vieux Eddy.

Il ajouta avec une solennité affectée :

— Eddy, l'ouverture de la chasse, c'est sacré. Sacré.

J'aurais voulu lui faire plaisir, mais la perspective de devoir traîner, à l'heure des condamnés, LA SEPT CROSS-COIN, une gueule de bois carabinée le long des lieux de gagnage du gibier d'eau sentait un peu trop le martyre à mon goût. Je fus intraitable : demain, je vais ronfler comme un moine débauché et comme une marmotte, animal assez sensé pour éviter de se lancer LA DEUX AU SIDE dans des migrations meurtrières. Les choses en restèrent là, pour un temps. Mais LA NEUF PAR LA DOUZE, soudain LA TREIZE AU FOND LA DIX PAR LA BANDE j'ai vu, LA CINQ DOUBLE CROSS-COIN juste au moment de LA SIX AU MILIEU AVEC UN KISS AVEC UN KISS frapper la blanche, VOILÀ LA HUIT au milieu d'un silence d'essence presque mystique QUE CE CHIFFRE EST ÉQUILIBRÉ !, pendant que Ben changeait de cassette et introduisait un autre petit rectangle haineux dans l'appareil, ON DIRAIT UN SABLIER UN SABLIER VIDE LE TEMPS S'EST ARRÊTÉ j'ai vu Christine, VISA LA NOIRE que j'avais pour ainsi dire réussi à oublier depuis deux bonnes heures, FRAPPA LA... Christine se présenter au comptoir tout là-bas, à l'autre bout de la salle déserte au fond de laquelle nous nous enlisions dans la licence. Elle n'a jeté qu'un regard bref en notre direction, et elle m'a vu, et elle a regardé Johnny avec un air méprisant, puis moi encore, avec un peu de mépris résiduel dans les yeux, mais de l'intérêt aussi, comme pour rafraîchir un souvenir trouble, et ensuite, aussitôt, elle s'est détournée et s'est accoudée au zinc là-bas où les vieux hôteliers s'empressaient. Je l'ai trouvée si désirable en cette minute même, à travers mon ivresse devenant larmoyante, que j'ai failli, que j'aurais dû me précipiter sans aucune retenue à travers les surfaces morbides des tables froides alignées comme des cercueils dans un caveau, me précipiter et lui parler précipitamment, seulement lui parler et lui dire tout ce que j'avais à lui dire qui se serait si bien exprimé ce soir sans la vigilance de mon Surmoi déjouée par les libations surabondantes. Mais un ultime fond de pudeur pesa de toute sa gravité sur mon cœur. Par peur, qui rime avec pudeur, de commettre l'impair, de provoquer l'irréparable, j'ai rallié le parti d'une prudence stupide, exacerbée, paranoïaque, n'osant même pas esquisser un salut, n'osant même pas reconnaître mon salut.

Sa poitrine opulente était compressée par le comptoir, ses jambes fines et croisées qui laissaient voir un segment de jarret nu au bas du pantalon traçaient une figure nonchalante. Sa tête ronde et rasée, à la nuque somptueuse, me paraissait bien la chose la plus douce à pouvoir jamais se caler contre mon épaule. J'ai souffert en silence, condamné à la distance, à l'exil intérieur, tandis qu'elle commettait quelques emplettes, un pain et du lait, un gros contenant de deux litres. Le *Pullford* fait office, à l'occasion, de dépanneur régional, outrepassant ainsi légèrement les limites de son mandat pour venir en aide à des voisins sympathiques (et surtout, on ne peut se permettre de cracher sur aucun profit). Christine affichait son plus beau sourire et les habituels balbutiements des deux vénérables butors lui répondaient. Elle regarda encore une fois de notre côté. Les autres ne l'avaient pas vue, ils attendaient toujours patiemment que je joue le dernier coup, que je vise la noire percute la blanche, ils ne me bousculaient pas, la bière cultivait leur longanimité et étouffait toute animosité. Ils ne remarquaient même pas que je regardais là-bas, oublieux de jouer, obnubilé. Elle se dirigea finalement vers la porte à clochettes, de ce pas si ferme d'un général qui aurait soumis la campagne entière, et qui serait venu simplement, sans escorte, laissant reposer ses estafettes, quérir quelques provisions dans cette auberge obséquieusement ouverte au conquérant.

Alors, j'ai donné un coup de coude plus sec que je n'aurais voulu dans les côtes submergées de Johnny, adoptant malgré moi une mine de conspirateur :

— Hey, Johnny ! C'est qui, la fille ? C'est qui ? Tu la connais ?

Il s'est retourné juste à temps pour la voir disparaître sous les lazzis aigrelets des grelots. Il a eu une moue d'indifférence, et un haussement d'épaules, puis il m'a regardé en plissant les yeux, accompagnant la mimique d'un bon rire aviné, et il a fini par dire :

— La fille ? Elle ? Mais c'est ma sœur, Eddy ! C'est ma p'tite sœur ! Celle qui s'occupe de l'élevage... Ma sœur...

Cela dit avec un détachement total. J'ai répété : « L'élevage... ? » Et dans ma tête, ça se prononçait « élévation ».

Alors ça a été plus fort que moi. Je me suis mis à rire, comme soulagé soudain d'un grand stress, d'une tension morale insupportable qui renaîtrait sûrement bientôt, qui ne me laissait qu'un répit auquel me raccrocher au milieu d'une mer d'envie, mais c'était une trêve dont il fallait jouir absolument, et j'ai ri longtemps et de plus en plus fort, dans le silence que la cassette à peine entamée n'avait pu combler encore, et je riais, écroulé sur l'épaule d'un Johnny interloqué : Ouah ah ah Ouh ouh Ah Ouah Ouah. Quand j'ai réussi à recouvrer assez d'empire sur moi-même pour parvenir à articuler des sonorités plus élaborées, j'ai serré le bras de Johnny avec une affection qui, tout à coup, m'emportait de façon imprévisible et irrésistible et que je ne savais plus où diriger et j'ai déclaré fermement :

— C'est officiel, mon Johnny. Officiel. Je vais à la chasse aux canards avec toi, avec vous autres, demain. Tantôt.

* * *

Et voilà : je suis revenu à mon château en ruine dans la même inconscience traversée d'éclairs qu'à l'accoutumée. Mais cette fois, je ne me suis pas endormi aussitôt du salutaire sommeil de la brute. Malgré le fait que je sois rond, malgré le fait que je sois noir, je suis resté en suspens au bord de l'abîme, comme la huit, à ma dernière partie. Ma partie de billard n'est pas terminée, elle va se transporter ailleurs, c'est tout. Je suis resté étendu de tout mon long sur ma couche, incapable de fermer l'œil, occupé à dégriser, tout accaparé par les félicités futures qui me paraissent enfin pouvoir s'émanciper du cadre de la fiction où je les avais reléguées. Et c'est pourquoi j'écris, devant un bon café fort qui travaille à dissiper l'ivresse et à accueillir l'insomnie. Dans une heure, je partirai pour la chasse. Il est trois heures et demie du matin, l'heure à laquelle bien des Montréalais se dirigent vers leur lit au terme d'une autre vadrouille du vendredi, l'heure à laquelle je ne peux penser sans un mélange de fascination et de dégoût respectueux à la quantité effrayante de couples qui vont se mettre à copuler tous en même temps, isolés par de minces cloisons, se mettre à copuler pour un soir ou pour la vie, chacun bien conscient dans son transport érotique de la portée strictement individuelle de son bonheur, personne ne s'arrêtant ou ne pensant à s'arrêter au milieu des va-et-vient frénétiques et des contorsions caoutchouteuses pour se demander tout à coup : il y en a combien d'autres qui font ça en ce moment, ce soir ? Qui le font à deux, à quatre, à huit ou à seize ? Qui le font à l'infini ? Combien ? Combien s'envoient en l'air à l'instant ? L'équivalent de combien de baie James dans les embouteillages de sperme de la nuit ? Combien de condoms fertilisés qui prennent le chemin du tout-à-l'égout pour rejoindre l'arc-en-ciel toxique du bonhomme Bourgeois ? Et je m'émerveille encore et toujours de cette prodigieuse faculté qui nous permet de concevoir baise et bonheur comme des choses uniques et personnelles dont ne peut dépendre en aucun cas l'activité des 999 999 autres fornicateurs affairés dans la ville. Je m'émerveille de cette qualité d'unicité omnipotente et dévastatrice qu'acquiert tout à coup quelqu'un quelque part, pour moi seul, de cette qualité désirable qui appelle à grands cris et à mots doux la passion de la possession. Les millions d'autres sont loin, les millions d'autres sont outre et vains, c'est à elle, à elle avec des ailes, que je pense et ne peut m'empêcher de penser.

* * *

CHAPITRE 3

UNE ÉDUCATION DE L'INSTINCT

Je suis sorti dehors, dans le noir qui persistait. Tout était figé sur place par l'air frisquet. Une perdrix décolla au mitan d'une épinette où l'avait menée son besoin de sommeil. Mon cœur, affolé par le fracas de sa fuite, mit un moment à retrouver un rythme plus compatible avec l'activité ambulatoire. Je serrais frileusement mon fusil à travers une débandade de pensées transies. J'étais porteur d'une arme à l'aube, à l'heure des condamnés à mort. Je ne pouvais penser sans un frisson aux êtres vivants de chair et de sang que je m'apprêtais à menacer à l'approche du matin. En fait, je tremblais comme une feuille. Toute la forêt avait l'air condamnée.

Je rejoins Johnny et Ben au pont, où ils dégrisent stoïquement dans l'obscurité, la crosse du fusil calée contre le genou, le canon pointé en l'air à quarante-cinq degrés, comme deux sentinelles gardant un objectif stratégique. Et lorsqu'ils me font face, l'arme à la hanche, j'ai pendant un bref instant l'absurde impression qu'ils sont effectivement les gardiens du pont et que leur devoir leur impose de m'en interdire l'accès, de me barrer la route de la plaine qui dort au sud. Mais je suis des leurs, j'ai un fusil, ils m'ont reconnu, ils se détendent. Je peux les entendre deviser à voix basse, avant d'être en mesure de comprendre ce qu'ils disent. Dans l'air frais absolument immobile, leur voix n'est qu'un babil indistinct, aussi insignifiant et étranger pour moi que la faible et nasillarde jactance des canards que je peux bientôt percevoir, venant d'un point imprécis en amont. Johnny m'accueille joyeusement : « Tu les

entends, Eddy ? Ah, ils savent pas encore ce qui les attend !
Ça va chauffer à la barre du jour, mon man ! »

Sur l'épaulement de la route, il y a des voitures garées, et
d'autres qui sont carrément engagées sur le bas-côté. Dans les
fourrés d'aulne le long de la berge, les faisceaux hagards des
projecteurs se cherchent et s'entrecroisent, des éclats de rire
fusent et des jurons joviaux s'échappent en chapelets. Une
embarcation motorisée glisse lentement sur la rivière noire,
s'éloignant du pont en ouvrant une brèche flavescente dans les
ténèbres ambiantes. On perçoit partout une incroyable fébrilité, un vaste déploiement de forces, comme à la veille d'une
grande bataille, et je me sens revêtir à cet instant l'enivrante
et illusoire importance du troufion fondu dans le grand tout
d'une armée, à la fois glacé par la peur et inévitablement
excité par le proche déclenchement des hostilités et l'avènement du meurtre autorisé. En ce matin frileux qui est encore
une veille, je pourrais être un soldat allemand, fanatisé ou
simplement effrayé, massé avec des milliers d'autres à la frontière soviétique, avant l'opération Barbarossa, ou le long de
toute autre frontière... la Rivière-du-Nord ressemble à un Rhin
urineux. Il y a de la transgression dans l'air. Quand on est
suffisamment fatigué, on peut tout comprendre, tout accepter,
même un soldat allemand, même l'invasion de la Russie,
même la folie.

Johnny et Ben portent des vestes kaki et des casquettes
assorties. J'ai mis mon blouson militaire sans âge, acheté à un
surplus de la rue Mont-Royal à mes heures de militant. Johnny
possède un authentique tromblon qui a dû faire voler des kilos
et des kilos de plumes au cours de sa glorieuse existence. Ben,
quant à lui, referme ses mains gourdes sur une arme plus
moderne, semi-automatique sans doute, dont l'âme a dû avaler
une bonne partie de ses économies avant de réclamer sa
portion de plomb.

— Allons-y les gars, prononce Johnny, mortellement sérieux.

Nous nous glissons entre les hautes herbes lourdes de rosée,
nous faufilant le long du rideau d'arbres que j'ai moi-même
longé quelquefois, lors de mes missions d'espionnage. Soudain
Johnny s'arrête, se retourne et murmure :

— Qu'est-ce que c'est ça ?

Je regarde. Hospodar et Icoglan nous ont rejoints et trépignent sur place, anxieux de servir. Ils n'ont pu rester insensibles au vent de folie soufflant sur la nuit de septembre. Je réponds :

— Ça, c'est les chiens.

— Ah bon, concède Johnny. Puis, après une pause pensive : Est-ce qu'ils savent rapporter ? Ils ont l'air d'avoir du labrador dans le sang. Ils savent peut-être rapporter ? Parce qu'ici, mon man, le problème, c'est pas de descendre les canards. C'est de les récupérer...

Je secoue la tête, navré tout à coup :

— Non, non. Ils ne sont pas dressés. Ils n'ont pas la discipline. Ils courent après tout ce qui bouge.

Je les observe qui tirent la langue en ne demandant qu'à nous plaire. Ils ont sûrement l'instinct en eux quelque part, l'instinct qui dort au creux de leurs chromosomes. Mais cet instinct-là a besoin d'être éduqué. Est-ce que ce n'est pas paradoxal, un instinct qui a besoin d'être éduqué ? Je dis à voix haute :

— Ce sont des chiens rapporteurs qui ne rapportent rien.

Je me sens infiniment triste, sans raison apparente.

Johnny se secoue de l'espèce d'insidieuse inclination à l'inertie qui est en train de s'emparer de nous et qui fait que nous aurions le goût de nous coucher dans le champ et de fermer les yeux. Je lorgne la mine sommeilleuse de mes compagnons, une mine comme celle que dut avoir Céline dans la campagne française fourmillante d'Allemands, Céline malheureux griveton qui ne pensait toute la nuit, tandis que la possibilité d'une décharge mortelle refluait devant lui au rythme traînant du pas du canasson et restait inhérente à la nuit et à chaque seconde de vie, ne pensait que : Dormir, DORmir DORMIR. Et Dieu sait qu'il ne dormit plus, ensuite, de toute sa vie. Johnny se secoue et ordonne :

— Allons-y les gars ! Eddy, dis à tes chiens de s'en aller. Ils vont nous nuire.

À mon commandement, les deux bâtards font demi-tour à contrecœur, inaptes à la chasse sérieuse des hommes, empêtrés qu'ils sont dans leurs impulsions désordonnées. Au fond, je voudrais retourner me coucher avec eux. Mais je pense à ma petite éleveuse de gibier à plume qui doit dormir dur en ce moment, oasis de délices, dans un lit de duvet douillet que j'essaie d'imaginer.

Des aurores boréales se mettent à danser dans le ciel, vers la tramontane, des marionnettes, comme ils disent, des diaprures rouges et vertes où se conjuguent l'enfer et l'espoir, le feu et la chlorophylle, et j'ai à nouveau cette impression résurgente, tandis que des lumières basses, là-bas, vers l'horizon austral, attestent de la position des avions, que le ciel entier est une sorte de vaste *pinball* pour lequel je n'ai pas encore de monnaie d'introduction.

— Wow, vous avez vu ça, les aurores boréales ?

— Les quoi ? se demande Johnny.

Les yeux au ciel, je tombe à genoux, au bout du champ. Ben ricane :

— T'aimes ça les feux d'artifice ? Attends de voir c'qui s'en vient, tu vas voir ça, mon man, les canards, les canards... Attends de voir... tu vas voir... les canards...

Parvenus à peu près vis-à-vis de la maison de mon ami Johnny, maison que je sais maintenant être aussi le temple où trône sa statuesque sœur, nous nous accroupissons dans les joncs serrés qui forment un rideau continu le long de la berge. Une brise légère se lève et commence à faire frissonner les roseaux, y compris les trois roseaux pensants qui se terrent à croupetons, toutes fonctions cérébrales interrompues. Je demande à Johnny :

— Vous n'avez pas de canards de plastique ? Ou alors, un appeau, pour les appeler ?

Ben ricane encore :

— Ici, mon man, la chasse aux canards, c'est pas compliqué. On attend, pis on tire. Tu vas voir... Attends de voir... les canards... les canards...

À l'est le ciel pâlit, et déjà l'horizon se fendille, se fissure, et la lave du jour se rue dans l'ouverture, sans un mouvement. J'entends distinctement le cliquètement des chargeurs, de l'autre côté de la rivière, et au loin des coups de feu impatients rompent sans plus attendre la trêve fragile instaurée par la rotation de la terre. Un pinson polisson, pleinement conscient en apparence de son immunité spécifique, se pose sur le bout du canon de Johnny que seul son éclat bleuté distingue du foisonnement végétal. « L'hostie », siffle le chasseur entre ses dents. L'oiseau réplique par une note pointue.

À la même seconde, surgie de nulle part, dans un sifflement mélodieux et dramatique, une sarcelle lancée à une vitesse folle, venant des champs derrière nous, frôle mon oreille, littéralement, puis exécute un virage serré, ailes repliées sur son petit corps fuselé, pour disparaître dans l'axe de la rivière. Johnny et Ben ragent, sacrent en silence : « Passée trop vite, la p'tite christ... »

Alors le tonnerre se déchaîne sur la rivière, un roulement de salves écervelées qui salue le passage de cette éclaireuse, se déplaçant vers l'amont. « Si elle survit à ça ! », murmure Johnny, tandis que Ben ricane : « Tu vas voir, man, tu vas voir... les canards... les... » Tous deux épaulent soudain et tirent dans la pénombre grise. « T'as pas vu ? », me lancentils, « T'as pas vu ? » Une autre canonnade en règle progresse le long du cours d'eau, permettant de retracer la fuite du volatile. Je ne vois toujours rien. Et tout à coup, sans qu'il y ait de préambule bien net ou de démarcation perceptible entre le monde des ombres et la clarté diurne, tout à coup, ça vole partout et ça tire partout.

Les canards, des noirs pour la plupart, encore qu'ils soient tous noirs ce matin, nous survolent par groupes familiaux de cinq ou six individus que la pétarade disperse et envoie chercher asile sur l'autre rive, où l'accueil n'est pas meilleur. BANG BANG Ça tournoie perplexe dans les airs, ça tourbillonne éberlué, ébahi, ahuri, et de temps en temps ça tombe, victime d'un rarissime fait d'armes. Johnny et Ben tirent comme des déchaînés sur tout ce qui se présente, sur la moindre forme ailée s'approchant à cent mètres. La fusillade est générale des deux côtés, sur les deux rives, en aval et en amont, partout la campagne réveillée brutalement s'est transformée en déluge de feu, de fer, de fumée. Les plantes et les arbres font gicler en l'air une bruyante semence de mort. BANG BANG BANG PAN PAN PAN. Une bande d'une vingtaine de sarcelles se pointe au-dessus des champs, esquissant un large détour pour éviter les rives crachant le feu, pétant la poudre. Les canons convergent tous de ce côté, criblent l'atmosphère surchauffée. Ça s'égaille en pagaille, au hasard.

Johnny, constatant alors que, comme assommé, je ne réagis pas au déroulement de ce ballet aérien, me crie :

— Qu'est-ce qui se passe, Eddy ? Ton fusil fonctionne pas ?

Je réponds, le regard fixe :

— Mais ça sert à rien. C'est bien trop loin. Ils ne sont pas à portée, Johnny, vous gaspillez vos munitions.

Il hausse les épaules.

— Il faut essayer, Eddy ! L'important, c'est de tirer. Il faut tirer, tirer, quelque chose va finir par tomber !

Et il se remet à arroser copieusement un vieux malard solitaire qui prend péniblement de l'altitude, là-bas, mais dont le plumage plombé devient si lourd qu'il finit par ne plus monter du tout, et il paraît vraiment voler sur place, progresser à une vitesse infime tandis que tous les groupes de chasseurs à un demi-kilomètre à la ronde en font leur cible privilégiée, cible parfaite en raison de cette visibilité acquise au prix d'une ascension digne du martyrologe des canards.

Peu à peu, traumatisés par cette expérience précoce (ce sont toujours les jeunes de l'année, les halbrans, qui tombent sous l'averse de plombs, les adultes puisant vite dans leurs ressources mnésiques une judicieuse ligne de conduite qui écarte radicalement leur trajectoire de la rivière), les canards acquièrent de l'altitude, continuant cependant obstinément à suivre les itinéraires établis durant l'été. Il fait maintenant jour et on distingue leurs couleurs claires tandis que leurs battements d'ailes les propulsent en avant où d'autres fusils se pointent toujours, tout le monde leur tirant dans les flancs, une démence communicative semblant courir le long des rives hérissées de fusils mitraillant à volonté. C'est un crépitement contagieux qui embrase toute la campagne.

Alors, cédant à l'hystérique émulation, je fais feu moi aussi, sans y penser, feu les yeux presque fermés, ratant misérablement comme tout le monde, puis ratant encore, ayant sous-estimé la vitesse de vol qui constitue la seule chance de ces anatidés anathématisés, je tire et rate encore BANG BANG, tire sur ces miroirs bleutés que les canards agitent hors de portée, tire pour les pincer, tire quand même BANG BANG, animé enfin de la même frénésie que mes amis, éjectant les douilles et insérant les cartouches, tirant, emporté par un étrange enthousiasme auquel se mêle l'euphorie caractéristique qui accompagne et soulève l'insomniaque vers le matin, je joins ma voix de vie et de mort à celles de mes amis qui tiraillent aveuglément, au jugé, au hasard, c'est la foire, sans que jamais la cible empennée bascule sur le bleu maintenant accusateur du ciel. C'est un drôle de *pinball*, la même impuissante illusion de puissance, c'est un vert Viêt-Nam, un Jour J sauvagin, c'est une folie furieuse effrayante et exaltante. Là, devant nous, deux chasseurs camouflés des pieds à la tête donnent la chasse, moteur à plein régime, à un canard désailé qui plonge à répétition pour échapper au vomissement périodique d'une grenaille dont le plan de contact avec la surface de l'eau offre une belle illustration de géométrie. BANG BANG Le canard refuse de décéder et les types s'acharnent à la poursuite, tirant méthodiquement dans l'eau à chaque apparition désespérée, les petits plombs dans leur rigoureuse vélocité étant cependant juste assez lents pour créer le décalage infime qui rend possible l'immersion impunie du colvert. Et ce funeste cortège s'éloigne, et ça tire partout toujours, et une pluie de projectiles brûlants retombe après chaque salve dans l'eau tout près de nous, éteignant dans un chuintement de vapeur la honte d'avoir manqué l'objectif. À un moment donné, un noir pique du nez, j'en jurerais, après avoir essuyé une décharge que je lui destinais sans y croire, sans avoir rien planifié, tirant seulement pour tirer, pour ne pas faire taire mon fusil, instinctivement. Il disparaît en rasant les flots, dans le tumulte général.

Finalement, les canards se sont faits rares, non d'avoir été décimés mais bien d'avoir tant appris de cette débauche balistique dont ils étaient les objets désemparés. Le tir, moins nourri, ne se manifestait plus que par des explosions sporadiques et localisées, la vigoureuse rage de tuer se calmant faute de cibles sifflantes. Il devait être près de dix heures quand une misérable sarcelle égarée, cherchant probablement encore, dans sa petite tête exiguë, à comprendre par quel miracle elle avait réussi à échapper jusque-là à l'inépuisable feu de poudre se propageant le long de sa trajectoire, vint se jeter à l'eau, en désespoir de cause, en plein devant nous, à deux pas du rivage, au bout du fusil de Johnny qui la gratifia sur-le-champ d'une once et quart de mitraille. À cette distance, la décharge eut un impact que n'auraient pas désavoué les servants d'une couleu-

vrine ou d'une canardière. La sarcelle, instantanément envi-
ronnée d'une multitude de petits cercles concentriques, baissa
une aile frémissante et mit sa tête sous l'eau, comme pour
simplement comparer la paix de l'envers du décor à la furie
régnant au-dessus. Mais cette réaction plus digne d'une au-
truche que d'un volatile aux pieds palmés ne put en rien
altérer l'opaque certitude de sa cessation de vie.

« Je l'ai ! », s'écria Johnny sur ce mode de la constatation
qui lui était cher. Il n'eut même pas à se mouiller pour cueillir
le petit paquet de plumes ébouriffées qui s'avéra être une
sarcelle à ailes vertes, un des plus beaux canards. « En voilà
toujours une que les Américains auront pas ! », lança-t-il en
la balançant avec contentement à bout de bras, tandis que
deux gouttes du sang versé retournaient à la rivière.

Puis, comme pour tracer un prolongement de cette cu-
rieuse allusion géographique, une bernache du Canada se
présenta par notre droite, visible dans ce ciel dévasté comme
un nez d'ivrogne dans un visage blanc de peur. C'était une
outarde que j'avais déjà vue auparavant, le long de la rivière,
une outarde qui avait dû se trouver mal au milieu de la
migration et qui s'était résolue à passer l'été dans la région,
troquant les splendeurs désolées de la toundra pour le cours
boueux et égal de la Rivière-du-Nord. En ce matin d'ouverture, l'oie rusée s'était sans doute terrée sous des branches
basses dissimulant bien la rive à tout venant et elle avait laissé
le cataclysme se déchaîner, se contentant de courber son long
cou gracieux chaque fois qu'une rafale éclatait tout près,
jugeant plus sûr de patienter, confiante de pouvoir, à force
d'empire sur sa panique, conserver son col intact. Vers le
milieu de l'avant-midi, constatant une diminution marquée de
l'intensité de la fusillade, elle s'était risquée à une petite
baignade en arc de cercle devant son abri invisible. C'est là,
j'imagine, que l'avait surprise un chasseur au retour de sa
cache, avironnant silencieusement et se dévoilant sans avertissement au sortir d'un coude de la rivière. Le chasseur avait
voulu retarder un peu le départ précipité de la belle, usant en
guise d'argument d'une double décharge de chevrotines d'un
effet plutôt mordicant sur la poitrine duveteuse du gros oiseau
pincé et chatouilleux. Ensuite, à l'envol, le carnaval s'était
déclaré à nouveau, inscrit dans la logique du carnage ayant

prévalu jusque-là. Les rives s'étaient allumées des guirlandes de lueurs de départ, les milliers de minuscules confettis au contact cuisant s'étaient répandus dans l'air surchauffé et l'oie du Canada, éperonnée par les claques d'acier que lui décochaient sans prévenir des courants d'air brûlants, s'était mise à progresser linéairement, suivant les règles d'une instinctive orthodromie, se glissant entre les faisceaux entrecroisés d'un tir de barrage qui misait sur la densité pour pallier son gênant manque de précision. Le roulement sourd des détonations nous signala son approche et le son plaintif que le puissant gibier émettait par intervalles nous permit de le localiser avec exactitude. KER HONK KER HONK Elle appelait ses semblables, dont elle s'était pourtant bien passée tout l'été. Le péril ravivait impérieusement son grégarisme. Mais les grands V toujours victorieux ne seraient pas là avant deux semaines. Le nombre appartenait ici aux rangs des chasseurs et les probabilités jouaient pour eux. « Christ », s'écria Ben en épaulant son fusil encore chaud. Johnny avait épuisé sa provision de cartouches, et il regarda.

L'outarde s'en venait, rudement ballottée par les coups de feu, déportée hors de sa trajectoire par un triolet de tirs, puis ramenée dans l'axe de la rivière, tout aussi brusquement, par une autre saccade de détonations. Je me demandais : pourquoi suit-elle la rivière, Bon Dieu, pourquoi suivre aveuglément la maudite rivière qui s'ouvre comme un cercueil sans fin sous son ventre ? Elle perdait de l'altitude, alourdie par tout ce plomb dans l'aile. Je me disais : le pont va divertir la ligne de sa fuite en avant, le pont va la sauver en brisant la rectitude de sa course insensée à la casserole. Elle venait au ralenti, maintenant. Sa vie, la vie était en suspens. Il n'y avait plus que Ben entre le pont et elle, Ben crispé de tout son être sur son arme pointée pivotant comme l'aiguille d'un compas. L'outarde cherchait ses semblables qui sont encore au Nord mais elle aurait dû s'orienter au Sud et elle continuait d'aller droit devant suivant la frontière entre plaine et pays d'en haut... Son vol est encore puissant, aucun homme ne volera jamais comme ça, l'avion est une grosse prothèse de tôle. L'oie implore HER HONK HER HONK et je veux lui crier FLY FLY. Je ne fais rien BAM BAM BAM

Au troisième coup, l'outarde s'est finalement, théâtralement effondrée, percutant la surface de l'eau avec un éclaboussement sonore. YAOUH Ben et Johnny se jettent dans les bras l'un de l'autre, se congratulent avec effusion. L'outarde est un boni de taille pour un chasseur de canard. C'est un oiseau rusé que l'on n'amène pas facilement à portée de l'éventail meurtrier des munitions. Mais cette fois, l'intelligence avait battu de l'aile. Je me sentais légèrement honteux tandis que Ben s'immergeait dans l'onde saumâtre et souillée de la rivière pour récupérer son trophée à la dérive. Je retombais sur terre FOR YOU'RE STILL UNABLE TO FLY. Je me sentais vidé, épuisé, sans rapport avec les choses ou avec les êtres, comme après une masturbation. Ou un viol de soi-même.

* * *

Johnny avait sa sarcelle. Ben avait son oie. Il semblait bien que je dusse figurer en tant que chasseur bredouille au tableau de la matinée. Mais la Nature violentée nous réservait une surprise. En longeant la rivière en direction du pont, vers l'aval, nous avons soudain aperçu Hospodar et Icoglan qui furetaient dans les entrelacs de la végétation riveraine. Ils se tenaient sur le bord de la rivière, n'osant pas se mouiller, tendus vers quelque chose qui les tenait rivés là, à fixer les eaux anxieusement, et Icoglan aboyait avec un enthousiasme quelque peu angoissé. Quand je les ai rejoints, j'ai vu ce qui les excitait. Le carosse d'enfant enlisé était juste là, sur un banc de vase, à une dizaine de pieds du bord. Dans ce landau qui résistait, de son armature métallique rouillée, à la pesante poussée du courant, se tenait un canard, un canard noir respectant une immobilité telle que j'ai d'abord cru qu'il s'agissait d'un appelant, d'un canard de plastique. Mais il avait les yeux fermés, et il était pelotonné au fond du landau. Je n'ai pas tardé à comprendre qu'il était mort, et que c'était le noir que j'avais vu piquer du nez sous la décharge de mon fusil. Il avait eu l'ultime pudeur de ne pas mourir devant moi, et c'est le landau échoué dans la boue qui avait pu recueillir les derniers instants de sa vie volée.

* * *

Ben était reparti triomphalement chez lui, l'outarde pantelante balancée sur son épaule. Johnny et moi avions traversé les champs, fumant un joint en chemin, et étions arrivés à la ferme qui résonnait de la cacophonie avienne. Des douzaines de pintades piétaient stupidement dans la basse-cour, causant un vacarme infernal, et parfois l'une d'elles se juchait sur le pignon d'une petite cabane et poussait en solo sa vocalisation saugrenue, comme si elle avait pu croire à une possibilité réelle de se distinguer de cette masse de chairs emplumées. Plus loin, à travers des ouvertures grillagées, on voyait se profiler des faisans élancés et sombres, et aux abords d'un étang artificiel des canards d'élevage se prélassaient en lissant leurs plumes. Comme nous approchions du balcon, j'ai aperçu Christine en personne, assise sur une chaise berceuse, qui prenait le soleil et qui parvint rapidement à contrôler l'effet de surprise jouant ce matin en ma faveur. Je la vis se raidir quelque peu, mais avant que les salutations d'approche puissent être amorcées, une vieille voiture aux ailes à demi décollées fit irruption dans la cour, klaxonnant avec pétulance. Au volant, un homme assez âgé, sec et noueux, aux cheveux grisonnants et au sourire engageant, s'arracha à son siège, le véhicule à peine immobilisé. « C'est mon oncle Justin », me souffla Johnny.

— Salut, mon Jean, attaqua le personnage d'emblée, je suis venu porter du canard à ta pauvre mère, parce que je sais bien que si elle doit compter sur sa famille et en particulier sur son fils pour y voir, elle risque d'attendre longtemps. Ah Ah Ah ! Montre-moi donc ce que tu as là... ah, une sarcelle... bon, c'est assez pour nourrir au moins une personne, une petite personne, évidemment, surtout si elle a perdu l'appétit. Hi Hi Hi !

Il se tourna vers Christine, qui semblait murée dans une hostilité de circonstance. À cause de l'herbe dont nous avions absorbé les émanations, je trouvais aux gestes de l'oncle Justin une emphase exagérée et amusante. Johnny et moi avions des fentes à la place des yeux.

— Soyez tranquilles, les Paré ! clama l'arrivant. Grâce à votre oncle Justin, vous allez avoir plus qu'une misérable sarcelle à vous mettre sous la dent. Viens voir, mon Johnny.

Il contourna la vénérable Buick et en ouvrit le coffre : une dizaine de beaux canards désarticulés gisaient au fond : trois ou quatre noirs, une couple de sarcelles et des malards, les rémiges froissées, de fines gouttelettes de sang accrochées aux barbules des plumes. Filtrées par les lobes enfumés de ma zone grise, les

modestes carcasses acquéraient une netteté hallucinatoire,
contours et couleurs se détachant brillamment sur le fond
sombre, les têtes somptueuses des malards virant du vert
sombre au mauve selon l'angle d'illumination du plumage. On
aurait dit des clowns grotesques au repos, des pantins laissés
tomber, des jouets martyrisés. On avait le goût de toucher.

Johnny siffla et fit :

— Sacré mon oncle Justin ! Où est-ce que t'as tué ça ?

Le bon oncle s'esclaffa. La réponse, savourée à l'avance, lui
procurait un malin plaisir :

— Sur ma galerie, garçon, sur ma galerie ! J'étais assis sur
ma berçante, à matin, pour l'ouverture, le fusil sur les genoux.
Tu sais, il y a un trou d'eau chez nous, juste derrière la maison,
et mes canards apprivoisés se faisaient aller le gosier. La
première demi-heure, les noirs s'entêtent à suivre la rivière,
même s'ils se font poivrer tous les dix pieds. Mais après, quand
ils comprennent que c'est fou comme de la marde, ils s'écar-
tent de la rivière et viennent se promener sur les terres. Moi,
mes amis, j'aime pas me fatiguer pour rien, vous comprenez, ça
fait que je reste assis bien tranquille chez nous et j'attends que
l'armée des chasseurs à casquette ratisse la rivière en mitraillant tout ce qui bouge et m'envoie le gibier gratis dans ma
cour. C'est simple comme bonjour !

Il partit encore d'un bon rire.

— Sacré mon oncle Justin ! ne put que répéter Johnny,
abasourdi. Un vrai bonhomme Didace !

— Mais vous n'avez pas le droit de chasser avec des
appelants vivants ! fis-je étourdiment.

Justin me jeta un regard sévère, qu'il reporta ensuite sur
Johnny, comme pour exiger une forme de justification de ma
présence à ses côtés. Mais il retrouva ses yeux rieurs quand il
expliqua :

— De toutes façons, les gardes-chasses me connaissent.
Tout le monde est pas haïssable comme le bonhomme Bourgeois, pour dénoncer un voisin qui essaie seulement de mettre
un peu de viande sur la table. Ils viendront pas m'embêter chez
nous. C'est ça qui est l'avantage de chasser chez vous : personne pour t'achaler. J'ai toujours dit qu'un honnête homme
devrait pouvoir faire tout ce qu'il veut tant qu'il reste chez eux.

— Il faut commencer par être chez soi pour parler comme ça, fit observer Christine du haut de son perchoir.

L'oncle Justin secoua les épaules et ouvrit les bras, paumes en l'air, comme un gamin pris en faute :

— Évidemment, je voulais pas... parler de votre situation. Je voulais seulement parler du principe, ma fille. Je parlais du principe de la propriété.

— Si j'étais vous, je ne parlerais pas du principe de la propriété, mon oncle Justin, conseilla Christine avec une nuance d'ironie dans la voix.

L'objet de cette remontrance parut s'emporter. Sa voix, distordue par mes cellules réceptrices, accéda à des accents tragiques et outrés. Il hurla :

— Ça y est ! Tu vas encore me rebattre les oreilles avec cette affaire-là ! Me parler du maudit gouvernement qui veut vous mettre dehors ! Je marche pas là-dedans, moi ! La vérité, c'est que c'est une maudite bonne affaire que le maudit gouvernement vous offrait ! Il y a pas un principe qui tienne devant une bonne piastre, ça marche comme ça depuis que le monde est monde et il y a pas à avoir honte de ça. Il y aura toujours juste les entêtées comme ta mère et ta grand-mère pour coller aux principes, ma petite fille. Mais c'est pas avec des principes qu'on mange du poulet le dimanche. Et puis, de toutes façons, le gouvernement, c'est à nous autres. Le gouvernement, c'est nous autres. Quand le gouvernement est propriétaire, c'est nous autres, les propriétaires !

— C'est un raisonnement de chasseur, ça, mon oncle Justin, rétorqua la jeune fille, inébranlable sur sa berçante. Les chasseurs sont toujours chez eux partout ! Il s'agit de voir le respect qu'ils ont pour les clôtures !

Éludant cette riposte, mais ramené par elle à son rôle de possesseur d'un fusil, Justin fit un geste en direction du coffre arrière de sa grosse voiture :

— Vas-y mon Johnny, prends-en quelques-uns. Je me sens grand seigneur aujourd'hui.

Christine s'interposa encore :

— On n'a pas besoin de vos canards fraîchement massacrés, mon oncle Justin. On mange de la volaille bien assez souvent !

L'interpellé se rengorgea :

— Oui, mais ceux qu'on tire sportivement sont bien meilleurs, ma belle. Demande à ton frère. Mais je sais bien qu'avec un pourvoyeur de viande sauvage comme lui, ton palais doit manquer pas mal d'expérience dans ce domaine-là.

Cette fois, Johnny éclata joyeusement :

— Mon oncle Justin, je vais te tirer si tu continues ! C'est toi que je vais tirer, mon sacrament !

Ce disant, il lui collait le canon de son arme contre le cœur, pour rire, et comme un idiot, je m'entendis dire :

— Attention, Johnny, c'est dangereux.

Il tourna la tête vers moi, en cessant de rire, et Justin, qui avait pâli, demanda en camouflant son énervement :

— Eh, il est pas chargé, ton fusil, au moins, mon jeune ? Ça arrive que des balles restent oubliées dans le chargeur...

Johnny abaissa prestement le canon du pompeux et au bout d'un silence troublé, l'oncle Justin demanda à l'adresse du balcon :

— Ta mère est-elle là, ma belle enfant ?

Cette dernière répondit d'une voix ferme :

— Non, elle s'occupe encore du comité, aujourd'hui.

Justin secoua la tête, l'air sincèrement désolé :

— Des têtes dures... je vous le dis... des têtes dures enracinées dans la terre : des têtes d'autruches, si vous voulez mon avis. Ton père est-il là, d'abord ?

— Comme d'habitude, assura platement la bercée.

Mon oncle Justin gravit l'escalier et disparut, après une amicale petite poussée donnée à la chaise berçante.

Johnny grimpa sur la galerie et je le suivis de quelques pas. Un peu bourru, il laissa tomber :

— Christine, tu connais Eddy ? Il reste de l'autre côté de la rivière.

Elle lui lança, après un regard sarcastique en direction du canard noir pendu à ma ceinture :

— Oui, on s'est déjà vus. Il m'a même montré à observer les canards avec des jumelles, sur le pont. Mais je savais pas à ce moment-là qu'il voulait seulement pouvoir les reconnaître pour leur tirer dessus, le grand jour venu...

Je me sentais déjà ridicule et gourmé, à cause de la superfluité de ces présentations. Le brocard de Christine me laissa sans défense, cloué au pilori, traître avéré dont les agissements étaient enfin exposés au grand jour. Christine fixa un instant la sarcelle maigrichonne que ramenait son frère et émit, en guise d'appréciation :

— Même si vous payez avec du plomb, ça fait de la viande qui vous coûte pas mal cher la livre, hein, grand frère ?

Johnny, malgré le fusil de chasse fiché au creux de son coude, était désarmé devant sa sœur. Elle, c'est avec les mots qu'elle tirait à boulets rouges. Il haussa les épaules, grogna :

— Oh toi, tu peux pas comprendre ça, c'est sûr.

Puis, à mon adresse :

— Attends-moi un peu, Eddy. Je vais serrer mes affaires, pis on va aller prendre un coup au *Pullford* pour fêter ça.

Et il me planta là devant Christine qui se berçait toujours et dont le rythme sembla s'accélérer encore.

Je n'avais pas cessé de l'observer à la dérobée depuis tout à l'heure, et j'étais soufflé sur pied par la parfaite harmonie de ses traits, par le parfait équilibre de ses formes, par la perfection qu'elle déployait même dans la furie que sa figure semblait faite pour accueillir. Je détournai les yeux et me lançai dans un futile examen de la façade de la maison, car je craignais de m'abandonner de façon trop tangible à la fringale de dévoration oculaire qui menaçait d'inanition ma personne et d'inanité mes propos. Elle s'était visiblement radoucie, ne serait-ce que parce qu'il est impossible ou en tout cas malsonnant d'invectiver un presque pur étranger. Silencieux tous les deux, nous cherchions désespérément un terrain d'entente. Tourné vers le ciel limpide et désert, je lâchai un classique :

— Belle journée, hein ?

Comme pour me contredire et me replonger aussitôt dans l'embarras, un coup de fusil vint ponctuer ces deux mots, venant de la rivière là-bas. Un couple de canards se mit à louvoyer au bout des champs. Une salve les sépara, mais ils se rejoignirent au-dessus d'un fossé et se dirigèrent en plein sur nous, pendant un moment.

— Belle journée pour les chasseurs, compléta Christine, cruellement.

— C'était ma première chasse aux canards, fis-je, comme pour m'excuser.

— As-tu aimé ça ?

Elle semblait n'attendre que la réponse pour me sauter dessus. Alors j'ai senti toute la fatigue accumulée depuis trente heures et une vingtaine de bières, senti que je n'aurais pas le dessus dans un débat oratoire. La perspective d'une capitulation sans conditions me convenait. Il fallait aller au devant des coups. J'ai dit :

— À un certain moment, je pense que j'ai presque aimé ça, oui.

— Ah ? À quel moment ?

— Au moment où on tirait comme des fous, sans se poser de questions.

Elle répéta rêveusement, en regardant droit devant elle :

— Sans se poser de questions...

— Tes pintades aussi vont crever, comme tes gros canards dégénérés. Tout le reste, c'est des œillères. Ça crève les yeux.

Elle sourit largement :

— Tu veux me faire la morale ?

— Non, justement, ça n'a rien à voir avec la morale. Ça a à voir avec la mort. Au bout des jumelles, au bout du tunnel, elle est toujours là. Et on la retrouve aux deux bouts du fusil, toujours. Le fusil, c'est l'instrument d'optique qui permet de regarder la mort.

— Tu aimes bien parler, hein ? murmura-t-elle doucement, d'une voix presque conciliante.

Je repartis :

— J'en profite. Habituellement, je n'ai personne à qui parler...

— Oui, il faut dire que mon frère, c'est pas un très fin causeur, ce serait plutôt un causeur de trouble, si on peut dire.

Ensuite, nous sommes restés cois jusqu'à ce que Johnny m'appelle de l'intérieur. Il voulait que je le rejoigne. En faisant un pas sur le seuil, je suis resté suspendu une seconde entre deux mouvements et, sans me retourner, j'ai déclaré :

— Mais tu sais, tu as raison. C'était dégueulasse. C'est ça qui est drôle : c'est attirant et dégueulasse en même temps.

Elle a prononcé sentencieusement :

— Vois-tu, ce n'est pas tellement le principe qui m'horripile. Le principe, c'est correct. Mais c'est qu'il y aurait tellement de types que je mettrais à la place des canards.

* * *

J'ai enfin dormi, proprement assommé par une seule grosse bière avalée dans un *Pullford* envahi par la bruyante engeance des chasseurs de sauvagine relatant leurs exploits matinaux. Maintenant, j'ai les idées assez claires pour penser à la maison de Johnny et Christine. De l'intérieur, matériellement, il n'y a rien d'intéressant à dire, alors je ne vais pas m'épuiser en de balzaciennes descriptions. Mais l'atmosphère qui y règne m'inspire des sentiments divers. C'est une question d'odeur, peut-être : on est assailli dès le seuil par une sensation d'abandon et de désolation qui s'exhale de chaque meuble. Si les maisons ont une âme, celle-là est au purgatoire. Et cette insaisissable impression de vide glacial m'a paru se condenser et composer un cristal très clair en la personne du père Paré. Il faut un certain moment, une fois à l'intérieur, pour distinguer son image qui flotte comme une icône écorchée au milieu du salon et qui semble à première vue faire partie de ce mobilier indifférent qui distille une insondable dose d'ennui. J'ai été aidé dans ce repérage du père par le brave oncle Justin qui se tenait juste à côté de son fauteuil, gesticulant, narrant avec emphase les péripéties de sa chasse matinale. Le père, je le voyais bleu, baignant dans l'éclat polaire de l'écran de la télévision. Cette dernière, présence apparemment permanente, diffusait à ce moment un épisode archi-connu des aventures de Bugs Bunny et de son ami le super-canard. Par une coïncidence étonnante, cette séquence relatait justement l'ouverture d'une chasse au canard tragi-comique, avec une armée de nemrods encerclant impitoyablement le pauvre et singulier volatile et faisant pleuvoir l'enfer sur son bout de marécage. Justin, faisant concurrence à la fiction disneyenne avec ses outrances verbales, paraissait sorti tout droit du dessin animé.

Le père était là, regardant sans la voir la télé et écoutant sans l'entendre l'oncle Justin. Il était fossilisé comme un téléosaure dans le creux de son fauteuil enfoncé dans une encoignure du salon. Quand je me suis avancé pour quémander un verre d'eau à Johnny qui était occupé à faire des fouilles dans les armoires, à la recherche de biscuits, je pouvais voir très nettement la maigre nuque se découper sur le fond clair de l'écran.

— Garde ta soif pour le *Pullford,* m'a conseillé mon ami motard.

Avant de sortir, il a simplement lâché :

— P'pa, ça c'est Eddy, mon nouveau partenaire de chasse.

J'ai salué poliment, tandis que de sa voix nasillarde et aigrelette, le bonhomme demandait :

— C'était-y bon à matin, toujours ?

Johnny lui a communiqué les résultats de notre partie de tir avant de sortir rapidement, moi sur ses talons. Mais j'ai eu le temps d'entendre dans mon dos, tandis que la porte se refermait, la voix geignarde qui disait, à travers les vociférations vigoureuses de Justin :

— Ah. Une sarcelle, un noir... C'est plus bon comme c'était, hein ? C'est plus bon comme c'était...

* * *

Mon amitié pour son frangin me procurant un prétexte inattaquable pour m'introduire chez Christine, je ne me suis pas fait prier pour me rendre au bungalow dès ce matin. C'est la mère qui est venue m'ouvrir. C'est une forte femme, au dos très droit, élevée chez les sœurs c'est sûr, très grande et de carrure monolithique, un de ces modèles que recherchaient les fermiers autrefois, avant la mécanisation des entreprises agricoles. Elle a un front haut et clair et un visage franc à peine marqué de rides légères au coin des yeux, qui sont gris et sévères. Ses cheveux châtains et courts lui confèrent une allure autoritaire, on se plaît à l'imaginer en directrice d'une institution pour jeunes filles. La mâchoire carrée possède la robustesse d'un coffre-fort, et quand un déclic la déverrouille, une voix puissante à la tessiture très étendue s'échappe de la bouche qu'une façade de rouge à lèvres ne parvient pas à rendre coquette.

Elle considère un instant mes frusques fatiguées, elle m'habille des yeux. Je me durcis sous l'examen, mais quelque chose doit jouer en ma faveur, car le buste, qui est lui aussi robuste et qui se dresse en barrière formidable devant la porte d'entrée, se dérobe bientôt, tandis que la voix, à la fois martiale et mariale, me munit d'un laissez-passer verbal :

— Tu es un ami de Jean ? Tu peux monter. Il est dans sa chambre. Tu entends la musique ? On dirait un marmitage en règle, mais c'est seulement son stéréo satanique qui essaie de nous jeter des sorts. Vas-y, je n'ai pas le courage d'aller le chercher là-dedans.

Je me faufile vers l'escalier, dans mes petits souliers. Le père est encore affalé devant sa télé, le teint bleuté. On dirait qu'on le baigne soir et matin dans du bleu de méthylène. Il ne me voit pas passer, prostré qu'il est devant son émission pour les tout-petits. Ça semble le fasciner, le fixer là sur son fauteuil, aussi sûrement que ces ceintures de sénilité qui empêchent les vieux, dans les institutions, de faire des dégâts. Sans transition, la mère reprend la conversation que j'ai sans doute interrompue, conversation que l'on devine à sens unique, avec le mari absorbant les mots comme si c'est la télévision qui les émettait eux aussi :

— Ça fait, papa, que le nouveau voisin est un employé du gouvernement, un fonctionnaire du ministère des Transports, et ça prend du front tout le tour de la tête pour venir s'installer à une portée de fusil d'ici, dans l'ancienne maison des Boucher. Tu as remarqué aussi qu'ils ont démoli la petite maison délabrée, au coin du rang là-bas... Non ? Tu n'as pas remarqué ?...

Je trouve Johnny plongé dans une profonde rêverie, étendu de tout son long sur un lit étroit comme un cercueil et dont ne dépassent que ses pieds encore bottés. Il a les yeux grands ouverts, bien ronds, et il étudie le détail de la maçonnerie du plafond. Une lourde odeur d'encens titille ma narine dès l'abord. Je fais gaiement :

— Ah Ah mon Johnny, ou je me trompe fort ou tu viens tout juste de tirer la poffe.

Il sourit, même s'il n'a rien entendu. Ma formule d'introduction s'est perdue dans les décibabels de la goétie qui montent du petit magnétophone posé par terre. IF YOU'RE GONNA DIE IF YOU'RE GONNA DIE IF YOU'RE GONNA DIE Je vois ses lèvres remuer, alors d'autorité, je me penche et diminue l'intensité sonore de la pièce avant que tout ne s'écroule et que nous ne passions à travers le plancher. Le rugissement d'un avion prend un instant le relais du volume musical, quelque part de l'autre côté du plafond, et s'éteint graduellement, comme le fracas d'une ovation.

— Salut, Eddy ! Ça va ?

— Pas pire, mon Johnny, pas pire. Qu'est-ce que tu fais en dedans par un bel avant-midi ? J'avais pensé qu'on pourrait aller chasser la perdrix, peut-être ?

Il amorce un geste mou devant lui, comme pour attraper un spectre que la fumée aurait convoqué à ses pieds. DIE WITH YOUR BOOTS ON IF YOU'RE GONNA DIE

— Trop de feuilles, Eddy. Trop de feuilles pour la perdrix. Elles prendront même pas la peine de lever, on verra rien. Faut les faire lever, Eddy, pour pouvoir les descendre. À terre, on les voit pas. C'est au vol que ça se passe, Eddy. Au vol...

Ce disant, il expire lui-même puissamment, comme s'il voulait produire une poussée motrice dans ses conduits nasaux. Mais il ne bouge pas d'une vibrisse. Je tente de le secouer un peu :

— Johnny, mon vieux, tu ne vas pas coller à la maison par un temps pareil ?

Ça le fait sourire. Il plane véritablement, je ne sais plus par quel bout le prendre pour le ramener à ma portée. Il marmotte, rêveur :

— Coller à la maison ? Pourquoi pas ? Je me sens pesant, mon gars. Tu sais, quand t'es stone, pis que tu sens que t'es comme en bois ? Il te pousse des racines dans le plancher, on dirait. Sais-tu ce que j'aimais le plus dans l'étable, quand mon père avait encore la ferme ? J'vais te le dire, Eddy. C'était de voir les milliers de mouches collées sur les collants à mouches qui pendaient du plafond. J'aimais aussi l'odeur du lait chaud, pis la chaleur des vaches qui remplissait la place, mais j'aimais surtout regarder les mouches se poser sur le ruban pis rester pris. Même quand on les enlevait de là, Eddy, les mouches pouvaient plus décoller, leurs ailes étaient trop gommées. C'était même pas du poison. C'est juste de pas pouvoir voler qui les tuait, à la longue.

Comme je ne disais rien, il poursuivit :

— Tu sais, Eddy, j'ai fait un trip d'acide terrible, terrible, quand je suis allé au Mexique il y a deux ans. C'était au nord d'Acapulco, sur une plage où il y avait juste des Mexicains, des coqs pis des cochons. C'était dans le temps de Pâques, c'était le temps des plus hautes vagues de l'année, pis la vague était verte, à cause de quelque chose dans l'eau qui fait de la lumière. Tu dois savoir ça mieux que moi.

— Oui, des diatomées... Ce sont des algues microscopiques.

Il continue de son ton traînant, soudain disert :

— Anyway, ce qui se passait, Eddy, c'est que les vagues apportaient ces bébittes-là sur la plage, et là les bébittes s'allumaient sous nos pieds, dans le sable, quand on marchait dessus. Ça faisait comme des étoiles dans nos traces, c'était capotant, on avait gobé un paquet de caps d'acide, ça fait que c'était pareil comme si le ciel avait été en dessous, tu comprends ? On volait, mon man, on était sûr qu'on volait, pis quand on faisait un pas dans le sable, on faisait des étoiles, man. Ça fait que c'était le trip total, le power trip total, mon man. On était des anges, on volait.

Il se réfugia dans un silence. Mais je voulais qu'il aille de l'avant. C'était une belle histoire. J'ai demandé :

— Et alors ?

Il a répondu :

— Le lendemain, avec le même acide, au gros soleil, sur la même plage, j'ai fait le pire bad trip de ma vie, mon man. J'étais certain que le sable allait m'avaler. Je me sentais pesant, pis mes pieds restaient collés dans le sable. À un certain moment, mon man, j'ai regardé toute la plage qui s'étirait devant moi, pis c'était plus rien qu'un grand collant à mouches jaune, tout beurré de soleil. J'étais collé, je calais dans le sable, je pensais que j'allais mourir. C'est là que j'en ai eu mon voyage du Mexique. Je suis revenu ici.

La cassette de Heavy Métal était finie. On pouvait entendre une mouche voler.

— Est-ce que ta sœur est dans le coin, Johnny ? demandai-je en simulant une simple curiosité.

Il eut un sourire vague mais compréhensif.

— Ah oui... non... ma sœur est pas ici. Partie aux études. Toute la semaine. À l'université. Elle se met du plomb dans la tête, ma sœur, tu comprends ?

J'ai feint le détachement, même si je sentais le plancher se dérober sous mes pieds, qui présentent pourtant une surface de contact impressionnante. J'ai dit :

— Aux études ? À l'université ?

Johnny était imperturbable.

— Ouais, elle vient d'entrer à l'université, en agriculture. Collège Macdonald, tu connais ça ? Elle habite en pension là-bas, en chambre, chez une vieille maudite Anglaise, genre pointilleuse, ça fait qu'elle revient ici les fins de semaine. Le reste du temps, ça va être au père pis à moi de s'occuper de l'élevage. Ça volera pas haut.

Par une prudente pudeur, j'avais réussi jusque-là à dissimuler à Johnny ma honteuse condition de paumé sur-éduqué. Mais quand il parla de l'orientation de sa sœur, je ne pus m'empêcher de m'écrier fièrement :

— Le collège Macdonald ? Si je connais ? Mon vieux, tu as devant toi un authentique agronome défroqué. Ou biologiste, je ne sais plus trop. Baccalauréat en agriculture, en tout cas, sans blague. Ça t'en bouche un coin, hein, vieille branche brûlée ?

Johnny leva vers moi des yeux emplis de sévérité.

— Toi, diplômé ? Eddy ? Christ, qu'est-ce que tu fais avec un niaiseux comme moi, d'abord. J'ai même pas un DEC. Même pas un DES. Comme c'est là, ma sœur m'a déjà dépassé.

Il partit d'un rire silencieux, un rire auquel l'amertume de la drogue tenait la dragée haute. Imbu de gravité, je me laissai tomber sur le lit, à côté de lui. Il était de mon devoir de le détromper :

— Johnny, mon ami, tu profères des insanités. Regarde-moi comme il faut, camarade : avec mes connaissances et mes dettes, je ne suis pas plus avancé que toi. Je te trouve plutôt chanceux, en fait, de ne pas avoir été épinglé au mur et identifié comme spécialiste, comme moi, comme un papillon dans une vitrine, alors que je ne me sens spécialiste de rien, alors que je ne suis qu'un pauvre généraliste, que mon seul génie, en fait, c'est les généralités, et que je suis incapable de m'attaquer à aucune tâche payante. Au moins, toi, Johnny, t'es pas encore marqué, tu n'appartiens pas à un métier, à une profession, à une corporation. Moi, mon diplôme, il est marqué au fer rouge dans mon cerveau. J'étais un veau qui avait rejoint le troupeau, qui s'en allait à l'abattoir au milieu du labyrinthe du savoir, mon vieux. Le Minotaure, c'est la certitude d'avoir raison. Le seul tort, c'est de vouloir avoir raison. C'est tout. Mais j'ai sauté la clôture. À bas les poteaux de la culture ! En un sens, il me semble que l'avenir nous appartient, Johnny. Et les grands espaces aussi. C'est même la seule chose qui nous appartienne. L'avenir qui débouche sur l'espace. On a seulement quelques vieux gardiens de troupeau, quelques vieux gauchos récupérés, quelques vieux poseurs de poteaux et de pancartes, quelques vieux cow-boys sédentarisés à bousculer pour apprendre la liberté.

Johnny me servit un regard où l'admiration semblait le disputer à la fois à l'agacement et à la sidération. Il s'efforçait de secouer les membranes opacifiées de ses cellules nerveuses. Il réfléchissait :

— En un sens... en un sens... ça doit être un sens unique, ton affaire, Eddy...

Il rigola franchement, fier d'avoir ajouté son grain de sel. Mais j'avais le goût d'insister :

— Hum. Mon Johnny, je sens que je me suis mal exprimé. Je voulais dire : en tous les sens. Je pense que notre seule chance, vieux, c'est de foncer, c'est d'y aller dans tous les sens.

* * *

La dépense de la vie nous garde de ces coïncidences en réserve, tout de même ! Christine au sein de mon alma mater ! Ça mérite bien un pèlerinage. Je revois en pensée les allées et déconvenues de la bonne Sainte-Anne-de-Bellevue, cette studieuse bourgade maintenant hantée par ma Christine sacrée. Je saute en selle sur ma Tinorossinante, ma fringante bécane, et je me lance sur les chemins comme un croisé.

* * *

Dans l'arboretum, je croise des messieurs distingués, ou leurs épouses en survêtements, trottinant derrière des molosses gigantesques lancés au grand galop dans la brande, qui urinent haut la patte et défèquent avec effort sous les encouragements des maîtres. Les chiens du West-Island vont et viennent, en liberté conditionnelle, menaçants. Ils disposent d'une forêt entière à seule fin d'évacuer le contenu de leur côlon. Il n'y a pas à en douter, ils en sont les vrais propriétaires : ce sont eux qui en engraissent le sol, tandis que leurs maîtres, eux, se contentent d'engraisser tout seuls.

Je traverse l'érablière, où les arbres ne sont comme ailleurs que de grands buvards d'acide pour rockers en bad trip, sauf qu'ici ils sont sous observation, sève sous scellés. Ça tarit de plus en plus dans les trous des tarières.

Le Dr Baderne est toujours très occupé. À cette heure du jour, s'il n'a pas changé, je sais que je pourrai le trouver là-bas, sur son aire d'études bien barbelée, dans son champ de concentration en quelque sorte, cet espace circonscrit qui reproduit la nature entre quatre clôtures et qui constitue un véritable laboratoire au milieu des labours. Ici sont menées des études très sérieuses, rigoureuses et onéreuses sur les mulots, crapauds, moineaux et autres. Le Dr Baderne, c'est une espèce de patriarche, un bon bouddha des bêtes, un Dr Noé ou un saint François apostat qui aurait troqué la religion pour la science. Il a un faible pour les créatures maudites, serpents, loups, rapaces, vermine en tout genre, tous ces êtres sur lesquels nous nous acharnons depuis le déluge, à coups de fusil, de pièges, de poisons, tous ces animaux marqués qui, depuis l'hominisation des grands singes, nous font l'insigne injure de nous ressembler dans quelque intime aspect de notre barbarie.

Après avoir franchi la clôture barbelée par la grille laissée entrouverte, j'ai trouvé Baderne près de l'étang, perché sur un mirador, jumelles au cou. Il me fait signe de grimper le rejoindre. Dans l'après-midi radieux de cette fin de septembre, l'étang scintille comme une médaille bien polie. J'escalade les degrés lisses rendus glissants par la boue des bottes. Là-haut, Baderne, à croupetons, évoque irrésistiblement quelque muezzin au faîte de son minaret, sur le point de convoquer les fidèles à la prosternation vespérale. Il est petit, plus ventru que costaud. Ses traits les plus distinctifs sont un collier de barbe blanche et un crâne chauve brillant comme la surface d'un lac fraîchement calé. Lorsque je prends pied sur la plate-forme, il s'anime joyeusement. Sa voix claire est enjouée comme celle d'un gamin en cavale.

— Ah Edward ! Oh boy ! Un revenant ! Je suis content de te revoir, mon boy. Qu'est-ce que tu fais de bon, Edward ?

Venant d'un homme quotidiennement plongé dans une activité aussi diverse qu'intense, la question a de quoi gêner Édouard Malarmé, décrocheur de son état. Devant Baderne, ce n'est pas le temps de ressasser mes sornettes. Je réponds :

— De bon ? Oh, pas grand-chose, Dr Baderne.

Puis, pour détourner sa sollicitude :

— Qu'est-ce que vous observez là ? Des oiseaux ?

Il secoue la tête, sans trop de réprobation :

— Des tortues, Edward. Des tortues peintes. Nous avons un programme de recherche en cours sur les tortues peintes. Mais ça n'avance pas très vite. Je crois qu'il va falloir les marquer au carbone 14, pour pouvoir les suivre sous l'eau, par scintigraphie, tu comprends ? Tiens, regarde.

Il me tend les jumelles et je focalise la lentille dans la direction qu'il m'indique, sur un vieux chicot tombé et à moitié immergé où trois ou quatre formes immobiles se fondraient totalement dans le décor n'étaient les éclairs érubescents que le soleil arrache à leurs parties vivement colorées.

— Elles ne bougent pas (l'observation est de moi).

— Elles n'ont pas bougé de tout l'après-midi, soupire Baderne en consignant quelque note dans son carnet souillé par la boue de la berge. Par contre, poursuit-il, elle est bien pratique, cette rigoureuse immobilité. Parce que la loi du moindre effort s'applique chez nous dans toute sa force d'inertie. Nous n'étudions que ce qui est facile à étudier, Edward, nous sommes de grands paresseux, nous ne nous penchons que sur ce qui vient vers nous. Tiens, un de mes étudiants voulait travailler sur les polatouches. Oui, les écureuils volants ! As-tu déjà vu un polatouche, Edward ? Si oui, tu es chanceux. Lui n'en avait jamais vu. Personne n'en voit jamais, alors on ne les étudie pas, c'est aussi simple que ça. Ce sont des intouchables, dans notre système de castes scientifiques. Mon pupille leur a bâti des cabanes, avec amour et intérêt, si je puis dire, en se basant sur les rares articles publiés aux États-Unis. Mais les polatouches ont refusé d'habiter ses cabanes. Il n'en a pas attiré un seul, alors il a abandonné son projet. Il a préféré travailler sur les différents micro-vertébrés qui pullulent dans ce champ en friche. Mulots, musaraignes, rongeurs de toutes espèces, ravageurs de récoltes. Ah on ne connaît bien que ce qui cause les catastrophes, Edward. La connaissance passe par la catastrophe. Les black-birds, par exemple, tu sais, les carouges à épaulettes ? Ils sont légion, ils peuvent ruiner toute une culture. Mais on te les blackboule en un rien, on te les nettoie à grandes trombes de détergent, par avion. C'est comme une vraie attaque aérienne, comme à la guerre, mon boy.

Quand Baderne est lancé, rien ne l'arrête. Son élément, c'est un salmigondis où s'entremêlent gaillardement science pure et philosophie humaniste, où se croisent les squelettes de la théorie nue et rétive et le besoin compulsif de raconter quelque bonne histoire juteuse.

— La tortue est un objet parfait pour la science : paresseuse, écrasée sous le fardeau de sa maison mobile... Est-ce que je t'ai parlé de la tortue marine que des pêcheurs côtiers avaient ramenée à terre et donnée à l'Institut d'océanographie de la Nouvelle-Écosse ? J'étais en vacances là-bas, avec femme et enfants, dans un motel quelconque, près de la mer, où mon vieil ami, le Dr Bladder, a réussi à me joindre. Il me dit : « On aurait besoin de toi pour bouger une tortue. » Moi, j'éclate de rire, convaincu d'être le dindon d'une farce. J'ai répondu : « Come on, les gars ! Une tortue, c'est une tortue. » Mais j'y suis allé quand même, par curiosité. Il a fallu, effectivement, se mettre à quatre hommes, dont aucun n'était une mauviette, pour retourner le maudit reptile sur le dos. C'était une tortue marine, qui pesait au moins autant qu'une auto. Hors de son élément, elle était d'une monstrueuse inertie. Alors que dans la mer, ces bestioles-là volent littéralement, c'est quand même merveilleux, non ?

— Oui, je comprends, Dr Baderne. En somme, c'est une version reptilienne de l'albatros de Baudelaire.

Il secoue la tête avec attendrissement :

— Ah, toujours cette fibre de poète, hein, Edward ? Pour moi, l'albatros ne saurait être qu'un coup de crayon sur une liste d'espèces. Mais toi, tu es du genre à qui un gros oiseau inspire un poème plutôt qu'un simple crochet.

— Ouais.

Il me jette un coup d'œil soupçonneux :

— À propos, et toi, Edward, qu'advient-il de toi au juste ? Et où habites-tu, d'abord ?

Je me racle la gorge :

— Oh, vous savez, je vis dans une petite maison, un chalet plutôt, que j'ai retapé un peu, près de Saint-Canut, pas très loin du territoire de Mirabel.

À ce dernier mot, il s'écria, la prunelle soudain allumée d'un feu vif :

— Ah oui ? Mirabel ! Mais c'est extrêment intéressant, ça, Edward !

— Il se penche vers moi, adoptant sans transition le ton de la confidence :

— Savais-tu que cette région est un important foyer de la rage ?

— La rage ?

— Oui, la rage, fait-il gravement. Dis-moi donc, Edward, pourquoi es-tu venu me voir ?

Sans me laisser le loisir d'esquisser l'amorce d'une réponse, il enchaîne avec véhémence :

— Non, non ! Ne dis rien, mon boy. Je comprends. Je sais. Il n'y a pas de honte à ça, mon garçon. Vous êtes tous pareils, vous revenez tous. Tes amis ont tous poursuivi leurs études. J'ai observé que ça prend environ deux ans, et alors c'est un véritable mouvement de masse, hein ? Toute une promotion en mal de profession. Je vous comprends : pas d'embauche, pas d'ouverture, et vous êtes pauvres comme Job sur son tas de fumier. Alors vous vous dites : aussi bien retourner là où le tas de fumier est un tant soit peu confortable, c'est-à-dire à la ferme modèle du bon vieux collège Macdonald.

Il fait une pause, puis, avant que j'aie la moindre chance de le détromper fermement sur la nature de mes intentions, il ajoute paternellement :

— Allez, viens, Edward. Je veux te montrer quelque chose.

Déjà, il disparaît sous la plate-forme, par la trappe, dégringolant les échelons avec l'agilité d'un primate. Je le suis, bien décidé à mettre fin dès que possible à ce stupide quiproquo. Tandis que nous redescendons, deux canards exécutant une manœuvre d'amerrissage nous sifflent aux oreilles, comme la sarcelle de la Rivière-du-Nord. Ici, ils ne sont menacés que d'être étudiés, pas tués.

— WOO HOO WOO HOO WOOD DUCKS, Edward, WOOD DUCKS ! Le plus beau des canards !, s'écrie Baderne au comble de l'excitation, comme un bambin dans sa baignoire.

En posant le pied sur le sol fangeux, il ajoute :

— Nous leur fabriquons des boîtes, comme celle que tu vois là-bas, pour leur faciliter la nidification. Et ça marche.

Parce qu'ils ne sont ni autonomes comme les tortues, ni dédaigneux comme les polatouches. Des locataires parfaits !

Sur la terre ferme, Baderne est comme fou. Il m'entraîne à sa suite, émettant un babil constant, en apparence inépuisable :

— Tiens, regarde, voici l'hibernaculum. C'est une espèce de trou étroit. Toutes les couleuvres du canton viennent s'y emmêler pour la durée de l'hiver. C'est un vrai nœud de vipères là-dedans ! Tiens, en voici une. Regarde comme ses mouvements sont lents. Leur sang commence à se figer. En tout cas, Edward, cet hibernaculum est une version plutôt densément peuplée du paradis, tu peux me croire : c'est le vrai paradis, sans ces intrus qu'étaient Adam et Ève, dont la seule vraie faute a été de se croire chez eux. Le paradis redonné aux serpents, bref...

Il tourne la tête :

— Regarde le rat musqué, là, le sillage sur l'eau. Et, oh, tiens, une souris sauteuse qui s'enfuit dans le foin fou, tu as vu ? Mais qu'est-ce que c'est, maintenant ? Ah, oui, un crapaud, mes préférés... attends un peu que je... hop, voilà !

Il a attrapé le disgracieux amphibien, le tient délicatement dans sa main velue et me l'exhibe avec tendresse :

— Tu te rappelles Rostand ? Il en avait une piscine pleine. C'est ce qu'il est convenu d'appeler un bassin génétique... Ah Ah Ah ! Mais le dégoût n'est pas du ressort de la science, Edward. Le vrai scientifique se baignera dans la piscine de Rostand, si ça peut le faire progresser sur le chemin de la vérité. Les anoures sont des mal-aimés, peux-tu bien me dire pourquoi ? Il y a des automobilistes qui iront jusqu'à risquer la culbute dans le fossé pour éprouver l'extrême satisfaction d'en écraser un sur la route.

— Oh, les crapauds ne sont pas les seules victimes de la roue, Dr Baderne, fis-je, compatissant. Sur mon chemin, en bicyclette, je n'ai vu qu'un long calvaire semé de corps convulsés. La faute des autos. Tuer pour manger passe encore, tuer pour la science, à la rigueur, ça va, mais la tuerie inutile à coups de caoutchouc clouté, ça me dépasse.

Baderne avait aussi quelque chose à dire là-dessus :

— C'est la vraie façon de tuer du progrès, Edward : par accident. C'est le hasard qui fait le plus mal, dans le progrès.

Quand on tue pour tuer, on sait toujours ce qu'on tue. C'est quand on ne sait même pas qu'on tue que ça commence à faire peur. Il faut tuer avec discernement, Edward. Comme dans la guerre biologique. Chez moi, je dispose d'un bataillon de vingt crapauds *Bufo americanus*, et ils engouffrent les grosses fourmis noires tout l'été, sans discontinuer.

Baderne embrasse alors le batracien pustuleux sur la bouche, avec une admirable effusion. Chez lui, la science n'est pas toujours sérieuse, elle peut devenir sentimentale. Je demande :

— Vous ne craignez pas qu'il se change en princesse boutonneuse, Dr Baderne ?

Il rigole :

— Je préférerais évidemment, Edward, me trouver en présence d'une princesse déboutonnée. Tu sais que les crapauds sont des êtres très libidineux ? Very horny, you know ? Tu n'as qu'à voir comment ils se reproduisent : c'est des orgies à n'en plus finir, ils se mettent à dix ou douze sur la pauvre femelle, elle n'a pas trop le choix d'être consentante ou pas, dans ces conditions.

— Dr Baderne ?

— Oui, Edward ?

— Vous n'auriez pas dans vos cours une jeune fille qui s'appelle Christine, une petite nouvelle, qui a les cheveux très courts, une poitrine fournie et des jambes effilées ?

Il réfléchit à son tour :

— Je ne crois pas, Edward. Mais la session est jeune. Et puis, tu connais ma mémoire : elle enregistre des tas de choses, mais c'est un fatras terrible, là-dedans. Alors parfois j'égare un mot, ou un visage, et ce ne sont pas les plus rares qui se perdent : je peux très bien laisser échapper le nom commun de l'écureuil roux, dans la selve de mon inconscient, alors que son nom latin me trotte toujours dans la tête, en compagnie des cabiais, myopotames, ragondins, agoutis, wombats et bradypes qui s'y ébattent bien en vue. Ah, mais oublions ça. Suis-moi, je veux te parler.

Baderne me mène près d'un enclos grillagé dont le sol est parsemé d'une herbe rare et au fond duquel une petite cabane de bois nu arbore des ouvertures rondes et noires.

— Tiens, regarde là, dans le coin.

J'aperçois des boules de poil noires rayées de blanc, serrées les unes contre les autres, comme des chaussettes bariolées rangées dans un tiroir après le lavage.

— Ah ! Des bêtes puantes !

Baderne approuve :

— Mais oui. Edward. Tu ne sens pas ce subtil parfum qu'elles traînent partout derrière elles comme une malédiction ? Oui, les mouffettes, les plus méprisés de tous les mustélidés. Elles n'utilisent pourtant leur puissante arme de jet qu'en cas de légitime défense. Ce sont de charmantes bestioles qui aiment le monde. Elles peuvent se le permettre. Il faut être armé pour aimer le monde. Edward, crois-moi, il n'y a pas d'animal plus gentil sur toute la terre que la bête puante !

Baderne interrompt son soliloque, rêveur. Il a ouvert la cage et s'est emparé d'une mouffette somnolente qu'il caresse comme si c'était une chatte. Je me suis écarté d'un pas.

Heu, Dr Baderne, elle est opérée, au moins ?

Il secoue la tête, perdu dans ses pensées.

— Non, non, elles sentent que j'ai confiance en elles, c'est tout.

— Et... heu... qu'est-ce que vous avez l'intention de faire, avec ces mouffettes, Dr Baderne ?

Cette fois, il me regarde sombrement, et sa voix devient grave, pour la première fois depuis mon arrivée.

— Ce que je vais faire avec ces mouffettes ? Eh bien, disons, Edward, que dans quelques semaines, je n'oserai plus prendre dans mes bras ces adorables créatures, comme je le fais en ce moment. Pour la bonne raison qu'elles ne seront plus adorables. Elles ne seront plus gentilles du tout. Elles auront... elles auront la rage.

— La... ah oui ? Je demeure interdit. Puis :

— Vous allez...

— Je vais leur inoculer le virus de la rage, complète-t-il à voix lente.

On dirait que ce mot résonne comme une sentence sur la prairie environnante. Baderne reprend d'une voix plus forte :

— Ensuite, ensuite seulement nous leur administrerons le vaccin. C'est un projet de recherche, financé par le ministère de l'Agriculture, en collaboration avec l'Institut de parasitologie. Nous avons le mandat d'expérimenter un nouveau vaccin dont la formule devrait se prêter mieux à l'absorption par voie buccale, ce qui représente la seule possibilité d'immuniser les populations animales sauvages qui constituent toujours une menace, tant pour le bétail que pour les humains. Si nous voulons nous débarrasser définitivement de la rage, c'est la seule solution.

Après un dernier câlin déjà lourd de culpabilité, il replace le petit animal dans l'enclos exigu où ce dernier se pelotonne doucement contre ses congénères, puis il referme soigneusement la porte. Baderne me passe ensuite un bras autour de l'épaule et m'entraîne plus loin.

— Vois-tu, Edward, la rage est aussi ancienne que l'histoire de l'humanité, et elle est encore avec nous. À l'état latent, bien sûr. Et nous en sommes dans une certaine mesure protégés, grâce aux progrès de la vaccination. Mais nous ne serons jamais garantis du contact entre l'homme et l'animal sauvage, Edward. La rage est toujours possible. La rage, c'est notre animalité qui nous guette du fond des âges. La rage nous résiste parce que la Nature nous résiste, parce que les animaux sauvages se comportent comme autant de guérilleros dans l'immense maquis de l'arrière-pays.

D'un geste théâtral, il venait de me désigner trois oursons qui s'ébattaient dans une cage. Si les animaux sont des maquisards, pensai-je, ces trois-là doivent être des prisonniers politiques. Ils me faisaient penser à cette famille ourse de la fable, qui possédait une maison où s'était introduite une petite fille innocente. Baderne poursuivait :

— L'histoire de la rage, Edward, se perd dans l'Antiquité. On dit qu'elle fut observée pour la première fois par les Asclépiades, descendants du dieu de la médecine, Asclepios. On croit aussi qu'Actéon, le chasseur mythique qui fut mis en pièces par ses chiens lorsqu'il surprit la déesse Diane et ses valets au bain, fut en réalité victime de chiens enragés. Dans l'Iliade, Homère se réfère probablement à la rage quand il écrit que Sirius, le chien-étoile de la constellation d'Orion, exerce une influence néfaste sur la santé des hommes. L'étoile Sirius fut d'ailleurs associée aux chiens enragés par les habitants de l'est de la Méditerranée et de l'Égypte, et plus tard ceux de Rome. Homère utilise aussi le terme « chien enragé » dans les épithètes qui sont lancées à Hector par Teucrus. Dans la mythologie grecque, un dieu était spécialement désigné pour combattre les effets de la rage. Son nom était Aristaeus, fils d'Apollon.

La mythologie, c'est son dada, à ce vieux Baderne. Une fois lancé, il peut continuer sur la même veine pendant des heures et des heures. Et il n'est jamais plus heureux que quand il réussit à faire coïncider les préoccupations associées à son gagne-pain avec sa passion profane pour tout ce qui est mythe. Et qui aime les mythes aime les mots. Ça me le rend sympathique, moi, Baderne.

— Les Grecs appelaient la rage Lyssa ou Lytha, ce qui veut dire « folie ». Lorsqu'elle s'attaquait à l'homme, on la décrivait par le terme « hydrophobie », parce que la personne atteinte est tourmentée à la fois par la soif et par l'horreur de l'eau...

— Seigneur ! ne puis-je m'empêcher de m'écrier. Le tyran le plus cruel, le satrape le plus raffiné auraient du mal à concevoir un supplice plus diabolique ! C'est Tantale en mieux : l'impossibilité de boire, au lieu d'être imposée par un tourmenteur, est provoquée de l'intérieur. Ça me fait penser au malconfort dont parlait Camus... Un écartèlement de la volonté... Mais je m'excuse de vous avoir interrompu.

Il a un joyeux mouvement d'épaules :

— Ce n'est rien, Edward. Tes allusions littéraires sont toujours les bienvenues, chez moi. Tu sais bien que je ne suis pas ce genre de scientifique qui passe toute sa vie à échafauder une théorie minutieuse expliquant le sens des contractions péristaltiques chez un ver parasite de l'ordre des nématodes au sortir de sa diapause hivernale. J'ai mis le nez dans Camus, moi aussi, tu sais... Bon, je poursuis mon petit exposé, et tu es drôlement privilégié, mon boy, car je suis en verve aujourd'hui, et c'est pas moins qu'une classe de quarante étudiants qui mériterait d'assister à cette synthèse. Mais comme tu les vaux tous, Edward, je continue sans me faire prier. Profites-en ! À propos, il serait bon que tu saches, parlant de lettres, que le mot anglais pour rage, *rabies*, est en fait un mot latin dérivé d'un ancien mot sanskrit, *rahas*, qui peut être traduit par « faire violence ». Quant au mot français, il vient du nom *robere*, signifiant « être méchant, ou fou ». C'est Démocrite qui nous offre la première description officielle de la rage canine, cinq cents ans avant Jésus-Christ. Aristote, au IVe

siècle avant Jésus-Christ, écrit dans son *Histoire des animaux*, livre 8, chapitre 22, que les chiens souffrent de folie, que cette folie les rend très instables et que les animaux qu'ils mordent deviennent atteints. À cette époque, Edward, Aristote croyait que l'espèce humaine avait le privilège d'être épargnée par la maladie. Si le vieux savant avait pu avoir raison ! Mais on pense qu'Hippocrate parle de rage quand il mentionne que des personnes prises de frénésie boivent très peu, sont perturbées et effrayées, tremblent au moindre bruit ou sont saisies de convulsions. Plutarque, quant à lui, met en garde contre les morsures des chiens enragés. Vois-tu, Edward, Zénophon, Épimarchus, Virgile, Horace et Ovide, tous auteurs de l'Antiquité, mentionnent la rage dans leurs écrits. Lukian, un romain, émit l'hypothèse que les humains affectés par la rage pouvaient propager le mal en mordant d'autres humains. Les auteurs romains, comme Cardanus, décrivirent la substance infectieuse comme un poison, ce qui nous renvoie au mot latin *virus*. Pline et Ovide crurent pour leur part qu'un certain ver de la langue du chien était responsable de l'affection. En ces temps-là, pour prévenir la rage, la membrane muqueuse qui sert d'attache à la langue était coupée et le morceau qui, croyait-on, dissimulait le ver était enlevé. Ce traitement, Edward, était encore usité au XIXe siècle, jusqu'à ce que le bonhomme Pasteur s'empare du problème.

— Diable ! Un peu plus et on aurait carrément coupé la langue. Je crois qu'un homme tel que vous, Dr Baderne, n'aurait subi cette abla... blation qu'avec beaucoup de réticences, pas vrai ?

— Ah Ah Ah ! Très drôle, monsieur Malarmé. Oui, je sais, je suis bavard, et toute la science est bavarde. Seule la sagesse est silencieuse. La science, c'est Babel aux plus beaux jours. La langue a beau être la même, ce sont les jargons qui diffèrent. Ho Ho ! Pour nommer les bébittes et les bobos de l'humanité, la langue sait se surpasser, ça, je t'en passe un papier, Edward. Mais où en étais-je ? Ah j'abrège, Edward, j'abrège à contre-cœur. Quelle torture de faire court ! Bon. Celsus, un médecin, s'imposa au Ier siècle comme le premier spécialiste de la rage. Il reconnut que c'est la salive seule qui contient le poison. Et je pourrais ajouter, dans la foulée de ta remarque, que la salive elle-même peut être un poison, mais cela nous entraînerait trop loin, mon boy. Pour combattre le poison de la rage, Celsus prescrivit donc l'application de produits caustiques, de brûlures sur les plaies, ou encore la succion de la blessure infligée par la bête enragée, comme on le fait parfois pour la morsure d'un serpent venimeux. Par ailleurs, Celsus recommande aussi des bains chauds ou froids. Lorsque les symptômes de la rage font leur apparition, il déclare que le seul remède valable consiste à jeter par surprise le patient dans une piscine, l'y immerger pour lui faire avaler de l'eau, et lui permettre de refaire surface pour ensuite répéter l'opération submersive. Ainsi la peur de l'eau est vaincue de force et la soif étanchée.

— Tout un traitement de choc, ma foi... Bel exemple d'une médecine qui s'attaque aux manifestations de la maladie plutôt qu'à ses causes. Mais, ça me fait penser, parlant de piscine... Vous avez dit tout à l'heure, Dr Baderne, que tout vrai scientifique devrait être prêt à plonger dans la piscine aux crapauds de Rostand. La peur du crapaud, c'est comme la peur de l'eau, en un sens. Un obstacle à la satisfaction de la soif de savoir ?

Baderne sourit avec indulgence :

— Oui, voilà une fort acceptable métaphore, cher Edward. Je crois en effet que plusieurs de mes pupilles gagneraient à être plongés de force dans la piscine de Rostand. Parce que la peur du crapaud, comme la peur du serpent, celle du rat et celle des araignées, plonge directement dans l'inconscient et dans le mythe. Et si on peut s'intéresser à la fois à la science et aux mythes, il est dangereux de confondre les deux, mon boy. Quand ça se produit, on se retrouve bien près de la sorcellerie. Par exemple, ce vieux Pline, qui croyait à la présence d'un ver pathogène dans la langue des victimes de la rage, affirmait que si le ver était enlevé, promené trois fois autour d'un feu et alors donné à la personne atteinte, celle-ci serait protégée des effets de la maladie. D'autres traitements, dont fait état Fleming, comprennent la dégustation d'un cerveau de coq, l'application d'une crête de coq pilée sur la morsure, et l'utilisation de graisse d'oie et de miel comme cataplasme. La chair d'un chien enragé, salée, pouvait être mangée comme remède, et on pouvait aussi noyer des chiots de même sexe que l'animal qui avait infligé la blessure, et dévorer leur foie cru. L'application des cendres d'une tête de chien sur la blessure faisait aussi partie de ces cures imaginatives. Les cendres pouvaient encore être mêlées à une potion et certains médicastres recommandaient même d'ingurgiter la tête elle-même. Parmi d'autres baumes pouvant venir en contact avec la blessure, on prescrivait un asticot pris sur la carcasse d'un chien, et les poils ou les cendres des poils de la queue du chien responsable de la morsure. Columella relate pour sa part qu'on croyait parmi les bergers que si, le quarantième jour après la naissance d'un chiot, le dernier os de la queue était sectionné avec les dents, le cartilage suivrait et, la queue ne poussant plus, le chien courtaudé ne pouvait plus contracter la rage. Et voilà pour l'Antiquité !

Un peu étourdi, je rétorque :

— Quand ce n'est pas la langue, c'est la queue ! Les toubibs de l'époque avaient décidément plus d'affinités avec les charcutiers qu'avec de vrais guérisseurs. Ça fait penser à la loi coranique : coupe la main qui te pousse au vol ! Et châtrer l'homme, Dr Baderne, est-ce que ce n'est pas le remède radical contre tout un tas d'emmerdements médicaux ? On bistourne bien les chats et les chiens !

Il rigola :

— À ton âge, en effet, mon boy, la castration serait la solution à bien des maux. Mais il faut procréer, au contraire, si vous voulez un jour être relevés, comme nos vieilles têtes couronnées de cheveux blancs à nous, universitaires, qui tomberont fatalement et seront remplacées par les petits génies de votre génération. Le génie, Edward, le génie ! Il fallut un génie pour vaincre la rage chez l'homme. Et il faudra d'autres génies pour l'extirper définitivement chez nos frères inférieurs.

Baderne s'arrête et prend une grande respiration.

— Pasteur ! Ah Pasteur ! Nous ne sommes qu'un misérable troupeau bêlant, Edward, comparés aux grands précurseurs de cette trempe-là. Pasteur conclut à cette époque que le système nerveux central, et en particulier le bulbe qui unit la moelle épinière au cerveau, était actif dans le développement de la maladie. Il différencia aussi la rage « muette », qui est une forme de cette affection caractérisée par la paralysie, et la rage « furieuse » dans laquelle l'animal attaque tout ce qui bouge. Je te dois, mon boy, d'abréger cette passionnante épopée expérimentale, mais laisse-moi au moins te conter son point culminant : la découverte dramatique du vaccin de la rage, ou plutôt sa première inoculation réussie. En 1885, un garçon de neuf ans, Joseph Meister, est amené à Pasteur d'Alsace, après avoir été mordu quatorze fois par un chien enragé. La mort du jeune garçon paraissant inévitable, Pasteur décide d'essayer sur le petit Joseph une méthode qui avait déjà connu du succès avec les chiens. Soixante heures après les morsures, en présence de deux médecins, Pasteur inocule à Joseph Meister une demi-seringue de la moelle d'un lapin atteint de rage, qui avait été préservée dans un flacon sec pendant quinze jours. Treize autres inoculations suivirent, toujours croissant en virulence. Le garçonnet ne développa jamais la terrible maladie.

Baderne se tait, recueilli. Il a récité les dernières phrases avec la passion d'un anagnoste lisant les évangiles à Pâques. Je fais, timidement :

— Donc, Dr Baderne, le vaccin contre la rage existe. Ce qui nous met aujourd'hui à l'abri du fléau, non ?

Baderne secoue la tête, pesamment :

— Pas entièrement, Edward, pas entièrement. Car l'effet du vaccin n'est pas permanent. Et puis, surtout, il est impossible de forcer toutes ces bêtes sauvages qui se terrent au fond des bois, mouffettes et renards surtout, à se soumettre à la vaccination. On ne peut quand même pas mettre sur pied une campagne de distribution de tracts informatifs. Oui, la rage a régressé énormément, elle est endémique depuis au moins vingt-cinq ans au Canada, mais elle est là, Edward, elle est encore là et elle nous guette. Il y a eu des alertes encore tout récemment dans le sud de l'Ontario, et près de Lachute, dans ton coin, qui sont des régions à risque.

Baderne respire profondément :

— Vois-tu, Edward, tout dépend du contact entre l'homme et l'animal, de la fréquence de ce contact. Parce que le renard et la mouffette s'intéressent aux activités agricoles, ils sont des vecteurs privilégiés. Et le chien et le chat, souvent les seuls contacts de l'homme moderne avec la nature, constituent un talon d'Achille, les chevaux de Troie de la rage. Ils mordront sans merci la main qui les nourrit. L'animal enragé est comme un kamikaze, un commando-suicide, un fedayin pathologique. Comme ces Africains du Nord qui deviennent amok et se mettent à jouer du cimeterre aux dépens de tout ce qui bouge. On se bat contre une guérilla, mon gars.

Nous avions dépassé l'endroit où Baderne avait fait transporter deux énormes vaches mortes pour attirer les oiseaux. La puanteur était épouvantable, et des geais s'affairaient à nettoyer des ossements éparpillés.

— Quand on a le cœur assez solide pour supporter l'odeur, ça vaut vraiment la peine de se mettre à l'affût ici, tôt le matin, Edward. Tous les oiseaux du canton se donnent rendez-vous dans le coin. Les oiseaux chanteurs les plus délicats ne peuvent résister à une bonne charogne, mon boy. Et nous avons même eu la visite de vautours ! Tu sais que les vautours noirs sont les seuls oiseaux à pouvoir localiser leur pitance à l'aide de leur odorat ?

Je fis observer :

— En somme, c'est votre version personnelle et olfactive de la piscine de Rostand, hein, Dr Baderne ?

Il se marra.

— Mais je crois que je pourrais bien supporter l'odeur, en effet..., dis-je.

Nous sommes ensuite parvenus devant la haute clôture grillagée de l'enclos où Baderne retient captifs trois beaux loups. Ils étaient là, couchés dans la broussaille, indolents, nous fixant de leurs grands yeux jaunes, froids et pénétrants comme des silex. Baderne prend à nouveau ses poses de maestro théâtral :

— Voilà, Edward, une des plus vieilles terreurs de l'homme ! Ah, les crocs luisant comme des quartiers de lune, dans la nuit du Moyen-Âge ! L'homme a eu peur du loup parce que le loup lui ressemble trop : intelligence, sens de la famille, capacité d'organisation sociale, gestion rationnelle de la population, il nous défie sur bien des plans. Mais nous le dominons totalement au niveau de la production d'armements sophistiqués, évidemment. Devant un hélicoptère et une mitrailleuse, même toi, Edward Malarmé, tu t'ennuierais de ta mère, pas vrai ? Nous avons peur que le loup nous ressemble et, inversement, nous avons peur de ressembler au loup. Pense à l'horreur atavique du loup-garou, quand l'homme devient un loup pour l'homme !

— Oui, oui, bien sûr, Dr Baderne. Mais... ne trouvez-vous pas que vos loups ont l'air amorphe en diable ?

— Forcément, Edward, forcément. En liberté, *Canis lupus* possède un territoire de plusieurs dizaines, voire des centaines de milles carrés qu'il parcourt inlassablement. Admettons que le chercheur impitoyable en moi a dû réduire de façon radicale l'étendue de cet espace vital. Regarde comme ils sont résignés. L'appel immémorial gronde au fond de leur gorge. Mais le pire, l'outrage suprême, c'est le défilé quotidien de tous ces chiens de bonne lignée qui leur passe sous le nez. Il faut voir leurs yeux d'un or mortel quand ils fixent intensément les toutous de bonne famille redevenus libres l'espace d'une promenade. Les descendants dégénérés qui viennent narguer les gardiens de l'héritage nordique. Ah oui, il y a de la tristesse dans tout ça...

— Ils n'essaient jamais de s'enfuir ?

Je ressentais de la sympathie pour eux, tout à coup. Baderne eut un geste vague :

— Ils ne sont peut-être pas si mal ? Ils ont oublié... Ils ont l'air de nous étudier au moins autant que nous les étudions. Mais viens, mon boy, je vais t'emmener dans mon bureau et te remettre une pile de documents et de publications que tu pourras feuilleter à loisir. Je te laisse le temps d'y penser sérieusement, Edward. Je ne saurais trop dire pourquoi, mais tu m'apparais le candidat tout désigné pour entreprendre des études sur la rage.

Sur le coup, je n'ai même pas eu le courage de le contre-dire.

* * *

Cette bucolique aire de recherche est séparée du campus par une paire d'autoroutes munie de bonnes bretelles. Nous avons traversé la 40, puis la vieille route 20. À la hauteur du poulailler expérimental, le fumet d'un fumier bien azoté a fait frémir ma narine pourtant inepte. Ici, les poules pondent quatre par quatre, mathématiquement, et on cherche à leur faire produire des œufs carrés qui s'emballeront bien mieux. De l'autre côté, voués à l'avancement de la science, des rapaces cloués au sol prennent leur mal en patience, en attendant la prochaine ration de petits poussins issus de coquilles plus ou moins géométriques. Il y a de grosses buses désabusées, la queue rousse rabattue, des aigles martiaux qui tentent de prendre un essor rapidement brisé par la chaîne passée à leur patte. Il y a des faucons pèlerins dont les semblables se perchent parfois au loin sur le poing des sheiks puissants, pèlerins qui sont ici des internés en réhabilitation. Parfois, on empoisonne leurs petits avec des diètes au DDT. Ça fait partie du programme, ça donne de la matière pédagogique aux profs, la progéniture passera à la postérité des périodiques scientifiques.

Je revois le vieux campus de campagne avec ses bâtiments de brique brune travaillés par le temps et le colombin, avec ses nobles traditions suintant des murs antiques, puis la vaste pelouse où avait lieu le rite initiatique de l'accession à la masse étiquetée des professionnels épris d'éthique. En grand costume d'apparat, ils montaient sur l'estrade, les sorciers du savoir, drapés dans leur toges flamboyantes, bigarrées et démitées au formol. Ils s'assemblaient, s'asseyaient sur leurs faldistoires d'opérette, et le doyen se faisait un devoir de rappeler à tout le monde le noble apostolat de la baraque : nourrir l'humanité. Oui, en vérité, il n'en est pas de plus nobles, mes amis. Même les prix Nobel ont besoin de bouffer. Il fallait bien entendu commencer par gagner sa propre croûte, mais on n'y pensait pas encore. Pour l'instant, c'était la collation des grades. Il fallait défiler devant l'auguste aréopage, devant les chamans en robes chamarrées d'or et de pourpre, avec la calotte idoine qui nous faisait la tête comme la couverture d'un livre. On comparaissait devant le tribunal de l'intelligence sacralisée, et j'en connais beaucoup qui avaient boycotté cette momerie, ce rite tribal fondé sur le mérite. Le doyen resservait comme chaque année son indigeste brouet à saveur religio-patriotique de Canada en canne all-dressed. Nous étions prêts à battre de nos propres ailes, au contraire des petits poussins pèlerins nourris au DDT. Au cours de cette cérémonie d'envol intellectuel du nid, j'avais pensé à cette tribu indienne de l'ouest des États-Unis où le jeune homme, pour accéder au statut de guerrier, devait grimper une falaise jusqu'à l'aire d'un aigle doré, défaire celui-ci en combat singulier, à mains nues, et en rapporter la dépouille comme preuve de son héroïsme. Nous autres, notre aigle doré, il était confiné au toit d'une niche, comme un triste

Snoopy. On pouvait entendre, mêlés au laïus paternaliste nous tombant dessus du haut de la tribune, ses glatissements angoissés, et il ne se lassait jamais de tester la longueur et la résistance de la chaîne le retenant au sol, violant son vol.

On se regardait, on riait de se voir si solennels sous le soleil. Ma coiffure réglementaire tombait tout le temps, parce qu'elle était bien trop étroite et qu'aucun chapeau ne m'a jamais fait, qu'aucun chapeau ne me fera jamais, qu'il n'y aura qu'une couronne pour prétendre pouvoir se poser en toute légitimité sur ma tête. La toge sombre enserrait mes épaules encaquées dans un blazer trop ajusté, tandis que le doyen chenu pesait précisément, dans la balance lourdement lestée de son cerveau, chaque mot bien étudié BLA BLA BLA BLA BLA BLA et nous ne pensions qu'au bal qui aurait lieu après, dernière occasion de se saouler ensemble aux frais de feu le magnat du tabac, et oublier que nous étions censés savoir des choses désormais, et en savoir suffisamment pour pouvoir turbiner à la grandeur du Québec électrique. Au-delà de l'estrade, où, avec une grande économie gestuelle, remuaient les maîtres de cérémonie, l'aigle chauve s'élançait en l'air et retombait, s'élançait encore et retombait dans un grand froissement de plumes fatiguées, devant sa niche bien définie, tandis que les goélands ricanaient dans le ciel bleu. Maintenant, il allait falloir se colleter à l'existence, comme nous nous étions colletés à la connaissance rigide, comme il faudrait un jour se colleter à la mort. Et d'abord, il fallait gravir les degrés de ce podium à plusieurs places pour cueillir nos médailles de chiens savants, défiler en automates empesés devant ces pygargues écarlates et éclatants débitant leurs arguments usés par le passage des années. Baderne était là, aussi, en grande tenue d'apparat académique, costume aux couleurs de son alma mater, l'esprit ailleurs, cependant, la tête sur le terrain, car le vieux Baderne n'était pas l'homme du décorum. Pourtant, il me considérait avec fierté, le Baderne. Une fierté auto-indulgente, j'imagine. Mais sa considération était vraie, et elle me gênait. Le doyen, l'ancêtre de cette ménagerie mentale procédait alors à l'adoubement, mécaniquement, comme le roi Arthur d'une coterie anachronique, nous remettait en guise d'épée, pour affronter le monde, le gros tube rouge du succès de carton. Je ne pensais qu'à la cuite. Cui Cui Cuite. Les carottes carrées étaient cuicuicuites. À défaut de bonnet d'âne bâté, j'ai toujours préféré le bâton.

* * *

Au café étudiant, j'ai retrouvé mes vieux compères, ceux qui sont encore là, toujours là, ceux qui sont revenus, ceux qui continuent à tourner en rond autour de la table verte, en plein après-midi, dans les ténèbres chichement pourfendues du sous-sol universitaire. Ceux qui ont choisi de continuer à s'élever dans la hiérarchie du demain, d'essayer de dompter le devenir fugitif. Refuser de vieillir devient une espèce de jeu hasardeux. Ils sont là bien à leur place, à limiter leur champ d'investigations au riche rectangle velouté, à supputer les possibilités d'interaction physique entre les boules d'ivoire, entre deux lampées de bière lumineuse, au goût salé et amer de la flemme sacrée de la fin d'après-midi. Ici, je peux vraiment prendre le pouls de la faculté affaiblie. Il y a Bernard, que nous avons surnommé Burné, et qui est beau, mais beau d'une beauté tragique et grandiose, beau de la beauté qui fait peur au lieu de plaire, beau comme un flyé tiré du célèbre nid de coucous. Il y a, enfoncé au crayon noir dans ses traits cyniques, la seule certitude à laquelle il soit jamais parvenu au terme de toutes ces sessions d'études : rien ne sert à rien. Alors pourquoi pas ici plutôt que là ? Pour tout le reste, c'est un pyrrhonien qui professe un pessimisme absolu. Son verre est toujours à demi vide. Sa vie l'est généralement beaucoup.

— Hugh, m'a-t-il lancé en frappant le sol du bout de sa baguette de billard, comme si c'était une lance. Nos mains se sont mêlées.

— Salut Burné, mon vieux ! Comment ça va, le deuxième cycle ?

Il fait la moue. S'il avait des plumes, il ferait la roue, juste pour la vanité de ne servir à rien.

— Ah, comme tu vois, Édouard : ça roule, ça roule..., répond-il en fixant la table.

Puis, se secouant de sa torpeur, il s'exclame :

— Bienvenue, Édouard Malarmé, dans notre univers tampon. Les boules se tamponnent, et nos idées font la même chose : l'univers est une table de billard, voilà ce que j'ai découvert, mon vieux. Écoute, Malarmé : imagine la vie comme un interminable flux sanguin. Ça va ? Alors cette table, et l'espace immédiat qui l'entoure, font office de gros Kotex moelleux qui éponge la vie, qui l'absorbe hygiéniquement. Un Kotex cérébral ! Le cycle s'interrompt ici, camarade. C'est merveilleux, non ? On pourrait étudier ici toute une vie, et ne jamais être obligé de vivre, autrement dit vivre toujours sa mort. La connaissance étant évidemment la mort de l'âme, j'espère que tu le sais, Malarmé ?

— Ah, ne parle pas comme ça, Burné. Toujours tes idées noires ?

— Pardon, les idées sont rouges, monsieur ! Les idées sont des poissons rouges que nous nourrissons de miettes de couleur et de bouts de papier. Tu ne sais pas quoi, Édouard ? Cet été, on a fermé le café, évidemment, et tu te souviens que c'est moi qui étais responsable des poissons de l'aquarium ? Je n'y ai repensé qu'au bout de trois semaines... période au cours de laquelle j'ai dû consommer environ quarante-trois joints et soixante-sept petites bières. Je dis ça pour expliquer la distraction, tu comprends ? Quand je suis arrivé ici, les poissons étaient blanchâtres et dégoûtants, vieux, ils flottaient sur le dos en se défaisant tranquillement. Le seul qui avait survécu, c'est l'espèce de parasite qui traîne toujours au fond, tu te rappelles ? Le vidangeur. Avec toute cette mortalité, il était gras comme un voleur, il suçait le fond et ramassait les miettes. On n'en a pas acheté d'autres : on élève maintenant un vidangeur.

L'adversaire de mon ami, qui se tenait non loin, souffla à voix basse :

— Joue, Burné.

KAPOT. Il expédie la noire dans son trou, il gagne le droit à une autre partie. Et il bavarde, ensemence le silence de sa salive féconde.

— Tu sais, Édouard, c'est génial, les études avancées. Oui, ils appellent vraiment ça les études avancées. Mais comment veux-tu avancer à l'intérieur d'un cycle, fût-il second ou troisième. Pour moi, c'est clair comme de la bière : on tourne en rond comme des poissons dans un bocal, comme des bulles dans un boc. Oui, plus on avance dans les études, moins on a de cours, plus on a de temps pour jouer au pool. C'est aussi simple qu'un vase communicant, et je serais tenté de faire un mauvais calembour en ajoutant : simple comme de la vase communicante, expression qui pourrait pourtant judicieusement s'appliquer à beaucoup de nos cours, tu ne trouves pas, Malarmé ?

Après un instant de réflexion, les yeux baissés sur la table basse, il ajouta :

— Tu sais, Édouard, je commence à voir, à travers ce tapis vert, un instrument de connaissance bien plus précieux que les microscopes électroniques, les incubateurs et les ordinateurs. Ici, c'est devenu le seul endroit où j'ai le sentiment d'apprendre quelque chose, et d'avoir encore quelque chose à apprendre. Mon directeur de thèse me croit au travail en ce moment. Il n'a pas tout à fait tort, même si je diverge quelque peu de lui quant au but de mes efforts. Je n'ai pas touché à un article scientifique depuis le début de la session. Ils ont le culot d'appeler ça de la littérature. C'est de l'usurpation pure et simple. À propos, j'ai eu une bonne bourse, Édouard. C'est comme si j'étais payé pour jouer au billard. Comme les golfeurs professionnels qui gagnent leur vie en s'amusant. On est gâté, pas pour rien qu'on pourrit.

— Tu es un surdoué, Burné.

— Surdoué ? Ah Ah Ah ! Tu ne sais pas ce que tu dis, Malarmé. Si la vie est un flux sanguin, je suis sec comme un hostie d'insecte. Tu vois, j'ai trouvé, cet été, une guêpe morte dans la vitre de la fenêtre de ma chambre. Je l'ai laissée là, pour voir... ça fait cinq, six mois de ça. Elle est encore là, pas décomposée une miette. Dans le département d'entomologie, on est comme ça, Édouard. On se conserve, mais ça ne veut pas dire qu'on est vivant. Mes neurones se meurent comme des ormes. Je suis sec comme une hostie, Malarmé ! Ça manque de levain, ici, ça colle au fond, christ, comme une croûte de kératine dans une casserole de fonte !

Son inséparable copain Pete rapplique alors et se met à tourner autour de nous qui tournons autour de la table, comme un maringouin alléché par une bonne pinte de sang. Il m'écrase la pince. Cheveux blonds, longs, clairsemés, type même du faux-freak qui paie de sa personne les pourboires dus à une existence trop frénétique. Un autre tourmenté, sous ses airs de viveur immodeste. Se démène comme un éphémère après son éclosion. Il est comme les éphémères, sur la jetée là-bas, les chauds soirs d'été : on l'a sur toute la figure, dans les cheveux, les yeux et les oreilles. On voudrait le recracher.

— J'ai mis Joe Jackson Jazz ! qu'il clame. Ah Édouard ! Ça fait du bien de te revoir ! Qu'est-ce que tu viens faire dans le coin ? Tu es revenu t'inscrire ? Ta demande est faite ? Ah je le savais ! On t'attendait, en fait. On le savait que tu ne supporterais pas la vraie vie du dehors. Édouard, tu appartiens à Miss Maggie McGill, la vieille pute puritaine. C'est pour la vie !

Je concède, l'air préoccupé :

— J'ai parlé avec Baderne. Il veut absolument que je participe à son projet de recherche sur la rage. Il se fait des idées, à mon avis.

Le Pete lâche un jet de gaz et saute sur place :

— Comment ? Fonce, mon vieux ! C'est la vraie vie, ici. Rien d'autre à faire que boire et fumer toute la journée. On n'assiste pas à tous les cours, mais on ne manque jamais le football américain, par contre.

— C'est vrai, renchérit Burné. Bière et football, c'est un autre bon mélange, ça. Un autre univers tampon. Un autre tapis vert, avec des trajectoires précises et des collisions. C'est réconfortant de constater que le régime universitaire ne comporte que trois cycles, alors que l'enfer de Dante comprend, quoi ? sept cercles ?

— Édouard, me hurle Pete à l'oreille, il faut absolument que tu t'inscrives au tournoi de billard, ce soir. Tu vas retrouver la main, ce sera pas long. Nous autres, on est de moins en moins bons. On pratique trop. On pense trop, aussi. D'abord, on va aller fumer ce gros bat de baseball que je tiens ici, voyez, il y a là de quoi engorger tous nos circuits mentaux, les amis. Hi Hi Hi !

Pendant que nous aspirons la riche émanation du cannabis, sous la lumière verdâtre des vécés, appuyés à des cloisons surchargées de ces inscriptions cochonnes qui permettent aux plus cultivés comme aux plus cul-terreux de se soulager la libido, j'observe Burné, qui aurait dû faire du théâtre, et même du théâtre muet, tant le drame est inscrit dans sa face, en grosses lettres noires sur fond de néant, en grosses pattes de mouche grignoteuses. Ce qu'il était brillant, Burné ! Le genre à ne jamais étudier et à tout comprendre, à fumer du pot plutôt que de potasser ses livres, à s'attirer l'inimitié unanime des professeurs parce qu'il pouvait passer les cours tout en se passant de la classe, le genre dangereux pour l'exemple. Il était si intelligent qu'un jour, on dirait, il s'est mis à avoir peur de ça, peur de sa supériorité, peur d'être obligé de continuer à la prouver, peur de se laisser jucher sur un piédestal hors de notre portée, peur de nous marcher sur les pieds et de nous les casser, bref il s'est mis à avoir peur de comprendre. Il avait peur de comprendre, entre autres, que ses performances ne pourraient pas toujours servir de prétexte à sa paresse, qu'il serait poussé par les professeurs, qu'il devrait produire toujours plus, comme on poussait les poules à pondre toujours plus. Qu'on le forcerait peut-être un jour à pondre des œufs carrés, lui aussi. Déjà, il passait sous silence les bourses au mérite qu'il décrochait avec aisance chaque année, et il nous laissait la surprise toujours renouvelée de découvrir son nom sur la liste des élites aux crânes bourrés. Ça l'éloignait de nous. Il était gêné de son génie. Ce n'est pas qu'il n'aimait pas être intelligent. Mais il n'aimait pas ce qu'on lui avait fourré dans le crâne, ce bagage de scientifique surspécialisé qui conduit droit au labyrinthe de Babel. Il s'était découvert des intérêts littéraires, mais trop tard. Trop de lectures à rattraper. Il aurait voulu créer, il ne pouvait qu'apprendre. Il aurait voulu écrire, il ne pouvait que pondre. Il avait développé le complexe de la bibliothèque de Babylone : tout a été dit, écrit, on ne peut plus que plagier et regratter les mêmes plaies.

Comme il avait de la matière grise en trop, il s'est mis à y opérer des prélèvements. Ses joints se sont mis à s'ajouter bout à bout, le menant du matin au soir, et la bière irriguait continuellement son refus métaphysique. Il se débattait dans ses filets nerveux et les déchiraient furieusement. Le matin, après la bamboche, il était fasciné par le gruyère qu'il avait réussi à faire de sa mémoire. À travers la moustiquaire de sa conscience, il entrevoyait enfin la nuit. Mais les mots revenaient bien vite le hanter, le latin linnéen revenait bourdonner au bout de sa langue. Il avait réussi à chasser *Pristiphora erichssonii*, *Mesoleïus tenthredinis*, *Aphelinus mali* et *Eriosoma lanigerum* de ses pensées, pour un temps, mais le coupable besoin de se rappeler et de colmater les fuites le tourmentait ensuite et il passait la journée à lutter contre le mentisme, à se torturer les méninges, enfin égal aux autres, cancre las. Il

restait brillant en surface, dans ses propos, mais le vide phagé-
dénique le rongeait de l'intérieur. Il s'était mis à vieillir, lui
aussi, c'est-à-dire à s'oublier un peu plus chaque jour. Maintenant, son génie est entièrement livré à l'herbe. Il ne fait plus
rien pour l'en arracher. Il n'aspire plus qu'à la fumée qui sort
du joint. Il se concentre là-dessus, content. Son reste de
raison, il l'emploie à tenir une comptabilité lucide de sa
débauche. Cette exactitude stoïque et maniaque lui tient
souvent lieu de conversation :

— On n'a pas arrêté depuis quatre jours, Édouard : hier,
cinq bières durant l'après-midi, une bouteille de vin au souper,
quatre bières au début de la soirée, ensuite trois vodkas avec
du jus d'orange, et encore trois bières, si ma mémoire est
bonne. Côté boucane, un gros joint au milieu de l'après-midi,
un autre avant souper. Il y avait aussi du hasch chez Marie-Malade, j'ai pris trois grosses poffes au couteau, et Pete m'a fait
sniffer une ligne de coke, que je n'ai pas sentie du tout à cause
de l'alcool évidemment, et on a encore fumé un gros bat avant
de tomber.

Son cousin, méticuleusement, avec le souci de précision
d'un commentateur sportif, le corrige au besoin :

— Tu oublies, Burné, le hasch que j'ai acheté au *Baril*.
C'était peut-être de la marde coupée au chimique, mais ça
stonait son homme raide, on aurait dit une shot de pesticides
dans la tête. C'est bon pour les bébittes.

Pete me passe, merci, le petit cylindre de substance organique qui trace un triangle flou entre nous trois, et qui sent
comme la quintessence d'un doux renoncement à tout. Burné
déclare alors, d'une voix brumeuse et lointaine :

— Savez-vous ? Je pense que nous autres, christ, on forme
une génération d'expropriés. Mais comprenez-moi bien : des
expropriés intellectuels ! Des expropriés dans la tête. On n'est
pas propriétaires de nos pensées, ce sont plutôt les professions
qui nous attendent qui nous possèdent déjà, qui ont les droits
sur nous. On est des cerveaux asservis, on s'est fait expulser de
nous-mêmes par l'idéologie scientifique qui a remplacé les
bonnes vieilles resucées des curés à longues dents de nos
parents. Attendez ! On est des expropriés dans le temps,
surtout : on a été chassés de nos bonnes années, on a été
spoliés de nos vingt ans, non ?

Pete approuve, pivotant entre nous deux comme un coq girouette :

— Ouais, ouais, bien dit ! Qu'est-ce qu'on fait, les gars ? Regardez bien : je vais arracher la porte des toilettes !

En guise de consolation, quand il est gelé, Burné joue avec les mots. Il a le calembour compulsif. Il parle comme je pense. Il s'enflamme :

— Ça sert à quoi d'être entomologiste, Édouard, si les ravageurs les plus pernicieux, c'est les bébittes qui sont en toi-même depuis ton enfance, et qui te trépanent de l'intérieur ? Oh, il me fait chier, à bien y penser, le cylindre cartonné de la graduation ! Je le chie comme un étron de carton qui contiendrait toute ma constipation de connaissances ! Non mais... On est faits chevaliers de l'instruction, hop, un petit coup sur l'épaule, tous en ligne au départ de la course... Mais tu sais quoi ? C'est le pistolet qui nous attend, en bout de piste. On peut être une bole, une hyperbole, mais c'est rien qu'un hippodrome, le deuxième cycle... Qui voudrait parier sur nous autres, à part nos parents ? Notre fier destrier, les gars, c'est une vieille carne qui court à l'autodestruction ! Oh, on est des caves, des caves à lier, dans les souterrains de nos petites apocalypses ! Je ne sais même plus ce que je dis !

Et ainsi de suite.

* * *

Ensuite, c'est le billard. Le disque tourne au fond de la salle, la table de pool devient tournante elle aussi. Je sens que toute la pièce va suivre, va se mettre à tourner autour de cette immense pizza que nous divisons dans l'honneur, pizza roue de charrette pour pionniers démunis, pizza de petits pions, de zéros après le point sur le grand chéquier mondial. Marie-Malade est arrivée. C'est une petite blonde auprès de laquelle l'inconscience des fins de soirée dansottantes m'a jadis mené quelquefois, petite blonde qui possède un masque curieusement cynique, que les grandes passions évitent comme la peste et qui préfère multiplier les amours à petits pas, un, deux, trois, et hop, à gauche, Han deux trois, et un tour à droite... Marie-Malade est de service derrière le comptoir, elle est contente de me voir, consentante déjà, avec du vice dans ses grands yeux sirupeux.

— Un revenant ! qu'elle fait, pleine de bonne volonté.

— Un rêve et le néant ! dis-je sentencieusement.

De retour auprès de Burné qui se met en train pour le tournoi en accélérant sa cadence d'absorption, je demande :

— Alors, les femmes, mon vieux ?

Chaque fois que je ramène ce sujet entre nous, j'ai l'impression de donner un grand coup de glaive dans la lourde boue de son cœur. Il répond, les yeux dans le vague :

— Oh, il y en a une, mon vieux... je lui ai parlé déjà... hier... je ne me souviens plus de ce que je lui ai dit... des conneries... je pense qu'elle va être ici ce soir... je l'intéressais... tant qu'on peut parler, je ne donne ma place à personne. Mais en fait, est-ce que je lui ai parlé ? Peut-être que ce n'était pas elle ? J'ai de la misère à l'approcher. Mais oui, je lui ai parlé... c'est après que c'est compliqué... quand il faut arrêter de parler. Mais j'ai aucune chance, vieux. J'ai toujours le mauvais cheval.

— Ah je vois : le syndrome de la petite fille rousse. La petite flamme inaccessible, paralysante, aveuglante comme une haute chandelle dans le soleil. Toi et moi, Burné, on joue au champ, mais il faut être rapide pour attraper la balle.

— Édouard, tu empiètes sur mes plates-bandes. Je pensais avoir le monopole des métaphores sportives. On dirait qu'on est en compétition pour le concours d'imitation d'Hemingway. Le vieil Ernest a eu la bonne idée, Édouard. Après avoir tiré sur tous les gibiers du monde, il a tourné son fusil vers le seul gibier qui comptait vraiment. Exit Papa.

— Parlons plutôt de ta jeune beauté. Ne me dis pas comment elle s'appelle, je le sais déjà : je te parie trois grosses bières que son nom est Christine.

Il bée de la bouche :

— Tu vas finir par m'étonner, vieux mec. Comment t'as fait ?

— Facile : tes goûts sont calqués sur les miens. La petite en question habite Saint-Canut. Je connais son frère, je la connais aussi, je suis même allé chez elle.

— Et voilà : tu possèdes une longueur d'avance, évidemment ! Mais ne te réjouis pas trop vite, Édouard. Parce que tu ne jouiras pas trop vite non plus. Notre flamme commune me paraît céder de plus en plus aux avances pressantes d'un petit

Anglais de bonne famille, l'air guindé comme un guide de ruines antiques, un parfait petit con, tu comprends ? Ceux qui réussissent le mieux. Et le saligaud ne se défend pas trop mal au billard, qui plus est.

— J'arrive à temps, alors. Où se trouve donc, mon bon Burné, le registre des inscriptions à ce fameux tournoi de billard ? J'ai les phalanges qui me démangent, tout à coup.

Burné poursuit, comme s'il n'avait pas entendu :

— De toutes façons, vieux, Marie-Malade te mange des yeux comme toujours, et je donne ici au mot manger, terme banalisé, l'acception la plus sexuelle possible, tu m'entends ?

— Ouais.

* * *

BIÈRE BIÈRE BILLARD BIÈRE BIÈRE dans le CORPS BIÈRE BIÈRE dans le CORPS-BILLARD. Ça se joue à deux, à quatre, avec ou sans poule, avec seulement le droit de jouer encore ENCORE BILLARD quand on a gagné. Nos noms s'inscrivent au tableau vert comme ceux d'innocents écoliers, et nos noms statiques s'élèvent sur la liste, par la magie de la brosse. Je forme et reforme l'éternel triangle et le défonce. L'univers est sur le tapis, pour ce soir. Le tournoi est sur le point de commencer et Christine fait son entrée, de son petit pas aristocratique, les pieds levés bien hauts et les épaules rejetées loin en arrière, cambrée comme une danseuse de flamenco entre deux taconeos. Sur ses talons trottine effectivement un muscadin aux allures de page pâle, blond et bien peigné (avec une raie bien nette), ses yeux vitreux flottant comme dans du formol derrière des lunettes rondes cerclées d'argent qui parfont son apparence de petit intellectuel studieux, de la sorte qui siège aux assemblées d'étudiants et boycotte la Black Label pour appuyer les Noirs d'Afrique du Sud. Je la vois passer pendant que je suis penché sur mon coup, ma queue de billard allant et venant entre mes phalanges mobilisées (technique très discutée) et saupoudrées de talc, mon nez pointant protubérant en direction de la boule : Édouard Malarmé joue au pif, véritablement. Édouard Malarmé a du nez et pointe la cible comme un chien de chasse, braque ou setter, arrête le jeu avant l'explosion BACK A BLACK A BRACK !

J'y ai mis toute ma force, et Christine a accusé le coup. Elle poursuit son chemin, suivie de près par son caniche bien rasé, mais elle m'a vu éclatant des couleurs de la table, et elle sait que la gerbe agressive des boules brillantes lui était destinée. Il ne lui est plus loisible de m'ignorer. Je suis sur le sentier de la guerre.

Plus tard : « Édouard, je te présente Steve. Steve, Édouard. » Sa main est un mollusque moite dans la mienne, je ne serre pas trop de crainte que ça ne gicle.

La situation est cocasse. Nous formons un carré, nos culs bien calés contre des chaises bancales. Burné, déjà plus ivre qu'il ne faudrait, déjà dégêné, a entrepris Christine, résolument et méthodiquement, et celle-ci se laisse faire, surmontant son agacement. Burné représente un outil idéal pour elle, de la façon dont j'évalue la situation. Par lui, elle a trouvé le moyen de me marquer une totale indifférence, et d'exciter en même temps, en manière de test (le plus vieux test du monde) la jalousie de son gandin ridicule qui s'accroche aux lieux communs pour essayer de se tirer de l'impitoyable enlisement oral auquel le conduit mon mépris.

— What do you do in life, Edward.
— Nothing.
— ...
— Let's say I'm writing a kind of novel.
— Oh, interesting !
— ...
— Then what do you do for a living ?
— Nothing.
— ...

... Et ainsi de suite. Je déteste Christine qui nous a montés l'un contre l'autre, a priori, sur nos ergots de coqs égoïstes. Mais elle joue avec le feu. Le feu, c'est Burné. Pour l'instant, je suis conscient d'avoir les commandes bien en mains. Si tout va bien, Burné devrait sombrer corps et biens, comme le *Titanic*, dans une couple d'heures. Si ça ne chauffe pas trop... Quant au mirliflore blanc comme un drap qui se débat sous le projecteur cruel de mon ironie, je ne peux voir de quelle façon il pourrait encore échapper à la complète et imminente désintégration de son prestige hypothétique et aléatoire aux yeux de

Christine, qui vaut bien plus que l'admiration larmoyante de ses deux globes oculaires dégoulinants de bêtise fleur bleue.

— Where did you meet Christine, Edward ?

— ... First on a bridge. Then at her place.

— Oh !

— ...

— ...

Pendant ce temps, mon ami Burné penche dangereusement du côté de la susdite, lui faisant miroiter, en même temps que moults postillons, d'inquiétants aspects de sa vie sentimentale. Le Steve est dans ses petits souliers. Burné, lui, c'est plutôt son slip qui doit lui paraître étroit en ce moment. Je l'entends qui baratine effrontément :

— Plus j'étudie les bestioles, ma chère, et plus je suis convaincu que le consentement d'une partenaire sexuelle n'est en aucune façon indispensable à l'accomplissement du coït, compte tenu des visées que la Nature a assigné à ce dernier.

Oh non. Il lui ressort son vieux fantasme de viol. Avec Christine. On est dans le trouble. Elle tique :

— Autrement dit, tu favorises le viol en tant que modèle de rapports entre les sexes opposés ?

Marche arrière, man !

— Le viol, le viol. Toujours les grands mots...

— Quatre lettres...

— Ce que je veux dire, c'est que les animaux ne se compliquent pas la vie, eux autres. Ils n'enveloppent pas leurs petites morts douces dans des mots ronflants. La Nature tend à la réalisation du désir, peu importe la façon, peu importe si une certaine dose de force doit être injectée dans le processus. Il y a des insectes qui sont dotés d'appendices uncinés dont la seule fonction est d'immobiliser la femelle et de la tenir tranquille. Toc.

Christine tient bien son bout. On dirait qu'elle a compris, instinctivement, qu'avec Burné, seuls les mots sont dangereux, qu'il n'ira jamais plus loin que les mots, ou alors il ira mais il n'en reviendra pas.

— Parlant de mots ronflants, mon beau merle, tu sérénades bien. Mais tu devrais remettre ça au matin. C'est de ronfler un peu toi-même qui te ferait du bien.

Burné devient amer. Ce que je craignais.

— On dort bien quand on est assouvi, seulement. Pour qu'un gars remette ça au matin, il faut qu'il commence par se mettre. Ah, il faudrait absolument que tu m'entendes chanter sous la douche, ma chère. Le pommeau est mon micro, il me manque seulement un pubic, un public, je veux dire. Tu as des belles mains, tiens...

Il se met à la toucher. Steve serre les dents. Il va être temps de tempérer un peu ces pas très subtiles ardeurs. Je dis à Christine, m'interposant comme un belluaire entre le fauve lâché en liberté et la spectatrice terrorisée :

— Vois-tu, Burné vient juste de lire Sade, et ça l'a un peu marqué. Il investit beaucoup dans ses lectures de chevet.

— C'est rare, de la philosophie qui fait bander, grommelle Burné.

— Hum.

— Il a vu aussi, au cinéma, *Salo ou les 120 jours de Sodome*. Il en a rêvé pendant une semaine. Ou plutôt, il n'en a pas dormi pendant une semaine.

— J'ai aimé ça, c'est ça qui est le pire ! confirme-t-il. Mais je l'avoue : j'ai développé une vision très prédatrice du rapport amoureux. Regarde mes mains, ma chère. Ce sont des serres, des serres chaudes... ma bouche est un rostre érotisé.

Dégageant sa patte, Christine contre-attaque soudain :

— Puisque tu tiens tant à te référer à tes insectes bien-aimés, tu devrais savoir que la femelle n'est pas toujours le réceptacle idéalement passif de tes fantasmes érotico-entomologiques. Il se trouve que je prépare un travail sur les mantes religieuses, sujet passionnant soit dit en passant, et tu n'ignores sûrement pas que la femelle de cette espèce, c'est de notoriété publique, a la bonne idée de se repaître de son compagnon sitôt la transmission de la semence effectuée. Le mâle pourrait difficilement s'en permettre autant : il travaillerait pour rien s'il faisait disparaître sans attendre le réservoir de sa postérité. Tandis que lui, le copulateur de sexe mâle, devient parfaitement inutile dès le moment qu'il se défait de son fardeau séminal, non pas ? D'où la supériorité évidente de la femelle sur le mâle, dont la mante religieuse n'offre qu'une démonstration en aucun cas unique.

Steve est de plus en plus dans ses petits souliers. Mais Burné, lui, commence à croire qu'il a trouvé chaussure à son pied. Il s'écrie :

— Ah, mais je ne demande pas mieux, merde, qu'une bonne empoignade, une bagarre, et meurtrière s'il le faut. L'amour doit être une grande bataille. Faites l'amour et la guerre, concurremment, christ !

Optant pour un ton grandiloquent, il récite :

— « La crise de la volupté serait-elle une espèce de rage si l'intention de cette mère du genre humain (la Nature) n'était pas que le traitement du coït fût le même que celui de la colère ? » Tout ce qui n'est pas orgasme est privation, non ? La reproduction est une vengeance qui se consomme brûlante !

Burné pourrait continuer durant des nuits et des nuits. Il est un peu fou.

— Est-ce que tu vas me sauter dessus, Bernard ? s'enquiert Christine. Attention, je griffe !

Burné se tourne vers moi, bouleversé :

— Elle m'invite ! Elle me provoque, Édouard ! Je ne supporterai pas ça longtemps !

Je tranche, sous des apparences d'impartialité :

— Burné ne sautera sur personne. C'est à ton tour de jouer, Burné. Bonne chance, vieux.

* * *

Le tournoi de billard commence donc. Jamais les mécanismes profonds de mon rapport à l'existence n'ont été démontés de manière aussi ostensible. J'ai repensé à Johnny lorsque l'enchaînement des parties a débuté. Je sentais que c'était mon soir comme ça ne l'avait jamais été. Je sentais que je pouvais contrôler non seulement les boules sur la table, mais encore les humains, autour de la table. Et l'issue allait me démontrer que rien ne peut vraiment défaire quelqu'un dont c'est le soir, quelqu'un qui possède le temps. Rien, pas même la défaite.

D'abord Burné, encore suffisamment lucide pour viser correctement dans la pâle clarté jaune, s'est facilement débarrassé d'un jeune bizuth plein d'assurance éphémère. Pendant ce temps, je me retranchais derrière un silence hostile, scrutateur, que Christine s'efforça de percer, uniquement soucieuse de secouer le malaise pondéreux qui sévissait à notre table :

— Comme ça, Édouard, tu as déjà étudié ici ? Et tu ne travailles pas ? Ton diplôme ne t'a servi à rien ?

J'ai haussé les épaules, comme pour lui faire savoir dédaigneusement que je planais désormais au-dessus de ça :

— On m'a offert de devenir exterminateur. Je veux dire : de pulvériser des pesticides sur les pelouses des riches, et même des classes moyennes. Ça commence à être la mode. Un marché en pleine expansion. Ils te fournissent un masque, des bottes et une combinaison et t'installent au volant d'un camion-citerne et allez-y ! Gazons les gazons ! Étudier en écologie pour en arriver là ! C'est ce que Tournier appellerait une inversion maligne : le revirement absolu.

Burné a rappliqué triomphant, désireux de philosopher un brin :

— Tu vois, Édouard, quand on joue au billard, on a l'air plein de concentration, de contention d'esprit. Et pourtant, c'est le contraire qui doit arriver : à ce moment-là, il faut absolument atteindre le degré zéro de la pensée. Jouer au billard, Édouard, c'est comme méditer, tu comprends ? Comme méditer, mais en bien plus plaisant. Il faut porter une attention totale aux choses, se sortir de soi, ne sentir que les choses, ces choses bien concrètes que sont les boules de toutes les couleurs de ce prisme de l'univers.

J'ai regardé Christine :

— Ton frère me disait à peu près la même chose, au *Pullford*. Mais pas de la même façon, évidemment. Pas avec les mêmes mots. Peut-être qu'ils se ressemblent, au fond, ces deux-là ?

Burné reprenait son vol oratoire :

— On ne parle bien que de ce qu'on ne connaît pas, hein, Édouard ? Je connais trop de choses dont je n'aime pas parler. Où est mon cousin ? L'as-tu vu ? Je fumerais bien un gros joint encore pour me souffler quelques neurones, comme des bougies d'anniversaire, hostie !

C'était à moi de jouer. J'ai pris la pose, arqué au-dessus de la table, tendu comme un archer antique, archétypique, en plein accomplissement de sa fonction mathématique. Et le billard m'apparut à nouveau comme cette condensation cristalline de toute la vie, ce précipité essentiel des choses qui nous dépassent, tout étant ramené ici à des lignes pures, à la question fondamentale des trajectoires. Je me projette avec la blanche, je me mets en scène à chaque pas, formidablement conscient soudain de la densité de mon image, sentant sur chaque pore de ma peau le regard scrutateur de Christine, respirant ce regard, suant ce regard. C'est mon show, enfin. Le billard est quelque chose qu'on peut contrôler, qu'on peut conduire en toute connaissance de cause vers une fin bien définie. Et si tout recommence toujours, chaque partie est une vie en soi, naît et meurt comme une étoile dans une galaxie. Le billard est enfin de la fiction.

Quand vous avez le contrôle, un de ces soirs de magie, tout devient inexplicable, sauf peut-être par Bouddha ou Jésus-Christ. Tout devient facile et vous commandez aux choses et à l'organisation du monde. Les lois physiques se plient à votre désir immense. Ce fameux jeudi soir, j'ai senti que j'avais revêtu l'aura cuirassée de l'invulnérabilité, comme un chevalier coruscant héros d'un roman à interaction. Je jouais au-dessus de ma tête, je jouais dans mon dos, je jouais avec le diable, je jouais d'une seule main, les doigts dans le nez, je jouais vite, je jouais fort, toujours un coup à l'avance, la boule blanche étant devenue intimement innervée, dirigée par mes filets nerveux. La boule blanche, la boule bénigne, la boule virginale, la boule ivre comme moi prenait son essor de grand albatros d'albâtre, tandis que Christine me regardait la frapper.

J'ai éliminé promptement un premier prétendant, puis un second, qui fut abasourdi et proprement déclassé. Mon nom a progressé sur l'organigramme occulte. Parallèlement, le magister accroché aux basques de Christine faisait bonne figure, sous les encouragements de celle-ci. Ah ! Ç'allait donc être un véritable tournoi, au sens moyenâgeux du terme. Nos longues queues de billard effilées se croiseraient comme des lances au-dessus de la mêlée des boules. Notre rencontre était inévitable. C'était un de ces joueurs méthodiques, pas spectaculaire pour un sou, mais ne ratant jamais un coup raisonnable. En demi-finale, en pleine possession de mes moyens, j'ai décidé de me passer de bière durant une partie, ayant atteint le point d'équilibre au-delà duquel le dérèglement des sens peut jouer des tours, et le déclin commencer son travail. J'étais opposé à mon ami Burné. Regardant, du coin de l'œil, Christine nous regarder, moi flirt fragile et lui qui venait de lui proposer savamment de la violer, je ne peux m'empêcher de me remplir de mon fantasme de femme-bébé Brigitte Bardot baisée par un grand Noir trafiquant d'ivoire aux belles dents blanches. Burné perd les deux parties. J'ai emporté la seconde sur un cross-side finement coupé. Burné est content de perdre contre moi. Il me serre la main, m'annonçant :

— On va les avoir, les Anglais !

Et tandis que le godelureau visé par cette prédiction baveuse élimine méticuleusement le troisième homme qui est devenu de trop dans le décor, je pavoise modestement auprès de Christine qui se trouve un instant libre devant un Burné momentanément prostré.

— Je pense, Christine, que je vais me retrouver en finale contre ton ami. À propos, histoire de me renseigner, simplement, qu'est-ce que tu lui trouves, au juste ?

— Bah, il est gentil, intelligent, il m'aime bien. C'est important, non ?

Elle est sur la défensive. Moi, ce soir, j'attaque tous azimuts :

— Hum... Est-ce que tu le trouves beau ?

— Mais oui !

— Et intelligent ?

— Mais oui !

— Christine ! Il a l'air d'un gars de bureau !

— Tu parles comme un gars jaloux, Édouard.

Burné se soulève sur les coudes et intervient, tranchant :

— Critère ultime, et primordial : est-ce qu'il baise bien ?

Cette fois Christine a un geste excédé. Ses genoux se durcissent sous la table qui bouge légèrement. Je reprends, plus gentiment :

— En tout cas, laisse-moi te dire qu'il lui manque quelque chose.

— Ah oui ? Et quoi donc, monsieur le désintéressé ?

Je réfléchis en regardant le muscadin suer froidement dans sa chemise blanche, blond comme un Paul Newman qui aurait été domestiqué par l'université.

— Je ne sais pas. En apparence, il est parfait. Trop parfait. Regarde-le jouer, c'est une vraie machine. Il joue au pool comme un technocrate, par une sévère habitude. Regarde, Christine : il ne rate jamais un coup facile. C'est là toute la différence. Les bons joueurs ne ratent jamais les coups faciles, mais ne réussissent jamais les coups impossibles non plus.

Ce disant, je lui avais saisi le poignet, assez pour sentir sa pulsation affolée. Elle eut un sursaut et observa en me regardant dans les yeux :

— C'est à ton tour de jouer.

L'état de grâce m'enveloppe comme une chaude lumière. L'instinct me mène par le bout du nez. Le chien blanc aveugle culbute les obstacles d'ivoire. BACK BLACK BARDOT BIEN BLANCHE BIEN BAISANTE BIEN BANQUISE Éburnéenne sous des coups de reins d'ébène en feu ! Allez Jouez ! Le piano des pionniers noirs Jouez ! Jouez ! Que ça n'arrête jamais ! BLANC sur noir et le feu d'artifice entre les deux. Allez totems et toutous, Babardot et la revanche des lits d'eau ! BLANC sur BLACK Cette pâle parodie de Paul Newman remporte la première partie, faisant disparaître chaque boule comme on efface un chiffre sur un terminal, mais la décision est serrée.

Lors de la seconde joute, mon technocrate suant le sérieux, mèches blondes collées à son front, manches pas même retroussées, sévère comme un pape ou à tout le moins son camerlingue, prend une avance rapide, d'une, deux, trois, quatre, cinq boules, terminant sa série par un billard fastueux réglé comme un mécanisme d'horlogerie. Lent au départ, je me mets au travail vers le troisième coup, avec une délicate combinaison au centre, je récidive, lente descente au fond pour la pose, important la pose, la boule glissant le long de la bande, douceur, puis je joue pour faire bouger la 7 qui prend une tangente vers un angle, un boni, ensuite un long coup direct au fond, coupé à mi-boule, quarante-cinq degrés, parfait, décoché puissamment dans le silence qui s'appesantit, et je termine ma série et la partie par un très long cross-side à la grandeur de la table, les doigts dans le nez, la 8 collée à la bande, prête à vendre chèrement son poids, touchée au flanc, rebondissant, amorçant l'interminable remontée de la table, pesante comme le roulement du Destin, et je n'existe plus pendant qu'elle s'en vient, je suis un terroriste nègre fourrant Brigitte Bardot à dos d'éléphantasme pendant que la noire approche, ralentissant, presque à bout d'énergie cinétique, basculant finalement dans le repli sombre de l'angle, mon poing se détendant, fendant l'air. C'est aussi peu forçant qu'un rêve.

Troisième partie. Décisive, tous auront compris. J'ai le vent dans mes yeux voilés, le compas dans le nez. Pas de pitié. J'observe mon adversaire à la dérobée. Impassible. Impassible et pas français. Ce type est par trop distingué. Sa modestie même s'étale entre nous comme une suffisance outrecuidante. Pas de quartier ! Hissez le pavillon noir, le Jolly Roger ! L'enfoncer dans la nuit, sous la table, lui en faire voir de toutes les couleurs, le noyer dans une poche. Il lui reste trois boules à faire. Christine ne donne plus aucun signe d'encouragement, elle est très droite, en équilibre, peut-être, sur la fragile balance de son cœur ? Pas le temps de penser. Burné, lui, est très penché. Vers elle. Je me lance dans un enchaînement décisif. Ça va chauffer. Enchaîné comme nègre esclave à son fantôme blanc de propriétaire de drap de coton enchaîné comme une sonatine innocente déflorée par les ecchymoses sonores d'un blues enflammé. La haine est un moteur et un mot du diction- naire. Ne la touche pas, Burné, sombre que tu es penché tout contre elle tandis que ses deux sigisbées s'affrontent au bord de six gouffres. Les boules éclatent comme des bulles de savon irisées comme le savoir éclate Burné au contact du solide noir nègre nègre il y a un Noir, presque bleu tant il est noir, un étudiant étranger, africain, qui me regarde jouer, je le savais, ou je ne sais pas s'il ne regarde pas plutôt Burné qui penche vers Christine bien élevée dos droit bien dressée raide allez joue noir ! Joue la blanche. Approche un peu de ma bête.

Je viens de compléter un coup compliqué. Combinaison au centre, mais par le biais d'un cross-side qui a nécessité de ma blanche un angle d'incidence affolant, frôlant les quatre- vingt-dix degrés ! Je me retrouve en face de la noire, en ligne avec la victoire. L'assemblée est pantoise. Je risque un œil vers mon adversaire, qui est acculé aux câbles, je regarde le visage de quelqu'un qui va perdre, pas de pitié ! son air déjà résigné, malgré la dignité. La dignité. Il a le dos tourné à la table où Burné se penche obscènement sur ma petite Christine. Pas y penser. Dignité. Le Noir nous regarde, toujours, et tous les autres, sauf Burné. Fantasme. Dignité. Je pense alors distinctement : tu vas gagner, tu vas remporter le tournoi, tu vas battre l'ami de cœur vraisemblable de ta petite Christine, tu vas le planter, le supplanter, tu seras le maître de la table, de la table de billard, oui mais qu'en sera-t-il de cette autre table où Burné que tu as battu lui aussi penche dangereusement vers Christine et c'est bien eux que le Noir africain presque bleu regarde en remuant lascivement au son du blues, je pense à tout cela et la pensée s'enfonce comme un pieu dans mon jeu, la pensée de la victoire me paralyse, me parasite. La noire est à deux pouces de l'orifice. Quelque chose se détraque alors, une chute vertigineuse s'amorce BIÈRE BIÈRE BILLARD DANS LE CORPS-BILLARD Je rate la 8 lamentablement, un murmure parcourt le public. Le petit Paul Newman de service ne rate pas, lui. Il termine la partie en dissimulant mal un air ahuri. Quand je lui tends la main, presque heureux à la fin, et étrangement, d'avoir perdu, il se tourne vers les autres et s'exclame :

— I don't understand ! He's better than I. He's better than I am. I don't understand !

Comme je disais plus haut, à propos des mécanismes.

* * *

Perdu dans les brumes de l'ivresse, Burné m'agrippe par le coude. Il hurle :

— Eh Édouard ! Édouard ! Qu'est-ce qui s'est passé ? Tu t'es mis à penser, hein ? Je le savais ! Tu t'es mis à penser à ton coup, non, tu t'es mis à penser à après, c'est encore pire. Attention totale à la table, Édouard ! Ça fait rien...

J'approuve, un peu quinaud :

— Ça doit être le syndrome de Charlie Brown, Burné...

Le cousin Pete, sorti de l'ombre d'où il a suivi la partie, tourne autour de moi, la tête entre les mains :

— Looser, Édouard ! Looser ! T'aurais été supposé gagner ! Looser ! Looser !

Christine me regarde, perplexe. Je tiens à articuler ma propre analyse :

— Je ne sais pas trop pourquoi, mais j'ai quand même l'impression, en perdant, d'avoir gagné quelque chose. Et lui, lui, il a gagné, mais je maintiens qu'il continue à lui manquer quelque chose. C'est encore une inversion, qu'est-ce que je vous disais ? Mais cette fois, c'est une inversion bénigne. Gagner en perdant, qui perd gagne... c'est mon soir... je pouvais pas perdre, je n'ai pas perdu, même en perdant...

Ensuite, tout devient confus. Burné s'affale d'abord sur Christine, qui tente de le repousser. Son cavalier vainqueur s'interpose, faiblement, protestant comme une chèvre pusillanime, je me saisis de Burné qui s'est jeté sur l'Anglais dans un effort désordonné, je le projette au loin sur une table qui s'écrase, de laquelle s'écarte brusquement ce Noir qui nous regardait. Le blondinet m'agrippe par le collet et je lui envoie mon poing sur le nez, d'où le sang gicle. Puis le grand Noir bleuté est devant moi, invisiblement vexé, sans tête, dans le noir. Tout est noir, je vois, oui, des myriades d'étoiles, puis Marie-Malade souriante, caressante, le chant des petits oiseaux. Et allez donc savoir !

* * *

Je crains d'avoir été un amant peu efficace pour Marie-Malade. Amant très inspiré, mais peu méthodique et plutôt affaibli. Elle ne m'en tiendra pas rigueur. Marie-Malade possède cette rare et précieuse qualité chez une partenaire amoureuse des années 80 : la simplicité. Une merveilleuse et féerique simplicité. Avec elle, la mélancolie post-coïtum se dissipe en des considérations écologiques et fauniques variées, comme si l'acte sexuel faisait partie d'un devoir, s'inscrivait dans le cadre d'un cours, sans les crédits. Nous parlons des oiseaux en enfilant nos slips le matin. Comme eux, nous n'avons opéré qu'une fusion de cloaques remarquable par son instantanéité. Nous parlons d'Aldo Léopold, et de cette sublime et chienne de vie qui n'est qu'une lutte de tous les instants contre le lent lessivage de tous nos éléments constituants, lesquels n'aspirent qu'à ruisseler paisiblement vers notre vieux ber la mer. Soupirant d'aise, Marie-Malade me dit tout à coup :

— J'aime ton odeur ! J'aime ça reconnaître ton odeur ! Je la reconnaîtrais entre mille !

— Allons bon ! je proteste. Je sens quelque chose ? Essaierais-tu, de façon délicate, d'attirer mon attention sur un problème d'odeur ?

— Mais non, idiot ! Elle rit. Je parle de ton odeur spécifique, de l'odeur qui est toi et personne d'autre. Tout le monde possède une odeur qui lui est propre. Mais la tienne, je ne sais pas pourquoi, la tienne est puissante. Elle me rend folle chaque fois.

Je songe : curieux, tout de même, que pourvu d'un si grand nez, je sois incapable de me sentir.

— Donc tu aimes mon odeur ? Tu aimes mon odeur plus que moi-même ? Tu garderas mon odeur quand je serai parti. Fascinant !

— Phéromones, grommelle Burné, qui est affalé dans un coin, endormi là où il est tombé, sans avoir eu la force de se débarrasser de ses vêtements. Phénomène phéromonal.

Je dis à Marie-Malade :

— Écoute, le pauvre vieux : il en rêve, de ses insectes.

Et j'entreprends, au même moment, une titillation clitoridienne qui a l'heur de nous mettre tous deux dans des dispositions fort compatibles avec la copulation. Elle souffle. Elle souffle pendant que je la pourfends en cadence, pendule oscillant de plus en plus frénétiquement vers l'accélération absolue du temps, dont l'abolition est notre seul but immédiat. Je grogne comme une bête, allez fille, bave dans ma bouche, on lutte, abandonne abandonne. Ces baises matutinales me remplissent d'aise. On atteint au zénith d'éther, au nirvana douloureux, puis on choit, sans possibilité de se raccrocher à rien. Mais je compense pour les évolutions maladroites de la veille. Je continue, déchargé, à m'agiter longtemps, comme ce jouet à la télé qui est pourvu d'une batterie supérieure et qui poursuit son mouvement quand tous les autres sont en panne. Marie-Malade a le coït trop serein, ça m'énerve. J'aimerais lui faire mal. J'entends Burné qui s'agite près de nous.

Au moment de retomber sur l'oreiller, il subsiste encore au fond de mon être cette petite portion inassouvie qui crie son désespoir. On pourrait recommencer cent mille fois, ça sera toujours à refaire. Y a-t-il une femme au monde qui pourra un jour me pousser jusque-là, atteindre cette zone profonde autrement qu'en m'anéantissant totalement, physiquement ?

— Je voudrais te mordre, te manger ! minaude Marie-Malade.

— C'est vrai, dis-je, ce serait peut-être la seule solution.

Alerté par certaines vibrations sonores qu'ont engendrées nos remuements génésiques, Burné s'est levé, zombi dans le matin clair, et en me marchant dessus gentiment, il me prévient :

— Édouard, tu m'accompagnes, vieux compagnon. J'ai ma tournée des vergers charançonnés à effectuer, aujourd'hui. Quelle heure est-il ? Six heures et demie. Parfait parfait. Rien de tel pour s'aérer l'esprit. Nous avons besoin d'une bonne bolée d'air, Malarmé, un bon bol de café venant juste avant, sur la liste des priorités.

Je trouve la force de lui opposer un inutile :

— C'est encore la nuit, Burné.

Il me domine de toute sa taille, plus cerné que jamais, traits tirés, seul contre l'univers de l'aube, d'attaque comme toujours.

— Trois heures de sommeil après une nuit de bombe, c'est plus que suffisant, mon vieux, encore que toi, à ce que je peux constater, tu n'as probablement pas profité pleinement du temps qui t'était alloué pour procurer un peu de répit à tes neurones, hein, sacré vieux mec ? Allez ! Les grands hommes ne dorment pas, Édouard ! Souviens-toi de ça ! Ils attendent, pour se reposer, d'être vraiment morts, et immortels, bien sûr, et alors leur repos doit être bien précaire, merde, crois-tu que Céline repose vraiment en paix, aujourd'hui, à cette heure insomniaque, avec tous les vers critiques qui continuent de lui fouiller le sac à viande, ah, il y a sûrement même des morts insomniaques, nous ne trouverons jamais le repos, bordel, où est-elle, cette foutue cafetière, Marie-Malade, cet appartement est tenu par une débauchée, ça se sent à des lieues, comme une éjaculation de papillon !

Dans le verger, il y avait de la brume, au ras le sol, et une rosée pénétrante qu'allumait un soleil timoré. Une toile d'araignée, tendue entre de solides brins d'herbe courbes, offrait une représentation géométrique de la beauté de la mort. Burné semblait en grande forme, alors que je me traînais dans un demi-monde, physiquement ressuscité par le café, mais mentalement neutralisé. Sainte-Anne-de-Bellevue était anéantie dans le lointain. Seul Burné cavalait, apocalyptique :

— Ah la pomme, la pomme, Édouard ! Fruit symbolique par excellence. Ça te tente, ce matin, mon vieux ? Moi, tentation ou pas, je suis tenu de mettre les pieds dans ce verger tous les matins. La pomme : le signe pulpeux de la connaissance universelle ! C'est pas significatif à ton goût, de travailler sur la pomme, Édouard ? Non, ne la cueille pas, ne la touche même pas, vieux. Ces pommes-là sont traitées de toutes les façons, imprégnées de pesticides jusqu'au trognon. Si Adam et Ève avaient vécu ici, ils seraient tombés raides morts avant d'avoir pu encourir les foudres de Dieu. La pomme : production mondiale : dix millions de tonnes annuellement. Et on parle toujours de la pomme, la fameuse, la première. Moi, tu t'en doutes bien, c'est la connaissance entomologique du fruit qui m'intéresse. La lutte biologique ! L'avenir, Édouard ! Il faut se dire que chaque espèce vivante sur cette terre possède ses ennemis naturels.

— Tu oublies l'homme, Burné.

— Ouais, bien entendu. On pourrait penser au requin blanc, au serpent venimeux, au scorpion et au tigre mangeur d'hommes, mais leurs exactions sont plutôt occasionnelles. En fait, l'humain a réussi, par une évolution peu orthodoxe, à se mettre au-dessus d'à peu près tous ses ennemis naturels. Nous n'avons pas d'ennemi universel, ou plutôt spécifique, au sens où, par exemple, le lynx est l'ennemi du lièvre. Nous avons perdu un élément de continuité dans la vie : la présence constante d'un ennemi atavique. C'est peut-être là notre principal problème. Le seul ennemi de l'homme, c'est l'homme. Mâle et femelle.

— Intéressant, dis-je, pensif. Donc, la lutte biologique contre l'être humain vu comme ravageur de la planète serait impossible, hein ?

— Je ne sais pas, Édouard. Il faudrait y penser.

Burné entreprit de faire la tournée de ses pièges à charançons. Je le suivais, les yeux pratiquement fermés, émettant des sons machinalement :

— Tu as l'air de t'amuser follement, mon Burné !

— C'est vrai, ça peut être rigolo. C'est l'unique raison de ma persévérance. La théorie, les radotages pédants et les arguties bornées dont sont pleins les périodiques, ça me dégoûte énormément. Mais j'aime bien manipuler du vivant. Le vrai scientifique, c'est celui qui s'amuse encore, comme un enfant avec ses petits soldats de plomb.

J'arrête tout à coup de marcher et je le regarde qui s'arrête aussi. Nous clignons tous les deux fortement des yeux, car le soleil est dur dans son embrasement du verger encore humide, et ça nous donne l'air effroyablement sceptiques. Je dis :

— Burné, qu'est-ce qui arrive de tout ce que tu m'as dit hier ? Ta tirade sur les expropriés de la tête, et tout ? Tu n'as pas peur que l'institution t'avale ? De te retrouver pris au piège, comme tes bébittes ? Crois-tu que tu vas pouvoir continuer à jouer longtemps ? Ça ne te fait pas peur ?

— Oui, oui, je sais. Mais hier, c'était le soir, et aujourd'hui, c'est le matin. Quand je me dope, c'est pour traquer les autorités scientifiques là où ils ont réussi à les implanter, dans ma pauvre cervelle surchargée. La seule façon de reprendre le contrôle de moi-même, c'est en me détruisant, c'est pas drôle, hein ? Toi, tu as réussi à échapper à tout ça, à toute la propagande laborieuse sur la vertu des diplômes. Moi, je ne peux pas encore. Il est peut-être trop tard. Je ne vois vraiment pas où je pourrais aller, en dehors d'ici. Ah, nos parents voulaient qu'on acquière des beaux diplômes, pour décrocher des belles professions. On les prend tellement au mot qu'on est en train de faire une profession de décrocher des diplômes. Marrant. J'irai te rejoindre là-bas, à un moment donné, mon vieux. Dans ton squat. Et puis, on ira à Vancouver, sur le pouce, planter des arbres. Je suis une larve, Édouard. Laisse-moi le temps de passer à travers les stades de ma métamorphose. Je m'envolerai bien un jour. Avec toi, mon vieux Édouard. Tu sais, j'aimerais bien, dans un sens, que tu reviennes étudier avec nous autres, jouer au billard tout le temps, comme dans le temps. Mais il faut que tu fuies cette université comme la peste, c'est un conseil sincère. Écarte-toi du giron gluant de cette vieille et respectable université McGill. Dans ton cas, une maîtrise, c'est la mort. Et pour travailler sur quoi ? La rage ? La parasitologie, c'est vraiment devenu la mode. Essaie d'écrire encore, mon vieux.

— Je ne sais pas, Burné. Il me semble, à moi aussi, qu'il doit y avoir d'autres maîtres dans le monde que nos professeurs poussiéreux et des vieux livres. Mais lesquels ? Il reste que c'est toujours tentant, les études. Ça me fait peur, mais ça me tente diablement, Burné. Je vais y penser. Tu sais, ça m'intéresse beaucoup, ton histoire de lutte biologique. Il me semble que c'est un concept que nous pourrions réaménager utilement, à notre façon, l'adapter à notre situation, tu ne crois pas ? La biologie comme arme offensive, ça me plaît assez, comme trouvaille. Je me vois très bien en train de mener une forme de petite guerre biologique très personnelle, Burné. Mais je déconne.

Burné s'enflamme, redevient Burné :

— Je développerai un programme de lutte biologique exprès pour toi, Édouard Malarmé. Nous allons déclarer la guerre biologique à l'espèce humaine, ni plus ni moins. Nous allons isoler un parasite qui sera l'ennemi mortel de l'humanité ! Nous allons... Je ne me rappelle plus ce que je voulais dire... Mais moi aussi, je déconne.

— La nuit a été dure, Burné.

— Les réveils sont toujours pires, Édouard.

* * *

CHAPITRE 4

GARE AU LOUP-GAROU, BABY BLUE

Octobre est à son apogée. La forêt flambe sur pied, en frémissant sous la brise, et les feuilles tournoient comme des brandons erratiques dans l'air dur et froid. Octobre, ocre, or et mordorures. Violent vacuum. Les arbres se dénudent de leurs paillettes sèches sous les projecteurs cyclopéens des Jumbos de la nuit, sous les regards voyeurs des voyageurs saisis fuyant la saison de la mort et ne perdant rien pour attendre. Dans le bleu du ciel blet, les nuages forment des vessies effilochées, des tampons de vestales bien secs. Les Boeing blancs ceinturent le sexe des touristes. Dans les bois, les feuilles tombent et le fusil héliaque tonne.

Le grand jeu se poursuit sous une autre forme, étendu au vaste tapis vert que tisse la forêt boréale. Hier, au cours de mes pérégrinations sylvestres, une perdrix piétant dans les broussailles s'est offerte à ma vue le long d'une sente, nerveuse, allongeant spasmodiquement son cou à collerette. Je ne l'ai mise en joue que lentement. Je disposais de tout le temps nécessaire pour penser, m'énerver, perdre contenance. Au moment de faire feu, paf, j'ai raté un coup facile. Le gallinacé s'était déjà dérobé derrière une vieille souche qui a encaissé une partie de la décharge. Il est monté en chandelle et a pris la fuite, n'abandonnant sur place que quelques plumules en guise de paraphe. Dix minutes plus tard, cent mètres plus loin, une autre gélinotte a littéralement jailli de sous mes pieds

pendant que je fonçais tête baissée dans un entrelacs de
ronces. Un déclic s'est produit quelque part dans les régions
inférieures de mon cerveau. Le fusil magique m'a sauté à
l'épaule, doué subitement d'une vie autonome, et a pointé
automatiquement en direction de la boule de plume véloce qui
zigzaguait entre les bouleaux tors, et le coup est parti sans que
j'aie eu besoin d'aligner une seule pensée sur l'axe de la
détermination. Dans une réunion parfaite de l'objet et du
sujet, la cible interceptée a basculé et s'est abattue au sol en
agitant convulsivement les ailes, comme pour une ultime
parodie de parade nuptiale, semant quelques minuscules
touffes de duvet comme du taffetas ocellé de gouttelettes de
sang sur le sommet des buissons. Alors une grande jubilation
m'a envahi, qui justifiait tout, et je suis remonté instantanément aux sources de l'humanité nue, à contre-courant de tous
nos perfectionnements tatillons et de nos améliorations sans
âme et de notre Évolution à Vide, parce que la mort est la
seule connaissance vraie. Ces rares coups de feu bénis me
transportent au royaume de la désincarnation mystique, et
quand je plonge mes mains dans la poitrine encore brûlante
du volatile charnu, dans une osmose profonde avec le petit
corps désarticulé et mou, quand je malaxe amoureusement les
organes de la vie encore battante, je me trouve au plus près de
la divinité intime, loin de la malédiction des mots. Ces péné-
trations dans l'instinct chaud de la mort, autre avatar de l'état
de grâce, ne sont qu'une étape de plus le long de mon
cheminement vers la rédemption définitive. J'aspire à une vie
qui ne serait qu'une suite jamais interrompue de ces éclairs
extatiques. J'aspire à une vie qui à chaque minute serait la
mort.

* * *

Odeurs de la chasse : l'âcre senteur de la poudre, qui
décongestionnerait le nez le plus encombré, qui m'enivre au
plus haut point. Je ne me lasse pas de renifler les douilles vides
encore fumantes, et mon odorat ainsi fouetté, mon animal de
sens se réveille lentement. La chasse est un univers d'odeurs,
une sanctification des odeurs. Senteur des tripes mises à jour,
bonne puanteur racoleuse qui va vous chercher les sensations
loin sous la peau. Ce petit paquet de viscères, nutritif et

verdâtre entortillement de boyaux bourrés d'aliments gracieusement prédigérés, je le boufferais, si j'osais.

* * *

Ce matin, dans l'apothéose de l'été indien, je chassais minutieusement la perdrix le long de la ligne des crêtes, embrassant parfois, du haut d'un rocher lisse, l'étalement de la plaine au-delà du serpent fécaloïde de la rivière, avec au loin la tour de contrôle comme un campanile dans la campagne rase. Soudain, j'ai entendu clairement, sans possibilité de m'y méprendre, la voix des mâtins de Bourgeois : la haute et la basse, comme des bourdons se répondant, s'encourageant, s'excitant. Mon premier réflexe a été de serrer un peu plus le vieux Baïkal au creux de mes mains. J'avais laissé Hospodar et Icoglan dans leurs quartiers, car leur habitude de courir sus à tout ce qui porte plume ou poil en fait des auxiliaires peu efficaces à la chasse en m'empêchant d'approcher à portée de fusil. J'ai cru tout d'abord que les dogues de Bourgeois avaient levé une bête dans le lointain, forlancé un renard, un chevreuil, ou même un orignal, chose pensable dans ces parages. Mais force fut de me rendre compte, à l'écoute, que le concert vindicatif était statique. Les hurlements haineux avaient une provenance bien définie, quelque part au-delà des buttes éboulées que les chênes couronnent. Un animal branché alors ? Raton laveur, porc-épic, chat haret ? Quelque chose dans l'intensité des hurlements tendait à infirmer l'hypothèse.

Mû par la curiosité et conforté par le contact froid et lisse de la crosse du fusil contre ma paume, je me suis dirigé de ce côté-là, de plus en plus attentif et circonspect à mesure que je me rapprochais du point d'origine de ce rauque hourvari. Débouchant de derrière un gros roc enfoncé dans l'humus, je suis alors tombé sur un saisissant spectacle, à couper le souffle, ou le sifflet, c'est selon. D'abord, il y avait les chiens, immenses, encore plus grands que dans mon souvenir, limitant leurs évolutions concentriques à l'entourage immédiat d'un merisier à l'écorce frisée qui arborait la particularité digne de mention de donner asile, sur l'une de ses branches basses, à une jeune fille vêtue d'un gros chandail de laine lâche ne parvenant tout de même pas à altérer l'opulence de sa poitrine, et de denims délavés qui sous la lumière affaiblie d'octobre me parurent être les plus érotiques pantalons de la planète. Christine, en personne.

Sans être véritablement horrifiée, l'expression plaquée sur le beau visage volontaire de l'étudiante trahissait à tout le moins des préoccupations très sérieuses. Les chiens, à tout moment, guignaient en direction de ce beau morceau de viande parfumée et faisaient claquer leurs mâchoires avec appétit. Le grand danois, en se dressant sur ses pattes de derrière, pouvait presque atteindre les jambes ballantes, repliées le plus possible, de la jeune fille qui se voyait ainsi forcée d'adopter une position peu reposante, menaçant de devenir, à la longue, intenable. On pouvait sans peine imaginer qu'en sautant avec un effort un peu plus enthousiaste, le chien filiforme trouverait dans l'une des jambes fuselées une prise satisfaisante pour ses crocs bavants, et, en tirant à bas le pique-nique de la journée, ferait partager à son copain des solitudes sauvages l'aubaine indiscutable que le mât de cocagne improvisé mettait pour l'instant hors de leur portée.

De surprise autant que par défi, j'ai laissé échapper un cri bref. Christine m'a vu une seconde avant les deux molosses, mais les événements ne m'ont pas laissé le temps de déchiffrer les sentiments suscités sur sa physionomie par mon apparition à ce moment précis. Unanimes, les deux bêtes ont bondi dans ma direction, hurlant à la mort, comme cet été dans la pente près du chalet, alors que je n'avais qu'une hache, plus proche parente de l'herminette que de l'arme de guerre, pour me défendre. Cette fois, le fusil s'est placé docilement en joue, la crosse bien calée dans le creux de mon épaule, le petit point de visée se promenant comme un bijou mortel sur le pelage du grand danois qui venait le premier, à grandes foulées avides. J'étais Hemingway chargé par un lion, par le lycaon cruel qui fait peur même au lion. Pas penser Pas penser Quand il n'a plus été qu'à un pas PAS PENSER PAS PENSER PAS PAN ! j'ai fait feu à bout portant, avec le gros plomb de calibre B.B. introduit au préalable dans le double-canon. La petite tête du chien, à demi arrachée au long cou éclaboussé de sang, a grimacé comme en cauchemar, et le meilleur ami de mon pire ennemi s'est écroulé comme une tour de garde, d'une pièce, en formulant dans son gosier soudain fortement handicapé un râle inoubliable qui s'acheva sur des piaillements de moineaux dispersés. Il s'est mis à pédaler là, couché sur le flanc, proprement guillotiné par la gerbe de grenaille bien groupée. Le husky a marqué une pause, supputant derrière ses yeux livides les risques qu'il courait de subir un sort similaire. Me voyant épauler à nouveau, chien du fusil tiré, il a opté raisonnablement pour la débandade en ligne droite, la queue basse, m'offrant son profil, et ma seconde volée de plomb l'a atteint autour de la hanche, le faisant trébucher avant qu'il ne poursuive sans voix sa fuite folle, claudicante et capricante.

Après, il y a eu un silence que j'ai mis à profit pour me rapprocher du bouleau jaune, non sans avoir décoché un coup de pied nerveux et rageur au canin démoli qui gisait par le travers. Je flottais dans une espèce de béatitude post-criminelle, je me sentais délivré d'un poids ; j'avais fait face, affronté le dragon.

— L'homme descend du singe et le singe descend de l'arbre ! lançai-je plaisamment, en guise de salutation, à Christine qui s'efforçait de se laisser glisser le long du tronc râpeux, de l'heureux tronc, me dis-je.

— Elle est vieille, en fait de farce, me répondit-elle sobrement.

Pendant qu'elle me tournait encore le dos, plutôt que de l'aider, je suis retourné auprès de la grande carcasse que plus un seul soubresaut n'agitait maintenant. La sauvée des arbres est venue me rejoindre et nous sommes demeurés silencieux, à contempler l'imposant défunt. Il était au moins grand comme un poulain, et de la petite tête brutale la langue jaillissait, obscène. J'ai fait, essayant encore de plaisanter :

— Voilà pour la bête, ma belle... Est-ce qu'il t'a mordue ?

Elle répondit avec un frisson :

— Non, ça va.

— Tu es sûre ?

— Mais oui, pourquoi ?

— Pour rien.

* * *

— Alors, mademoiselle la mante religieuse ? Qu'est-ce qui se passe ? On se promène toute seule, imprudemment, sur les terres du grand seigneur de la région ?

Nous marchions côte à côte sur le sentier, le ciel était d'un bleu vertigineux, les feuilles craquaient, complices. Un Jumbo Jet striait l'azur au-dessus de nos têtes, blanc et lumineux. Christine répondit de sa voix riche et posée, posée en équilibre, fragile, faite pour prier ou excommunier, à la limite du blasphème :

— Je viens souvent ici. C'est ma place, quand je veux aller plus loin que le pont, pour me promener, pour penser.

— Ah ? Et à quoi tu penses, quand tu marches, comme ça ?

Elle se raidit. Nous nous trouvions devant une ancienne clôture aux trois quarts écroulée, et sur un piquet incliné, une affiche devenue à peu près illisible avait dit, il y a de nombreuses années : PRIVATE PROPERTY. NO TRESPASSING. Comme par réflexe, nous nous sommes écartés. Christine, subitement inspirée, déclara, comme si elle avait été piquée quelque part :

— Je pense à tous les écœurants du monde, aux gros gras qui suent le profit, aux militaires qui puent par la gueule de leurs canons, aux menteurs parlementaires dans leurs fauteuils à bascule, aux réactionnaires primaires et à tous les autres primitifs qui hantent les parquets de la Bourse et les terrains de stationnement du centre-ville !

J'agitai ma main, comme un drapeau blême :

— Wow, la révolte tous azimuts, à ce que je vois...

Elle se hérissa davantage :

— Espèce de pourri ! Espèce de grosse patate pourrie ! Si tu ris, c'est parce que tu es pourri toi aussi, Malarmé ! Tu fais partie de la bande, avec ton gros fusil. Tu étais venu chasser, hein ? Bombarder des perdrix ? Espèce de pourri !

J'étais prêt à faire des concessions :

— Ah c'est vrai, je suis pourri. Mais je connais un grand chien, maintenant, qui va pourrir pas mal plus vite que moi. Tu pourrais être un peu reconnaissante, au moins, envers un chasseur sachant chasser sans chien, espèce de Brigitte Bardot des bouleaux jaunes, parce que si je n'avais eu que des jumelles ou un appareil-photo, ce matin, ça n'aurait pas donné grand-chose d'immortaliser la monture de ta mort, beau sourire toutes dents dehors ! Allez, avoue que je suis bien tombé. Si toi tu étais tombée, par contre, les molosses te mettaient en morceaux, ma fille.

Elle sourit.

— Mais c'était tout naturel que tu surviennes, voyons. Quand je t'ai croisé sur le pont, je savais que quelque chose du genre se produirait. L'arbre aura été une espèce de deuxième pont, en somme. Oui, je dois reconnaître que j'étais plutôt contente de te voir là. Disons que ça fait oublier la petite chicane de l'autre soir et que nous sommes quittes.

Je feignis l'innocence, de façon assez convaincante :

— La chicane ?

Patiemment, elle mit les points sur les i :

— Celle au cours de laquelle, Édouard Malarmé, tu as écrasé le nez de mon ami, à l'aide de ton poing viril.

J'ai pris un air de remords outré :

— Ah ciel ! Je lui ai fait mal ?

— Le nez écrasé, je te dis ! Il y avait du sang partout, tu lui as carrément cassé le nez, espèce de monstre ! Pourquoi ? Tu ne pouvais pas supporter qu'il ait un beau pif, lui ?

— Ouais, c'est vrai. Son nez était parfait, comme le reste. Blanc et droit, parfait...

— Grosse grenouille...

Elle poursuivit, fielleuse :

— En tout cas, elle avait l'air de bien t'aimer, la petite blonde qui s'accrochait à toi comme une infirmière à un grand malade, quand vous avez été expulsés, toi et ton brillant camarade.

Nous étions étendus sur des rochers bien arrondis que le soleil, à peine dépassé le zénith, transformait en plaque chauffante. Tout en devisant, nous regardions en l'air, où un autre avion montait, étonnamment bien dessiné dans l'atmosphère limpide, et si près qu'avec un peu d'imagination, on pouvait deviner la tête du pilote silhouettée dans le poste de pilotage. Pour détourner la conversation, j'ai demandé naïvement :

— Tu crois que ça parle encore français, là-haut, Christine ?

Elle choisit de ne pas voir, sous ma question, l'allusion à la dimension linguistique de son choix amoureux, et se concentra sur l'aspect politique de la chose :

— Aucune idée. Les grosses glottes et les grenouilles galeuses d'Ottawa seules le savent.

Elle s'emportait :

— Tu te rends compte que non contents de nous imposer un aéroport, ils ont aussi essayé d'angliciser le ciel, de tout angliciser du décollage à l'atterrissage ? Ma grand-mère possède sa propre interprétation de l'affaire : elle prétend que parce que les libéraux n'étaient pas capables de faire entrer le Québec dans le Canada, ils ont décidé de faire entrer le Canada dans le Québec. Ça a donné Mirabel.

— Ta grand-mère est une personne très sensée, dis-je rêveusement. Du coin de l'œil, je la regardais voracement. Cette nuque au poil ras provoquait en moi une véritable explosion anatomique, une réaction en chaîne dont son petit corps ondulé aurait pu être l'irradiation bombée, rigoureusement symétrique, presque scientifique dans l'équilibre des proportions que seule l'ampleur généreuse de la poitrine semblait pouvoir menacer. Je voyais l'espace caillouteux nous séparant comme un champ de bataille. Je n'étais pas pressé. J'en étais encore à ma drôle de guerre. Je restais sur ma ligne Maginot, à imaginer. Christine poursuivait, soucieuse :

— Ma grand-mère ne les aime pas du tout, mais alors là pas du tout, les Rouges (comme elle les appelle encore). Elle n'a pas voulu partir, elle non plus. Elle n'a même pas voulu vendre. Ils n'ont rien pu lui faire signer. Elle sortait le fusil de son défunt dès qu'un fonctionnaire mettait le pied sur son terrain. La maison de ma grand-mère, Malarmé, forme un petit coin particulier sur les plans de l'expropriation. Comme le village gaulois dans la Gaule occupée. Les fonctionnaires aiment autant ne plus y penser, et attendre que l'aïeule lève les pattes, tout simplement.

Christine se laissa aller en arrière, légèrement. Je pénétrais dans son intimité comme dans quelque chose de chaud, de confortable, comme dans un liquide amniotique.

— Sais-tu, Édouard, que je suis pratiquement née expropriée. En tout cas, mes premiers souvenirs se rapportent à ça. J'avais... quatre, cinq ans. Mon premier souvenir, attends, ça remonte à mes quatre ans. Je jouais dans le salon, avec une poupée que je m'amusais à martyriser, à terre, dans un coin. Mon père est entré dans la salle à manger, avec deux hommes en habit noir, qui avaient l'air de comptables. Ils avaient l'air sérieux, en tout cas. Ils ne parlaient pas et mon père avait l'air d'attendre. Il s'est assis devant la grosse table de chêne de la salle à manger. Personne ne faisait attention à moi. Les deux hommes sont restés debout, ils paraissaient beaucoup plus grands que mon père. Finalement, un des deux hommes, après avoir parlé à l'autre, a sorti un bout de papier de sa poche, a griffonné quelque chose dessus, rapidement, et il a posé le bout de papier sur le coin de la table, d'un geste négligent, juste sous les yeux de mon père. Lui, il a baissé ses yeux de chien battu, et il les a laissés longtemps traîner sur le bout de papier. Même si je vis aussi longtemps que ma grand-mère, Édouard Malarmé, je n'oublierai pas les yeux de chien battu de mon père. Il restait là à regarder le bout de papier. Tu comprends, c'est ce que sa terre valait, c'est ce que sa vie valait, et apparemment ça ne valait pas grand-chose.

— Vous êtes locataires du gouvernement, maintenant ?

— On n'est même plus locataires. Je veux dire que cette année, on a entrepris une grève des loyers, pour mettre un peu plus de pression, pour appuyer la poursuite en justice du comité des expropriés. C'est ma mère qui s'occupe du comité, dans la maison. Non, Malarmé, on n'est pas propriétaires, on n'est pas locataires non plus, je me demande bien ce qu'on est.

Imperceptiblement, me glissant sur le lichen rugueux, je me rapprochais d'elle, elle toujours étendue sur le dos comme sur un dur divan. Elle me regarda tout à coup et parut surprise de me trouver là à ses côtés, de me trouver là dans sa vie, tout près.

— Édouard Malarmé, qu'est-ce que tu fais dans la vie ? Qu'est-ce que tu fais ici ? Qu'est-ce que tu fais dans le monde, au juste ? Qu'est-ce qui t'a amené dans un chalet abandonné, dans le bout de Saint-Canut, dans le bois ?

J'ai eu un geste pour enrayer cette cascade de qu'est-ce que. Puis, j'ai pris une pose exagérément pensive, à mi-chemin entre l'attitude élégante de la sculpture de Rodin et celle plus roide du colosse de Rhodes.

— D'abord, ma chère, pour faire face à ce barrage de questions, il me faut remonter à l'écoulement primordial, au flux puerpéral, si je puis dire. Oui, c'est là que tout a commencé : mon refus du monde, le refus de ma mise au monde, de ce pari impossible. J'avais eu le flair de ne pas vouloir sortir, alors on m'a mené par le bout du nez, dès le début, on m'a tiré hors des ténèbres chaudes et accueillantes de la matrice familiale, et pour protester, comme le petit pépé dans Astérix en Hispanie, j'ai refusé d'entrée de jeu de faire usage de ce respectable pif dont Mère Nature avait bien voulu me gratifier. J'ai refusé de respirer cet air plein d'éther dont je subodorais déjà l'irrémédiable pollution. Le blues de l'utérus, je l'ai eu très tôt, et il ne m'a pas quitté depuis. Bleu de colère comme un schtroumpf sans son chapeau, bleu comme une grosse ecchymose de naissance, je suis venu au monde déjà irréductiblement retranché dans un refus bien net de la vie bien blanche du dehors, de la vie de soins intensifs que la chambre d'hôpital violemment éclairée, brutalement carrée et beaucoup trop vaste me promettait scientifiquement.

— Que t'es con, Malarmé, soupira Christine. T'es vraiment une grosse grenouille molle. Mais tu sais, c'est drôle, j'ai été un bébé bleu, moi aussi. Je suis née avec la corde au cou, déjà : le cordon ombilical me faisait un beau nœud coulant. T'imagines un utérus en forme de potence ? Parfois, dans la vie, je pique des espèces de crises. J'ai déjà planté un crayon à la mine dans le dos de mon grand frère. Je me souviens du petit trou noir entre ses omoplates. Ma mère craignait un empoisonnement de sang. Quand des choses comme ça arrivent, elle dit que c'est parce que j'ai manqué d'oxygène, quand j'étais petite. Tu penses que je suis folle, Malarmé ?

Elle se tut, songeuse. Elle avait l'air désolée. Approchant mon visage du sien, et retenant mon souffle, j'ai dit :

— Le manque d'oxygénation, c'est comme goûter à la mort en naissant. Ça ne peut rendre que plus intelligent, il me semble. Tu as l'air intelligente, Christine. Si tu es folle, en tout cas, je voudrais que tu sois ma folle du roi. Tu sais, moi, la vraie raison, c'était parce que le maudit médecin avait donné une trop forte dose de sédatifs à ma parturiente préférée. Paf ! Knock-out dès la sortie du ventre maternel ! Je suis né drogué, et toi tu es née pendue. Tu ne trouves pas qu'on fait un beau petit jeune couple, tous les deux ? On est des jumeaux par la couleur de la peau, on est de la race des éternels bleus...

À ces mots, et tandis que ma main flottait vers sa joue pour esquisser une caresse et effleurait sa peau de pêche à l'endroit où une veine affleurait, elle se redressa d'un bloc, comme actionnée automatiquement par le contact physique, et elle s'écria d'une voix forte :

— Tu dis des conneries, grosse nouille molle ! Allons, j'entends ton ventre gargouiller. Tu dois être affamé, petit squatter de rien, petit squatter qui est quand même mon sauveur du jour. Viens, je t'invite à la maison. Il y aura de la soupe ! De la soupe maison ! De la soupe originelle, peut-être ?

* * *

À la maison, il y eut de la soupe : un potage fumant, débordant de choses délicieuses tirées de la terre, et dont il me fallut au moins trois portions pour apprécier pleinement la riche texture. La mère de Christine, haute et massive, était de ces femmes prodigues, à l'ancienne mode, qui sont capables de concilier sans relâche un flot de paroles ininterrompu avec les gestes de verser, mélanger, brasser, pétrir, trancher, assaisonner, servir, et tout, et tout. À l'ancienne mode ? Rien n'est moins sûr. La mère semblait posséder un don bien à elle, un don de mots, celui de lâcher à l'improviste, au sein de l'habituelle logorrhée tranquille, un terme rare qui ne sentait pas le terroir, un mot qui fleurait la ville, ou à tout le moins, les vieilles écoles de rang. Elle avait été poétesse dans sa jeunesse, et maintenant, elle était chroniqueuse, parfois potineuse, pour la feuille locale, et elle était fière de son français. Le père, lui, frêle et voûté, penché sur son bol brûlant au marli décoré de roses, contemplait l'entrée substantielle avec ce même regard vide qu'il venait d'arracher à la glu irréelle de la télévision. Sa moustache poivre et sel s'affaissait vers les pointes, comme deux drapeaux en berne. Christine, rayonnante et affamée, assise en face de lui au bout opposé de la table, l'apostrophait vigoureusement à tout propos.

— Pis, vieux MauMau ? Est-ce que tu t'occupes de mes oiseaux pendant que je suis partie ? Est-ce que tu nourris bien ma basse-cour, vieux coq de campagne ? Mange, mange un peu toi-même, mon pauvre papa, il te faut des forces, tu picores avec encore moins de conviction qu'une pintade, vieux paon enroué ! Tu te laisses aller, vieux MauMau !

Puis, à sa mère :

— M'man, sert à Édouard une portion rien de moins que monstrueuse, il a une faim de loup, c'est sûr, après avoir défait, en combat singulier, un cerbère digne d'un demi-dieu.

Le père me regarda, souriant avec effort :

— Elle est fatigante, hein, ma fille ?

Celle-ci explosa, rebondissant aussitôt :

— Pour toi, peut-être, cher papa ! Tu es toujours fatigué, MauMau, toujours fatigué ! Et tu sais pourquoi il est toujours fatigué, Édouard ? Parce que les docteurs lui ont ouvert la poitrine et tripoté le cœur, et ils lui ont changé une valve d'homme pour une valve de porc. Oui, c'est ce qu'ils font, c'est l'animal dont les proportions cardiaques se rapprochent le plus de celles de l'homme. Tel que tu le vois, mon père a un cœur de cochon, Édouard. Pas étonnant qu'il soit toujours vautré !

Le père souriait toujours faiblement. Mais à la table s'installa un silence gêné. À la façon louche dont la mère retraita vers son four en essuyant des éclaboussures de soupe, je pus voir que des eaux troubles et mal coagulées venaient d'être remuées. Johnny, recroquevillé de l'autre côté de la table, visiblement très stone, ne donna pas signe d'avoir capté ou compris quoi que ce soit. Je trouvais Christine plutôt dure avec son père. Acharnée. Et lui, il semblait effondré à demeure.

— C'est quoi cette histoire de cerbère ? s'enquit la mère, accrochée par le mot.

Christine mit toute la tablée au fait de ma passe d'armes. Johnny, tiré de sa torpeur, cria son enthousiasme. Le père, lui, fixa sur moi des yeux interdits et inquisiteurs, comme pour essayer de pénétrer ma psychologie, à la lueur de cette action d'éclat.

Une odeur forte vint me distraire de ce soupçon de malaise. En face de moi prit place un petit garçon maigre, blond et effacé, le genre courant d'air ou épi de blé agité, celui-là même que j'avais fugacement aperçu lors d'une mission de reconnaissance le long du fossé. Pour compenser son peu de loquacité, il se mit à exécuter une performance sonore étonnante en aspirant consciencieusement sa soupe. Il ne parlait pas. Il ne me regarda même pas. Mais j'eus l'impression de communiquer, de communier avec lui plus parfaitement, plus directement qu'avec tous les autres membres de la famille, les bavards compulsifs comme Christine et sa mère, et les distributeurs de coups d'œil entendus, comme Johnny et son père. Parce que le gamin m'allait droit au nez, il sentait, dégageait un parfum âcre et musqué qui me fit oublier la soupe, et qui évoqua insinueusement d'autres sortes de faims. C'est Christine qui le rabroua vertement :

— Ho, malappris ! On dirait un égout qui se débloque ! Tu pourrais faire preuve d'un peu plus de savoir-vivre, devant mon invité, non ? Hé, vieux MauMau, qu'est-ce que tu attends pour le morigéner généreusement, ce petit souillon, ce petit sauvage-là ? Vas-y, entonne ton refrain sur la bienséance, comme dans le temps : on n'est pas dans le bois, ici, on est à table. Qu'est-ce qui se passe, MauMau, où s'en va la tradition familiale ? Avant, personne n'aurait pris la cuisine pour un camp de bois rond, toi vivant ! Vis-tu encore, père ? Édouard, je ne te présente pas mon petit frère, parce que sa tenue, par son incorrection, ne mérite pas ce genre de civilités, mais sache tout de même que celui-ci est mon petit frère, qui incarne à lui tout seul le côté coureur de bois de toute la famille, tu risques de le rencontrer sur une vieille branche, comme le baron de Calvino, c'est un vrai champi, il n'est à l'aise que la semelle de ses bottes bien collée à la boue.

J'allais lui faire remarquer qu'en fait de rencontres arboricoles, elle-même s'était posée un peu là, le matin même, mais elle ne m'en laissa pas le temps, sa virulence en verve lui refusant d'abandonner un morceau de choix aussi passif que le benjamin muet.

— Et d'ailleurs, ce qu'il sent mauvais ! Mais qu'est-ce que ça sent ? Vous sentez la même chose que moi ? Mais c'est horrible ! M'man, sens-moi ça ! Édouard, sens-tu ce que je sens ? Allez, fais aller tes puissantes narines, actionne les ailes de ton albatros de nez ! Sens !

Je ne pus que dire, hésitant :

— Oui, c'est... c'est assez puissant comme relent, en effet... c'est fort...

Mais loin d'être indisposé par la fétidité de l'effluve en question, je me voyais subjugué par sa force de propagation. Mon nez en était ébranlé, comme le soc d'une charrue qui bute tout à coup sur des ossements de peuplades primitives enfouis depuis des âges sous la glèbe. Moi qui avais toujours cru à mon infirmité olfactive, je percevais enfin une odeur avec force, une odeur formidable, fascinante par sa brutalité. Peu importait au fond qu'elle puisse être qualifiée de nauséabonde. J'étais

entraîné au-delà de ces nuances qualitatives, dans le déferlement de la sensation pure.

Le père se prononça timidement, tandis que le jeune, le
nez dans son assiette, continuait l'effort de succion soutenu
grâce auquel la soupe défiait la loi de la gravité pour monter à
l'assaut de son œsophage :

— Ça doit être les drogues, tu sais, les appâts qu'il prend
pour attirer les renards dans ses pièges. C'est ça, hein, Martin ?
Ça sent le diable, ces affaires-là. Mais si t'en mets pas sur tes
pièges, les renards vont sentir pire que le diable : ils vont te
sentir, toi. Je le sais. Mon père tendait aux renards, lui aussi.

Le garçon acquiesça à la hâte, tête toujours basse, puis
attaqua le rôti qui subrepticement remplaçait le potage. Christine déclara sentencieusement :

— Pouah ! En tout cas, moi, je n'aimerais pas être un
renard. Toi, Édouard, tu aimerais être un renard ?

Je haussai les épaules, indécis, encore accaparé par le
parfum dévastateur, et elle prit ce signe pour une hésitation
railleuse. Elle continua :

— Ces pauvres bêtes à fourrure, tu vois, mon adorable
petit frère s'acharne à les transformer en billets de banque, et
pourtant, si tu calcules le temps qu'il passe là-bas dans le
champ, il travaille à un taux horaire assez dérisoire, merci.
Qu'est-ce que c'est, Martin, dis-moi, qu'est-ce qui te fait leur
courir après, toutes ces bêtes à poil ?

Martin mastiquait son rôti avec obstination, ne laissant
planer aucun doute sur le fait qu'il ne s'abaisserait pas à
élaborer de problématiques tentatives de justification verbale.

— Laisse-le tranquille !, ordonna le père faiblement, dans
un rare et fragile déploiement d'autorité.

— D'accord, MauMau-Cœur-de-cochon !, fut la repartie
de l'intimée.

Tout ce temps, la mère poursuivait un soliloque aérien que
ponctuaient les entrechoquements de la vaisselle et le cliquetis
des ustensiles. Lorsque le silence s'installa à table, pour un
temps, le mélodieux monologue qui, jusqu'alors, s'était
contenté du statut de fond sonore, se rua par la brèche à
l'avant-plan. La mère, tour à tour assise et debout pour veiller
au parfait déroulement de l'intendance dont chaque détail
infime faisait l'objet d'une attention caressante, continua sur

sa lancée, tout naturellement, sans paraître remarquer le soudain apport qualitatif des quatre auditeurs qui cautionnaient
désormais son laïus.

— Avis d'éviction ! Avis d'éviction ! Un autre avis d'éviction ! C'est tout ce qu'ils savent nous envoyer ! Bien vite, il
va falloir couper le poteau de la boîte aux lettres et effacer
notre adresse, au point où on en est. Mais on va continuer à
allumer notre feu de foyer, avec leurs avis d'éviction. Comme
si on était des vulgaires locataires ! Comme si on vivait pas sur
une terre ! La SIC, la Société d'Investissement du Canada,
pardon, est-ce qu'elle a le droit d'être là, d'abord ? Dans les
livres, quand on voit le mot SIC entre parenthèses, c'est parce
qu'il y a une erreur quelque part. Et quand je vois toutes les
parenthèses qu'ils ajoutent partout, la SIC, j'ai le droit de me
demander : est-ce qu'il n'y aurait pas une erreur quelque part ?
Pourquoi est-ce que la SIC ne serait pas dans l'erreur ? Pourquoi le procureur du Canada ne serait pas dans l'erreur, lui ?
Et pourquoi Sa majesté la Reine elle-même ne serait pas dans
l'erreur ? C'est une belle trilogie, hein, qu'on vise par notre
action en nullité ? La trilogie de la nullité ! Mais ce n'est pas
tout. Maintenant, il va même falloir commencer à se demander : pourquoi le Bon Dieu lui-même ne serait-il pas dans
l'erreur ? Parce que même notre curé, maintenant, se retourne
contre nous. La fabrique elle aussi se mêle d'envoyer des avis
d'éviction ! Ils sont allés à la bonne école, évidemment ! La
SIC, SIC et reSIC ! Ces gens-là sont malades, je vous dis !
Trop de *bureaucrassie* ! Ils pensent nous faire peur avec de la
paperasse. Qu'est-ce que tu en dis, son père ?

Le bonhomme se gratta le menton. Johnny se gavait d'un
glaçage très sucré, le sien de menton en plein dans son gâteau.
Martin s'était éclipsé, coulant comme une belette. La mère
investissait beaucoup d'émotion, apparemment, dans ce vol de
leur terre. Le père considéra le nouvel avis d'éviction. Le
papier avait l'air pesant dans ses mains. Christine le couva
d'un regard ouvertement méprisant. Pour alléger l'atmosphère,
elle me demanda, sur le ton d'une question piégée :

— Est-ce que tu as déjà reçu ça, toi, Édouard, un avis
d'éviction ?

— Oh moi, c'est ma vie qui est une vie d'éviction...

* * *

Après le repas, j'ai essuyé les couverts que Christine faisait disparaître sous une mousse abondante, tandis que le père s'affalait de nouveau devant le téléviseur, pour une émission de début d'après-midi. Puis, pendant que ma jeune amie montait se changer, je suis descendu au sous-sol où venait de disparaître Martin le Champi. Là-dessous, l'âpre odeur qui, à table, n'avait été qu'une émanation, devenait ambiante. Il m'a accueilli silencieusement. Il s'affairait, comme un apothicaire, devant un étalage de flacons, de bouteilles et de petits pots de vitre que remplissaient des liquides variés exhalant des arômes extrêmement prenants. Manipulant les contenants dans la pénombre, le jeune garçon me fit penser à un sorcier, à un apprenti-sorcier, plutôt, qui se chercherait un maître.

Voici un aperçu de la teneur de nos propos :

Moi : C'est ça, tes drogues pour le renard ?

Lui : Ouais.

Moi : Le liquide jaune, là, c'est quoi, de l'urine ?

Lui : Ouais. De la pisse.

Moi : Ça sent fort, hein ?

Lui : Ouais.

Moi : Tu en attrapes souvent, des renards ?

Lui : Pas souvent.

Moi : Il paraît que c'est difficile. Ils sont rusés, hein ?

Lui : Ouais.

Moi : Mais tu en prends, des fois ?

Lui : Ouais.

Moi : Ça vaut cher, une peau de renard ?

Lui : Ouais.

Un peu rebuté par ce laconisme exemplaire, je me dirigeais déjà vers l'escalier, pour remonter, quand tout à coup le piégeur en herbe a ajouté en se tournant vers moi, comme porté à la confidence, à la fin :

— Surtout si c'est un renard argenté !

Il avait parlé le souffle, les yeux brillants. J'étais intéressé :

— Un renard argenté ?

Il m'expliqua alors que parfois, un renard naissait qui était bleu, très foncé, presque noir, et brillant, et que l'on qualifiait cette variété d'argentée. Les renards argentés étaient rares et leur fourrure, très recherchée, valait cher. J'ai demandé :

— Est-ce qu'il y en a, des argentés, dans la région ?

Il détourna les yeux, me laissant entendre que c'était un secret. Puis sur mon insistance, après que je lui fis valoir que je ne trappais pas moi-même et que je n'irais pas lui couper l'herbe sous le pied, il me regarda à nouveau, les yeux luisants de convoitise, et me dit qu'il en avait vu un, l'autre jour, tout près d'ici, et qu'il allait tenter de l'attraper.

* * *

L'après-midi, nous sommes allés visiter la mère-grand de Christine, qui habite un rang, et qui joue à la résistance. C'était un de ces après-midi radieux de l'été des Indiens, quand le soleil oblique fait ressortir la netteté miraculeuse des choses, quand tout est sec et craquant sous le pas, quand s'évanouit à peine ébauchée la moindre velléité de souffle de brise. Christine paraissait faite sur mesure pour octobre, le mois des mesures de guerre, faite pour mon mois préféré. Plus je la regardais, plus j'étais pénétré d'une grande envie de la serrer dans mes bras, de l'étreindre à l'étouffer, de me refermer sur elle comme les mâchoires d'un piège pour ne plus la lâcher. Nous avons pris par les bois, où les chênes écarlates achevaient de se dénuder et où couraient de gros écureuils noirs et fournis, qui glanaient des glands et dont certains me faisaient penser à des touffes de poil pubien. J'ai passé mon bras autour de son épaule, geste qu'elle n'a pas repoussé, même si je pouvais sentir de la tension sous les rugosités de la grosse laine. M'enhardissant, je l'ai enlacée. Nous avons roulé au sol, moi riant, elle raidie, nous nous sommes roulés sur les feuilles cassantes en luttant, moi pour jouer, elle... Elle se débattait pour vrai. Elle s'est relevée, s'est secouée, nerveuse. Je me tenais debout juste derrière elle, retenant mon souffle tout contre sa nuque de fin du monde, et mes bras se refermant ont fouillé les chairs sous le gros chandail et palpé les munificentes mamelles de toute la terre, désirant la posséder comme tout. Mais elle ne me laissa pas faire.

Elle essaya de desserrer ma prise, puis se mit à griffer mes poignets, mais je choisis d'y voir une forme d'encouragement s'inscrivant noir sur blanc dans les règles du jeu. Troublée, elle toléra un temps les attouchements. Mais curieusement, elle se mit à se frapper la poitrine de façon rythmique, comme ces oiseaux de mer qui se reproduisent à l'étroit sur des falaises escarpées et qui battent des ailes dans le vide, au sol, à seule fin de dissiper le stress intense provoqué par la promiscuité des milliers de semblables entassés sur la même corniche. Elle se frappa la poitrine en psalmodiant un air, pendant que je la touchais. Puis, lorsque j'ai essayé de la faire basculer de nouveau sur le sol, elle s'est entièrement rebiffée et s'est dégagée d'une saccade brusque.

— Allons-y !, a-t-elle fait, le souffle court.

J'ai protesté :

— Pourquoi ? On peut prendre notre temps ! Allez, viens par ici...

— Non. Allons-y.

Elle ne voulait rien savoir d'ébats aratoires sur cet humus odorant. Elle s'est mise à marcher résolument le long de la sente, m'obligeant implicitement à la suivre. Voulant plus que tout donner un alibi irréfutable à mon désir, j'ai collé encore mon mufle avide contre sa nuque rase et j'ai murmuré :

— Je t'aime, Christine. Je suis en amour avec toi. Mettons que je suis fou de toi, tiens.

Elle a éclaté de rire, sans pitié, et sans se retourner, elle s'est écriée :

— Grosse grenouille !

Je voulais désespérément la posséder, ne posséder qu'elle et toute la forêt avec elle. J'ai demandé :

— C'est à cause de ton ami l'Anglais ?

Elle avançait maintenant calmement, laissant son regard errer parmi les petites palettes aux pigments incendiaires qui finissaient de se détacher des arbres.

— Non, c'est pas à cause de lui. Enfin, peut-être un peu. Mais ce n'est pas pareil comme avec toi. Lui, c'est un ami avant tout. Il s'est comme incrusté dans mon intimité. Ça s'est bâti petit à petit, avec lui. Toi, Malarmé, tu es comme le loup qui voudrait souffler la maisonnette des trois petits cochons. Je sens que tu veux mettre à terre plutôt que bâtir. Tu me troubles, c'est tout. Tu me troubles beaucoup, grosse grenouille molle. Mais moi, je ne peux pas sauter les étapes, sur ce chemin-là. Je ne peux pas... ça ne sert à rien, tu vas être déçu. Je veux dire : avec toi, c'est physique. Avec moi, ça ne peut pas être physique.

Je tentais, à part moi, d'imaginer la barrière qui pouvait bien se dresser entre nous. J'ai hasardé :

— Je sais ce qu'il y a : tu ne t'es pas encore débarrassée des principes de ton éducation sexuelle à saveur matriarco-catholique. C'est ça ?

Elle fit rêveusement :

— Il y a des choses qui restent, que tu veuilles ou pas, que ça soit conscient ou pas.

J'ai rétorqué sévèrement :

— Tu ne veux pas dire que tu te refuses à moi par principe, j'espère ?

Elle a demandé d'une voix douce :

— Qu'est-ce que tu entends par principe, au juste ?

J'ai affecté un air docte :

— Principe. Tu veux faire un détour par le dictionnaire ? Principe : du latin principium, qui veut dire origine, ou fondement, ou quelque chose comme ça !

Son visage s'éclaira aussitôt. Elle déclara en souriant pudiquement, avec une nuance de tristesse :

— Oui, alors, je pense pouvoir dire que c'est une question de principe, dans ce cas. C'est même tout à fait ça.

Elle s'était assise sur une souche, comme pour reconnaître le fait que nous avions amplement le temps, après tout. Elle a dit finement :

— J'aimerais bien une chose, Édouard Malarmé, grosse grenouille baveuse. J'aimerais bien que tu me racontes la première fois que tu as fait l'amour. N'oublie pas que c'est toi qui m'as entraînée sur ce terrain-là.

Je me suis assis aussi. Pourquoi pas, au fond ? Je me sentais, dans cet automne vermeil en déclin, des talents de grand-père raconteur. J'ai éraillé un peu ma voix, pour la forme, puis j'ai prononcé gravement :

— La première fois ? Bon. Écoute bien, ma petite fille. Voici :

RÉCIT, PAR ÉDOUARD MALARMÉ, DE SON DÉPUCELAGE AINSI QUE DES SUITES DE CELUI-CI, AUX MAINS DE MADEMOISELLE MARIE BEAUDRY, DITE MARIE-LA-SANGLANTE

La première fois, ça se passait dans les années soixante-dix, à une époque que tu peux difficilement imaginer. C'était avant que les artistes remplacent le pays par le Pepsi, au moment où les masses étaient encore à la mode. Dans toutes les manifestations dignes de ce nom, on retrouvait deux ou trois groupuscules, des factions du communisme international qui se livraient une concurrence féroce pour le salut, la sueur, le sang, peut-être parfois le sperme, mais surtout pour le salaire des travailleurs. C'est un premier mai que j'ai rencontré Marie, surnommée Marie-la-Sanglante, à cause de son drink préféré. Là s'arrête l'analogie : Marie-la-Sanglante n'était pas une reine, elle faisait plutôt prolo, et elle mangeait des petits gâteaux Stuart.

C'était une fille de quartier, une fille de l'est, petite mère de deux enfants, séparée, avec une tête sur les épaules, et qui distribuait le journal *En Lutte* au coin des rues. Elle avait un visage rond, bon comme celui d'une madone, des cheveux châtains soyeux et minces, une corpulence tout à fait maternelle. Nous cherchions tous les deux la manif qui progressait quelque part dans la nuit du premier mai, et nous l'avons cherchée ensemble. Puis, au cours de l'inévitable soirée de solidarité subséquente, nous avons resserré nos liens naissants. Je ne connaissais pas *En Lutte*, alors, et c'est sur le matelas que me furent inculqués les principes théoriques du marxisme pur et du matérialisme minimal et maximaliste exempt de tous les déviationnismes passant par Moscou, Pékin et l'Albanie. Pour moi, le communisme fut véritablement l'enfer, au sens charnel que les calotins y accolent. Je fus dépucelé au propre et au politique. Marie-la-Sanglante fut patiente avec moi, qui découvrait au creux de sa matrice élargie les mystères de la vie. Mais elle me trouvait gentil, trop gentil. Elle avait plutôt l'habitude des bandits et délinquants en tout genre, tel son ex-mari qui revenait régulièrement la menacer, quand il n'y avait pas de hockey à la télé, tandis que selon son vœu je m'éclipsais à contrecœur, frustré dans ma fragile vocation de chevalier servant écervelé. Elle avait l'habitude des rencontres d'un soir avec des gars de brasserie qui possédaient des revolvers et qui la baisaient debout dans les caves humides des blocs de béton. Mais elle m'aimait bien, malgré ma trop grande douceur au lit, et je lui servais de bonne d'enfants pendant ses réunions politiques sous le sceau de la paranoïa, en écoutant du Paul Piché qui, à l'époque, pouvait encore passer pour politiquement correct, en dépit de faiblesses évidentes, tant dialectiques que didactiques. Marie-la-Sanglante lui préférait les groupes carrément communistes, faisant dans la pure poésie du prolétariat, comme celui dont j'ai oublié le nom, qui chantait cette très belle chanson sur les mineurs du Cap-Breton, et dont les deux vers terminaux disaient : « Le capitalisme les a tués. Et l'État bourgeois le premier. »

Physiquement, je progressais de jour en jour, tout en restant un bon catéchumène communiste. Après les jeux du lit, les pirouettes de l'esprit venaient toutes seules. Je découvrais à quel point il est facile d'embrasser une idéologie (bien plus facile que d'embrasser une fille), de se convertir, de concilier la croyance et le coït. Il suffisait de dire oui ou non, toujours à l'unisson. L'important n'était pas le son, mais l'unisson. J'étais présent au fameux grand congrès d'orientation, d'élaboration ou de consolidation, je ne sais plus trop bien, au cours duquel René Vaincon fut plébiscité. Tout ce beau monde qui se préoccupait sur le papier des droits des autochtones au même titre que de ceux des travailleurs de l'auto me paraissait d'une louable sincérité. Mais je gardais au fond de mon cœur une réserve, un ventricule inaccessible au ridicule, un coin intouché et inviolable d'où je pourrais, quand le besoin s'en ferait sentir, chier sur toute cette belle rhétorique. J'étais venu au communisme par la biologie : la vie de couple, la copulation étaient des conditions essentielles à mon acceptation des dogmes des camarades. Tant que j'ai couché dans le lit de Marie-la-Sanglante, j'ai pu lire le journal *En Lutte* sans tomber de ma chaise, et convenir sans difficulté que dans les pages de son principal concurrent soufflait le vent sulfureux du révisionnisme pro-chinois. Le tout était de garder mes exemplaires soigneusement hors de portée de la poigne paternelle. Mon père pouvait à la rigueur accepter la marijuana en tant qu'échappatoire passagère pour jeune homme en crise, mais son cœur aurait été réduit en capilotade capitaliste s'il avait été confronté à la brutale réalité d'un virage idéologique à l'intérieur de sa propre maison. Mon père était pour la liberté à l'américaine, c'est-à-dire pour l'automobile, et il vouait une haine mortelle aux Ladas, d'ailleurs.

Mais Marie-la-Sanglante me faisait tiquer de plus en plus. Un jour que nous étions allés nous promener à la campagne, j'ai essayé de défendre, d'un point de vue écologique, les moustiques qui assaillaient en nuées compactes ses chairs blanches et appétissantes. Elle me demanda : « À quoi ça sert, les moustiques ? » J'ai répondu : « À nourrir les oiseaux. » Elle me demanda alors : « À quoi ça sert, les oiseaux ? » J'aurais pu répondre : « À nourrir les humains », mais je craignais sans doute trop la question qui logiquement suivrait. Marie-la-Sanglante était une fille de la ville, la ville était le seul lieu de son possible, le terrain et le théâtre de la révolution. Pour elle et ses amis, les communards des Cantons de l'est n'étaient que des fuyards qui cachaient commodément à la campagne leurs contradictions de petits fils de classe moyenne se cherchant dans leurs chansons cuculs. Marie-la-Sanglante et ses amis bolcheviques se complaisaient dans une excitante paranoïa, et je crois que c'est en couchant avec elle que j'ai attrapé ce tour d'esprit, comme une maladie vénérienne. Elle vivait en vue de la prison Parthenais, il faut dire. Elle avait cette immense croix noire dans son champ de vision constamment, et les rues alentour grouillaient de flics. Quand Marie-la-Sanglante partait pour une réunion de sa cellule, elle devait toujours s'assurer de ne pas être filée. Elle se savait fichée et ne rencontrait ses comparses que dans une lourde mais enivrante atmosphère de conspiration et de conjuration. J'ai fini par comprendre qu'elle était vraiment une ennemie de l'État, vouée à la destruction du Canada tel que nous le connaissons. Je n'avais rien contre.

Quand Marie-la-Sanglante m'a congédié de sa couche, je suis parti sans une parole, mais non sans un pleur. Il faut comprendre : elle avait été la première, pour moi, et un professeur hors pair. Du communisme, je me suis détourné sans avoir de carte de parti à brûler. Mais pour apprendre, ma fille, j'avais appris : un militant, c'est un militaire qui s'ignore. Dans un convaincu, il y a toujours un vaincu. Quand je défilais dans la rue sous une bannière, aux accents de l'Internationale, à la queue de toutes les grandes manifs, à la remorque des centrales syndicales, je me sentais ridicule à mort au sein de la masse. À la messe, quand j'étais plus jeune, j'ouvrais la bouche et remuais les lèvres sans me joindre jamais aux prières. Dans une manif, de la même manière, je me faisais aller les babines sans scander un seul slogan, sans proférer un seul son. Quand je m'étais mis à militer, j'avais abandonné la religion depuis sept ans. Je n'ai pas vu alors que c'était la même chose. Apostasies ou palinodies, tout revient toujours au même.

Ensuite, il y a eu le référendum, le comité du Oui, le MéOui, le Mais Non, le Mais Si, la grande bipolarisation qui a balayé tout ce qui subsistait de bolchevique dans la province. Mais ça aussi devait passer. Tout se passe et tout passe, tout est passe-passe en politique. Je me suis rendu compte que je n'ai pas d'opinion. Ou alors, je les ai toutes. Au téléphone, je fais le désespoir des sondeurs, mais ils sont bien contents, au fond, du moment qu'ils ont de quoi remplir leurs formulaires. Les opinions, c'est interchangeable, c'est les chemises, les chaussettes de l'âme. J'aspire à croire à tout. Je n'ai pas de crédibilité, mais en revanche j'ai une crédulité monstre. Je veux être partout à la fois, à gauche, à droite, au centre et aux extrêmes. Je veux être capitaliste, fasciste, socialiste, communiste, babouviste, stakhanoviste, libéral, conservateur, je veux en voir de toutes les couleurs du spectre de la politique, je m'oriente à tous vents, je suis déviant, radical, révisionniste, orthodoxe, intransigeant, hétérodoxe, éclectique et syncrétique, je suis tout en même temps, je me tape la surdose des doctrines. J'ai fait en lutte, j'ai fait le Oui, j'ai viré au vert après avoir versé des larmes de rhinocéros. J'ai été de toutes les parades, suivi toutes les modes, payé toutes les cotisations, entonné tous les péans. Maintenant, c'est par-dessus ma tête que ça défile. Ça déborde. Même l'écologisme, en plus du papier, se met à récupérer l'idéalisme. En glissant sur le terrain savonneux et phosphateux des tics politiques, ils vont se retrouver vendeurs de verts demains, de porte à porte, et porteront masques et macarons. Sous couvert de vendre du vert, il ne vendront, comme tous les autres, que du vent. Moi, je me tais maintenant. J'écris, et quand j'aurai fini, je ne permettrai même pas aux écoles de récupérer mon papier. Je ferai flamber le tout.

* * *

Il y eut un silence. Puis Christine s'écria :

— Dis donc, grosse patate ! Je te demande quelques détails sur le déroulement de ta première relation sexuelle, et voilà que tu m'inondes d'un cours sur l'histoire politique récente !

— C'est vrai, je m'excuse. Mais pour moi, ces choses-là sont liées, tu comprends ? Mon initiation au sexe m'apparaît indissociable de ces premières notions de guérilla latente, de terrorisme tranquille et de révolution appréhendée et larvée. En fait, la politique et le cul sont les deux mouvements d'un même pendule. Quand la politique ne pogne plus, on peut toujours se pogner le cul.

— Ce que tu fais toi-même en ce moment, grossier personnage ! Tu te pognes le cul, comme tu dis, dans le sens de ne rien foutre. Tu peux bien parler, Malarmé à la manque, parler, parler de terrorisme et de guérilla. Tu es bien comme tous les démobilisés : la parole au lieu de la liberté ! Laisse-moi te faire observer que tu fais un bien piètre terroriste, cantonné à Saint-Canut, à l'écart du trafic, avec ta pétoire à canons couplés, te complaisant dans l'assassinat de malheureuses bêtes qui ne t'ont rien fait.

— Je te l'ai dit : plus rien ne me fait rien, affirmai-je avec conviction. Je suis comme tout le monde : replié sur la vie privée. Et c'est bien la seule chose qui puisse être privée, chez moi : la vie. Si je commets un crime, ce sera un crime privé, un crime passionnel, plutôt que politique.

— Un crime ? Jamais tu n'oseras tirer sur des humains, Malarmé à la manque ! Et pourtant, tu sais très bien que ce serait le seul gibier honorable. Tu aimes trop faire voler la plume et le poil pour avoir le courage de faire des trous dans de la peau.

— On appelle ça de l'incitation au meurtre, ce qui sort présentement de ta bouche, ma chère. Mais je vois que tu es bien comme tout le monde : tu me traites de looser, de perdant-né, de Charlie Brown de la vraie vie, toi aussi. Mais tu oublies la partie de billard. Mon sport, moi, ce n'est pas le baseball de Charlie Brown, c'est le billard, la Minnesota Fats. Tu oublies qu'à force de perdre, je n'aurai bientôt plus rien à perdre et que je ne pourrai plus que gagner, fatalement. T'inquiète pas, ma fille : Édouard Malarmé va rebondir, dans la vie. Tout ce qu'il me faut, c'est un tremplin à ma mesure. Un tremplin vers le monde. Et abandonne tes airs de pythie de malheur !

— Un tremplin vers le monde ? Grosse grenouille ! Grosse grenouille qui veut devenir plus grosse que le bœuf de l'ouest !

Tu n'iras jamais plus loin que ces basses collines, mon ami, jamais plus haut que ces ondulations qui ont toujours refusé de devenir des montagnes.

— Pourquoi es-tu si dure avec moi, Christine ?

Je me rapprochais d'elle, doucement, tremblant déjà. Elle fronçait les sourcils en me fixant de son regard ténébreux et lointain, comme pour me méduser, stopper net mon avance déterminée. Je continuais de parler, sans plus écouter ce que je disais :

— Après tout, je voulais te montrer, par mon bref récit de tantôt, à quel point tous les principes du monde, qu'ils soient politiques, religieux, moraux, éthiques, philosophiques, psychologiques, hygiéniques ou géographiques, deviennent inopérants lorsqu'il est question de la très simple et souvent très sensuelle biologie appliquée, ma chère. John F. Kennedy a dit qu'il fallait absolument posséder dans sa vie une idée pour laquelle on serait prêt à mourir. Moi, je dis que ce fils d'Irlandais immigré était dans les patates : la vie est la seule chose au monde pour laquelle il vaille la peine de mourir. Et quand j'y pense, l'amour est la seule chose qui nous permette de mériter pleinement la mort.

Je l'ai attirée à moi. Elle a résisté, s'est dégagée brutalement ; j'ai agrippé son gros chandail et me suis hissé sur elle en la renversant, m'affairant déjà à libérer sa taille du pantalon de survêtement bouffant qui l'enserrait de son élastique. Alors elle s'est contractée violemment, convulsivement, elle a planté ses ongles comme dix poignards dans mon dos, qu'elle a labouré de part et d'autre de ma colonne acheminant des impulsions de douleur extrême jusqu'à mon cerveau, elle s'est déprise en mordant de toutes ses forces dans mon bras, comme enragée, puis s'est remise debout d'un bond leste. Pendant que je massais mes chairs meurtries, je la regardais obliquement : son visage n'exprimait pas de fureur, simplement une volonté animale de résistance farouche. Je me suis exclamé :

— Qu'est-ce que c'est ? Un reste de pruderie catholique ? Une opération du surmoi maternel ? Ou bien me trouves-tu banalement répugnant ? Dis-le moi, merde ! N'oublie-pas que j'ai été formé dans les années soixante-dix, quand tout le monde couchait avec tout le monde à partir de quatorze ans. Qu'est-ce qui t'arrive ?

Elle a dit, songeuse, en regardant à travers une trouée entre les arbres :

— Allons chez ma grand-mère, grosse patate molle !

* * *

Un peu avant d'atteindre la très ancienne maison canadienne qui plantait ses fondations au bout d'une terre fraîchement retournée, ruminant ma déconvenue, j'ai tout à coup été frappé par une évidence fulgurante. Nous avancions dans la glèbe en trébuchant contre les labours exposant la terre grasse, menaçant à tout moment de nous étaler dans le long repos des sillons qui attendaient les futures semences. Au moment d'enjamber une antique clôture de piquets de cèdre en partie effondrée, Christine s'est raccrochée à moi pour ne pas chuter et piquer du nez dans une aubépine lourde de petits fruits. Elle a pris mon bras. À ce moment, une couvée de perdrix a explosé presque sous nos pieds, jaillissant du buisson comme des flammes, chaque oiseau décomposant comme au ralenti les phases de son envol fracassant, arrêtant le temps, littéralement, tandis que des doigts pointus comme des griffes s'enfonçaient dans mon biceps, dans ce même muscle qu'elle venait d'attaquer avec ses dents, comme un mets amer. La levée du gibier réveilla mes réflexes. Mais au creux de mon coude, le bras de Christine avait remplacé le fusil. Alors j'ai puissamment senti que tout était bien, soudain, que tout était racheté au-delà de toute ruine par la magie de l'instant, et qu'au fond je possédais bien Christine, que je la possédais au moins dans le temps, sinon dans l'espace ; en énergie sinon en matière : cet instant je le lui volais, il était d'elle à moi, je l'enlevais au présent comme on dérobe à l'univers la vue fugace d'une étoile filante qui reste fixée sur la rétine pour l'éternité, prise aux rets de la mémoire, échappant à l'éphémérité mortelle de sa chute. Pendant que se poursuivait la lente ascension des oiseaux fauves, c'est leurs ongles à eux que je sentais dans ma chair, m'arrachant à la gravité de la terre. Il ne me restait plus qu'à conserver contre mon cœur la béatitude de cette seconde battante des ailes des perdrix et fractionnée à l'infini, la certitude de ce menu miracle marqué par un gel du temps d'octobre : dans un arrachement difficile et éclatant à la pesanteur brune des labours, dans la violence d'un décollage avien, Christine a été soudée à moi une seconde.

Dès que nous avons franchi le perchis instable qui nous séparait de la demeure ancestrale et qui ne constituait qu'une bien désuète entrave à notre liberté de mouvement, la main s'est détachée de mon bras bandé. Tout n'a duré que le temps d'une traversée, le temps d'un déséquilibre. Le temps est resté accroché à une clôture. Mais nous, il fallait continuer. Alors je me suis dit que je ne pourrais posséder Christine, faire sa connaissance au sens biblique, qu'en m'emparant de tout le Cosmos.

* * *

L'oncle Justin nous accueillit d'abord du perron, où il se berçait, bouffarde au bec, en contemplant des reflets précaires sur sa mare à canards placide. Il lança, amène :

— Ah, les jeunes, beau temps pour les amoureux, hein ? Profitez-en, les dernières outardes s'en vont, la neige va pas tarder.

— Tu te souviens de l'oncle Justin ? me demanda Christine. C'est le vieux garçon haïssable de la famille. Il vit encore avec grand-maman.

— La vieille fait sa sieste, nous prévint l'oncle, mais elle doit plus en avoir pour longtemps.

— Je vais la réveiller ! décida curieusement Christine. Elle aura tout le temps de dormir quand elle sera morte.

Quand elle fut entrée, l'oncle Justin me fit un clin d'œil gaillard, assorti d'une mise en garde mystérieusement elliptique :

— Beau brin de fille, hein, mon gars ? Mais une petite furie du démon, par exemple ! Ça peut ruer comme une pouliche, à cet âge-là ! Tu sais, quand un homme est perdu en forêt, il se met à avancer au hasard, droit devant lui, sans réfléchir, à moitié fou, jusqu'à la mort. Moi, je pense, mon gars, qu'il y a des femmes qui font exactement le même effet... qui sont faites pour le malheur des hommes. Oh, Christine est une bonne fille... Mais quand je pense à son pauvre père... Mais oublie ça. C'est une bonne fille... née avec le malheur dans la peau, peut-être, mais... Moi-même, vois-tu, j'ai été fiancé, fiancé longtemps, mon garçon. Que le diable m'emporte si j'ai pas été fiancé pendant vingt ans ! Jamais pu me décider. Il fallait toujours que je regarde de l'autre bord de la clôture, même si je traversais jamais. J'ai reviré de bord juste devant l'église, mon gars. Et puis, je te mens pas, ma plus grande consolation, c'est de rester assis sur la galerie, les beaux samedis après-midi, pis de l'entendre gueuler, elle, à un demi-mille d'ici, un rang plus loin, au ras la petite rivière, de l'entendre enguirlander à longueur de journée le pauvre diable qui a eu le courage de prendre ma place. Hi Hi Hi !

Christine réapparut à la porte, le bras passé autour des épaules pas trop voûtées de la vieille. Il y avait une grande affection entre elles, dans leurs simples gestes et expressions, dans leur façon de se toucher et de sourire ensemble. Pour tout dire, Christine était transformée, douce comme une agnelle. Son aïeule était une vieille frêle et chenue, résiliente comme un roseau, rayonnante comme une casserole bien astiquée. Les présentations d'usage furent expédiées, et la petite bonne femme me toisa en ajustant ses bésicles cerclées d'argent :

— Ah, c'est ton p'tit tchomme. Un nouveau ? Ah, il est plus beau que l'autre.

— C'est un ami, grand'ma, corrigea prudemment Christine.

— Ah, un ami, un ami..., répéta pensivement la vieille, s'efforçant de cerner le sens de ce simple mot, tandis que Justin ricanait dans sa barbe de trois jours :

— Y paraît que de nos jours, les jeunes se marient pour avoir des bourses. En tout cas, moi, je suis pas marié, pis mes bourses sont toujours pleines.

Il se gratta l'aine et se racla la gorge de plaisir.

La grand-mère se glissa comme une feuille sur sa chaise berceuse, et Christine la borda avec un châle de grosse laine bleue. La respiration de l'ancêtre était un long râle qui donnait envie de l'aider, de lui insuffler un peu d'air dans la trachée artère, tant on craignait, à guetter le soulèvement poussif de sa poitrine, que le prochain affaissement ne soit définitif. Inconsciemment, on était porté à se soulever légèrement sur la pointe des pieds, quand elle inspirait en sifflant, comme dans un effort pour entraîner avec soi, par émulation, le diaphragme tendu dans un dernier et héroïque sursaut. La vieille dame me faisait penser à une squaw ratatinée. Elle avait la peau parche-

minée, le teint terreux, les yeux un peu bridés, un foulard noué
sur la tête. Elle avait l'air d'une racine tordue, d'un chicot sur
lequel seraient venus s'accrocher, dans le vent, quelques vêtements de couleur claire. Assise face à elle, trépignante, gaie et
intense, Christine la dévorait des yeux avec avidité.

— Tu me reconnais bien, grand-ma ? voulut s'assurer
Christine.

— Ma p'tite fille, toi, je te reconnaîtrai toujours, répondit
l'aînée. Lui, par exemple, il m'arrive d'avoir de la misère à le
replacer, le matin.

Elle désignait Justin, qui eut un geste d'indulgence gogue-
narde :

— Sacrée vieille Môman !

La vieille maman sacrée parla de nouveau à sa petite-fille :

— Ton p'tit ami parle pas beaucoup, s'inquiéta-t-elle.
J'espère qu'il se laisse pas trop intimider par ce vieux chenapan
de Justin. Est-ce qu'il parle français, ton ami ? C'est mieux.
J'aimais pas ça te voir avec un p'tit Anglais. On est toujours
perdant avec les Anglais.

Christine haussait les épaules, comme vaincue d'avance
par l'inertie traditionnelle contre laquelle ses arguments s'écra-
seraient fatalement. Mais elle s'essaya, pugnace :

— C'est des chicanes du passé, ça, grand'ma. Mais c'est
vrai, j'oubliais : tu vis dans le passé, toi. Mais aussi, tu perds la
mémoire, tu perds ton passé, alors où est-ce que tu vis exactement, chère vieille amie ?

— J'ai ma maison, ça me suffit. La vieille souriait. Et un
bon garçon, au fond, pour me servir de bâton de vieillesse.

Cette chosification intime n'eut pas l'heur de plaire à
Justin, qui se renfrogna et marmotta, maussade :

— Elle pourrait me dire merci au lieu de se moquer de moi.
Parce que je me suis sacrifié, moi, pour que mémé reste au fond
de son rang. Vous auriez dû voir les paquets d'argent que j'ai
été obligé de refuser. Tous ceux qui ont accepté l'offre se sont
acheté des beaux bungalows à Blainville ou à Sainte-Thérèse.
Si mémé la tête forte avait voulu, elle pourrait vivre dans un
appartement confortable en ville, avec du monde de son âge,
dans une belle résidence le long de la Rivière-des-Prairies.
Mais non, mémé du hameau n'a pas voulu partir, elle aime

mieux continuer à s'emmêler dans sa mémoire en tricotant au bout de son rang. Ah oui, ç'aurait été payant de partir...

La vieille souriait doucement en balayant cet acte d'accusation au fur et à mesure, d'un revers translucide de sa main aux veines sombres et saillantes. Elle nous prenait à témoin :

— L'avoir écouté, lui, on aurait cédé la terre aux Rouges, et aux Anglais de l'Ontario. C'est ça qu'on aurait fait. Et ce qui me serait arrivé, à moi, c'est ce qui est arrivé au père, là, au père Je-Me-Rappelle-Plus-Son-Nom, qui est mort d'une attaque, juste avant d'entrer dans sa nouvelle maison, à Saint-Eustache, je pense, que c'était. Ou bien, j'aurais fait comme la vieille Blanche, de la famille à Chose, qui est tombée au pied des marches de la galerie, en voyant tous ses vieux meubles empilés dans le camion de déménagement. Elle est restée, elle, oui mais avec six pieds de terre sur le ventre, par exemple. C'est pas facile à bouger, des vieux comme nous autres, vous savez...

Elle ferma ses petits yeux d'échassier serein, et quand elle les rouvrit, ils pétillaient de malice. Elle eut un rire silencieux :

— En tout cas, des Rouges, je peux vous dire qu'il y en a qui sont sortis d'ici assez vite, je vous prie de me croire, et il y en a qui ont dû avoir de la misère à s'asseoir devant leurs papiers, le lendemain. Je tirais au gros sel, moi. Mon défunt les aurait poivrés au petit plomb, c'est bien sûr. Mais moi j'ai toujours eu le cœur sensible, même quand il s'agit des Rouges. Fait que je mettais du sel dans les cartouches, et je salais les steaks des fonctionnaires pour qu'ils soient un peu moins confortables dans leurs fauteuils de cuir.

— Ils ont porté plainte plusieurs fois, fit l'oncle Justin, résigné. Mémère a même été sommée de comparaître en cour, à Saint-Jérôme. Elle s'est jamais présentée, et personne n'a eu le courage de venir la chercher ici.

Christine hurlait sa joie :

— Je suis fière de toi, grand'ma. Tirer sur des employés de l'État, il fallait le faire ! Quand on pense à tous les habitants, et surtout les petits vieux, qu'ils ont menacés et qui se sont laissé intimider. Avec toi, ils ont trouvé à qui parler.

— Je parlais pas, je tirais, précisa la vieille. Je sortais le fusil, je les enlignais pis je tirais...

— Et maintenant, quand tu en parles, on dirait que tu deviens plus vivante !

Christine me décocha un coup d'œil plein de défi. Justin fit observer, sarcastique :

— Plus vivante ? Ben tiens ! C'est ce qui la tient en vie, de défendre sa maison comme une forteresse. Elle ressuscite chaque matin, mémé, pour l'occuper, sa maison, pour empêcher qu'un fonctionnaire prenne sa place. Mémé attend juste que les libéraux soient battus pour lever les pattes, c'est évident. Elle va accepter d'aller au ciel seulement quand le dernier arpent de terre aura été rendu aux cultivateurs. Je vous le dis !

La vieille souriait et secouait la tête en nous regardant, comme pour nous demander muettement de bien vouloir excuser les propos excessifs de son fils.

— Aujourd'hui, déclara-t-elle tristement, j'aurais plus la force de mettre des personnages officiels à la porte. Mais on dirait qu'ils ont compris. Ils se présentent plus. Justin, lui, comprend jamais rien. Il continue à m'en parler, à me pousser à m'en aller. Pauvre garçon. C'est sa fréquentation des Rouges qui l'a rendu comme ça.

Christine était debout, révoltée :

— Oncle Justin, tu es un traître, un renégat, un pourri, c'est tout ce que j'ai à te dire !

— Je suis pour le progrès, c'est tout, répliqua-t-il calmement. Il faut s'adapter, évoluer. Toi qui vas à l'université, tu devrais savoir ça, ma fille, hein ? L'agriculture, c'est plus comme c'était. Il faut mécaniser, et tout ça. Ton pauvre père l'avait pas compris, lui, et regarde ce qui est arrivé à son cœur. Encore..., reprit-il après une hésitation, encore que ça soit sûrement pas la seule chose qui ait causé sa crise du cœur...

J'attendais que Christine crie, qu'elle crie quelque chose comme : c'est de perdre sa terre qui l'a rendu malade, pas de la travailler ! Mais elle ne disait rien. Elle baissait les yeux, se rapprochant instinctivement de sa grand-mère. Moi, je ne disais rien non plus, tout ce temps. J'écoutais le très ancien débat du terroir québécois se ressasser pour la millionième fois, sur fond d'aéroport ultramoderne, vaste et rutilant, et de temps à autre un Jumbo Jet sourdait de terre en grondant et prenait de l'altitude au-dessus de la vieille maison canadienne en faisant un angle avec la ligne de la plaine figée, en emportant son contingent de nomades tout confort assuré, vacanciers bardés de certificats de vaccins, immunisés jusqu'au trognon contre le plus petit micro-organisme de la planète, nomades made in Québec aseptisés jusqu'au fond des entrailles pour exportation et exposition à l'étranger, à de petits périls puérils, otites et infections linguistiques et exotiques, aux dangers du tourisme sexuel, et allez hop, boum et surboum ! Je leur souhaitais bien du terrorisme, je leur souhaitais de sauter sur des mines à Bangkok en y baisant les fabuleuses mineures, acte de naissance en poche et tout.

La grand-mère continua à parler, échauffée par ses réminiscences, la mémoire lui revenant au galop. Je crus comprendre que sa sénilité naissante ne s'exerçait qu'au niveau des mots. Elle faisait un peu d'asymbolie, ou peut-être de paramnésie, d'accord, mais seuls les mots lui échappaient, les mots et le vent qu'ils font. Le reste, tout ce à quoi les mots se rapportent, on le sentait encore là dans la carcasse de la vieille femme. Le solide, la terre ferme n'étaient pas seulement en contact avec la plante de ses pieds. Ils se diffusaient dans toute sa personne, par les pores de sa peau, et lui montaient au cerveau, et quand elle parlait, plus que les mots, on déchiffrait la terre elle-même. On croyait entendre parler une austère motte de terre, toute craquelée par une sécheresse séculaire. Elle parla de ses années de jeune fille, de sa famille qui habitait Sorel, de son père, homme de religion sévère, vieux Bleu d'entre les Bleus, qui mettait ses enfants en garde contre les Rouges, rapport que c'étaient des coureux de loups-garous.

Pendant que Justin secouait la tête en signe de désespoir, Christine s'excitait, se collait à sa grand-mère et joignait les mains comme pour l'implorer : raconte-nous, grand-maman, raconte-nous tes histoires de loups-garous, les histoires que ton père tenait de son grand-père, qui les tenait peut-être de son propre père, les histoires qui remontent loin, les histoires de loups-garous. Et grattant son châle, se battant avec ses souvenirs, exhortant ses neurones à la transmission, elle raconta des histoires de loups-garous, des histoires où de grands loups méchants, qui se tenaient debout comme des hommes, se transformaient en messieurs nus et pitoyables quand on les frappait au cou et qu'une goutte de sang coulait, des histoires de bûcherons où de belles sauvagesses se métamorphosaient en bêtes monstrueuses à la faveur de la nuit, des histoires de fiançailles rompues quand le promis s'était introduit chez sa belle sous les dehors d'une créature à dents longues et que, recevant un coup de crochet à bois sur la tête, il s'était retrouvé tout nu braillant sur la paille. Quand on ne faisait pas sa religion pendant sept années, on avait toutes les chances d'être changé en loup-garou.

L'oncle Justin ricanait franchement, faisait observer que Christine avait environ quatre ans quand Neil Armstrong et son copain Buzz Aldrin ont marché sur la lune (environ à l'époque de l'expropriation, d'ailleurs) et que les avions y allaient tous les jours, dans le ciel, et qu'ils n'avaient toujours pas trouvé ce fameux Bon Dieu, et que de toutes façons, avec la quantité de monde, de nos jours, qui vont encore jaser en tête à tête avec le curé, pour ne pas dire simplement mettre le pied sur le parvis de l'église, qui est devenue plus distante que la lune pour bien du monde, les loups-garous se marcheraient sûrement sur leurs grands pieds poilus, les soirs de pleine lune.

La grand-mère s'était essoufflée à raconter toutes ces choses. Sa respiration devenait encore plus rauque que de coutume.

— Mémé, demanda soudain l'oncle Justin en contrefaisant une mine soucieuse, pensez-vous que c'est un loup-garou qui est venu étrangler mes canes, la nuit passée ?

La grand-mère hocha la tête :

— Ça serait toi en personne que ça ne me surprendrait pas, mon garçon. C'était la pleine lune, hein ? Ça ne me surprendrait pas d'un Rouge comme toi, d'un maudit Rouge coureur de loups-garous.

— Vous vous êtes fait croquer vos canes ? demandai-je, intéressé.

— Un vrai massacre, confirma-t-il, dépité. Probablement un gripette de renard rouge. Ils sont partout cette année. C'est la première fois qu'ils viennent jusque dans la cour, par exemple. Ils ont pourtant plein de choses à manger dans le bois, c'est une année à lièvres, cette année. Hé, mémé, qu'est-ce que vous en pensez ? lança-t-il à travers moi qui les séparait, comme s'il avait pu la voir quand même. Qu'est-ce qu'il nous veut, le maudit gripette ? Pourquoi est-ce qu'il ne reste pas dans le bois, le maudit renard rouge ?

La vieille semblait être retournée à une confortable confusion. Elle murmura, les yeux vers la plaine, au loin :

— Vous autres, les Rouges, vous avez remplacé le Bon Dieu par des avions, pis les clochers par des tours. C'est ça que vous avez fait, vous autres les Rouges.

* * *

Le soir, j'ai retrouvé la compagnie de mes deux fidèles têtes de Turc, Hospodar et Icoglan. Ils s'étaient ennuyés, inquiétés. Ils me reniflent avec insistance. Ils sentent la fille sur moi, sentent que quelque chose est en train de m'arriver qui m'éloigne d'eux. Mais en même temps, ce qui est en train de m'arriver me rapproche d'eux. Car mon vaste nez, débloqué par l'âcre odeur de l'urine de renard, me semble bien plus sensible tout à coup. Je me surprends à renifler les chiens, comme eux me reniflent, à oublier d'apposer des coefficients négatifs à leurs mauvaises émanations, à la puanteur de leur haleine. Je me plonge dans la « piscine de Rostand » de l'odorat. Et je découvre aussi la mémoire de mes muqueuses, qui gardent imprimé dans leurs tissus capillarisés le parfum poivré, beaucoup plus subtil que celui des chiens, du petit animal féroce que s'est révélée Christine. Oui, les chiens, vous êtes mes guides vers elle, à travers votre maître, votre vrai maître. Imperfections bâtardes de la sauvagerie, vous me mettez sur la piste de ce canidé total et idéal qu'est maître Goupil : un nez muni d'une queue. Maître Goupil, je le porte en moi depuis le début, comme un fruit mûrissant, comme une grenade dont je saurai faire bon usage.

Je n'ai pas manqué d'annoncer aux chiens l'élimination définitive d'un grand rival, et la mise hors de combat d'un autre. Ils ont frétillé de la queue.

* * *

Hier soir, Jean-Pierre Richard est venu me voir. Il a été accueilli par une explosion de jappements brefs, comme si lui, leur maître selon la loi des hommes, était déjà devenu un intrus pour les deux squatters à mon service. À l'ouïe de ce tohu-bohu, je suis sorti sur la véranda pour rencontrer mon visiteur qui paraissait soucieux.

— Salut, Édouard ! Vos gueules, les chiens ! Ils ne me reconnaissent même plus, tu te rends compte ? Ils viennent seulement chez nous pour les repas, et encore, pas toujours. Je ne les vois jamais. Mais ils ont plus d'affinités avec toi, Édouard, ça se voit.

Je souris. Il tourne autour du pot, que je subodore déjà. Il va amener le sujet, tout doucement, comme on approche un gibier farouche.

— Tu as été à la chasse, Édouard ? Tu as eu de la chance ?

— Ouais, je rapporte une perdrix de temps en temps. Et cette semaine, j'ai abattu une bécasse, sûrement une des dernières de la saison.

— Ah, une bécasse, c'est capricieux, hein ? Ton coup de fusil doit être pas trop pire. Mais des bécasses, il n'y en a pas, en haut, sur les terres à Bourgeois, hein ?

— Non, en haut, c'est surtout de la perdrix, ai-je répliqué patiemment.

Il semble réfléchir. Puis :

— Le vieux Bourgeois est venu me voir, Édouard. Il est furieux, enragé ben raide ! Il dit que quelqu'un a tiré un de ses chiens, le grand danois, celui à qui j'ai percé l'oreille, tu te souviens ? Et l'autre, le husky sibérien, a eu du plomb dans la patte. Le bonhomme était sûr que j'étais dans le coup, mais je l'ai remis assez vite à sa place. J'ai rien qu'un revolver, en fait d'arme, et il n'arrêtait pas de me dire que son chien a eu la tête complètement arrachée. C'est le travail d'un fusil de chasse, ça, et de rien d'autre.

Jean-Pierre Richard attendait un mouvement, un mot de ma part, mais je ne donnais pas signe de vouloir me trahir.

— Écoute, Édouard, si c'est toi qui as fait ça, tu peux me le dire : tu sais à quel point le vieux est détesté dans le coin, et par moi le premier ! J'ai eu de la misère à cacher mon contentement, quand il m'a conté l'affaire. Pour finir, parce qu'il était sûr que je savais quelque chose, il s'est mis à m'insulter, et je l'ai expulsé sans le ménager, par la peau du cou, parce qu'il a beau posséder toute la région, quand il met les pieds dans ma cour, sur mon gazon, il est chez nous, le vieux maudit ! Mourant ou pas, je suis capable de lui serrer les ouïes pas mal fort, le vieux schnock. C'est pour ça que je te dénoncerais jamais, Édouard. Tu ne dis rien ? Libre à toi !

Il attendit, puis ajouta :

— Je voulais seulement te mettre en garde. Le vieux a l'air décidé à venger son toutou bien-aimé. Il en avait des larmes dans les yeux, tellement il était choqué. Il a répété plusieurs fois qu'il va découvrir le coupable, qu'il est encore capable, etc. En attendant, il a attaché le husky, pour lui épargner le même sort. C'est toujours ça de gagné, pour les enfants du coin. Ah, le vieux est en maudit, Édouard. En maudit. Bon, allez, bonsoir.

Jean-Pierre Richard me tournait déjà le dos quand, rompant enfin mon mutisme, je lui ai demandé, reconnaissant du même coup mon implication dans l'incident :

— Dites donc, Jean-Pierre Richard, vous m'aviez dit que le bonhomme Bourgeois était cloué au lit, mourant d'un cancer, ou quelque chose comme ça. Comment est-ce possible qu'il se lance dans une enquête, comme ça, et vienne vous relancer chez vous ?

Il fronça les sourcils :

— Je sais, Édouard. Je le pensais au plus mal, moi aussi. Mais aujourd'hui, il m'a donné l'impression d'être bien vivant. Je veux dire : il a l'air d'un cadavre, mais d'un cadavre bien réveillé. Peut-être que l'affaire du grand danois lui a donné comme un coup de fouet, tu vois. En tout cas, il avait l'air bien décidé à ne pas mourir avant d'avoir retrouvé le coupable de l'affront. Tu comprends, Édouard, les chiens, c'est tout ce qu'il a au monde, le bonhomme. Ses enfants ne viennent plus jamais, il est bien trop haïssable. Évidemment, il ne sait pas encore que tu habites ici. Peut-être que c'est un peu risqué de rester, mon gars.

— Je verrai, ai-je répondu, songeur. Merci de l'avertissement, Jean-Pierre Richard.

* * *

Ce même soir, Johnny est venu sur sa moto. J'aime bien quand il me rend visite, avec son ghetto blaster et ses cassettes de Heavy Métal gothique. Aux accents de ces incantations chthoniennes, le petit castel du pied de la pente durcie essaie de devenir un sombre et sinistre château où les ombres veulent nous avaler, ce vieux Johnny et moi, pendant que nous sirotons le cognac qu'il a eu la délicate attention d'apporter. Mon verre est marqué du sceau du club play-boy (un verre qui doit traîner là depuis des années) et la sulfureuse nympho qui lève les bras avec abandon, plaquée là en motif noir, se trouve plongée jusqu'à la poitrine dans le beau liquide rouge sombre. Johnny est déprimé. Je demande :

— Alors, les femmes, mon Johnny ?

C'est une soirée à parler de femmes, de celles qu'on a connues, et surtout de celles qu'on ne connaîtra jamais. En quelques mots épars, Johnny me raconte sa dernière liaison, lors de son plus récent voyage dans l'Ouest. Elle enseignait le français, en immersion, mais elle était aussi pas mal rockeuse, et elle n'avait pas pu résister au blouson de cuir lustré et à l'engin scintillant de l'ami Johnny. Elle était petite et frêle, et faisait un couple dépareillé avec le joyeux motard, qui est plutôt costaud. Il évoque, avec économie, (je dois remplir les blancs) leur première nuit ensemble, sa panique quand il s'est rendu compte qu'elle était encore vierge. Qu'allait-il faire, Bon Dieu, avec une pucelle dans son lit, lui qui n'était quand même pas tombé de la dernière éjaculation ? Oui, je vois très bien la scène : Johnny un peu lourdaud, extrêmement poilu, aux allures de gros ours noir égaré, échoué dans le petit lit de la jeune fille pure, blanche comme des draps de nuit de noce.

— Mais ça a marché, finalement, m'assure-t-il, même si je me sentais bête comme un pied. Moi, j'ai été déviergé par des vieilles cochonnes, dans des cabanes, dans le bois.

La jeune fille écrivait à Johnny, depuis ce temps, et comme elle était professeure de français et ne faisait que relativement peu de fautes, dans un style assez poétique, mon ami était plutôt intimidé par ces épanchements épistolaires. Lui qui n'avait jamais couché des phrases de plus d'une ligne depuis le secondaire, il n'osait pas répondre aux jolies déclarations amoureuses venues d'outre-continent. Il était quelque peu complexé, de ce côté. Il me demanda, soudain vibrant d'espoir :

— Peut-être que toi, Eddy, tu pourrais écrire pour moi, tu sais, un genre de lettre d'amour standard ? Qu'est-ce que tu en penses, mon vieux ? J'aurais rien qu'à signer. Avec ton style, elle me tombera sûrement dans les bras, le printemps prochain, quand je retournerai pour le tree-planting. Sinon, elle va se tanner.

— Pourquoi pas, mon vieux Johnny. Je vais y penser, ai-je promis.

Je n'aurais qu'à me mettre dans la peau de ce vieux Johnny, me glisser dans cette grosse peau poilue qui réclamait timidement sa part d'affection à l'élément féminin du monde. Ça m'apparaissait facile, en fait.

* * *

Quand je lui ai relaté mon fait d'armes de la journée, et la conséquente colère de Bourgeois, Johnny s'est mis, sur-le-champ, à élaborer des projets de raid préventif contre la demeure du vieil égrotant :

— Écoute, le vieux est tout seul, là-dedans, Eddy. Il reste seulement un chien attaché à flinguer, pis le palais est à nous. Je parle pas de lui faire son affaire drette là, tu sais bien. Mais on pourrait le brasser un peu, lui voler son fric et le laisser réfléchir à tout ça. Pense au bas de laine que ce bonhomme-là doit avoir, caché quelque part, mon man. Avec ça, on pourrait filer juste nous deux, au Mexique, se faire oublier, mon vieux Eddy.

Johnny se redressa, ivre, mû par un enthousiasme sentimental :

— On laissera pas le bonhomme Bourgeois te faire du tort, Eddy. Eddy, t'es mon ami, Eddy.

J'ai essayé de tempérer de mon mieux cette animosité que la musique nourrissait d'énergie brute. Je tentais d'amalgamer les arguments rationnels qui me démarqueraient définitivement de cette vision violente à laquelle je refusais d'adhérer. Mais, à cause du cognac, peut-être, je subissais la séduction insinueuse de cette idée d'une offensive à tous crans, d'une foucade en pleine face de la menace, d'un basculement irréversible dans l'univers criminel. Johnny était prêt à foncer dès ce soir. J'ai décidé de conserver mes droits sur cette formidable masse d'énergies malveillantes, mais d'exercer sur elle un certain contrôle :

— S'en prendre à lui dans sa maison, c'est risqué, Johnny. Disons que je ne l'exclus pas tout à fait, mais ce n'est pas pour l'immédiat. C'est un bonhomme puissant et ça va nous mettre dans le trouble. En fait, je préférerais l'attendre ici, tu vois. Ici, je me considère chez moi, et s'il vient me demander des comptes ici, je pourrai me considérer sur mon terrain, en état de légitime défense. Je préférerais attendre qu'il devienne l'agresseur, Johnny, tu comprends ? Peu importe ce que disent les papiers, les titres de propriété : s'il s'en prend à moi ici, dans la place forte d'Édouard Malarmé, tout va devenir très simple, tu vas voir. Et puis, le cancer va peut-être le tuer avant. Il doit être sur les drogues, le vieux christ.

Je me suis ensuite perdu dans la contemplation du boîtier de la cassette qui jouait à ce moment, produit d'un groupe que je ne connaissais pas, les RAGING DOGS. Sur le dessin ornant la bande de carton repliée qui était insérée dans le contenant de plastique transparent, on voyait une espèce de mutant poilu revêtu d'une armure de chevalerie éclatante, et de dessous le heaume au ventail relevé, une gueule à la dentition terrifiante dardait ses crocs baveux tandis que des yeux rouges luisaient dans l'ombre. On devinait des meutes de loups, silhouettées à travers les bois squelettiques. En arrière-plan, un château médiéval stagnait dans un halo de brumes noirâtres traversées d'éclairs, élevant une tour sombre à la rencontre du ciel menaçant. Je dis à Johnny :

— Tu me fais écouter de drôles de choses, mon vieux.

— Ça te fait du bien, Eddy, fut sa réponse distraite. Ça te fait du bien.

* * *

Dimanche matin : promenade sur le chemin de la Rivière-du-Nord. Je passe, mains dans les poches, devant la basse demeure blanche du bonhomme Bourgeois. Le gros husky sibérien m'apostrophe de sa voix de baryton, étranglée elle aussi, maintenant, comme les voix de tous les clebs furieux des environs, par une grosse chaîne chromée. Je pavoise sur l'asphalte crevassée, je triomphe devant cet esclave couvert de chaînes. Il aboie à s'en claquer les cordes vocales, il tend à en rompre un maillon sa lourde longe dont l'extrémité court le long d'une corde à linge. Celui-là, s'il pouvait parler, à quel joli travail de délation il se livrerait ! Il ne lui manque que la parole pour ameuter son vieux maître, à demi sourdingue, sans doute allongé à l'intérieur. Un sycophante sans la parole, c'est parfait. Il faudrait enlever le droit de parole à presque tout le monde, à tous ceux, la majorité persifleuse, à qui elle ne sert qu'à la dénonciation sous toutes ses formes. Vive le bruit et les sourds !

Dépassé la ferme, que précède un virage en S et un immense pin torturé qui n'a jamais parlé, j'ai aperçu un cheval magnifique dans le pré doucement déclive. C'est un cheval de trait qui sert au fermier à haler son bois de chauffage hors de ses terres. Moi, quand j'ai bûché, c'est Johnny qui était ma bête de trait. Le gros cheval fier trotte majestueusement, presque monstrueux par ses dimensions, battant le pâturage de ses lourds pâturons, crinière fauve au vent. Il s'approche, vient me voir, et je peux caresser ses crins filasses et soyeux. Le gros œil noir et luisant me regarde de biais, et je me sens aspiré par cette immobilité intelligente. De cet œil énorme et brillant rayonne une chaude communication. La forme de communication la plus primitive : rien que de la chaleur. Je lui parle. La plus noble conquête de l'homme m'écoute, indulgente, débordante d'une connaissance inaccessible. Toi, grand cheval roux, que me dirais-tu si tu pouvais parler ? Qui dénoncerais-tu ? Le serviteur en sait toujours plus que le maître. Le conquis, toujours plus que le conquérant. Le courtisan, que son souverain. Le perdant, que le gagnant. Celui qui est monté, que celui qui monte. Le cheval m'englobe dans la prescience de sa lumineuse vision. Autant j'étais content que le husky ne puisse articuler mon signalement vengeur, autant je voudrais que ce cheval me parle. Je ne parle pas le cheval. Quelles prédictions pourrait-il me faire du fond de ce pré ? On peut toujours parier sur un cheval qui court. Mais sur un cheval qui paît tranquillement, on ne peut rien miser. On ne peut que lui caresser les crins, par-dessus la clôture de broche qui nous sépare irrémissiblement. Si tu courais, gros cheval, je pourrais peut-être parier sur toi ? Le cheval sursaute tout à coup violemment et s'élance au grand galop, faisant voler des mottes de terre.

* * *

Je me suis rappelé un souvenir de voyage qui remonte au moins à une quinzaine d'années, au temps où la famille d'Édouard Malarmé était unie et présumée heureuse, et se déplaçait en voiture, l'été, le long des sinuosités rocailleuses de la côte Atlantique, sur les hauteurs brumeuses et silencieuses du

Cap-Breton, en vacances. Papa Malarmé, gros concessionnaire de voitures de la région métropolitaine, n'avait d'yeux comme toujours que pour les véhicules venant en sens inverse, dont il détaillait rapidement, de son œil expert, la marque, le modèle, l'année de fabrication, l'état général de conservation, et autres détails qu'il était seul à percevoir. La route était pour mon paternel un long tapis roulant sorti tout droit de l'usine, comme une extension de la chaîne de montage, où les pièces assemblées continuaient de solliciter l'avis du connaisseur. La circulation était pour lui un défilé de mode pour tous les modèles, quelque chose d'éminemment statique. Sa route tournait en rond et le ramenait toujours à lui-même et à son gagne-pain, et au nôtre par la force des choses. Même en vacances ce réflexe de gagner son pain, de mériter sa paye était le plus fort et le poussait à dévorer des yeux le côté gauche de la route et à mettre en évidence, pour notre bénéfice, les qualités des bolides qui nous frôlaient à cent à l'heure. Il essayait de nous vendre le trafic, le père, de nous faire avaler sa bouillie de précisions techniques pour bébés à petite cuillerée, s'écriant à tout moment : « Ah, regardez ! La nouvelle Guépard. Vitesses au plancher. Pistons rétractiles. Suspension coussinée. Arbre à came entièrement détaché. Sièges en fourrure ocellée. Carburateur à ronronnement reconditionable. Roulement à longue foulée assuré. » Etc. Ou quelque chose comme ça. Pour mon paternel, le paysage idéal, c'était un poste de péage d'autoroute où les véhicules s'offraient en files dociles à ses velléités d'évaluation. Mes petits frères, avec des cris d'enthousiasme, saluaient le passage des jaguars, cougars, lynx, bobcats, et autres félins métalliques dont ils décelaient l'approche de loin, collés aux vitres. Ils apprenaient déjà à vénérer la voiture, mon père voulait faire d'eux des vendeurs de voitures, des vendeurs de veaux d'or et de vassiveaux d'argent, faire d'eux les vassaux ou les vavasseurs de la grande entreprise familiale cernée de terrains de stationnement prospères. G.M. remplaçait Je t'aime dans le credo paternel.

Nos vacances se vivaient en voiture. La voiture me rendait malade. Je ne résiste pas au syllogisme : les vacances me rendaient malade. Un bercement insidieux me travaillait les tripes, qui n'étaient pas en vacances, elles, et j'essayais désespérément de le combattre en comptant, entre autres particu-

larités paysagères, les poteaux de téléphone. Au Canada, on
en conviendra, cela représente une entreprise considérable.
J'étais recroquevillé en position fœtale sur le siège arrière, je
regardais ma mère qui elle ne regardait pas l'infini défilé des
autos venant à notre rencontre, trouvant un peu plus digne
d'intérêt le pays lui-même, la fin plutôt que le moyen, ces
forêts d'érables semées de fermes qui devaient lui rappeler son
enfance, et qui abritaient des chevreuils contre lesquels des
panneaux-indicateurs jaunes mettaient les conducteurs vé-
loces en garde.

Ma mère, c'est l'Histoire humaine qui l'intéressait. C'est
elle qui nous fit faire le détour par la forteresse de Louisbourg.
Tout comme la visite du musée de l'automobile, sur l'Île du
Prince-Édouard, avait été une concession au concessionnaire,
la forteresse de Louisbourg avait été cédée à la curiosité
historique de ma mère, que les vieilles pierres grises émou-
vaient. Mais j'y pense : Île du Prince-Édouard... C'est peut-être
là que j'ai pris l'idée. J'étais peut-être déjà, au creux de cette
voiture en route pour les îles de la Madeleine, un petit prince
Édouard se voyant appelé à de hautes destinées. Régulièrement, comme déclenchée infailliblement par quelque signal
routier ou panonceau caché dans la campagne, la nausée,
jusqu'alors en suspens accrochée aux fils téléphoniques, me
remontait au cœur. Je me redressais et regardais ma mère qui
savait tout de suite ce qui allait arriver et qui enjoignait
impérieusement mon paternel de faire halte, ordre auquel il
obtempérait sans faire d'histoires, depuis ce jour mémorable où
il m'avait ordonné de me retenir jusqu'à la prochaine étape, et
où de riches vomissures, évocatrices des copieux repas pris à la
sauvette dans le cholestérol suintant des restaurants routiers,
avait jailli comme d'un canon de ma bouche, pour répondre à
l'incessante oscillation routière. Le père avait d'abord juré de
me bannir à jamais de ses nombreux périples sur pneu. Mais je
ne serais éjecté que bien plus tard de l'univers du maquignon
qui tenait le volant.

La voiture s'immobilisait avec diligence sur l'épaulement
de la route, je m'en extirpais en toute hâte, tout à ma terreur
de ternir l'intérieur de la possession paternelle, et mes entrailles remontaient au grand jour et se mêlaient à la gravelle,
à la pierre concassée, au minerai exilé des strates géologiques,

pendant que sur le ruban gris surchauffé, les autos grisées de vitesse devenaient des courants d'air vicieux et que ma génitrice debout drapée dignement dans son châle attendait troublée que j'aie fini de dégobiller avec application, grattant jusqu'au fond, à grands râles, jusqu'à ce que le flux de la régurgitation ne soit plus constitué que d'une bile incolore, comme du blanc d'œuf qui colle à la coquille. Ensuite ma mère avait des contenants de liqueur douce pour enlever le goût amer du contenu stomacal et je réintégrais la voiture et nous repartions, aux cris de joie de mes frangins avides de mobilité. J'étais donc un facteur de ralentissement. Mon père me contemplait, par le rétroviseur, avec une désapprobation distante. Celui-là ne sait pas rouler, n'ira pas loin dans la vie. J'avais toujours désespérément hâte d'arriver. Mon estomac avait le bercement de la route en horreur et il se remettait bien vite à se contracter, à se convulser, à se comporter comme une cornemuse cacophonique. Sous les yeux doux de ma mère, sous le flot des quolibets fraternels et le grommellement des récriminations paternelles, je restituais mon chemin de croix, je refusais la Nouvelle-Écosse, le Nouveau-Monde, le monde entier, je dégueulais jusqu'à l'apnée, comme s'il s'était agi de naître à bas la voiture.

En fait, la seule partie de l'itinéraire que je pus apprécier, c'est les îles de la Madeleine. C'était si petit qu'on n'y roulait jamais assez longtemps pour que je sois pris de nausées. On allait à vélo, surtout, et à pied le long des plages incurvées. Et puis, il y avait tous ces renards roux, dont on nous avait parlé, qui se nourrissaient probablement des œufs des oiseaux de mer, et qui déjà me fascinaient. Mais nous avons repris la route, toujours nous reprenions la route, et mon père reprenait la récitation par cœur, comme des patenôtres, des manuels techniques et des spécifications des guides d'achat chaque fois que nous croisions une autre production dérivée de l'esprit d'entreprise du vieil Henry Ford. Moi, le cœur me revenait sur les lèvres, tout naturellement.

Ce jour-là, en route pour la forteresse de Louisbourg, mon paternel avait tout à coup pesté contre un véhicule délabré au régime poussif, peint en rose, avec des taches vertes irrégulières, des plaies sombres au pourtour rouillé, et muni d'un toit décapotable accusant de multiples lacérations. Les ailes étaient à demi décollées et battaient légèrement dans le vent. Le père avait chaud. Il se mit à fulminer, sur un ton dégoûté :

— Ça t'y du bon sens, rouler sur des affaires de même ? Ça devrait être interdit, des cancers comme ça. C'est des nuisances, ça profite même pas à l'économie. Pourrait pas avancer plus vite, comme tout le monde ?

Il profita d'un segment droit pour dépasser la ferraille tardigrade qui luttait pour gravir une longue côte. Au regard méprisant que lui décochait mon paternel, le chauffeur du citron, un grand gaillard roux d'allure délurée, répondit par un geste obscène. Ma mère, gênée, se tourna vers mon père. Celui-ci gardait son véhicule à la hauteur de l'autre, indécis quant au parti à prendre. Il rageait entre ses dents serrées. Il montra le poing au type en hurlant :

— C'est pas un jeune morveux qui va venir m'empêcher de rouler, pis mettre ma vie en danger avec un débris d'auto qui perd ses morceaux du long du chemin !

En même temps, il se mit à tasser l'autre sur l'accotement, progressivement, sûr de lui dans sa puissante cylindrée. On avait l'impression qu'au moindre contact, la bagnole moribonde volerait en éclats dans la nature. Le passager voisin du conducteur, un gros gars chevelu avec une moustache noire et drue se dressa alors à demi et chercha quelque chose sous le siège arrière. Puis il nous exhiba un fusil de chasse cassé en deux qu'il referma et qu'il pointa dans notre direction avec un large sourire, au grand amusement du gaillard roux. Mon paternel accéléra sans demander son reste. Mais j'eus le temps de voir, attachée à l'extrémité de l'antenne qui ployait légèrement à l'avant du vieux véhicule, une magnifique queue de renard flottant au vent comme un pavillon flamboyant, comme une oriflamme auréolant une charge de cavalerie. Et, remplaçant spontanément, dans mon esprit vidé par le voyage, la succession monotone des poteaux préventifs, il n'y eut plus que cette unique antenne et ce panache de ralliement, cette belle queue à la naissance de laquelle j'imaginais les ondes de radio convergeant de partout dans l'air. La vieille guimbarde rose me fut sympathique. Elle fut rapidement loin derrière et bientôt hors de vue, mais je savais désormais que les gros chats fabriqués en série n'étaient pas seuls sur la route. Un de mes frérots demanda :

— P'pa, qu'est-ce qu'il faisait avec un fusil, le monsieur ?

Le paternel marmotta, devenu blême malgré la chaleur :

— Ce sont des bons à rien, des drogués, des dangereux, mon garçon. Du monde qui n'a pas d'affaire sur les routes. Pas d'affaire sur les routes...

— Est-ce qu'il voulait te tuer, p'pa ?

— Peut-être, fiston. Peut-être. Mais je vais mettre la police après eux autres, tu vas voir, ça sera pas long. Avec un char comme celui-là, ils peuvent pas passer inaperçus. Tu parles d'une ferraille d'emmanchure de pas d'allure. À Laval, ils seraient refusés dans toutes les cours à scrap que je connais.

Encore affalé au fond de la voiture, j'étais devenu étrangement euphorique tout à coup. La queue de renard était devenue une sorte d'emblème, la bannière des bannis de la route. J'étais au bout de l'antenne, moi aussi, au grand vent, avec l'appendice de feu mon petit fauve héraldique. Je respirais. Jusqu'à la forteresse de Louisbourg, je n'ai plus été malade.

* * *

Quand nous avons mis pied à terre devant l'austère forteresse, mon paternel a disparu rapidement, en quête d'un agent de police à qui confier ses doléances. Mes frères se sont éparpillés aux alentours, tandis que ma mère s'informait de mon état de santé. Je clignais des yeux sous la lumière vive du soleil, je titubais tant ma faiblesse était grande, j'étais complètement déshydraté, et la forteresse s'élevait devant et au-dessus de nous, sombre et massive, basse et trapue, faite pour briser des assauts d'un autre temps. Sa forme était allongée, sa couleur un gris foncé contre le ciel. Elle était immense et, comme la chaleur, écrasante. J'avais désespérément besoin d'être soutenu, mais déjà ma mère s'éloignait pour rameuter sa marmaille dispersée. Je me sentais perdu sous ces murs hostiles. Pendant que le paternel parlait à un policier qui l'écoutait poliment, je me suis éloigné, m'avançant en direction des murailles de la forteresse, au milieu des autres touristes qui vaquaient à leur cueillette de souvenirs de plastique ou de celluloïd. Soudain, un mouvement de foule a attiré mon attention : un cercle spontané s'était formé, avec des gens qui brandissaient des caméras. Au milieu du cercle se tenait l'attraction, un renard roux sorti de nulle part, l'air défiant, l'œil mauvais, la mine basse. L'animal semblait confus, exécutant quelques pas, puis s'élançant à la course droit devant lui pour s'arrêter aussitôt, le cercle des badauds se reformant tout de suite autour de lui. Les gens qui se trouvaient là étaient excités par l'allure bizarre de la bête. Certains voulurent s'approcher un peu pour la photographier, mais elle s'élança vers eux sur une courte distance, faisant mine d'attaquer puis se détournant pour s'intéresser à autre chose, ayant entre-temps réussi à provoquer des piaillements de panique parmi l'attroupement en sueur. La mâchoire inférieure du renard pendait, il devenait de plus en plus hagard et son rôle de curiosité touristique semblait ne lui convenir qu'à moitié.

Ce jour-là, en ce parc historique de Louisbourg, faillit avoir lieu une rencontre elle aussi historique : celle du roi Édouard et de Maître Renard. Car j'eus un mouvement de compassion instinctive pour l'animal, qui avait l'air aussi perdu que moi, qui paraissait aussi malade que moi. Me faufilant entre les adultes qui prenaient leurs enfants et les hissaient à bout de bras pour leur permettre d'entrevoir l'animal fou, j'ai progressé vers le centre du cercle, régressant aussi du même coup, parce qu'il fallut me mettre à quatre pattes pour localiser le point d'attraction général à travers un entrelacs de jambes, et je me suis finalement retrouvé en face du renard qui marquait une pause, bavant et esquissant des gestes agressifs. Tendant la main, je me suis approché de lui, assuré que je pourrais le caresser et le calmer, chasser cette agitation désordonnée dans laquelle le plongeait la foule des touristes ignares. Je suis convaincu que le renard vit de l'amitié dans ma main tendue fraternellement. Il attendit sans bouger que je me rapproche de lui, il avança même, à la fin, son museau frémissant, sa gueule dégoulinante, en direction de ma dextre cajoleuse.

C'est alors que j'ai été empoigné à bras-le-corps par derrière, par une personne en uniforme qui me parut avoir surgi par surprise de la forteresse s'élevant dans les airs toute proche. Cette personne était une jeune femme qui, tout en me ceinturant pour me soulever de terre, poussait des exclamations explétives en anglais, des OH MY GOD gros comme le bras. Elle répétait sans arrêt, sur le ton d'un exorcisme, le mot « rabies, rabies... » Elle portait une casquette, en sus de son costume, qui lui donnait l'air d'une hôtesse de l'air. J'eus l'impression qu'elle m'avait arraché au sol pour me projeter haut dans le ciel. Déjà passablement affaibli, je vis des étoiles, distinctement, et le haut de la forteresse, les remparts, le ciel. Elle eut tôt fait de me restituer à mes parents. J'avais perdu de vue le renard hagard. Le groupe des curieux continuait à se déformer et à se reformer, selon la vigueur des courtes attaques lancées par lui. Les caméras cliquetaient, les touristes prenaient leur pied. La jeune fille travaillait comme guide sur le site historique. Mon père, le seul à pouvoir parler anglais dans notre petit clan, me gronda amèrement : « Tu aurais pu attraper la rage ! C'est ce qu'elle dit...Tu te rends compte de ta bêtise ? » Mais je n'avais déjà plus rien à faire des comptes de mon père. Quant à la bêtise, pour ça, au moins, il avait raison. Il ajouta, vindicatif : « Je vais demander à l'agent d'abattre cet animal de malheur. » Je ne disais rien. Nous n'avons pas visité la forteresse, cette fois-là, parce que mon père portait plainte en bonne et due forme (menaces au moyen d'une arme à feu) et que les formalités le réclamaient. Il avait l'air content.

* * *

Bien entendu, on ne manquera pas de faire le lien. C'est bien trop évident. Le Petit Prince de Saint-Exupéry (aviateur et pilote de guerre) qui essaie d'apprivoiser un renard. Et moi, le petit roitelet des Basses-Laurentides, les pieds bien sur terre en marge de Mirabel, qui se laisse aussi approcher par un renard. Ce lien, ce sont les lettres d'amour de la blonde de Johnny, en provenance de Vancouver, qui me l'ont mis sous les yeux. C'est là, dans la liasse, en toutes lettres : « Si tu m'apprivoises, je serai unique pour toi. On ne connaît bien que ce que l'on apprivoise. » Dans cette relation transcontinentale, je n'ai aucune peine à décider qui est le renard, et qui est le petit prince. Johnny est assez éloigné de l'idée que l'on se fait généralement du fluet précurseur androgyne de E.T. Mais elle, là-bas, la jeune ex-pucelle pâle et maigrichonne, remplit le rôle à merveille. On croirait que ces lettres, où des dessins d'enfant au crayon de cire tiennent lieu de glose, ont été expédiées dans le but exprès de faire le détour par mes mains. En effet, j'ai toujours eu une dent contre le petit prince. Contre ceux, plutôt, qui y restent accrochés tard dans la phase adulte et qui en humectent les pages de leurs larmes attardées.

Il y en a une, là, sur le vélin uni : une larme suspecte qui rend la feuille transparente, comme une apostille qui ne serait qu'une goutte de vide. Johnny en amour avec une grande sentimentale ! Quelque chose ne clique pas quelque part. Il n'y a qu'un espace de quatre heures d'avion pour créer de tels malentendus. Qu'est-ce que je vais bien pouvoir répondre à ce galimatias à l'eau de rose ?

Oui, Saint-Exupéry m'exaspère. Il y a d'abord eu cette fameuse formule qui m'a fait spontanément grincer des dents : *Terre des hommes*. Comme si la terre n'appartenait pas aussi à toutes les bêtes, à tout ce qui vit. Les types comme ce Saint-Ex sont responsables de la plupart de nos problèmes. Par exemple : l'idée de remplir le Saint-Laurent de gravier pour créer des îles artificielles. Par émulation, j'imagine, il se fait que le fleuve est de plus en plus rempli de toutes sortes de choses, donc de moins en moins liquide. Pensons à tous les problèmes de circulation qui seront résolus, lorsque le fleuve Saint-Laurent sera entièrement solide. C'est mon père qui va être content. Quant au Petit Prince, Malarmé se situe aux antipodes de ce conte cucul et pas assez cruel. Malarmé ne veut pas apprivoiser le renard. C'est le renard qui veut le désapprivoiser, lui. Apprivoiser est bien le coup le plus cochon que les humains ont fait aux bêtes au cours des âges. L'animal apprivoisé se met à ressembler à l'homme, à exécuter les mêmes tours et les mêmes courbettes. Malarmé, lui, veut ressembler à la bête, à l'animal d'avant l'apprivoisement. Johnny m'a raconté une fois son dégoût des ours noirs des Rocheuses, qui se tenaient le long de la route et qui posaient gracieusement, grotesquement, le temps que les touristes, les Kids-Kodaks et les Japonais soucieux de miniaturiser le décor, fassent cliqueter leurs appareils. Ces parcs nationaux sont presque devenus des cirques, il ne manque que des bicyclettes pour faire faire des tours aux plantigrades. Un soir, tout près d'ici, sur l'un des Chemins-Qui-Ne-Vont-Nulle-Part des environs de l'aéroport, Johnny a aperçu un ours noir, vers la brunante. L'animal a traversé l'espace pavé à la course, ne s'exposant à la vue que pour une couple de secondes. Mais cet ours fugace et fluide, se dissolvant déjà dans la pénombre grandissante, lui est apparu plus précieux que tous les nounours qui font le beau au grand jour dans les parcs nationaux et qui n'ont plus peur des autos.

Un être sauvage, ça se pourrit inévitablement au contact de l'homme. Mon renard baveux du Cap-Breton, au moins, n'avait pas encore abdiqué d'une certaine indépendance altière. Il ne tendait pas la patte pour obtenir des sucreries. Il ne désirait que mordre des mains.

Une autre chose m'agace à propos de ce Petit Prince. Il est venu des étoiles pour mourir sur terre. Entre toutes les possibilités planétaires de l'univers, il a fallu qu'il choisisse notre vieille pomme pourrie. Quel impardonnable manque d'imagination ! D'accord, il a opté pour le désert, ce qui fait la preuve d'un certain goût, après tout. Mais j'aime tellement mieux penser au cheminement inverse : celui qui part de la terre et s'en va mourir dans les étoiles...

* * *

Je tourne en rond. Je n'arrive pas à pondre ces missives HOT de Roméo Rocker que Johnny m'a commandées. Je ne peux pas faire le nègre d'un amoureux transi qui rêve à la transcanadienne. Il me faut en venir à mes propres affaires, raconter cette autre promenade en compagnie de Christine, dans les collines, derrière le chalet. C'était dimanche ; le lendemain, elle est retournée à l'université. Le temps était moins radieux, il y avait dans l'air une nuance sombre qui allait se préciser au cours de la journée. Elle portait toujours ce joli chandail lanice qui donne le goût de se glisser dessous, d'être deux à se frotter à ses grosses mailles lâches. Nous avons reparlé de sa grand-mère. Je lui ai dit qu'elle m'avait impressionné, et que j'avais repensé à ses paroles à saveur d'oracle, après les histoires de loup-garou.

— Oui, le Bon Dieu remplacé par les avions, et les clochers des églises par des tours de contrôle. En un mot, le Grand Remplacement. Dans les églises, c'est l'âme qui prend son envol, en direction du paradis. Dans un aéroport, c'est plutôt le corps qui s'envole vers LES paradis, les paradis du sud, s'entend. Les aéroports sont des églises adaptées à la philosophie matérialiste, des parodies d'église, en quelque sorte. Et veux-tu savoir qui en sont les célébrants, ma chère Christine ? Veux-tu le savoir ? Ce sont les terroristes. C'est grâce à eux que les aéroports deviennent le lieu d'une immolation rituelle. Ce sont eux qui rendent à l'aéroport sa vérita-

ble fonction de lieu de culte. Avec le terrorisme, ce n'est plus
seulement le corps qui prend son vol ; l'âme a des chances
aussi.

— Grosse patate pourrie ! fit-elle, plus terre-à-terre. Tu
sais, ma grand-mère n'a jamais mis les pieds dans un aéroport.
Jamais. Mais je crois qu'elle aurait fait une bonne terroriste,
qu'elle est même un peu terroriste dans l'âme. Ce n'était pas
des blagues, son histoire de fusillade : dans le temps des
négociations, elle est vraiment sortie sur la galerie avec le fusil
de son défunt, pour chasser deux fonctionnaires fédéraux qui
voulaient s'entretenir avec Justin. Et même Justin, quand il a
voulu la calmer, a été obligé de se sauver sous la menace d'une
volée de salpêtre dans les fesses.

— Elle me plaît, ta grand-mère.

— Tu n'es bon qu'à parler, Malarmé.

Parvenus à l'endroit où j'avais exécuté, en état de légitime
défense, le grand danois belliqueux, nous avons constaté la
disparition de la carcasse. Le bonhomme Bourgeois, ou quelqu'un d'autre, sur ses instances, avait sans doute retracé les
restes de son nervi à quatre pattes, pour lui procurer les
avantages moraux d'une sépulture quasi chrétienne.

— Tu n'as pas peur des représailles ?, s'enquit Christine.

Je me sentais bravache, c'est-à-dire à la fois brave et
vache :

— Peur ? Moi ? Jamais !

Elle sauta sur l'occasion :

— Évidemment, ce n'est qu'un pauvre vieux en train de
crever, déjà à moitié mort. Un adversaire digne de toi, Malarmé !

— Pourquoi dis-tu ça, chère amie ?

— Parce que tu te donnes des airs d'homme de courage,
grosse grenouille, mais en fait tu vis dans les nuages. Ma
grand-mère lui aurait tordu le cou depuis longtemps, à ton
Bourgeois, comme elle a tordu le cou à l'épervier qui s'était
attaqué à ses poules, une fois. Elle a tenu tête à une armée de
fonctionnaires, et toi, tu te targues de défier un cancéreux en
phase terminale. Le courage se trouverait plutôt du côté du
cancéreux, tu ne trouves pas, grosse patate molle !

J'étais décontenancé. Je répliquai :

— Et qu'est-ce que je devrais faire pour trouver grâce à tes yeux, pour me parer de l'armure du courage et ne plus seulement en parler, chère amie ? Me rendre à Ottawa et prendre des otages ? Devenir un vrai bandit ? Tuer un homme, peut-être ? Tu serais satisfaite si je tuais un homme, Christine ?

Elle secoua la tête, inaccessible à mes lamentations :

— Ce ne serait pas assez. Ce ne serait pas assez et tu le sais, Édouard Malarmé. En fait, tu ne peux rien faire. Sauf cesser de poser au redresseur de torts inexistants, au chevalier-héros de roman de pharmacie, parce que de ce côté-là, ton casier est plutôt vierge. Arrête de faire ton faraud, grosse grenouille ! Tu as éliminé un chien méchant, d'accord. Tu m'as sauvée d'un certain danger, encore d'accord. Mais Malarmé, si tout ce que tu peux faire pour moi, c'est de rabattre le caquet d'un vilain cabot, j'ai d'autres chats à fouetter, si je puis dire. Je repars demain pour le collège. Je te laisse à ton inaction innée.

— Ton bel ami Steve, évidemment, je gage qu'il milite dans les mouvements, qu'il marche pour le désarmement et contre l'apartheid. Il a tout pour lui, en somme...

— Tu es mal placé pour le regarder de haut, Malarmé. Ton requiem pour un militant ne m'a pas convaincue. Quand on veut que ça bouge, ne serait-ce que par réaction, il faut au départ de l'action.

Je ne pouvais en supporter davantage. J'ai demandé :

— Dis donc, ma belle... ferais-tu partie d'une formation politique, par hasard ?

Elle eut un sourire embarrassé :

— J'ai ma carte du Parti québécois....

— Tu n'en es pas encore revenue, hein ? m'écriai-je, triomphant. Bien sûr. Trop jeune pour avoir voté au référendum. Trop jeune pour les avoir réélus en 1981. Trop jeune pour avoir été déçue, en fait. Mais si ce n'est ni pour l'indépendance, ni pour le bon gouvernement, c'est pourquoi, alors, le Parti québécois ?

Elle eut une moue gênée :

— Ils avaient organisé un voyage au carnaval de Québec, pour les jeunes du parti. Il suffisait d'acheter la carte de membre, et on était logé dans la chic suite d'hôtel d'un député, et on pouvait mettre à sac son bar automatique. Toutes nos consommations se sont retrouvées sur la facture du député, et ce fut une saoulographie en règle, je peux te le dire.

J'ai fait un signe approbateur :

— Bien. Ensuite ? D'autres affiliations peu avouables à me révéler, ma petite fille ?

Je me sentais confesseur, le confesseur qui absout en fantasmant...

— Disons que j'ai aussi ma carte du Parti conservateur..., entreprit-elle de bredouiller. Là, j'ai fait un bond de plusieurs pieds dans les airs.

— Comment ? Toi ? Une jeune comme toi ? Dans le Parti conservateur ? Ta grand-mère peut être fière de toi ! Formule un démenti au plus vite, ma fille, sinon je me jette tête première dans le ravin.

Elle essayait de me calmer par des petits gestes apaisants :

— Écoute. Il faut comprendre. Ils nous avaient payé le voyage au congrès du parti, à la condition que nous prenions notre carte : il leur fallait absolument quelques jeunes comme délégués, question d'image. Nous autres, tout ce qu'on voulait, c'était un voyage aux frais de la reine.

Cette fois, j'étais satisfait. Je résumai, sur le ton du prêtre qui comptabilise des « Je vous salue Marie » :

— Si je comprends bien, Christine, tu es devenue membre du Parti québécois pour faire la fête, et membre de l'honorable Parti conservateur pour faire un voyage. Bien. Très bien. Ça nous montre exactement où se situent les jeunes par rapport à la politique. C'est du joli. Mais tu veux savoir ce que je pense du militantisme sous toutes ses formes ? Et du pacifisme à poings fermés de ton ami Steve ? C'est de la crotte de chien. Il marche pour de la crotte de chien, ton ami, et probablement dedans, par la même occasion. Nous avons besoin de nous battre ! Nous avons besoin d'ennemis, dans la vie ! Le meilleur ami de l'homme est son pire ennemi. C'est lui seul qui nous fait progresser, qui nous force à nous surpasser, qui nous accule à la grandeur ! Qu'est-ce que tes petits militants feraient s'ils n'avaient pas de militaires à combattre ? Et les écolos, sans pollueurs ? Ils se chercheraient d'autres ennemis. Ils s'en inventeraient, des ennemis. Les pacifistes sont des guerriers manqués. Ils se trouveraient une autre cause, se mettraient à militer contre les chevaliers de Colomb, contre les joueurs de hockey, contre la pratique de la pétanque et du boulingrin, contre les jeux vidéo sur les heures de travail, contre le pilotage des hélicoptères, contre le tir aux pigeons d'argile et le vol des goélands au-dessus des MacDonalds, contre la germination des patates molles et la profondeur intolérable de certains sofas. Ah non, les causes ne manquent pas ! Quand on est pour quelque chose, on est contre quelque chose. Ai-je besoin d'ajouter que quand on est pour le Parti québécois et sa teinture néo-démocrate, on est censé être contre le Parti conservateur. Mais tu es un exemple vivant de la vanité de pareilles distinctions. On a besoin d'ennemis pour grandir dans le monde. La machine humaine est un être de combat. Je ne dis pas qu'il faut aimer ses ennemis. Il faut les haïr avec force, mais il faut aussi leur manifester de la reconnaissance. Il n'y a rien de tel qu'un ennemi...

J'avais réussi à déstabiliser Christine. Elle s'accrocha fermement à la branche basse d'un arbre, comme étourdie, puis elle hurla, hors d'elle :

— Alors trouves-en un à ta mesure, grosse grenouille pourrie ! Autre chose qu'un vieillard perclus de tumeurs malignes ! Parce que tu ne fais rien de bon, Édouard Malarmé ! Non mais regarde-toi aller ! Tu es quoi ? Un agronome ? Un écologiste ? L'agriculture de toute la région est en train d'étouffer sous la planification gouvernementale et monsieur l'agronome se promène dans les bois et rêvasse en admirant le coloris des feuilles. Et les pluies acides ? Qu'est-ce que tu fous, Malarmé, grosse grenouille molle ?

Quand elle est possédée par la colère, comme ça, quand elle pique une de ces petites crises de rage qui lui commandent de m'invectiver impérieusement, comme un officier le simple soldat, je me sens un violent désir de me coucher sur elle. Raide mort, s'il le faut, mais sur elle. Je ferais n'importe quoi pour obtenir cette délicate permission de me coucher sur elle. J'ai répété, pensivement :

— Agronome. Agronome. C'est vite dit, agronome. Écologiste ? J'ai déjà joué à ce jeu-là, Christine : le Sauveur de la terre. C'est notre mentalité restée plantée dans le terroir qui nous fait rechercher des messies. Tiens, je vais te raconter un autre chapitre de mon histoire. J'ai été agronome sur l'île Jésus, ma chère.

RÉCIT, PAR ÉDOUARD MALARMÉ, DE SON EM-
BAUCHE SUR TITRE D'AGRONOME SUR L'ÎLE JÉSUS,
ET DESCRIPTION D'UNE CERTAINE DÉBAUCHE DE
LA TERRE

Nous mettions les terres en friche sur nos fiches. C'était
des terres zonées vertes par les péquistes, protégées contre les
avances vicieuses de la ville, des terres que le bon gouvernement avait promis de remettre aux agriculteurs qui eux les
remettraient en culture. C'est bien sûr ! Nous avions une
mission. C'était bien beau sur les cartes et sur le cadastre de la
ville. Nous marchions sur les terres en automne, et la zone
verte était plutôt or, brune et vert-de-gris, fangeuse aux endroits inondés où les quenouilles en rangs serrés perçaient la
glace de novembre et où l'eau glacée s'infiltrait dans nos
bottes, rocailleuses aux endroits où la terre avait été décapée
jusqu'aux couches minérales qu'envahissaient des oseraies à
l'assaut du ciel. On tombait sur des dépotoirs épars où se
confondaient la ferraille et les broussailles, où des charrues
d'avant la guerre achevaient de souder leur soc à la glèbe
refermée. La terre arable, pelée au bulldozer, avait disparu et
se vendait à fort prix, à la poche, à la pelle, pour engraisser les
parterres au gazon bien dru de chaque côté de la rue, et les
jardins grands comme des mouchoirs de poche où, entre les
tomates rivalisant de mutations amusantes et les carottes
rachitiques, le mouton noir de la famille faisait pousser ses
plants de pot à l'abri de la respectabilité parentale.

Les taillis avaient repris le terrain, aulnaies denses et
aubépines revêches. La terre était retournée à ses habitants
premiers : bécasses, bécasseaux, perdrix et gélinottes, qui pro-
liféraient et nous levaient au nez, avec des bruissements et des
sifflements d'aile comme des rires joyeux. Les têtes supposé-
ment sensées qui nous envoyaient battre la campagne n'a-
vaient pas la cervelle de ces sages oiseaux. Les fermiers en
complet et cravate connaissaient davantage les sillons de la
matière grise que ceux qu'on aligne dans l'argile. Ils persis-
taient à exalter notre beau projet, pendant que nous nous
lancions des élastiques comme à l'école, que nous mettions au
point de mauvais mots d'esprit et que nous ne pensions qu'à
profiter des derniers feux de l'été des Indiens pour planifier des

pique-niques bien arrosés, occasions d'une raisonnable gau-
driole. On s'amusait ferme, entre agronomes.

Un jour, en compagnie d'une ambitieuse consœur qui avait
à cœur de relever la moindre motte de terre dressant sa
proéminence dans le paysage, je suis tombé sur une vieille
grange, un très ancien bâtiment où achevaient de rouiller des
instruments agricoles de l'ère hippomotrice : antique charrue
comme celle à laquelle était attelée Zsa Zsa Gabor dans *Les
arpents verts*, herse épineuse comme un grand peigne pelé,
épandeur à fumier rudimentaire, d'autres vieilleries que je ne
connaissais pas, délaissées par la mémoire industrieuse des
hommes, un caravansérail de pièces de musée oubliées au beau
milieu de ce qui était en train de devenir une ville. Alors, cette
fois-là, ma fille, j'ai compris la place de l'agriculture dans le
monde moderne, j'ai compris que l'agriculture était déjà devenue un musée. La culture de la terre elle-même est archaïque.
Avec les systèmes hydroponiques, on est en train de très bien
se passer de la terre en tant que support de la culture. La
question de la propriété de la terre ne se posera bientôt même
plus : on n'aura plus besoin de la terre, on pourra la décaper
pour engraisser tous les jardins de banlieue et tous les parterres
de la terre. On pourra vivre dans un beau grand désert au ciel
rempli de faucons et de foudres de guerre, à l'abri dans nos
serres bien chaudes, suintantes d'humidité nourricière. Qu'est-
ce que tu en penses ?

* * *

Elle tiqua d'importance :
— Grosse tomate molle ! Comment veux-tu qu'on se passe
un jour de la terre ? On est fait de terre, on va redevenir de la
terre. Tu me fais penser à ceux qui préconisent de continuer à
polluer et à surexploiter toutes nos ressources, et même de faire
la guerre nucléaire si ça se présente, parce que de toutes façons,
on pourra toujours s'envoler vers d'autres galaxies. Ta bêtise
me surprend chaque fois, Malarmé !
— Moi, je suis fait de sable, j'ai une chair de sable et un
cœur de pierre. Je ne retournerai pas à la terre, ma chère, je
vais plutôt m'éparpiller dans le vent, grâce à la corrasion.
— Grosse grenouille ! Grosse patate molle !

— Toi, tu es faite d'eau, Christine, tu es faite pour m'abreuver, pour m'irriguer. Si je suis une grenouille, sois ma pluie, je t'en supplie !

— Grosse tomate pourrie !

Nous étions parvenus à l'endroit où le roc se découvre sous l'humus et les plaques de mousse, ne laissant plus prise qu'à des croûtes de lichen sèches qui travaillent fort à digérer le minéral. Hospodar et Icoglan, les fidèles membres de ma garde personnelle, ayant écouté sans marquer d'intérêt excessif les propos échangés entre leur maître par procuration et sa divine amie, se sont éclipsés discrètement au bout d'un moment de notre immobilité.

— Tu repars demain ? lui ai-je demandé.

— Oui.

— Quand est-ce que tu reviens ?

— Je vais avoir beaucoup de travail, avec la fin de la session qui approche. Je ne pense pas revenir avant les Fêtes.

A-t-elle dit. Je me suis tu. Elle aussi. Puis j'ai laissé entendre, insinueusement :

— Tu sais, il y a une possibilité que je me retrouve encore au collège Macdonald, moi aussi. Pour faire une maîtrise avec Baderne.

Elle a froncé les sourcils :

— Une maîtrise, toi ? Toi, Édouard Malarmé ? Le dissident qui veut mordre toutes les mains nourricières ? Je ne te vois pas là du tout. Une maîtrise sur quoi, d'abord ?

— Sur la rage.

Elle fut songeuse durant quelques secondes.

— La rage...

Puis, avisant la marque de dents que sa morsure avait laissée, la veille, dans la chair de mon bras, elle a lancé gaiement :

— Ouais, ça te permettrait peut-être d'apprendre à m'approcher !

J'ai souri aussi, disant sur un ton de reproche :

— Tu ne m'as pas manqué, sais-tu ? Qu'est-ce qui t'as pris, au juste ?

Elle haussa ses épaules, brisant un court instant leur harmonie parallèle avec le sol :

— Ça m'arrive, des fois. C'était une de mes crises, voilà tout. C'est bizarre. Les enfants font ça, des fois, mais je ne suis quand même plus une enfant.

— On ne peut pas dire que tu le sois, dis-je pensivement en guettant le soulèvement haletant de sa poitrine faramineuse.

Ma respiration s'accélérait aussi. Elle se frappait doucement, entre les deux seins, comme elle l'avait fait lorsque je l'avais touchée, comme pour exorciser la violence, l'apprivoiser par le rythme croissant de ce poing contre son cœur.

— Tu sais, ai-je repris, la maîtrise, en fait, je m'en fous complètement. Si j'y allais, ce serait pour Baderne. C'était vraiment mon professeur préféré. C'est un peu mon père spirituel, tu comprends ? Si j'avais le choix, Baderne ne serait pas seulement un père biologiste, pour moi, il serait aussi mon père biologique. Lui, au moins, il aime plus les bêtes que les autos...

Christine soupira :

— Ah oui, j'aimerais ça, moi aussi, avoir un père spirituel. Si je pouvais avoir seulement un père spirituel, au lieu d'un pauvre père biologique.

La roche était chaude, maternelle, nous avions enlevé nos chaussures et nous laissions cuire la plante de nos pieds. Alors elle m'a pris par la main et m'a dit : « Viens », en se laissant aller en arrière. Je n'ai éprouvé aucune peine à l'embrasser, activité qui s'est prolongée un certain temps en acquérant une intensité grandissante. Cette fois, elle s'est déshabillée elle-même, tout naturellement. C'était peut-être la dernière journée chaude de l'automne. C'était quand même frisquet, ai-je noté en imitant ma Christine avec une certaine impatience. Je me suis collé à elle, lui offrant ma nudité comme couverture frémissante. Je lui ai demandé, dans un souffle :

— Ton Anglais, est-ce qu'il te fait l'amour ?

Elle a dit non. Quand j'ai voulu la pénétrer et la posséder, ça s'est gâté. Elle s'est contractée absolument, et m'a labouré le dos de ses dix doigts, profondément comme une terre, et son visage s'est crispé comme la tête d'une volaille guillotinée et elle a crié très fort et aigu, mais quand elle a refermé la bouche, ses dents étaient bien plantées dans mon cou, alors j'ai hurlé aussi, furieusement, et j'ai donné de grands coups de corps, HAN HAN comme un bûcheron en déséquilibre, ratant mon but chaque fois, m'agitant en vain, tout à la fulgurance de la douleur m'irradiant. Puis, renonçant, j'ai roulé sur le dos, grimaçant comme un fustigé, et j'ai demandé d'une voix faible :

— C'était une de tes crises, ça aussi ?

Elle a fait oui, et quand j'ai voulu la caresser à nouveau, presque machinalement, elle a écarté ma main de son corps en disant gentiment :

— Crève.

L'instant d'après, ayant enfilé sa vêture d'un seul mouvement décomposé en séquences très agiles, elle disparaissait dans le sous-bois, et les chiens rappliquaient et m'interrogeaient de leurs grands yeux humides, fourrant leur nez dans mes stigmates, essayant de supputer la gravité de l'agression, et moi je restais là, sur le roc, sur l'exacte frontière entre les montagnes et la plaine reculant vers l'horizon. Dans mon dos venait l'hiver.

* * *

En allant faire des emplettes, chez le dépanneur, près de Saint-Canut, j'ai vu mon grand cheval étendu de tout son long, le mufle fourré dans la terre. J'ai nourri pendant une minute l'espoir qu'il ne soit que plongé dans le sommeil, mais je me suis rappelé que les chevaux ne dorment pas, pas de cette façon.

Chez le dépanneur, j'ai aperçu le fermier sympathique qui bûche parfois sur les hauteurs du bout de sa terre. Le vieil homme en chemise à carreaux avait l'air triste. Il se plaignait d'une voix perplexe : « Une si belle bête. Le diable sait ce qui lui a pris. Elle a arraché deux poteaux, mais la clôture a tenu quand même. Elle a eu les deux pattes cassées. Dans ce temps-là, pas trente-six solutions : c'est la balle dans la tête. C'était comme me tirer dans le cœur. Je peux pas voir ce qui lui a pris. Depuis quelque temps, elle était énervée comme c'est pas possible. Elle courait partout. J'ai jamais vu un cheval foncer dans une clôture comme ça. Arracher deux poteaux ! La clôture était solide. »

J'ai acheté de la bière. J'avais le goût de me désinfecter la bouche et les intérieurs. J'ai aussi acheté du peroxyde d'hydrogène, pour mon dos, et pour les marques de dents sur mon bras et dans mon cou.

* * *

CHAPITRE 5

AIR FAMILLE

Parmi l'abondante documentation que m'a fournie le docteur Baderne, toujours soucieux de mon édification, j'ai réussi à dégoter une couple de bonnes histoires, noyées dans un fatras de faits qui visent à une récapitulation historique des ravages de la rage. Voici la première, celle que je préfère : en 1819, le Duc de Richmond, alors Gouverneur général du Canada, fut mordu par un renard captif près d'Ottawa. Il mourut peu après d'hydrophobie. Cela se passait dix-huit ans avant l'insurrection des patriotes. On peut donc affirmer sans sourciller que le premier geste terroriste au pays fut posé par un renard.

La rage n'épargne personne, ni le loup, ni l'agneau. Dans le Berkshire, un troupeau de moutons fut attaqué par un chien enragé. Des vingt bêtes ayant été mordues, la plupart levèrent les pattes au bout de quelques semaines, après avoir trotté en tous sens, mordu sans relâche les clôtures, bavé abondamment et s'être arraché mutuellement la laine sur le dos. Ça fait rêver. Même le mouton, notre symbole national, peut attraper la rage ! Au lieu de dormir auprès du loup, comme le veut la tradition biblique, l'agneau devient tout à fait capable de lui planter ses dents dans le flanc.

Autre anecdote savoureuse : en 1871, la rage retrouve la route des Barbades. Un bibliothécaire y meurt des suites d'une grave morsure qui lui est infligée lorsqu'il tente de séparer deux chiens s'affrontant... Pour l'amour du bon Dieu, quel intérêt un homme d'obédience livresque pouvait-il bien avoir à se mêler d'une affaire entre chiens ?

* * *

La dernière fin de semaine d'octobre, j'ai passé toute une aube frileuse avec Johnny sur un froid rocher, à attendre un chevreuil mâle qui n'est jamais venu. Seule une femelle est passée non loin de nous en pleine course, et dans la calme panique qui la projetait en avant saut après saut, j'ai cru revoir l'affolement tranquille du chevreuil de Mirabel que j'avais vu courir au grand jour, de l'autre côté de la clôture. Mais cette fois, l'affolement était un état entièrement justifié, pour tout animal arborant la plus mince plage de pelage roux en ces bois. Il y avait des chasseurs partout, taches rouge vif, bruyantes et avides sur la blancheur de la forêt dénudée, et dans la minceur ouatée de la première neige de l'année, on pouvait voir les pistes aériennes des bêtes en dérangement, grands fantômes gris et alertes qui se faufilaient invisibles entre les arbres dépouillés. Le gros calibre tonnait, au loin, par salves de trois coups, la plupart du temps. Et quand nous rencontrions des chasseurs pressés d'aller se réchauffer les pieds et se rafraîchir la gorge, certains reconnaissaient avoir fait feu, avoir raté de peu le gros *buck* surgi de nulle part sous leurs yeux brumeux. Ils avaient fait leur possible, ils auraient tout le temps d'y penser devant une grosse bière.

La fin de semaine suivante, nous avons jeté notre dévolu sur les lièvres, qui pullulent dans les broussailles du bord de la rivière, et qui eux étaient, à l'opposé des chevreuils, bien trop visibles dans leur immaculée précocité. Trahis par la photopériode automnale, ils auraient volontiers accepté que la précipitation floconneuse de la semaine précédente colle au sol un peu plus longtemps. Quand ils détalaient devant nous, tout leur corps était comme un drapeau blanc implorant un cessez-le-feu, et nous nous montrions impitoyables, tirant comme des déments, fauchant le foin fou de nos rafales, rabattant les oreilles des petits Bugs Bonnets qui disparaissaient dans les buissons comme des cristaux fondus ou des touffes de nuage soufflées par un vent brûlant. Johnny s'amusait à mourir de rire. Parfois un lièvre refusait de tomber. Johnny les appelait les « blindés ». Mais ils mettaient en général beaucoup de bonne grâce à décéder. Les lièvres sortaient de nulle part sous nos pieds, et nous tirions sans savoir ce que nous faisions. Parfois ce coup lâché au hasard se révélait de la plus haute précision et nous étions surpris de découvrir, dissimulé par les hautes herbes criblées de plomb, un beau petit lapin blanc se tordant dans les affres agoniques.

Au cours de cette chasse mémorable devait s'offrir à moi, vers le milieu de la journée, un coup de fusil qui fut véritablement, presque au sens propre, un couronnement. Johnny fonçait tête baissée dans un entrelacs de broussailles et de ronces très serré, jurant comme un charretier mais avec l'obstination de l'âne bâté, quand un lourd volatile explosa devant lui, comme une longue flamme fuselée sous le soleil, battant d'abord des ailes au ralenti mais acquérant progressivement une vitesse irrésistible. La splendeur bruyante de la séquence m'a rappelé, une seconde, la brusque levée des trois perdrix avec Christine, près de la clôture de cèdre de sa grand-mère. C'était la même grâce lente dans l'ascension, la même impression de Pentecôte à l'envers, quand le chasseur se sent inexorablement aspiré dans le sillage de son gibier, de ce symbole universel de l'âme qu'il s'assigne pour but d'assassiner. L'oiseau s'éleva dans les airs avec majesté, venant droit vers moi qui l'ajustait fébrilement. Je crus sentir, comme en un éclair de chair, la main de Christine tenant mon bras armé, et quand le volatile fut à la verticale, je laissai partir le coup. Or à cet instant, l'oiseau me voilait parfaitement le soleil, qui auréolait ma cible d'un halo de sanctification, d'un diadème d'éruptions de lumière. Il tomba droit sur moi, comme une masse, si bien que je dus me couvrir la tête, sûr qu'il allait me coiffer brutalement de ses longues plumes. Mais il toucha le sol à mes pieds, paf, où il demeura inerte comme un présent éclatant. C'était un faisan mâle, un coq superbe, et je ne pouvais que le dévorer des yeux sans oser croire encore à ma chance.

Johnny accourait, énervé comme cela lui arrivait peu. Il me criait :

— Qu'est-ce que c'était, Eddy ? Qu'est-ce que c'était, veux-tu me dire, que ce christ d'oiseau-là ?

Il s'arrêta, casquette de travers sur le chef, les mains et les poignets lacérés par les épines des ronces sauvages qui cherchaient encore à s'enrouler autour de ses jambes. Il vit le faisan, et son visage s'illumina d'un large sourire. Il s'écria :

— Ah Ah ! Je le savais qu'elle en perdait ! Je le savais qu'elle en échappait ! Elle voulait pas me croire. Je lui disais qu'il y avait des trous dans son grillage. Je gagerais n'importe quoi que c'est un faisan de Christine, Eddy. Un faisan qui s'est échappé de chez nous et qui a traversé la rivière. Tu vois ? Le bec est coupé. On leur fait ça pour les empêcher de se battre. Il n'aurait pas passé l'hiver, anyway. Tu l'as pas volé, mon man !

Comme je ne bougeais toujours pas, il s'est emparé lui-même du somptueux gallinacé, et l'a levé par les pattes à hauteur de mon nez, la longue queue fauve du gibier me désignant comme un impérial doigt recourbé. Johnny renversa la tête et regarda en l'air, puis déclara, admiratif :

— Tu l'as pas manqué, Eddy ! Il était juste au-dessus de toi. On voit ça dans les films, tu sais, dans les chasses des rois...

Ça a fait un déclic dans ma tête. J'ai répété, ébloui :

— ... les chasses des rois ? Mais oui ! C'est ça ! C'est comme ça qu'on appelle ce coup-là, quand le faisan vient droit vers le chasseur et qu'on le tire à la verticale. On appelle ça le coup du roi, mon vieux ! Le coup du roi ! Quand il tombe, c'est comme si le gibier venait se prosterner à tes pieds, t'offrir un dernier hommage, par sa mort...

C'était à mon tour, rétrospectivement, d'être surexcité. Johnny fit « oui oui » distraitement puis se dirigea vers d'autres taillis, en quête d'autres fabuleux faisans à lever et à descendre. Moi, je m'abîmais dans mes pensées. Je me plaisais à voir dans cet oiseau d'élevage enfui un émissaire de Christine. Il était venu d'elle à moi, par-dessus les lignes de défense, comme une flèche à l'empennage enflammé lâchée vers mon cœur. Je l'avais intercepté, j'avais décodé le message secret qui venait s'ajouter à toute cette forêt de signes que j'explore depuis le début. Ce faisan, ce qu'il m'annonçait par son franchissement aérien, c'était une expansion spatiale à ma prise de possession. Il me sembla tout naturel de me voir à cet instant couronné roi de la chasse, roi du plaisir des rois. Il ne me manquait plus qu'un château.

* * *

À la fin du jour, un incident est venu assombrir quelque peu nos humeurs joyeuses et combatives. Un lièvre a levé de derrière une touffe d'herbes entortillées et a filé devant moi. J'ai eu le réflexe d'épauler, mais j'avais été comme assouvi par

le faisan, et la raison en a profité pour s'infiltrer en mon for
intérieur et plaider la cause du fuyard aux longues pattes. J'ai
abaissé le canon de mon arme. Mais le lièvre a eu la mauvaise
idée de se diriger du côté de Johnny, qui n'allait certainement
pas l'entendre de la même façon. J'ai failli lui crier : « Tire pas,
Johnny ! Laisse-le aller, celui-là ! » Mais je manquais d'arguments. Comment expliquer à quelqu'un qu'après avoir poivré,
sans autre remords qu'un léger pincement au cœur, trois jolies
bestioles bondissant sur la même terre que nous, on a tout à
coup le goût d'en voir une s'en sortir, se sauver... se sauver...
Décidément, rien n'est jamais clair dans le flux d'impulsions
plus ou moins ordonnées qui conduit au geste de tuer. Je n'ai
pas crié à Johnny, pas plus que je n'étais intervenu quand l'ami
Ben avait visé soigneusement l'outarde, sur la Rivière-du-
Nord. On dirait que je ne suis pas fait pour empêcher ces
choses-là de s'accomplir, pour empêcher certains animaux
choisis de rouler implacablement vers l'abattoir de leur Destin.

Johnny a tiré... Trois, quatre, cinq, six coups, de plus en
plus vite, nerveusement et mécaniquement. Alors s'est élevé
un cri dans la fin de l'après-midi, un cri trop humain pour être
autre chose qu'animal. Le lièvre pleurait comme un bébé, avec
toute la résignation poignante que sa situation sans issue lui
commandait d'accepter. Le lièvre pleurait comme un humain,
comme un agneau, assis en boule sur ses longues pattes brisées
ramenées sous lui, blanc comme une hostie de poil tachée de
sang. Ceci est mon sort. Johnny s'est approché à grands pas, et
il a eu besoin de deux coups, encore, pour achever le blessé.
Mais il n'était pas fier. Même lui, le dur de dur, ne trouvait pas
ça drôle. Je suis arrivé à temps pour voir deux yeux noirs
accusateurs jurant sur toute cette blancheur accusatrice, une
accusation noir sur blanc, se lever vers mon ami Johnny. Le
temps était de plomb. Johnny a peu parlé, sur le chemin du
retour. Il était ébranlé. Nous avions tiré sur les lièvres comme
sur des nuages. Il avait fallu la pesanteur des pleurs pour nous
ramener sur terre. Personne n'aime ça, quand la mort se met à
brailler comme un enfant.

* * *

Nous avons étalé le produit de notre chasse devant le
chalet : six beaux lièvres que Icoglan et Hospodar reniflaient

fébrilement, enivrés de l'odeur du sang, six beaux lièvres que la peur de la mort en train de les mordre avait fait chier dans leur pompon et qui arboraient tous de petites crottes collées au cul. Johnny et moi avons fêté ça au cognac. L'air était froid et figé. Déjà, le matin, un frimas d'avant-garde avait durci les mousses et transformé le monde en un cristal adamantin où le moindre pas craquant prenait les allures d'une délicieuse profanation. Johnny, sa forme retrouvée, songeait, un : à la chaleur du cognac, et deux : à la chaleur des femmes. Sa blonde lui avait encore écrit de Vancouver, y allant de nouvelles citations de Saint-Exupéry. Là-bas, le ciel se bouchait tranquillement, pour l'hiver. Quand je lui ai dit que je ne m'étais pas encore occupé de son courrier ouest, Johnny m'a demandé des nouvelles de Christine, pas la Christine sœur qu'il ne connaissait que trop bien, mais la Christine femme qui était un mystère de longue date pour lui et qu'il était de mon ressort à moi de tâcher de percer à jour. J'ai répondu, avec une franchise âcre de cognac :

— Je suis amoureux de ta sœur, mon vieux. Je pense que je suis amoureux de ta sœur, mais elle ne veut rien savoir.

— Est-ce que tu as couché avec ? renâcla-t-il.

— Pas encore..., fus-je obligé de concéder.

Johnny fut péremptoire :

— Ça lui ferait du bien, pourtant, un pareil paquet de nerfs ! C'est ça que ça lui prend, Eddy, qu'est-ce que t'attends ? Toi aussi, c'est ce que ça te prend ! Quand tu l'auras pris, comme une pilule, ça va te passer. C'est comme ma p'tite femme de l'Ouest, mon man. C'est parce qu'elle est loin que je pense rien qu'à elle. Mais quand je vais l'avoir plantée une couple de fois, je vais juste avoir le goût de m'en aller reboiser dans l'intérieur du B.C. C'est comme ça, mon man.

Je souriais avec indulgence :

— Facile à dire, avoir ta sœur. Elle a l'air possédée correct, mais pas par moi. Par une légion de démons, peut-être, mais pas par moi.

Johnny réfutait mes réticences et faisait le grand spécialiste des premières fois :

— C'est sûr que c'est pas facile, Eddy, que ça va lui faire mal. Mais fonce ! Force, mon man ! Il y a un petit trou là quelque part qui t'attend, mon man ! Laisse ta marque, Malarmé !

J'ai pris un ton doucement moqueur, pour lui demander :

— C'est pas toujours l'homme qui laisse sa marque, hein, mon Johnny ? Toi-même, si je ne me trompe pas, tu as une petite histoire écrite dans ton dos. Tu as ton petit trou, toi aussi, creusé au crayon à la mine. Pas vrai ?

Il avala du cognac, puis fit une grimace, normale dans les circonstances. Il se cala confortablement contre une des souches qui encombraient la véranda, et dit posément :

— Ouais, le coup de crayon dans le dos. Je m'en souviens. Cherche pas ailleurs pourquoi je sais pas écrire, man ! Quand ma sœur se fâche, ôte-toi de là, Eddy. Je l'ai vue casser des miroirs avec ses poings, défoncer des meubles, faire des trous dans les murs, massacrer des bicycles. Dans ce temps-là, elle devient dure comme de la roche, elle entend plus rien, ou bien elle entend des voix, je sais pas. Elle donne des coups de pied partout, mord tout ce qui bouge. Avec elle, j'ai appris à me tenir loin. Chez nous, Eddy, c'est la p'tite sœur qui martyrisait le grand frère. Le monde à l'envers. Moi, le dur, je me sauvais devant elle. Elle me faisait trop mal, elle aurait été capable de me tuer. Je l'avais baptisé CriCri la Terreur, pour rire. Ma sœur est comme toujours sur le bord de craquer, Eddy, mais elle réussit toujours à s'arrêter à temps, à se raccrocher. Comme devant une barrière. Hostie de sœur.

— Ça dure depuis quand, ça, Johnny ? Sa première crise, elle l'a eue quand, au juste ?

Il a amorcé un mouvement de recul, l'air surpris :

— Je pensais que c'était une histoire enterrée, ça, murmura-t-il.

— Enterrée ?

— Ouais, enterrée. De toutes façons, Christine est trop jeune pour s'en souvenir, il me semble. Mais c'est la première fois, à ma connaissance, qu'elle a piqué une crise. Il y avait de quoi.

SCÈNE 2 (reprise)

C'était dans le temps de l'expropriation. La semaine précédente, ç'avait été la fête de Christine, son quatrième anniversaire, le jour même où les agronomes-évaluateurs du gouvernement étaient venus. Elle avait eu une poupée en cadeau, et elle s'amusait beaucoup à la frapper partout, à la martyriser, à la démolir. On n'a jamais su ce qui s'était passé exactement, comment ça s'était passé. Johnny a entendu crier. Ou plutôt, il a entendu brailler. Brailler comme le lièvre blessé. Johnny se trouvait dans la cour. Il se préparait à vaquer auprès des veaux. Il est rentré en vitesse. Sa mère n'était pas à la maison, ce jour-là. C'est Christine qui criait. C'est elle qui braillait, dans sa chambre. Son père était là, à genoux, et essayait de se défendre d'une main. Il bavait, il pissait dans ses pantalons. Pas beau à voir, le père. Christine lui tapait dessus avec sa maudite poupée. Son père avait les culottes baissées. Il était en train d'avoir sa crise cardiaque. Johnny n'a jamais raconté à sa mère l'affaire des culottes baissées. Et puis, son père n'a jamais raconté à son médecin l'histoire de la poupée. Christine n'a jamais rien raconté à personne. Elle ne s'en souvient même plus.

* * *

L'air dégoûté, Johnny s'est levé et a esquissé quelques pas au hasard en bottant des mottes de terre. Il a fait, soudain excédé :

— Christ, Eddy ! Comme si c'était pas déjà assez qu'un lièvre tout blanc m'oblige à tirer huit fois pis me regarde dans les yeux avant de mourir plein de sang ! Parlons d'autre chose ou je m'en vais chez nous, pis c'est tout.

J'étais songeur. Pour le décontracter, j'ai dit :

— Ça m'arrive, moi aussi, de perdre le contrôle, à l'occasion. Mais il me semble qu'à ces moments-là, on ne fait que s'abandonner à une sorte de contrôle supérieur. Comme au *pinball* et au billard, Johnny, quand tu te laisses aller et que tout va bien. Ce n'est pas toi qui contrôles, mais il y a un Contrôle quelque part. Et le coup de fusil, le faisan, tantôt ! Ça avait l'air trop facile ! J'étais comme une marionnette, Johnny, avec des fils de lumière. Tu n'as pas une idée, Johnny, de l'endroit où se trouve le Contrôle avec un grand C ? Le Contrôle du monde.

Il me fit face, maussade :

— Quand je le saurai, je te le dirai, Eddy. Inquiète-toi pas. En attendant, tu me fais chier avec un grand C, avec tes essais

de philosophie. Parle donc de quelque chose qui peut m'intéresser.

— Très bien, Johnny. Alors dis-moi ce que tu vas faire de
ta vie. Qu'est-ce que tu vas faire de ton hiver, d'abord ?

Il eut un geste désespéré. J'avais le don, ce jour-là, de
trouver des sujets de conversation irritants.

— J'ai du chômage, expliqua-t-il. Pour l'instant, je peux
encore rouler. Mais le mois de novembre, c'est le mois de la
mort, pour moi, Eddy. C'est le mois où je serre ma moto. Il faut
que je m'en sépare pour au moins quatre mois. Rien que d'y
penser, ça me tue. Je vais être obligé de me consoler en relisant
mes vieux *Moto-Journal*, tout l'hiver. Il y a toujours le *Pullford*
pis les grosses bières... Le billard... Eddy, j'ai une idée. On s'en
va au Mexique cet hiver.

J'ai secoué la tête :

— Je ne peux pas, Johnny. Pas assez de fric. Il faut que je
reste autour de Laval. En fait de voyage, tout ce que je peux
m'offrir, ces temps-ci, c'est un petit retour à la banlieue pour
chercher de temps en temps mes chèques de Béesse. Ma mère
les touche pour moi. Elle doit en avoir deux présentement.
Deux belles mamelles étatiques. Je suis à sec, vieux. Ce n'est
pas le Béesse qui va me donner les ailes pour aller dans le Sud.
Et toi, il faut que tu perçoives tes prestations. Ta mère est
sûrement trop straight pour se laisser embringuer dans une
combine, Johnny.

En disant cela, je levais la tête et suivais la lente ascension
d'un Jumbo Jet de la KAL, bleu azur dans le ciel gris qu'il
avalait et recrachait derrière lui. Johnny maugréa plaintive-
ment :

— L'argent ! L'argent ! On peut en trouver, de l'argent,
Eddy ! Tiens, regarde nos fusils, mon man. Regarde les lièvres
qu'on a tués. Sûr que le bonhomme Bourgeois a autant d'argent dans son bas de laine qu'un magicien a de lapins dans son
chapeau. On lui fait sauter la cervelle pis on se pousse, Eddy,
avec le motton, assez pour s'acheter une terre en Amérique du
Sud, man ! Qu'est-ce qu'on attend ?

J'ai répondu par une autre question, plus tendre que les
siennes :

— Est-ce que ta sœur viendrait vivre avec nous, sur ta
terre, mon Johnny ?

— O.K. J'ai compris, Eddy... Mais fais attention à ma sœur, elle va te faire souffrir, man, je suis bien placé pour le savoir. Correct, oublions le Mexique, vieux. Mais on va quand même partir un jour, mon ami Eddy. Moi je vais partir, ma sœur va partir, pis toi aussi tu vas partir. Tout le monde va partir à plein ciel, mon ami Eddy. Tu vas voir. Tu vas voir. Si on est trop pauvres pour s'acheter des billets d'avion, on prendra mon bicycle, Eddy, pis on ira aussi vite qu'un avion. On flyera, mon man !

Je n'ai pu dire que :

— T'es correct, Johnny. T'es ben correct...

* * *

Laval, Laval, Lavallavallaval. Je suis de retour au Laval de mes lallations, tout en amont de ma vie. L'approche de l'hiver m'a fait rallier la maison de ma mère, sur le pouce bien sec que je suçai jadis. J'avais besoin d'un peu de chaleur humaine, d'un peu de ville vitale. Ce n'est pas dans le grand *Pullford* désert, avec ses immensités bien astiquées, que j'aurais pu trouver de la chaleur humaine. Johnny est loin. Christine est froide. L'hiver est proche. À l'extérieur, la ville n'est guère mieux que le *Pullford*. Les passants ont le pas pressé, les épaules rentrées. Ça écœure à peu près tout le monde, l'hiver. Surtout ceux qui ont des autos, surtout mon père, qui n'a pourtant plus assez de cœur pour être écœuré. Le monde rase les murs, l'hiver, le monde est acculé, accœuré. Claquements de dents, claquements de cœurs en cadence.

Ma mère vit séparée, dans la grande maison vide que lui a laissée le concessionnaire d'auto. Ma mère est bien stationnaire, elle lit Kerouac toute la journée. Drôle de passe-temps pour une ménagère presque mémère. Je suis de retour à Laval, Laval des avalés, Laval qu'on peut parcourir à l'envers ou à l'endroit, Laval dans tous les sens, Laval où j'ai vécu ma jeunesse de Jonas au fond du ventre d'un bungalow. Baleine sur le gril, banlieue-barbecue, la vie à petit feu. Le jovial coq du Saint-Hubert où j'ai mangé mon premier poulet rôti, à mon anniversaire, près du cinéma cochon où plus tard j'ai vu mon premier film fantasmatique. La pharmacie-dépanneur, pour les drogués du quotidien, pour faire passer toutes les pilules dorées du petit matin. La boutique du Juif au coin, qui remonte son rideau de fer à neuf heures, dévoilant des mannequins chauves, nus et blancs. Les rois et les reines de tout ce qui se bouffe en une minute, patate, poutine, hormone-burger et hot dog saucisse en chaleur, où tout baigne dans l'huile, et le *Dunkin Donut* violemment éclairé toute la nuit où nous allions manger des tours de trous sucrés, deux douzaines à quatre, dépensant, compensant, complètement stone et hilares fixement, dans le formidable décuplement des saveurs artificielles, hilares malgré tout, hilares malgré les rues toutes pareilles, les rangées de maisons toutes pareilles, les habitants rangés tous pareils, toute la nuit à tourner en rond le long des quadrilatères tracés au rapporteur d'angle pour accommoder les langues des délateurs de l'âge d'or, dans l'auto du bon pote qui avait passé la semaine à la réparer dans le garage de son père commis chez *Canadian Tire* (celui qui s'est tiré une balle, dans ce même garage, un bon gars), à rouler en rond parce qu'il n'y avait nulle part où sortir hormis les sorties d'autoroute, les brasseries et les salles de billard où acheter du stock qui était meilleur en ce temps-là que maintenant, mais moins bon que celui du début des seventies qui n'était lui-même rien comparé à celui des sixties. Tout se dilue, tout se coupe au passé, tout est passé à mesure que ça se présente, tout se consomme froid.

On était né pour un petit pot, un petit pot québécois poussé sur un restant de terroir, un mini-potte, un petit trip tranquille sur les terrains vagues et les parcs municipaux, sur les avenues noires tard le soir, avec en rentrant les films de fin de veillée et une dernière beurrée. Ou bien on jouait au billard toute la nuit, au sous-sol où nous étions chez nous, ne sortant qu'à l'aube par une fenêtre de la cave qui filtrait le beau soleil rouge à l'est, et c'est à cette heure-là qu'il fallait voir la ville-dortoir, à l'heure où tout le monde dormait à poings fermés en attendant l'heure de pointe, à l'heure où les rouges-gorges grimpés sur les toits revendiquaient mélodieusement en tant que leurs territoires les terrains bien clôturés, les terrains bien tondus le samedi matin entre la grosse *Presse* et la grosse paresse de la matinée, à l'heure où ne passent que les discothèques-automobiles faisant crier leur carburateur et crisser leurs pneus, à l'heure miraculeuse où les canards par couples monogames sériels osaient se poser sur la Rivière-des-Prairies, à l'ombre des résidences pour vieillards au rancart, et patauger dans l'arc-en-ciel des taches d'huile suintant des hydravions docilement amarrés. Nous allions rôder à la marina, parfois. Les Beavers flottaient calmement, attendant leur contingent de chasseurs fortunés qui verraient et domineraient la taïga et la toundra du haut des airs, et c'était si loin, et je les trouvais chanceux. Il ne se passait jamais rien. Une nuit, nous avons voulu défaire les amarres d'un hydravion collé à son quai, pour mal faire, simplement. Nous ne savions pas piloter. Mais une patrouille de police désœuvrée nous a mis en déroute. Les chiens veillaient au grain, comme disaient mes copains.

Quand je revenais chez moi, mes parents, lève-tôt chroniques, allaient sortir du lit, s'arrachant, peut-être, à une autre répétition faiblissante de la scène primitive. Quand j'étais petit, j'ai cru longtemps que l'amour se faisait tout habillé. Même quand ma mère m'a expliqué le principe général de la chose et de la vie, j'ai tenu encore un certain temps à mon idée d'un nécessaire décorum vestimentaire, rendant problématique il est vrai la transmission de sperme annoncée par la pédagogie à gants blancs de ma génitrice. Mais mon paternel n'avait sans doute plus le temps de s'adonner à ce type d'exercices contraignants à l'époque. C'était un bourreau de travail, alors que pour moi le travail était le bourreau. Il faisait sérieux, mon père. Moi, je n'ai jamais pu. J'ai été désillusionné jeune. J'ai eu une enfance malheureuse, une enfance perdante, trop intellectuelle. J'avais placé tous mes espoirs en la phase adulte. Mon père me paraissait parfait, du seul fait qu'il était sérieux. Ce fut un dur coup de comprendre que le sérieux ne pouvait pas être parfait, que seul le jeu pouvait être parfait. De comprendre que le travail, pour moi, ne serait jamais bien fait, ne serait jamais fait, en somme, ne serait jamais pleinement gratifiant ou même simplement satisfaisant. Rude coup de comprendre, aussi, à force d'observations furtives et de déductions mûrement réfléchies, que l'adultat n'était pas le royaume merveilleux des grandes personnes qui ne se trompent jamais, mais bien plutôt un vulgaire agrandissement négatif du monde de l'enfance, où la même farce plate allait se continuer, la farce de la faillibilité, la farce de la non-force qui était avec moi, qui est avec moi depuis toujours.

Merveilleuse, l'enfance ? Pantoutte ! Mais le monde adulte n'est pas mieux. Le monde adulte est tromperie, des trompes d'Eustache aux trompes de Fallope. C'est le même jeu de faire-semblant qui se poursuit, le jeu selon les règles duquel j'étais toujours perdant, parce que je n'acceptais pas le jeu, enfant, parce que j'ai voulu vivre ma vie adulte enfant, enfermé dans les livres pendant que les autres jouaient au hockey à la patinoire, jouaient au baseball dans le champ. Il ne me reste plus qu'à vivre ma vie d'enfant à l'âge adulte. Depuis ma rencontre avec le *pinball*, j'ai décidé que le jeu serait l'étalon de ma vie, que le rêve deviendrait roi et *mètre* de la réalité. Je me rattrape.

Je suis né sous le règne du faux. Au moment de déposer la liqueur opalescente de ses vésicules sacrées dans le calice aux grandes lèvres écumantes qui s'ouvrait, devant ma demi-portion primitive agitant sa queue, sur le monde douillet, tout chaud et confortablement capillarisé de ma douce ovule, mon père disait à sa femme : Je t'aime. J'étais un œuf cocu d'avance, le ferment du mensonge. On connaît la suite. Pension alimentaire à la place de la passion. Puis, passion alimentaire permise par la pension. Ma mère grossit et lit des livres. Si le cœur de mon père ne bat plus pour elle, il pompe toujours de l'or noir. Le credo pour ne pas crever, c'est : La vente, c'est la vie. Et sa variante : Le vol, c'est la vie. C'est ce que devient le rêve. Même Henry Ford rêvait à ses débuts. Espace et liberté ! Mais Henry Ford n'est plus, et à sa place il y a Iacocca, à ne pas confondre avec Icare. Mon père voit la vie en vert, le vert des billets de banque et celui plus foncé des sapins passés. Ma mère voit la vie en rouge (le rouge du spectre politique), en rêve, en brume, en brun. Elle fait de la politique active, de la politique de téléphone et de photos sur les poteaux.

Je suis de retour à la banlieue-bidon d'apparence, à la banlieue trompe-l'œil et trompe-le-nez. Tout trompe. Tout ivoire sacré peut se changer en or mussif, tout éléphant blanc peut se changer en pacotille chryséléphantine. Une banlieue peut être ordonnée comme un cimetière. Et seule la mort ne ment pas, mais la mort sent, et la mort mord, parce que la mort est une chienne.

* * *

Il neige sur la ville comme il neige dans mon nez. Il en faut, de la coke, pour emplir de cristaux le vaste et charbon-

neux pif d'Édouard Malarmé ! Je suis riche, riche du Bien-Être
de novembre, riche et bienheureux, mon nez béant aspire mon
Béesse, pour un soir neigeux de novembre. Édouard Malarmé
n'a pas d'amis. Édouard Malarmé est solitaire comme le renard,
et rôde comme le renard. Malarmé est aérien, ce soir. Malarmé
est un petit rien et il est aérien. Il neige sur la ville.

Je suis allé au *Barrage*. C'est mon point d'ancrage dans la
ville, une institution qui résiste aux fissures du temps et qui
abrite un rassemblement disparate de déchets nostalgiques de
la période du pea soup and love, de débris charriés par quelques autres courants contre-culturels et de jeunes gens plus
conformes aux canons des comportements sociaux contempo-
rains.

Édouard Malarmé ne parle à personne. Seuls ses yeux vont
à la rencontre des gens, en ricochant. Ses yeux deviennent les
billes d'un grand *pinball* nocturne. Édouard Malarmé ne sait
parler qu'aux machines à boules. Je retrouve le doux contact
du chrome sous la paume, la rassurante présence de la poignée
comprimant le ressort, l'exigeante sollicitation des boutons
sous l'index, et la machine s'allume PUNK PUNK et toute
l'électricité de la province électrique s'y engouffre et la porte
aux nues et s'illumine de l'épique saga d'un chevalier qui a des
ailes en guise de cimier et qui fouette son fringant destrier en
direction de ce château lointain qu'il devra investir, après
avoir déjoué ou occis de vilains cerbères, puis franchi des
obstacles, sauté des pièces d'eau, des murets et des haies,
comme le prince Charles-Face-de-Cheval, joueur de polo
émérite et héritier de la longue tradition britannique, futur roi
d'Angleterre qui n'abdiquera jamais, lui, parce que sa baisable
petite princesse n'était pas une hétaïre, elle, et portait, confir-
mé de source médicale sûre, à mi-hauteur, en berne, son
étendard hyménique sanglant de jeune vierge destiné à être
empalé sur un sceptre royal, jeune vierge baisable petite princesse Diane chasseresse dont les chiens enragés mirent en
pièces Actéon le chasseur à courre mythique, et moi, je me
mets en pièces aussi, et je mets les pièces dans la machine,
chasseur de mythes monnayables en pleine régression.

Mais ce soir, le froid plexiglas me frustre. La partie gratuite
est hors d'atteinte, hors de moi, lointaine comme une galaxie.
Le graal et la grâce sont inaccessibles. Le *pinball* reste de glace

contre mon ventre, comme un cercueil emportant dans l'éther sidéral le corps chaud de la femme qui saurait m'animer et qui s'éloigne toujours inexorablement. Le *pinball* est trop petit cette nuit.

Alors change de bar, on s'est trompé. Je me rends au *Barbar*, lieu de rencontre et de collision plus décadent, alternatif en fait de courant, post-nucléaire si on considère l'ère, avec un écran sur le mur du fond où sont projetés des fantasmes de violence à la new-yorkaise, avec des mâles à poitrines poilues perchés sur des motos apocalyptiques, avec des monstres catharreux qui bavent dans leurs traces de pneus et des femelles mamelues et fessues qui sont vêtues de peaux de léopards et qui se trouvent être l'objet de la concupiscence incongrue de ces créatures diaboliques sorties tout droit de bacchanales bactériennes grossies mille fois. On peut voir, près de la piste de danse, les vestiges du grand party de l'Halloween qui a eu lieu la semaine dernière : on bute contre des cercueils rudimentaires, entrouverts, au fond desquels parfois s'ébat un couple anxieux. Les murs sont maculés de sang et d'inscriptions sinistres, des têtes coupées pendent du plafond au bout de fils d'araignées lumineux, et la musique scande des incantations menaçantes. Le taux de décibels, au fond de cette caverne chromée, décapite tous ceux qui n'ont pas la chevelure hérissée en dispositif de défense.

Ma première pensée est : « Hum, Johnny se plairait ici. » Puis j'aperçois les deux tables de billard qui gisent massives sous des lampes basses, et qui me convient à la célébration de leur culte. Alors j'ajoute mon nom au tableau vert, je deviens un nom dans cette caverne préhistorique où s'entassent les mutants mentaux de l'an deux mille, je m'accroche à mon titre sur le tableau vert, Édouard Neuf, roi du billard, roi tête-de-boule, majesté que tout le monde, chez ces australopopithèques à peine dressés, ignore évidemment. Mais ce soir, je suis détrôné, je chute dans la lie de la médiocrité. Moi qui, à mes bons jours, aurait rossé ces champions-rétro-Apollons-primates les doigts dans le nez, j'ai perdu ma baguette magique et j'accumule les pièces de jeu désolantes, les coups à pleurer de rage. La queue vernie ne glisse plus aussi bien entre mes jointures pourtant frottées avec la poudre à bébé magique Johnson. La boule ne roule plus pour moi, elle roule en conformité avec les vulgaires lois de la physique. Et lorsque, après que j'ai attendu longtemps en ruminant ma défaite dans l'ombre, se présente la possibilité de me mesurer de nouveau à l'inévitable petit champion d'un soir, qui déborde d'arrogance sous son toupet généreusement gominé, un grand gaillard d'aspect particulièrement rude, bardé de pointes de métal, s'interpose entre la table et moi et daigne me faire comprendre que mes trente sous, que je n'ai pas quitté des yeux après les avoir déposés en garantie, sont en fait les siens, ou en tout cas le deviennent à partir de ce moment précis, je ne me sens pas le courage de lutter. Je ne suis pas sur mon terrain. Je pleurniche quasiment : si Johnny était ici... on leur en ferait voir de toutes les couleurs autour de cette table.

* * *

J'ai quitté le *Barbar* en compagnie de cette grande fille pâle et éméchée, complètement saoule en fait, qui s'est refermée sur moi pendant que j'observais la masse confuse des danseurs et danseuses et leur allure sinistre accordée au rythme de la musique tonitruante. La très pâle personne m'a empoigné le scrotum d'autorité en déclarant d'une voix où perçaient des nuances d'aristocratie :

— Cette nuit, tu es à moi.

Je n'ai eu aucun argument valable à opposer à cette convaincante prise de position. L'autobus de la Sainte-Catherine nous a déposés à l'est de Saint-Denis, puis un taxi nous a conduits au bout de nos économies, en bordure du parc Lafontaine que nous avons traversé à pied en zigzaguant.

— J'adore marcher dans le parc, la nuit !, a dit la grande fille pâle.

Elle était tout de noir vêtue, et son visage anémique paraissait suspendu dans le noir, inquiétant, diaphane, spectral. Elle dit encore :

— L'été, il y a des chauves-souris, ici.

Je répondis :

— Ah oui, autour de l'étang... elles bouffent des nymphes, enfin, des insectes, quoi...

Elle s'est collée à moi, m'acculant à un banc, me soufflant au visage :

— Parle-moi... Restons dans les règles, tu veux ? Tu me parles avant de me prendre. Tu dois me faire la preuve que tu peux parler. Il te faut un prétexte pour me prendre, tu comprends ?...

Je comprenais. J'ai réfléchi brièvement. La brise qui soufflait sporadiquement s'est mise soudain à charrier une forte odeur, un parfum musqué en total désaccord avec la sophistication des effluves que répandait ma compagne de fraîche connaissance. Ça m'a rappelé le Jardin des Merveilles. Ça m'a rappelé mon enfance. Peut-être les animaux avaient-ils déjà gagné leurs quartiers d'hiver au parc Angrignon, mais leur odeur avait collé là. Leur souvenir était encore là. Alors je lui ai demandé :

— Tu sens quelque chose ?

— Non, je ne sens rien !

— Ah, je connais ça : anesthésie nasale... tu as fait de la coke, toi aussi, hein ? Mais moi, mon pif ne dort pas, ce soir. Parce que moi, je sens les bêtes, vois-tu. Tiens, je vais te raconter une histoire. Un conte du Jardin des Merveilles, qu'est-ce que tu veux de plus ?

RÉCIT, PAR ÉDOUARD MALARMÉ, D'UN PREMIER ACTE TERRORISTE IMPLIQUANT TROIS RENARDS

Quand j'étais plus jeune, mes parents m'ont amené visiter le Jardin des Merveilles. J'ai vu les petits ours, les singes, les paons, les ratons laveurs, les lamas, les otaries en spectacle et le pauvre petit éléphant qui a l'air si seul et qui le serait encore plus s'il savait que les siens sont pratiquement déjà exterminés là-bas en Afrique. Et j'ai vu aussi les renards. Il y avait trois renards.

Ça me rend toujours triste de voir des animaux dans des petites cages de ciment blanc. Mais de voir des renards partager ce sort-là, ça m'était carrément insupportable. Alors, quelques années plus tard, une nuit que j'étais stone avec mes amis (qui sont tous dispersés aujourd'hui) et que nous étions en quête de mauvais coups, j'ai réussi à les convaincre de lancer une opération de commandos, un raid contre le Jardin des Merveilles. Aussitôt dit, aussitôt, enthousiastes, on s'embarque dans l'auto, on stationne pas loin, on saute la clôture et on s'introduit là-dedans. Toute la ménagerie s'est réveillée, des dizaines de paires d'yeux brillaient dans la lumière de nos lampes de poche. Avec des pinces, j'ai ouvert la cage des renards, qui étaient bien réveillés et qui avaient l'air de m'attendre, comme trois mousquetaires dont j'aurais été le D'Artagnan. Ils sont sortis avec circonspection, mais sans hésiter, comme si tout avait été planifié depuis longtemps. Il y avait de la complicité dans l'air. Pendant ce temps-là, mes amis s'amusaient à semer une joyeuse pagaille dans la place, à disperser les oiseaux de basse-cour, à libérer d'autres animaux. On poussait des cris sauvages et les animaux nous répondaient du tac au tac. Le pauvre éléphant tirait désespérément sur le lien passé à sa patte. Nous ne pouvions rien faire pour lui. Ce n'était pas son jour encore.

Ensuite, nous nous sommes sauvés. Nous avons roulé toute la nuit, fumant d'autres joints sans s'arrêter. Nous avons lu les journaux le lendemain et nous étions bien fiers de notre coup. Les joggers du dimanche matin avaient été surpris de voir des dindons perchés sur les bancs du parc. Les renards, eux, s'étaient payé un festin : trois paons, dix dindons et sept poules égorgées. Un vrai massacre ! Ils ont réussi à en rattraper deux, mais au matin, il y avait encore un renard qui courait, et il avait été aperçu en pleine rue Rachel. On prévenait la population qu'il était nerveux et qu'il pouvait mordre. À ma connaissance, il n'a jamais été retrouvé. Maintenant, chaque fois que je viens en ville, je repense à mon renard qui court peut-être toujours, qui rôde peut-être la nuit dans les ruelles, à l'ombre de la prison Parthenais, en faisant peur aux rats et aux chats, et aux humains, pourquoi pas ? J'aime l'imaginer, tout seul de sa race en pleine ville, ennemi infiltré, patient, attendant simplement que la campagne se mette à repousser la banlieue devant elle et entreprenne le siège de la ville. J'ai toujours aimé les renards. J'aimerais sculpter tous les arbres du parc à leur image. Que les arbres deviennent des animaux, et les animaux des dieux... c'est pas beau, ce serait pas une belle transformation, ça ?

* * *

La grande fille pâle réfléchissait en étouffant un bâillement. Elle finit par réagir :

— Des arbres en animaux ! Des totems, tu veux dire... Comme chez les scouts ?, fit son accent pointu.

— Oui, mais les scouts sont catholiques, répondis-je. Moi, c'est le renard qui est ma religion. C'est le renard qui est mon christ à crucifier. Et je renaude au lieu de prier.

— Comme chez les peuplades primitives, alors ! s'écria-t-elle émerveillée.

— Got it, confirmai-je modestement. Et j'ajoutai :

— Je suis un primitif et toi, à en juger par ton accent, tu es une aristocrate. On nage en plein tabou.

Nous avons fait l'amour à même le sol un peu plus loin, le sol glacé de novembre, et je m'inquiétais au sujet de sa santé future, au début, car son dos étreignait la terre frigorifiée, mais le fait était que son corps à elle glaçait aussi les doigts au toucher. Elle était froide et exsangue et se confondait parfaitement avec ce sol gelé sous moi allant et venant, labourant son ventre de marbre crispé comme celui d'un macchabée sous l'assaut de mes reins. Mais je ne labourais pas la terre, je labourais la lune, une lune vide. Et elle m'appelait sa bête, et me criait d'y aller encore plus fort, plus vite. Vite.

Plus tard, quand ça a recommencé, dans son lit, elle n'arrêtait pas de m'accabler de ses exhortations, ça devenait un râle dans sa gorge. Elle hurlait : Continue Continue mais elle prenait un temps infini à venir, elle ne venait jamais, comme si elle avait voulu que ça durât toujours, me refusant mon orgasme à moi qui filait doux maintenant, voulant me tuer à la tâche et elle se masturbait en même temps pour hâter le moment décisif de sorte que je finissais par me demander si je n'étais pas tout simplement de trop dans l'affaire. Elle n'allumait pas, elle était frigide comme les *pinballs* assombris du *Barrage*. La grâce des gamètes se refusait comme s'était refusée la grâce des jeux. Je me suis agité sur elle toute la nuit, ressuscité par ses lèvres après des apothéoses personnelles tristes, par ses lèvres qui articulaient encore : Sois ma bête Sois ma bête, tandis que moi je me répétais que non les bêtes, elles, ne se donnaient pas tant de mal, et la grande fille pâle aurait pu, semble-t-il, copuler pour tous les temps à venir, sans connaître jamais le plaisir instantané qui est doux comme la fin de tout.

Le lendemain matin, elle m'a mis dehors sans ménagement, et la nuit venait de me vider d'une autre journée de ma vie. En retournant vers la maternelle banlieue-bidon, en son-

geant à ce mal de chien que je m'étais donné, je me suis pris
à regretter la convulsion hystérique dont avait été prise Christine lorsque je l'avais à peine touchée, dans les bois, et la
douleur folle de ses ongles acérés me pénétrant la peau. Au
moins, il y avait de la chaleur dans cette douleur-là.

* * *

Je séjourne à la banlieue-poulet. Le soir, je ressors, j'émerge
comme un diablotin de ma chambre d'enfant, et je viens à la
ville. Cette organisation horaire me permet d'éviter tout
contact avec ma génitrice, qui s'active sous la lumière diurne
et s'enferme au salon à la tombée du jour, lorsque l'astre-satel-
lite de la télévision se lève dans tous les foyers. Ma mère lit
Kerouac dans sa maison, et moi je lis aussi d'autres auteurs
dans les cafés. Je lis dans les cafés parce que le livre est un petit
écran commode, et qu'au moins il y a du vrai monde de l'autre
côté. Je lis Céline l'imprécateur, *Dr Jekyll et Mr Hyde*, et ce
vieux Miller démon de la Méditerranée.

Je lis en buvant de grands bols de café au lait dans les
croissanteries et au café *La Taloche*, une autre institution, où
j'écoute les entretiens littéraires des plumitifs universitaires
accrochés à leur bout de rue Saint-Denis, à leur havre croulant
qui se maintient tant bien que mal au milieu des courants, au
milieu de la foule des passants comme photographiés en noir
et blanc, dans le passé des couleurs. On se racle la gorge à
l'ombre de l'institution et on teste à petits coups sa pensée, ses
théories personnelles et ses emprunts d'intérêt, comme ce
grand barbu gris qui a sûrement sa chaire quelque part dans la
construction sombre née comme un glorieux fibrome du clocher figé, et qui déballe son bagage de tueur d'innocence pour
l'édification d'une jeune et jolie musicienne dont l'instrument
est le violon et l'arme, l'ingénuité.

Lui, de sa grosse voix : « Tu ne connais pas Barthes ? Je
croyais que tout le monde à l'UQAM connaissait Barthes ?...
Tu ne vas pas à l'UQAM ? Je croyais que tout le monde... Bon.
Mais, en pur produit de la culture classique, je te parlais de
rhétorique, ma chère, ce métalangage redécouvert. Or n'est-il
pas savoureux (ce sont les mots même de Roland, de Barthes,
pardon, avec qui j'ai étudié à Strasbourg et qui fut véritablement mon maître à penser, un homme d'une intelligence, ma

petite fille... un monstre ! Ce n'est pas notre petit Québec écrémé, avec sa culture caséeuse, qui va nous donner quelqu'un de ce calibre, ma chère, attends une minute, je vais noter ça dans mon calepin : petit Québec écrémé, culture caséeuse, ça peut être utile pour un cours, tu comprends ?) alors Roland, Barthes, fait remarquer qu'il est savoureux de constater (ce sont ses mots à lui, mais je vais te le dire dans mes propres mots, et tu n'y perdras rien au change, ma petite fille, parce que je dois te dire que je suis un des seuls, dans ce pauvre petit collège classique mal émancipé des velléités castratrices de la vertu cléricale, attends, juste un moment, s'il te plaît, je vais sortir mon calepin, on ne sait jamais, c'est difficile, parfois, d'avoir des idées rafraîchissantes le matin à dix heures, en face d'une classe d'endormis qui rêvent à leurs nuits blanches de bandes dessinées et à leurs émissions de sperme de fin de veillée, si tu permets, ma belle, je vais noter ça aussi, je vais leur servir ça un de ces matins, c'est sûr) oui, je disais, mal émancipé des velléités castratrices de la vertu cléricale, alors que toi, ma chère petite, attends, nuits blanches de bandes... émissions de sperme de fin de veillée, que toi tu m'inspires, comme tu vois, de ces expressions neuves dont il faut savoir larder les trois heures que certains bayent aux corneilles en pleine face de leurs vieux maîtres livresques et sclérosés à peine sortis de leur jaquette, un des seuls, disais-je donc, au sein de cet ancien collège classique mal réformé, à avoir parfaitement assimilé et à pouvoir citer sans bavures la pensée de ce très grand structuraliste à la très grande libido structurée comme un langage, qui a donc dit, dans mes propres mots, qu'il est savoureux de constater que la rhétorique, ce métalangage redécouvert, dépoussiéré, décapé, débarrassé de ce vernis classique qui lui conférait des propriétés proprement répressives, attends, je note, propriétés proprement, encore que je craigne que l'allitération ne manque ici légèrement de finesse, mais, vois-tu, le jeu de mots puise aux sources sémantiques, puisqu'il n'y a jamais de propriété sans propreté, et vice-versa, donc la forme rejoint le fond, c'est de la poésie, ma petite fille, car vois-tu je suis aussi poète à mes heures, comme tous les professeurs du département, nous sommes poètes ou philosophes ou quelque part entre les deux, mais nous sommes peu publiés, finalement, parce que notre poésie, comme notre pensée, en un mot notre production, a acquis trop de profondeur, à force de creuser nos tombes dans l'institution de la Connaissance, juste une minute, je note encore ceci dans mon calepin qui est presque plein, il a donc dit, Barthes, dans mes mots, dans son aide-mémoire sur l'ancienne rhétorique, qu'il est savoureux de constater que la rhétorique est née de procès de propriété.

C'est fort, hein ? Mais je te vois bâiller, jeune fille, et je ne doute pas que malgré tous tes efforts, tu sois gagnée par le sommeil, puisque tu as sans doute écorché ton violon toute la nuit, à la lumière de ton seul feu sacré, ou alors aurais-tu consacré les précieuses heures de l'obscurité à des activités génésiques (j'emploie ce terme de préférence à sexuel, qui est devenu à mon sens un mot galvaudé, ravalé au rang de vile technique, alors que le sexe serait plutôt à mon avis un art, oui, un acte de création réservé aux seuls artistes, bref) à des activités génésiques, donc, qu'en bonne petite muse digne de mes élans les plus inspirés, tu dois savoir pratiquer sous l'égide d'une liberté de mœurs absolument inaccessible à quelque compromis que ce soit. N'ai-je pas raison ? Ah, est-ce que je te vois rougir ? Voilà qui ajoute à ta touchante petite personne une nuance d'innocence, mais alors une forme d'innocence, attention, trempée dans l'ambivalence la plus affolante, comme dans un acier intransigeant, te voilà troublée, ma fille, je vois que tu as senti, sous la caresse des sons, tout ce qui de mon désir de durer passe de ma langue brûlante à la chaude plasticité des mots, à cette glaise féconde que je modèle suivant les contours sublimes de ta personne physique transcendée par une grâce muette dont le halo subtil et frémissant continue de me frôler, de me flatter et de me pousser dans le sens de la parole, et qu'est-ce que je disais, de savoureux, oui, de savoureux, laisse-moi noter, chaude plasticité, glaise féconde, donc il est savoureux, ainsi que Roland Barthes l'affirmait dans mes mots à moi, que l'art de la parole soit originairement lié à une revendication de propriété, comme si le langage, et ce point confirme à merveille sa matérialité, s'était déterminé non point à partir d'une subtile médiation idéologique, mais plutôt à partir de la socialité, c'est un mot, de la socialité la plus nue, affirmée dans sa brutalité fondamentale, celle de la possession terrienne. Oui, je sais que je cite prati-

quement mot à mot le grand homme, encore que le concept
même de citation ne soit en passe d'être parfaitement démodé,
mais c'est d'abord un hommage à ma mémoire, et c'est important d'avoir une mémoire, ma chère, à l'heure où notre pauvre
petit Québec, avec sa culture caséeuse, fabrique de plus en plus
de têtes fromagées où les idées fraîches sont reçues comme des
crottes, une culture constipée, oui, mais aussi, subtilement, je
suis en train de te présenter, en bon professeur, une illustration
toute formelle de la thèse que je jouis littéralement, intellec-
tuellement parlant s'entend, à t'exposer, chère enfant, à savoir
que si je puis m'approprier sans vergogne des phrases entières
de ce véritable petit père que fut le grand Roland pour moi,
tout cela étant évidemment très teinté d'Œdipe comme je
peux voir que tu t'en doutes fortement, je ne suis capable de
me les approprier que parce que le langage peut être propriété,
le langage peut être possédé, comme une richesse, comme une
terre, comme une femme, ma fille, et le langage peut par
conséquent aussi être volé, subtilisé, comme une richesse,
comme une terre, comme une femme, ma petite fille, et qui
possède le langage possède aussi le pouvoir, un pouvoir volontiers patriarcal, je n'en disconviens pas, et je sais bien que je
pourrais être ton père, petite nymphette qui me remue jusqu'à
la moelle de mon Moi profond, ça pourrait être ton père qui
te parle, et un père qui parle est une perle si rare que tu devrais
sur-le-champ succomber, ma mie, et m'ouvrir derechef le chemin de ton repli secret sur ton antre obscure, me laisser téter
tête première ta combe melliflue... »

    La jeune fille eut un geste ennuyé. Elle déclara en regar-
dant ailleurs : « Non, si je bâille, c'est parce que je trouve que
vous radotez, Henry. En fait, vous parlez très bien. Mais je ne
suis pas toujours sûre de comprendre ce que vous dites, ni où
vous voulez en venir. Voulez-vous tout simplement baiser avec
moi ? C'est ça ? Ça a l'air si compliqué à dire... »

    Un peu plus loin, c'était un grand garçon hâve, enfoncé
jusqu'au menton dans son imperméable noir dont le col relevé
était effleuré, parfois, lors des hochements de sa tête, par un
toupet erratique qui retombait devant ses yeux comme une
longue griffe courbe, et qui disait à sa blonde, comme en écho
au libidineux mais sophistiqué professeur de rhétorique :
« Pour Punter, ce fier théoricien de l'horreur, tu vois, la

littérature gothique serait une forme de littérature expropriée, en quelque sorte, c'est-à-dire, si j'ai bien compris, une littérature qui a vu le jour à une certaine époque pour répondre à des besoins et à des angoisses bien précis, mais dont les époques subséquentes, nourrissant leurs propres petites peurs et complexes, se sont emparées, pour la réinvestir d'un contenu nouveau, en conservant ses formes antérieures figées, ou bien alors pour imprimer une forme nouvelle au même vieux fonds sinistre commun à toute l'humanité, réinsuffler la vie des vieux mythes dans un contenant contemporain ?... ah, ça marche pas, je suis tout mêlé, marde ! »

Son épi noir trempait dans sa soupe aux légumes. Sa blonde essayait vainement de le consoler en lui tapotant affectueusement ses grandes phalanges blêmes. Il fit une nouvelle tentative : « Mais alors, est-ce qu'on ne pourrait pas dire que toute littérature est expropriée, au sens où l'écrivain ne peut reproduire que ce qu'il ne possède pas, ou qu'il s'en dépossède en le reproduisant, qu'il s'exile de la terre par le simple geste d'écrire. L'écriture serait toujours une dépossession intime, l'écriture serait tout bonnement incompatible avec le fait de posséder, et tout texte serait toujours une réclamation, une demande d'amour, bien entendu, mais surtout une revendication territoriale, une demande de validation d'une frontière à peine franchie et donc maintenant définie, une demande de reconnaissance d'un pays qui n'existe pas encore parce que le lecteur est en train de l'inventer dans sa tête. L'expropriation serait un thème bien québécois, alors, le thème québécois par excellence ! L'écrivain est un exproprié qui n'a pas d'espoir de retour, un exproprié avant la lettre, un exproprié qui n'a jamais possédé. C'est une christ de contradiction. Ah, je suis fatigué, Lorraine. J'ai vraiment l'impression qu'il faut partir en guerre, pour défendre un mémoire... »

Elle fait doucement : « Arrête de penser à ça, Laurent. Je suis sûre que ça va être bon. »

Encore plus loin, montant de l'obscurité d'un recoin dérobé, une autre voix, féminine celle-là, s'attaquait, en même temps qu'à un croque-monsieur, au concept bakhtinien de la carnavalisation de la littérature, *concept repris et examiné par André Belleau à la lumière de la production québécoise...* D'ailleurs, j'entendis cette garce irrévérencieuse émettre l'opinion que le professeur Belleau aurait lui-même fait un bonhomme Carnaval fort acceptable.

J'ai souvent l'impression, quand j'entends parler en ces parages, que tout le monde défend une thèse, dans la vie. Et j'ai souvent le goût de prier, à les écouter, pour que tout le monde se taise. Alors je bois mon café au lait, à leur santé à tous, mon café au lait qui contient ce mélange magique entre tous d'un poison mortel et d'un baume originel, mon bol bouillant où se battent Éros et Thanatos, où s'accouplent les pulsions ennemies pour un improbable mais souverain métissage, à côté de mes livres en déséquilibre, Kerouac fuyant sur les routes et m'invitant à le suivre (oui mais moi, je connais des routes qui ne vont nulle part), Céline fuyant ses compatriotes et m'invitant à cracher aussi loin que lui (oui mais moi, je garde ma salive en prévision d'un seul long crachat meurtrier, un crachat de mon âme, une sialorrhée apocalyptique), et Miller le vieux cochon éjaculant à plein cul, et m'invitant à rester loin d'une Amérique qui pue le puritanisme (oui mais moi, je connais une jeune fille très réservée vis-à-vis du sexe). Et je sors dans les bars, et je secoue les machines à boules abouliques, j'entrechoque avec fracas les numéros d'ivoire neutres sur les Minnesota Fats au tapis vert troué comme un bouquet de fleurs obituaires, je m'enrage comme un fauve en cage, je rue dans la ville noire qui se rue dans ses abris, à l'approche des faucons blancs du général Hiver qui est ivre comme un détachement de cavalerie polonaise.

* * *

Ce matin, à la fin, je n'ai pas pu esquiver la présence intangible de ma mère dans la cuisine où nous nous sommes croisés, moi revenant de la ville, blanc comme un drap, elle émergeant du sommeil, avec ses cheveux gris fanés, froissés et rugueux comme de la laine d'acier, ses traits tirés par l'action de remorquage des somnifères, sa robe de chambre en désordre sur son dos. Elle a bâillé profondément et prononcé de sa voix machinale, enrouée : « Ah, Édouard, tu arrives ? Je viens de faire du café. Ça ne sera pas long. Je vais le faire réchauffer. »

Le café et la cuisine, je n'y résiste jamais. Même si leur corollaire est la causerie. Je me suis laissé tomber sur la chaise berçante, certain désormais que je ne pourrais échapper à cette forme d'interrogatoire extrêmement subtile et astucieuse, faite d'allusions bien dosées et de suggestions teintées d'humanisme, dont ma mère a le don d'émailler ses conversations les plus anodines. Le café fort filtre imperceptiblement à travers le papier blanc, goutte dans le pot rebondi en répandant le doux chuintement vaporeux qui emplit la pièce claire de son arôme puissant. Je redécouvre cette odeur, tout à coup, comme si l'éloignement avait réussi à me sensibiliser, enfin, à ce que la routine avait rendu égal. Jamais je n'ai perçu l'essence du café aussi nettement que ce matin, comme la condensation de ce qui me tue et me séduit à la fois dans le foyer familial : l'air de la famille. Ça me poigne, soudain, comme une force centripète incoercible, comme un cri de famine au creux de mon estomac : la faim de la famille. Quand le café se dépose comme une suie au fond de la tasse, j'ajoute voluptueusement la crème, parce que ma mère a toujours de la crème pour le café.

Ma mère a toujours un air découragé et apitoyé quand elle pose les yeux sur moi. Ça lui permet de se reposer de la pitié qu'elle s'inspire elle-même. Elle demande :

— Qu'est-ce que tu fais de bon, Édouard, mon garçon ? Je sais que tu ne viens ici que pour toucher ton chèque de B.S. Mais tu peux quand même me parler un peu, non ? Qu'est-ce que tu manges, là-bas ? Tu dois avoir beaucoup de temps libre... tu sais, le garçon de Raymonde, la voisine d'en avant, s'est tué dans le sous-sol de ses parents, samedi soir passé. Avec un grand couteau. Ils ont été obligés de remplacer le tapis. Je lui disais, à Raymonde, que ce n'était pas bon de couver les enfants trop longtemps. Il avait beau avoir sa chambre en bas, au sous-sol, il avait quand même toujours ses parents au-dessus de la tête, à le couver et à l'écraser. Toi, qu'est-ce que tu fais de bon, Édouard ?

— J'écris un livre, m'man.

Je baisse les yeux modestement. Ma mère soupire, comme au rappel d'un mauvais souvenir :

— Oui, c'est vrai, tu voulais écrire. Tu es allé vivre dans le bois pour écrire. Comme cet Américain, tu sais, l'Américain philosophe dans sa cabane au bord d'un étang...

— Thoreau, m'man.

— C'est ça, Taureau. Lui, par exemple, il savait être sage, il était capable de faire des économies. Il vivait de rien, mais il ne dépensait rien. Toi, tu vis de rien, mais tu trouves le moyen de dépenser quand même. L'argent ne rentre pas, mais toi tu sors. C'est humain, j'imagine. Votre génération n'a pas eu droit aux plus grosses rations, en termes de partage.

Je voulais éviter toute capucinade et toute prise de bec. J'ai demandé, conciliant :

— Est-ce que tu lis encore beaucoup de Kerouac, chère mère ?

Elle m'a indiqué un exemplaire des *Clochards célestes* qui traînait sur la table, avec une tache d'œuf sur la couverture.

— Il faut bien, Édouard ! Il faut bien ! À part le bénévolat, je n'ai rien à faire. Je devrais peut-être travailler, mais je n'en ressens pas vraiment le besoin. Tu sais, Édouard, il y a un homme qui a travaillé au moins pour trois, dans cette maison. Il a travaillé comme un cheval à vapeur, il a trop travaillé, en tout cas. C'est peut-être pour ça que toi et moi, on en est comme un peu tannés à l'avance, du travail. Mais toi, tu as ta vie à gagner...

Elle allongea la main en direction d'une liasse de découpures de journaux ébouriffées qui dépassait du sommet du buffet :

— Tiens, Édouard : j'ai découpé ça dans le journal de samedi. Coopération et développement. Ils demandent des agronomes. C'est en Afrique, au Mali, je pense. Tombouctou. Pour lutter contre la désertification, reboiser le désert, ça t'intéresse ? Ce sont des contrats de deux ans.

J'ai fait rêveusement :

— Deux ans à se battre contre le désert... deux ans à Tombouctou... deux ans... le temps d'écrire un roman... je me demande...

J'ai fourré le papier dans ma poche. Ma mère demandait encore :

— Tu vas y penser ? Dis-moi que tu vas y penser, au moins. Je suis sûre que tu vas oublier. Chaque fois que je te découpe une offre d'emploi, tu la mets dans ta poche et tu arrêtes d'y penser.

Puis, poursuivant sur sa lancée, devenant intarissable :

— Tu parles d'écrire un roman ? Mais justement, ça te ferait du bien de voyager. Qu'est-ce que tu peux écrire si tu n'as jamais voyagé ? Prends Kerouac, par exemple. Il a voyagé, et c'est seulement après qu'il a trouvé son style. Et il est devenu riche.

— Je vais aller dormir, m'man.

— Et puis, en voyageant, tu peux faire des reportages, de la pige. Le journalisme, ça mène à tout. Regarde René Lévesque. Lui aussi, c'est les pays étrangers, au début, qui l'ont mis sur la carte !

Comme elle ne voulait pas lâcher, et que j'étais singulièrement agacé, et de plus en plus fatigué, j'ai fait face tout à coup, et je lui ai lancé, violemment :

— Bon ! Bon ! C'est assez ! Comme si c'était tout de voyager ! C'est rendu que quand on parle d'avoir vécu, on parle nécessairement d'avoir voyagé. Mais je vais te dire une chose, mère : ton Kerouac, il n'était pas un voyageur, pantoutte ! Ton Kerouac, tu veux savoir ce qu'il était ? Il était un déserteur. Ce gars-là a tout déserté dans sa vie : la marine, pour commencer. Puis l'équipe de football. Et ensuite le collège. Il a déserté l'Amérique au complet, Kerouac ! Mais pas dans les traces de Miller. Miller, lui, il pouvait pas la sentir, l'Amérique, alors il l'a fuie. Ce n'était pas vraiment du voyage, ça non plus. Mais la grande idée de Kerouac, ç'a été de déserter l'Amérique de l'intérieur, vois-tu, chère mère ? Déserter de l'intérieur. Ton Kerouac, celui que tu admires, c'est ce que les autres ont fait de lui : un roi récupéré ! Mais il était le roi de rien, sinon le roi des battus, le roi des pas-grand-chose comme moi, ma mère. Un roi, c'est toujours imaginaire, c'est toujours assis sur rien. Le seul royaume, c'est les idées. Le vide... Oui, je vais partir, un jour, m'man. J'irai en Afrique, j'irai dans le désert ! Que ça soit à Tombouctou, à Death Valley, à Ouagadougou, à Phœnix ou à Chihuahua, je partirai ! Mais j'ai quelque chose à faire, quelque chose à finir avant, tu comprends ça ? Je ne veux pas dire trouver une femme, fonder une famille... même si ça peut être ça, un jour... tu comprends ?

Ma mère s'est assise tristement, juste en face de moi, et elle a dit d'une voix grave :

— Tu dis que Kerouac a tout déserté, dans sa vie. Mais tu oublies qu'il y a une chose, une seule chose, qu'il n'a jamais pu déserter...

— Sa mémère, ai-je complété machinalement en me calmant.

— Il faut que tu t'en ailles, mon fils, fit-elle encore. D'ailleurs, moi aussi, je partirais, si je pouvais. Si j'avais de l'argent, si j'avais plus que l'allocation de subsistance que me donne ton père. Il faudrait que je vende la maison. Mais je ne peux pas la vendre, elle est encore à ton père. Peut-être que ton père reviendra un jour, Édouard...

La seule mention du bonhomme suffisait à me hérisser. Je jetai méchamment :

— Oui, vends-la donc au plus sacrant, au plus offrant. C'est encore à lui ? Tant pis. Lui, il vend bien des autos qui ne sont pas à lui. On vend toujours mieux ce qu'on ne possède pas, chère mère. Vive le stellionat !

Elle me regarda :

— Le stellionat ? Ah, c'est un mot que tu as appris... Au moins, tu sais nommer les choses. Habituellement, ce n'est pas le criminel qui nomme le crime.

— C'est vrai. Comme ce n'est pas au parasite à nommer la maladie...

À cet énoncé, elle sursauta, comme une bonne mère de famille au prononcé d'une sentence injuste et infâmante. Elle fit, sur un ton de reproche :

— Édouard, est-ce que tu n'aurais pas l'impression d'être devenu un parasite, parfois ?

Le mot était là, suspendu en l'air, menaçant. J'ai inspiré profondément. Il me fallait lui faire la leçon, à mon tour.

— Tu sais, m'man, le mot fait peur, mais il faut aller voir sous le mot, peut-être. Moi, j'ai épuré le mot parasite de la plupart de ses connotations négatives. Il faut faire face au mot, le dépouiller et voir la réalité. Parasite, c'est un mot positif, c'est un mot qui me plaît ! Ça me fait penser à parachute, à paratonnerre. Notre société encense les prédateurs de toutes sortes, on n'a que des bons mots pour les jeunes loups qui montent à l'assaut des tours du centre-ville, mais on continue de mépriser le parasite. Pourtant, c'est le parasite qui a le plus d'atouts dans son jeu, parce que le parasite agit de l'intérieur,

il se trouve à l'intérieur même de son ennemi qui se trouve
être aussi son ami, c'est-à-dire son hôte. Et à cause de ce lien
organique et de cette dépendance, ce qui est troublant, c'est
qu'il devient difficile de dire si le parasite est un ami ou un
ennemi. Il représente la confusion des deux, comme une
drogue vivante, qui ravive le système tout en le détruisant. Il
faut apprivoiser le parasite en nous, je pense...

Ma bonne mère fronça les sourcils :

— C'est ce genre de choses que tu écris ? Tu écris pour ne
rien dire. Ah, tu n'iras pas loin, ta vie n'est pas gagnée, mon
pauvre Édouard. Heureusement qu'il y a des hommes comme
ton père, après tout, qui paient des taxes pour te faire vivre.

J'ai rétorqué, satisfait de moi :

— Ce que fait mon père, ce n'est pas gagner sa vie, c'est
tricher à tout coup. Pour gagner, il faut commencer par jouer,
m'man.

Puis j'ai ajouté :

— Demain, je retourne à Saint-Canut.

Le café n'était plus qu'un cerne au fond de ma tasse. Et mes
lèvres, un cerne aussi, froid, sur le front de ma mère.

* * *

J'ai eu un sommeil agité. Court. J'ai revu ma nuit en un
flash, revu ma nuit réduite à un noyau de la taille d'un
neurone. Hier, j'ai connu ma nuit de cristal, au milieu des
ténèbres amoindries de la ville. Je déambulais en flottant,
parfaitement noir, ou plutôt juste un peu gris, rond en tout cas,
rond comme une boule noire, croche comme une croche,
chantonnant méchamment. Soudain j'ai été saisi d'une grande
colère inutile, au hasard, poussant un cri étouffant au fond de
ma gorge, engendrant en moi un désespoir de coup de dés vers
les astres, une colère qui ne demandait qu'une prise en charge
à fond de train pour aboyer souverainement. J'étais tanné,
tanné comme une vieille peau sous la botte des passants, tanné
de ces sorties, tanné du mauvais sort, tanné de la solitude qui
ne voit jamais le soleil, de la solitude de sous les pieds du
millipède immense. Décembre s'en venait, avec l'ambre gris
des pluies d'hiver. Décembre s'en venait comme un veneur.

J'ai pensé à Christine, pensé à elle et aux plaies, à défaut
de plaisir, que je conserve d'elle comme des reliques saintes,

pensé à ma rédemptrice et à son rire rare, et je me suis senti
piégé et j'ai pleuré au souvenir de ses seins doux. J'ai fait une
crise, à l'image de ses crises à elle, une crise en hommage à elle.
Il fallait que je casse quelque chose, que je passe au travers de
quelque chose. Alors, inspiré par le match de la Coupe Grey,
que j'avais visionné le dimanche précédent, et inspiré, rétrospectivement, par ce fameux botté de Trudeau de novembre
1970, Trudeau au milieu des imitations d'escouades anti-
émeutes sportivement massées sur le terrain, avec ses mesures
de guerre ritualisées et traduites en verges de gentilshommes,
Trudeau balançant son formidable coup de pied dans la grosse
couille sensible de tout le Québec, son merveilleux coup fourré
dans le ballon de football dur comme un œuf, gonflé comme
une aspiration, inspiré aussi par le soccer, par le Mundial, par
le monde entier qui refusait catégoriquement d'être uniquement Christine, de recevoir et d'incarner ma colombe aux
lombes lointaines, j'ai pris un élan vigoureux et j'ai shooté
dans la première vitrine venue.

J'y ai fait éclater une large étoile, en même temps que mon
reflet aviné qui s'y est perdu, et la vitre a vécu un instant dans
sa destruction et n'a vécu que par sa destruction, retombant au
ralenti sous forme d'éclairs, de poignards, de criss et de yata-
gans mortels, pleuvant sur moi qui étais renversé sur le dos,
emporté par mon pied impie. Je me suis relevé, me sentant
émeutier à moi tout seul. Un pavé ! Mon royaume pour un
pavé dans la mare de vivre ! J'ai eu le temps de me rendre
compte qu'un morceau de verre m'avait coupé légèrement,
tout près de la marque immortelle de la dent de Christine. J'ai
compris alors que je communiquais avec elle par ma violence,
que mon geste brutal me raccordait à elle, par-delà la paix de
l'espace. Je me suis éloigné comme si de rien n'était, avec dans
mon dos le signal d'alarme hurlant son outrage légal. Mais
alors, comme par défi, je me suis arrêté et je suis revenu sur
mes pas, vers la trouée créée par mon forfait, et j'ai regardé à
l'intérieur, prenant mon temps, comme pour donner
consciemment aux policiers toutes les chances possibles de
m'appréhender. La baie vitrée que je venais de faire voler en
miettes avait servi à protéger des courants d'air les locaux
d'une agence de voyage. Sur une affiche flottant maintenant
dans le vide à la recherche d'un support, une belle plage

blanche se découpait en croissant contre l'eau verte, sur une île déserte, vierge, attendant les touristes et leurs désirs vacants et vaccinés qui débarqueraient bientôt. Un gros avion de baudruche était en train de perdre son air, par terre, percé par une autre incisive de verre. J'ai pensé : tout se vend. Ces gens-là vendent des voyages. Ces gens-là vendent de l'air. C'est drôle. Papa, lui, vend des autos. Papa vante les autos. Papa vit en vitrine et les vitrines volent en l'air et les vitrines font du vent.

Personne ne m'a apostrophé, malgré la sonnerie déchaînée qui s'efforçait de signaler à toute la ville endormie le côté criminel de mon action. Je suis reparti pépère, pensant : Ils ne pourront pas dire qu'ils n'ont pas été prévenus. J'ai perpétré ce méfait public à seule fin de les avertir. Ils avaient l'occasion belle de m'écrouer et de me placer à Parthenais, d'en profiter pour me retirer de la circulation en société. Tant pis. Pas de Parthenais ! Pas de parachute ! Pas de paratonnerre ! Papa vend des autos et son fils est un parasite.

* * *

Dernière journée à Montréal. Je suis allé boire du café au lait, encore, à *La Taloche*. Au moment de sortir de chez ma mère, après qu'elle m'eut consenti un autre prêt à même l'argent issu du compte en banque toujours contrôlé par mon ventripotent paternel, j'ai fait une pause sur le balcon, et j'ai fait face à un souvenir. Sur le rebord de la fenêtre, un cactus décrépit s'accrochait encore à la vie. En fait, je ne sais trop : avec les cactus on ne peut pas dire. Il était racorni, fripé et tout brun, comme brûlé par quelque chose de pire que le soleil du désert. C'est un cadeau que j'avais fait à ma mère un jour. Un petit cactus en pot. Sachant que ma mémère à moi n'avait pas la main très verte et que s'il existait une Société pour la protection des plantes, une SPP, elle serait derrière les barreaux depuis longtemps, j'avais pensé lui offrir ce végétal, considéré par plusieurs et par tradition comme ce qu'il y a de plus résistant chez les porteurs de chlorophylle. Mais voilà, l'évidence se trouvait devant moi : le petit cactus, replié opiniâtrement sur ce qui lui restait de cellules succulentes, dépérissait sans espoir dans cette maison qui avait été chez moi.

Pris de sympathie pour la pauvre chose empotée, sans me donner la peine d'une consultation mère-fils, je me suis saisi du récipient servant de base au cactus, et j'ai fourré le tout, aussi délicatement que possible, dans mon sac à dos léger, plein d'une prévenance attendrie à l'endroit du résidu moribond. Puis je suis parti, déclarant à l'adresse de mon passager : tu étais trop à l'étroit ici. Et puis, ça ne peut pas être pire avec moi. Je te trouverai une place, petit. Ça ne sera pas pire avec moi.

* * *

Il faisait froid en ville. Le café était bon. Les intellectuels frileux n'étaient pas au rendez-vous. Il faut du lard pour faire face au froid. Les intellectuels, eux, ne mettent généralement qu'un foulard. Ils attrapent des microbes et prennent des journées de congé pour soigner leur grippe avec des grogs.

Je n'ai fait que deux rencontres dignes d'intérêt. Deux tout nus. Le premier m'a zieuté à travers la baie vitrée, l'air fou, hagard, puis il est venu me relancer à ma table. C'était un Indien mohawk, ravagé par sa vie. C'est tout ce qu'il m'a dit, en tout cas : Chu un Indien mohawk. C'était son unique motif de fierté. Lui n'avait pas de thèse à défendre. Je lui ai donné un peu d'argent, avec la promesse qu'il s'en aille, car je ne voulais pas qu'il me dérange et dérange les autres. Et il était dérangeant. Le détail qui m'a le plus frappé, c'est le pourtour de sa bouche. Il y avait là comme une croûte répugnante, un mélange de bave et de morve solidifié qui lui pendait du coin des lèvres et jusque sous le menton. L'image que j'en conserve est celle d'une barbe de bave. Et je me suis dit : un vrai baveux, celui-là. Surtout quand il est sorti. Parce qu'à ce moment il a lancé : « Vous allez voir, on est pas morts. Chu un guerrier, moi. On est pas morts. Vous allez voir. » Le serveur arrivait justement avec l'intention clairement affichée de procéder à une prompte expulsion de l'individu.

L'autre, je l'ai rencontré devant l'église Saint-Jacques, sur les marches de l'ancien parvis. Un clochard qui était en plein à sa place, lui, juste sous le clocher. Je lui ai donné de la monnaie, tout ce qui me restait, en disant pour m'excuser :

— Je sais bien que ça ne changera pas ta vie...

Sa salive à lui n'était pas figée. Tout le contraire. Il m'abreuvait de ses postillons en parlant de façon fort péremptoire.

— Je sais, je sais, qu'il m'a dit. Mais as-tu pensé, le jeune, que moi, je pourrais ben changer ta p'tite vie à toi, peut-être ?

Je me suis reculé un peu, à cause de la fine bruine que distillait sa bouche tordue mangée par une vieille barbe, et aussi parce que je voulais le considérer avec intérêt. J'ai demandé poliment :

— Qu'est-ce que vous voulez dire ?

Il a ricané malicieusement, puis il m'a passé, sans mot dire, la petite fiasque qu'il venait de tirer de sa poche. J'ai essuyé le goulot discrètement, disant, pour la contenance :

— Vous aussi, vous avez eu votre béesse ?, puis j'ai avalé une lampée d'alcool.

Il faisait froid dehors, ça faisait du bien de grimacer de chaleur. Alors le clochard a dit, vaporisant toujours sa salive en ma direction :

— C'est parce que, vois-tu, mon jeune, t'es en train de parler à un homme célèbre !

Comme je ne disais rien, il a continué, avec une emphase comique :

— Ouais... Chu peut-être dans la rue, mais j'ai passé à la tévé, moi...

Il leva bien haut sa bouteille, se servant à la régalade et étudiant ses effets par en dessous. Convenant qu'il y avait effectivement un prestige certain autour d'une telle apparition médiatique, je voulus connaître les raisons qui avaient poussé les gens des tours d'ivoire de la télévision à se préoccuper du sort d'un personnage aussi dépenaillé. Et c'est alors que, bombant le torse, haussant le ton, le robineux déclara, tremblant de fierté :

— Vois-tu, le jeune, chu pas un robineux comme les autres, moi. Non monsieur. T'as sûrement entendu parler de moi. Moi, je suis le roi des clochards. Chu passé à la tévé, ch'te dis. André, mon nom. André, le roi des clochards. Tout le monde me connaît à Montréal !

Et il rigola encore, laissant un filet de gin s'écouler dans la fossette de son menton zébré de coupures.

Alors là, je l'ai admiré franchement. Je lui ai même donné de la monnaie de papier, de la monnaie fripée, frappée à l'effigie d'un souverain lointain n'ayant aucune prise sur la réalité de la rue, parce que je sentais que d'une façon ou d'une autre, je devais payer mon tribut au roi André, mon frère de noble sang, qui avait réussi l'exploit, à partir de rien et de la rue, de conquérir la haute tour de Radio-Canada. En le quittant sur des manifestations d'amitié, j'ai repensé à ma conversation de la veille, avec ma mère, et j'ai su que j'avais eu raison, et que j'aurais pu abandonner toute ma fortune d'emprunt au roi clochard, sans en ressentir aucun remords, parce que les vrais rois de ce monde sont ceux qui ne possèdent rien.

* * *

Sur le chemin du retour, j'ai fait une escale importante. Je suis revenu sur le pouce. Un autobus lavallois m'avait mené vers le boulevard du curé Labelle, le roi du Nord, pour que j'y dresse mon gros doigt en l'air, implorant la pitié et la grâce des automobilistes engoncés dans leur graisse de sédentaires en mouvement. Dans le ciel lavallois, je pouvais voir l'immense enseigne au néon G.M. à l'ombre de laquelle le Malarmé vendeur de voitures brasse ses affaires de mercanti prospère.

J'ai fini par trouver des lifts qui m'ont mené à travers les interminables banlieues échiquetées, à travers les interminables alignements de cases d'arrivée. Puis la pénéplaine a soulevé légèrement la route, nous approchions de Mirabel. J'ai vu le terrain où vont naître les grosses libellules répressives du Texas désertique. La voiture était alors conduite par un jeune prof de cégep moustachu qui n'a pas manqué de vitupérer la venue de la Bell dans la région et la vocation militaire de ses appareils. Il venait de se bâtir une maison à demi-enterrée là-bas dans les collines, pour rester cool au plus fort de la canicule et bien au chaud la bise venue. C'est le principe même du terrier, lui ai-je fait observer, qui permet à des animaux comme le rat du désert de survivre à la fois au jour torride et à la nuit glaciale des terres arides. « Survivre... », a-t-il répété pensivement.

Il m'a déposé en face de l'aéroport, parce qu'il venait de se souvenir, inopinément, qu'il avait oublié quelque chose à Saint-Janvier et qu'il devait faire demi-tour incontinent. Je suis resté planté sur le bord de la route, tout à côté d'un viaduc menaçant qui semblait vouloir m'envelopper d'une crypte bétonnée. Les jambes légèrement écartées, les pieds enfoncés dans le gravier, je faisais face au complexe aéroportuaire jailli de terre, noir et luisant, caparaçonné de métal rebutant. Pour en avoir tellement entendu parler, je n'avais encore jamais visité l'aéroport de Mirabel. Et tout à coup quelque chose m'a frappé, enfonçant un coin de mon champ de vision : sur un imposant édifice attenant, qu'une passerelle couverte reliait au reste de la structure de l'aérogare, se détachaient les mots suivants, en lettres jaunes devenues lumineuses au contact de mes cellules nerveuses crépitantes : CHÂTEAU DE L'AÉROPORT.

Sans plus tarder, impatient, je me suis mis à avancer en direction de la construction sombre et flamboyante. Les portes magiques m'ont livré passage sans hésiter, comme si j'avais été reconnu, attendu de toute éternité. À l'intérieur, je me suis trouvé semblable à un oiseau sous une verrière démesurée. Mirabel m'apparut comme une immense cage dorée renfermant un grand bout de ciel, une forteresse guerrière où les barreaux des geôles auraient fait place à des floraisons de tubulures d'acier. J'ai tout de suite senti que quelque chose en moi devait être captif là, quelque chose comme mon cœur.

J'étais arrivé au royaume de la géométrie rigoureuse, de l'abstraction rectiligne, de la planéité planifiée et de la perpendicularité impitoyable. C'était neuf et vacant. On sentait encore le crayon de l'architecte courir dans les coins. L'aéroport n'était pas encore émancipé de ses plans, et mon désarroi ambulatoire me poussait le long de ses grandes lignes. Je me trouvais dans un petit Brazilia nordique, une folie hors d'atteinte de l'humain, un temple conçu pour les temps où les hommes tenaient encore les dieux par la main, où tout le monde était croisé ou pèlerin.

Il n'y avait personne en vue. Pas un chat. Surtout pas un chat. Seulement peut-être un sphinx quelque part, qui ne se sentirait pas trop dépaysé. C'était en tout cas un cadre fabuleux pour ma solitude de début d'hiver. Quelques employés vaquaient, quelques préposés échangeaient des propositions diverses lors de pauses café répétées, quelques humains humaient le vide bien astiqué, quelques valises valsaient sur un tapis roulant, justifiant à grand-peine l'utilisation d'un petit chariot. Et tout alentour, l'aéroport paraissait encadrer ces quelques êtres d'une telle surenchère de matériaux qu'on ne se serait pas surpris de le voir se dissiper subitement, comme un mirage dans le désert, et de voir ces badauds épars et ces manœuvres désœuvrés poursuivre leur promenade en rase campagne comme si de rien n'était.

Je lisais les signes autour de moi AIR CANADA FINNAIR POLISH AIR SWISSAIR AEROFLOT WARDAIR FIRST AIR sur des panneaux jaune vif. La terre n'est que de l'air. Les pays sont du vent. Des mots. PORTES GATES. Appuyé à la rambarde, à l'étage, je me suis absorbé dans la contemplation des petites barrières qui retiennent les arrivants au seuil de leur lancée à la poursuite de la fortune, comme des chevaux au départ du derby, porteurs de tout le poids du rêve américain. Je me tenais devant une frontière intérieure, la frontière de l'air, bien plus réelle maintenant que la ligne caduque du 48e parallèle. Au-delà de ce parquet bien frotté, de ces tourniquets rétifs et de ces guérites vitrées où prend place le rite de la séance d'investigation vigilante autorisé par l'intérêt supérieur de la nation, c'est l'étranger qui commençait. L'escalier mobile, la piste de décollage et le ventre de l'aéronef appartenaient déjà, comme les ambassades, aux lointains pays qui les aspiraient en leurs territoires et qui créaient l'appel d'air des rêves et le flux des devises. Frontière at large, frontière du large. Le monde commençait là, à mes pieds, sacrament !

Ensuite, mes pas se sont perdus dans l'allée sans fin. Des dessins d'enfants ont attiré mon attention, bien encadrés sur le mur. C'était le résultat d'un concours tenu dans les écoles primaires de la région, montrant la vision puérile des grands oiseaux du progrès venus offrir la beauté et le travail à la campagne reculée. Les dessins étaient tout croches et juraient avec l'aspect mathématiquement irréprochable de l'aérogare. D'ailleurs, je ne voyais guère d'enfants aux alentours. Les enfants ne voyagent encore qu'en imagination. Et leurs petits voyages à eux, épinglés là comme des papillons sacrifiés à la science, étaient plutôt pathétiques, et me confortaient dans l'impression que Mirabel ne pouvait être au fond qu'un gros jouet dont il suffirait d'apprendre à se servir.

Je me suis arrêté devant des fresques murales exotiques évoquant les peintures du douanier Rousseau (et il faut convenir que le cher douanier aurait été bien à sa place), préparant le terrain, prodromes de la parade des paradis perdus. Et j'ai eu la nausée tout à coup, parce qu'il y a fraude partout, parce que la vie sauvage est en contrebande, parce que le rhinocéros noir au nez pulvérulent fait bander les Chinois, parce que les derniers éléphants sont mitraillés par de grands nègres qui jouent du blues au piano à queue en baisant Brigitte Bardot, parce que l'Amazone est grugée et que l'Arctique est un gruyère. C'est le désert qui gagne la partie. Et les aéroports qui envoient le monde s'envoyer en l'air sont des termitières terminales. En contrebas de la cafétéria, j'ai aperçu une petite fille noire qui étreignait en sanglotant un moustachu frisé de coloration idoine. Je crois qu'elle s'était perdue.

* * *

Près de l'entrée, une publicité pour carte de crédit y allait de son souhait : BIENVENUE DANS NOTRE MONDE. J'errais toujours dans Mirabel, sa gigantesque abstraction m'échappait de toutes parts, ses lignes me fuyaient de tous côtés. Tout était tellement distant, tout était tellement tu-m'en-di-ras-tant. Arrivé à un certain point de ma démarche exploratoire, une vieille dame à demi ratatinée me demanda d'une voix chevrotante : « Pardon, monsieur, est-ce que vous travaillez ici ? » Sur le coup j'ai été saisi. « Travailler ?... Euh... non... non. » Et je me suis esclaffé à la pensée que je puisse évoquer, même déformé par la myopie rédhibitoire d'une aïeule, un fiable employé d'aéroport en action, avec ma vieille veste militaire d'un vert passé, rapiécée aux coudes, effilochée aux bordures, réminiscence tendre d'antécédents marxistes inavouables, moi, ex-ennemi du Canada, ennemi public numéro zéro, cheval de Troie dans ce drageon de béton, cet implant de confédération écrasant le vieux terroir fatigué.

Je passais près du bar, toujours fasciné par l'absolue vacuité de l'immense bâtiment dont je comprenais vaguement que le *Pullford Lodge*, ma froide cathédrale de l'ennui vespéral, n'avait constitué que le vestibule, une sorte de sas. L'aéroport élevait cette impression d'abandon sinistre à une puissance supérieure, au rang de richesse architecturale, de merveille du monde. C'est l'impossible possession du vide qui me faisait progresser en automate au milieu de sa féerie linéaire. Le bar affichait des tons violets plutôt mortuaires : sur un mur drapé de velours, un motif décoratif était réverbéré à l'infini par un jeu de glaces tendues au fond, vers un abîme. Ce motif représentait une espèce de grosse pupille dilatée s'éclatant au sein d'un iris fluorescent et qui semblait s'attacher à mes pas comme j'avançais. Salut, Big Brother, marmonnai-je machinalement.

Alors on me répondit. « Eddy ! Eddy ! Eh ! Eddy ! » Je reconnus la voix de Johnny, qui hurlait comme un loup. Me retournant, je l'ai vu jaillir de ce mastroquet de luxe pour hommes d'affaires aux frais de voyage épongés d'avance. Il chancelait, assailli par la lumière omnisciente, fort joyeux par ailleurs, les yeux ronds et fissurés, et il me salua au moyen d'une très solide claque dans le dos, à me faire sortir tout l'air des poumons. Je me suis dit qu'il n'avait pas l'air dans son état normal, puis je me suis corrigé en songeant que je n'avais jamais vu Johnny dans son état normal. La seule fois que je l'ai vu dans son assiette, il mangeait, justement, et ne levait pas les yeux et n'enlevait pas ses cheveux de sa soupe. Il s'écria :

— Qu'est-ce que tu fais ici ?

— Qu'est-ce que tu fais ici ? répliquai-je.

Nous nous serions retrouvés sur la lune que nous n'aurions pas été plus surpris.

Johnny m'apprit qu'il venait parfois se promener dans l'aérogare. C'était son endroit préféré pour passer un trip d'acide.

— Il y a de la lumière partout !, m'assura-t-il, les yeux écarquillés.

Sa sclérotique finement veinée était brouillée comme du blanc d'œuf dans son orbite sombre. Je dis, philosophe :

— Ben oui. Chacun sa façon de voyager, hein mon Johnny ?

Nous étions sur la passerelle intérieure d'où il était possible d'observer les gros appareils immobiles au sol. Johnny poussa un soudain rugissement et annonça :

— Ah ! Je me sens fort, Eddy. On est près d'un lieu de pouvoir, ici. Ça se sent ! Tu savais pas ? C'est pour ça que je viens, man. On est près d'un lieu de pouvoir. Quand la force est avec toi, tsé veux dire, Eddy ?

— Tu délires, Johnny. Tu me fais penser à un capoté que j'avais rencontré, sur la rue Saint-Denis, après le référendum. Il disait qu'il avait personnellement influencé le vote, par la pensée. Il prétendait qu'il avait personnellement poussé 40 % de Québécois à voter oui au référendum. Mais il communiquait mal avec les Anglais, j'imagine. Télépathe, mais unilingue, tu vois le genre ?

Mais Johnny semblait singulièrement galvanisé, pas du tout enclin à se laisser calmer par mes raisonnables réminiscences. Il se planta devant la rampe, les pieds fermement écartés, regardant droit devant lui, et déclara impérieusement :

— Tu comprends pas, Eddy. Regarde bien. Tu vois l'avion, là-bas. Je vais le faire lever de terre. Par la force de ma volonté, tu comprends ? Je vais le faire léviter. Bouge pas, tu vas voir.

— Je te gage que non, Johnny.

— Tu gagnes pas toujours, Eddy...

— Léviter ! Tu as pris ça où, ce mot-là, Johnny ?

— Je suis peut-être plus loup-gourou que tu le penses, Eddy...

Il se raidit, le regard toujours fixe, un peu effrayant. Son visage, à force de forcer, se convulsa, dans une parodie apoplectique de concentration. Il grimaçait et se tordait sur place, soufflant et ahanant comme MacMurphy dans *Vol au-dessus d'un nid de coucous* quand il tente d'arracher l'énorme machine à eau de ses gonds. La même tension totale désespérée le tenaillait. Sauf qu'ici, l'objet à soulever était tellement disproportionné. Il fallait être fou. Disproportionné. Comme Mirabel. J'en étais troublé. Je regardais l'avion, un Jumbo Jet d'Air Canada dont le départ n'apparaissait en rien imminent. Il était écrasé à sa place, le nez boudeur. Johnny grognait, gémissait, mettait tout son physique, comme toujours, dans un processus qui ne pouvait qu'être mental. Ça clochait quelque part. Il relâcha brusquement la contention, en un long soupir.

Il regardait à terre. J'ai voulu le consoler, disant :

— C'est pas grave. T'es pas synchrone avec les horaires, c'est tout, mon Johnny.

Je croyais qu'il allait me servir la réplique de circonstance, c'est-à-dire : Au moins, j'ai essayé, Bon Dieu. Au moins, j'ai essayé. Mais Johnny, c'est Johnny. Il me fouilla triomphalement les côtes de son coude haut levé, et m'indiqua du doigt un avion de ligne qui au loin prenait son envol au terme de sa ruée pleins gaz.

— Ah ! Je te disais ! En v'là un qui décolle. Regarde, Eddy. Un avion qui décolle.

Je lui fis remarquer qu'il s'enfonçait carrément dans la mauvaise foi. Mais me faisant face, il scanda, avec une violence particulière :

— Mauvaise foi, mais foi quand même, hostie d'Eddy !

Je n'ai rien ajouté. Il commençait à me faire peur, avec son espèce de fanatisme suffisant. Il devenait boudeur, parce que je refusais de jouer son jeu. Puis il parut changer d'idée brusquement, comme illuminé d'un coup par la possibilité d'un prix de consolation, et il m'entraîna à sa suite.

— J'ai quelque chose à te montrer, m'assura-t-il.

Je l'ai suivi. Nous approchions du fond de l'aérogare, où une profusion de plantes en pot exotiques évoquait une forêt tropicale maladroitement déracinée. Des cerfs-volants aux couleurs vives planaient, statiques sous leurs ficelles invisibles dans l'atmosphère contrôlée, et je me disais qu'il ne faudrait après tout que des ficelles suffisamment grosses pour soulever un Boeing de terre. Près de là, des cloisons blanches à pois de couleur circonscrivaient un petit espace à l'intérieur duquel mon compère me poussa. Et là, je vis, tout autour de moi, comme de gros cadeaux rutilants autour d'un sapin, des billards électriques glougloutant, sifflant, grondant, tintinnabulant, pétant, ronronnant en chœur, comme des réfrigérateurs avec leur provision de plaisir en stock. J'avais les yeux ronds.

— Une mini-arcade ! Wow !

Quelques enfants rôdaient à l'intérieur de l'exiguë salle de jeu, attirés ici par leur instinct, expliquant par leur présence pourquoi je n'en avais vu aucun ailleurs.

Johnny, l'air halluciné, s'était déjà emparé des commandes d'un *pinball*, et il s'apprêtait à faire la cour à Annie parmi les astéroïdes, tandis que je nourrissais de nickel un autre jeu qui flamboya aussitôt, et dont le panneau illuminé me projeta ce seul mot à la face, me l'imprimant profondément dans le cerveau : STARS. Je lançai à Johnny :

— Je n'aurais jamais cru que je pourrais jouer au *pinball* à Mirabel !

Et il répondit, absorbé :

— Ouais, ouais, c'est la place idéale, hein, Eddy ?

Dans l'étroit réduit que les claustras fermaient sur le monde clair et net de l'aéroport, nous nous sommes laissé aller aux commandes de nos fantasmes. Et cette fois, le IT revenait, encourageant, le IT de Ti-Jean, la joie épiphanique de Joyce, parce que j'étais à nouveau en phase avec le rayonnement de l'univers, les prouesses devenaient itératives, les points s'accumulaient au compteur, les étoiles se rapprochaient de moi en scintillant OH SAY CAN YOU SEE ? et pour des fractions de secondes isolées mais rapprochées, de très légères touches d'euphorie teintaient le présent et le *pinball* paraissait pouvoir devenir plus qu'un passe-temps puéril.

* * *

Comme nous sortions de l'aéroport, Johnny me demanda :

— Tu ne prends jamais d'acide, Eddy ?

Je dus lui expliquer que tout ce qui est chimique et produit de synthèse m'inspirait une sainte méfiance. Il demanda encore :

— Quand c'est pas chimique, qu'est-ce que c'est, alors ?

Je répondis :

— Quand c'est pas chimique, c'est organique, c'est vivant, Johnny.

Et sérieusement, il conclut :

— Il te faudrait une drogue vivante, peut-être, hein, Eddy ?

C'est alors qu'un représentant de la force constabulaire, responsable du maintien de l'ordre à cet endroit et probablement alerté par les simagrées redoublées de Johnny, nous apostropha et se livra, vu nos allures de malandrins, à la traditionnelle vérification d'identité, qui fut suivie d'une fouille corporelle décidée sur la foi de renseignements généreusement prodigués par le central. Johnny fut emmené en voiture : on voulait qu'il soit disponible après l'expertise scientifique qui déterminerait la nature des substances supposées nocives trouvées en sa possession. Il me lança en disparaissant :

— C'est rien. C'est rien, Eddy. Sioux later.

J'ai dû marcher pour revenir à mon squat. Une bonne
trotte. En passant devant la petite route qui mène au poste de
quarantaine attenant à l'aéroport, j'ai remarqué que la barrière, à cet endroit, avait été laissée ouverte. Ça arrivait
rarement. C'était comme si j'avais été discrètement invité à
prendre un raccourci par là. Comme si ça avait été le seul
endroit où j'aurais pu logiquement me diriger.

* * *

La lumière a changé. Le pays paraît écrasé sous un énorme
ramas de gris, comme une Pologne éternellement promise à la
botte des officiers, servant de balle de ping-pong aux grandes
puissances. La campagne frileuse a la chair de poule sous le vol
hautain des buses pattues en phase de coloration sombre, qui
ont la migration paresseuse. Parfois un avion se pointe et
égratigne le ciel d'acier. La terre est nue mais pas du tout en
appétence. La terre est nue et rasée comme dans une chambre
à gaz.

Je chauffe le poêle tous les matins. Je me colle à lui, je
bouffe des œufs et je couve mon âme triste. Je fais de longues
promenades sur les basses terres battues par le vent glacial, ou
le long de la ligne décharnée des crêtes granitiques. La nuit de
mon retour de la ville, de langoureux hurlements m'ont réveillé et m'ont glacé le sang dans les veines. Ça venait des
collines, là-haut, c'était d'une intensité dérangeante. Ça ressemblait aux modulations du loup, mais de façon faiblissante,
un loup qui aurait été résigné à la mort. Un loup avec une
extinction de voix. Je n'ai plus dormi beaucoup.

Au matin, je suis allé en reconnaissance, dans la direction
d'où semblaient provenir les plaintes lugubres. Aidé par Hospodar et Icoglan qui reniflaient fiévreusement, je n'ai pas tardé
à découvrir le chien husky du bonhomme Bourgeois. C'est lui
qui avait pleuré les solitudes glacées du nord, le poisson gelé
et le fouet des trappeurs. Pleuré la liberté. Quand Bourgeois
s'était résigné à l'enchaîner dans sa cour, craignant pour sa
sécurité après l'avoir récupéré avec du plomb dans les fesses, le
chien s'était longtemps écorché la peau du cou sur le cuir de
son collier. L'appel des espaces avait fini par être le plus fort.
À l'approche de l'hiver qui est sa saison à lui, il n'avait pas
résisté et sa chaîne n'avait pas résisté non plus. Il avait pris le

bois avec cette lourde traîne chromée à sa suite, courant en fou, enivré par le maelström adoré des odeurs qu'il retrouvait, affolé par les énergies emmagasinées en lui durant sa longue privation de latitude. La chaîne avait fini, inévitablement, par se coincer dans un buisson, entre deux tiges étroites et rapprochées, et le pauvre corniaud, en tournant frénétiquement autour de l'embûche surgie sur ses talons, n'avait pas arrangé l'affaire. Il avait tourné tant et tant qu'il s'était lié à jamais à l'insignifiante touffe de végétation qui pliait mais refusait de céder. Combien de temps a-t-il lutté, appelé ? Mes deux alliés, certainement au courant de l'affaire, sont peut-être venus le narguer durant mon absence, ajoutant l'injure innocente à la cruauté ultime de la situation.

Les derniers jours, après avoir dégusté le cuir revêche de son collier, il s'est converti au végétarisme et s'est mis à engloutir indistinctement rameaux et feuilles mortes. Il a très bien nettoyé le sol sur le rayon appréciable autorisé par la longueur de chaîne encore disponible. Mais les vertus nutritives de cet expédient alimentaire n'ont pas suffi, et il est mort, le toutou, avec une grimace pas très jolie attestant de l'indéniable qualité de sa dentition, avec ses côtes sur le point de perforer le pelage épais, comme des parenthèses refermées sur la chair. Ce qui l'a vraiment tué, c'est la soif. On meurt de soif bien avant de crever d'inanition. On meurt toujours de soif de quelque chose, on dirait.

J'ai démêlé la chaîne, entreprise considérable, puis j'ai remorqué la carcasse derrière moi, accumulant dans mon sillage les feuilles mortes, sous l'action de ce gros râteau velu. Les feuilles voulaient lui faire un linceul, au husky, et l'entraîner dans leur décomposition. Mais j'avais autre chose en tête, une forme d'exposition plus élevée, comme chez les Indiens qui mettent leurs morts à la disposition des charognards dans les arbres. Parvenu sur les hauteurs d'où l'on peut apercevoir la demeure cossue du sieur Bourgeois, j'ai passé l'extrémité de la chaîne par-dessus la fourche assez haute d'un pin qu'il m'a fallu escalader en partie ; puis, redescendu, j'ai hissé en l'air le chien mort qui tendait, comme pour un dernier appel pathétique, ses pattes crochues raidies par le gel matinal, l'ai hissé malgré la friction de la chaîne qui conférait à la manœuvre une certaine difficulté, je l'ai hissé très haut, bien en vue de la

demeure en apparence déserte, hissé le chien au ciel comme
un pavillon poilu d'un blanc maculé qui ne voulait aucune-
ment signifier la paix, un pavillon poilu plein de menaces. Le
deuxième élément de la paire de cerbères tant redoutée avait
levé les pattes. J'ai murmuré : « Ton chien est mort, Bourgeois. » Et, laissant la bête pendue bien visible à ce gibet
improvisé en haut de la colline, je suis parti.

* * *

La rencontre devait avoir lieu. C'était écrit dans le ciel,
comme on dit. Cela s'est passé dans un brouillard gras, une de
ces brumes irréelles qui imposent la lenteur de leur pénétration
aux cellules grises. J'étais stone comme une roche, gelé comme
un granit gris détaché de son aigre bouclier, un bloc erratique
dans un mental à retardement. C'était une foire d'idées déso-
rientées dans ma tête.

L'odeur du renard s'est présentée comme un doux leurre.
Mon tarin a enfin échappé à sa tare fonctionnelle, mon noble
pif bourbonien a enfin réagi à la mesure du ciel qu'il est de son
ressort de filtrer sans fin. Mon grand nez a déployé les ailes de
ses narines et a pris son essor comme un Jumbo Jet dans la
plaine laineuse du pays.

Je marchais le long de la rivière, hautain comme un
maréchal, sous le grand vent glacial de fin d'automne qui fait
ressembler la région à une Europe de l'Est eudémoniste au bout
d'une corde. Il ne manquait plus que la neige, la venue du
désert blanc, le siège vampirique du général Jaruzelski qui
porte des lunettes de soleil pour faire oublier les pauvres
récoltes de patates et les cœurs macérant dans les étangs de la
vodka hiémale. Je marchais sous le vent, mon Baïkal profond
au creux du coude, dans la grisaille qui ne rigole pas, lesté de
pensées lourdes comme des miracles, ou comme des tribunaux,
avec cols d'hermine et perruques de neige.

Le bienfait de la drogue, c'est l'altitude qu'elle introduit
dans l'attitude. Je planais. Je pouvais me rappeler Christine
presque sans souffrir. Ça pénétrait bien un peu au début,
comme un bon coup de pertuisane dans le coffre, ça amorçait
sa charge de peine, mais à peine, le verrou se tirait, trait sur le
passé, la targette dans ma tête condamnait le saut suicidaire
par cette fenêtre-là, parce que regretter l'amour est aussi stérile

que regretter d'être né. La dope m'empêchait de vouloir mourir en me tuant la tête, belle petite mort localisée. Quand la pensée de Christine m'effleurait, légère comme un flirt, l'austère nature des cordes de bois de l'hiver me rappelait vite à mon corps armé, garde-à-vous, fusil bien huilé au creux du coude. La dureté même de mon sentiment et de l'environnement, c'était Christine qui m'accompagnait encore. Je sentais ses yeux me suivre comme deux soleils, je savais qu'elle me voulait comme ça, dur, armé, stoïque sous le vent coupant comme un cristal. Dans toute cette haleine de haine exhalée par les airs et restituée par la terre, Christine durait en moi. Et je marchais plié comme un primitif, le long de la Rivière-du-Nord grise et plombée.

Alors soudain, ma narine de guerre a frémi sous l'assaut subreptice d'un effluve détourné par une saute de vent. J'ai capté une essence un instant indéfinissable, mais dont je savais que je connaissais le sens. Je me souvenais qu'elle s'était confondue un jour, le temps d'un précieux dîner de famille, avec l'émanation charnelle de ma petite éleveuse d'oies. Un jour de cet automne fuyant, en face de moi, il y avait eu ce petit gars, Martin le Champi, échevelé et jaune comme un champ de juillet, urineux et crasseux : c'est de lui, héraut de mon odorat, qu'était venu cet arôme puissant et fétide qui m'avait envoûté sur-le-champ, ne me dégoûtant de ma soupe aux légumes et du copieux repas suintant de graisse animale qui fumait que pour faire naître en moi une autre sorte d'appétit. Il avait déclenché le réveil d'un nez auquel ma naissance avait voulu nier toute utilité, un nez qui n'avait même pas daigné marcher au sortir de la matrice. Il avait fait de ce nez un véritable organe, un organe sexuel qui ne craindrait pas, lui, de s'afficher bien visible à la face des gens, et de revendiquer, camus, crochu, busqué, aquilin, camard comme un corps mort ou courbe comme un croc, la possession de la proie. Maintenant mon cartilage ouvrait ses ailes d'aigle romaine et je reconnaissais l'odeur fugitive mais pénétrante de ce jour-là, l'odeur des drogues du petit trappeur en herbe, l'odeur d'urine de mon maître à pisser, l'odeur de Maître Renard.

Il était là, près de la rivière, pris à la clôture, à un endroit où Martin le Champi avait cru bon d'ajouter un brin de broche de dimension et de forme bien précises. Maître Renard avait traversé là des centaines de fois, sans doute, son grand nez le précédant partout, détectant les pièges de l'enfant à travers l'obstacle, les déjouant avec morgue, sans s'y arrêter. Mais cette fois, l'enfant avait eu le meilleur sur la bête, le flair proverbial s'était endormi un instant, au moment où le mien s'éveillait à la vie. Je sentais le renard. Il était pris au collet. C'était un renard argenté et il était bleu, tout bleu, très sombre, comme cyanosé pour l'éternité. De l'avoir senti à distance, d'avoir établi, par la magie de mes muqueuses, une relation totémique totale, je devins euphorique. Je flottais dans l'irréalité, croyant vraiment, par un phénomène de transfert touchant au tragique, lire dans le renard, entrer dans sa tête. Il m'apparut comme un émissaire longtemps attendu qui s'offrait enfin, message de chair et d'urine. En fait, l'animal était simplement en train de jouer sa vie à ce passage périlleux, crucifié par la clôture. Il s'était embobeliné, à force de tourner rageusement selon un rayon sans cesse réduit par l'enroulement de la broche du collet, et il ne disposait plus que d'un jeu de quelques pouces qui le contraignait à une immobilité qu'on eût dit de circonstance. Il n'avait pas l'air pressé de risquer le tout pour le tout et de tirer sur le piège jusqu'à la strangulation complète et définitive, ou alors le bris libérateur de la broche. Il était occupé à me regarder venir, perplexe, salivant.

Je suis allé à lui, en extase, les mains tendues pour l'apaiser, lui répétant doucement : « Tranquille, tranquille, mon beau bébé bleu, on va te tirer de là. » Les Juifs n'ont pas décroché le Christ, mais moi, j'allais au moins réparer le tort fait à mon totem. Il ne semblait pas craintif du tout. Il bavait et me fixait d'une paire d'yeux étrangement perdus et calmes tandis que je me penchais sur lui, toute prudence obnubilée par le sentiment d'être un sauveur. Quand j'ai voulu passer mes doigts sous le cruel licol qui avait entrepris de s'enfoncer dans les chairs, le renard argenté a eu un sursaut violent et sans prévenir, il m'a sauté à la gorge, me plantant ses canines à la base du cou. J'ai hurlé, surpris par la douleur, et surtout par la qualité amortie de cette douleur, à cause de la torpeur neurotrope de l'hallucination. Je me suis renversé en arrière, saisissant la bête à pleines mains, à pleines poignées de peau du cou. Le renard bleu monta sur moi, au bout de sa longe de mort.

Alors mes doigts qui avaient voulu se poser sur son cou pour le caresser et desserrer l'étreinte de la fin se sont refermés sur la jugulaire palpitante et se sont transformés eux-mêmes en un cercle d'acier se resserrant, ceignant, serrant la fourrure bleue.

J'ai serré longtemps pendant que le renard relâchait peu à peu la prise de ses mâchoires, me labourant le corps de ses griffes, et pour finir, en une convulsion ultime accompagnée d'un glapissement sec, me lâchant un bref jet d'urine fumante sur la jambe. Quand je me suis redressé, il avait cessé de vivre, c'est moi qui l'avais tué, sans le vouloir, je saignais au cou, j'étais hébété. Je ne pensais plus à rien, je ne respirais plus, comme en ce jour lointain de ma naissance, mon premier séjour dans l'apnée du blues dont toute cette mélancolie cannabique ne constitue qu'un succédané. Le renard bleu gisait en travers de la clôture et je me sentais damné.

* * *

De plus en plus, je fréquente l'aéroport. Il y en a qui affectionnent les terminus d'autobus. Moi, c'est l'aéroport. Ce grand vide me plaît, m'appelle, m'aspire. J'aime le formidable désœuvrement qui règne ici, à l'intérieur de ce super-parasite. J'y suis chez moi, au chaud malgré la froideur de l'esthétique dominante, à l'aise pour écrire à une table de la cafétéria. J'observe les rares passants perdus entre deux pays, les préposés qui vaquent sereinement, sans stress, au sein de leur gigantesque sinécure high-tech. Je vague les mains dans les poches, rien dans les mains, rien dans les poches, que mon carnet collé à mes chairs, j'erre, j'assiste aux rares départs, aux rares arrivées, je lis les horaires.

Je joue au *pinball*, dans la discrète enclave que les cloisons feutrées coupent du monde déconcentré de la grande case de départ et d'arrivée. Je regarde les femmes, aussi. Je m'installe aux commandes d'un billard électrique et j'ébranle la carcasse métallique inclinée qui se met à ruer comme une bourrique bourrelée, dans un délire d'onomatopées onanistes. Je ne tue que le temps, pour l'instant. Mon temps n'est pas onéreux. Il tient dans le fond de ma poche. Mon *pinball* est un tremplin trémulant. Mon royaume pour un tremplin ! Le petit labyrinthe plastifié qui s'ouvre sous le plexiglas doit fatalement déboucher de l'autre côté des clôtures du ciel, dans les longs couloirs aériens qui convergent vers le lieu de ma transe électronique. Le ciel est une concession comme une autre, c'est ce que je me dis, et bien d'autres choses, en chaos.

Quand on se pense fou, rien n'est plus consolant que de rencontrer plus dément que soi. Ainsi, j'ai revu Johnny une couple de fois, appuyé à la rambarde de la passerelle intérieure qui surplombe les guichets douaniers, et son état apparent oppose un rassurant démenti à mes inquiétudes mentales. Il reste planté là, profondément plongé dans un effort de concentration sans objet sensé. Quand je lui demande : « Qu'est-ce que tu fous là, vieux ? », il doit se tirer d'une stupeur terrible pour me répondre. Et il me ressert alors son galimatias plein de tête à queue, il me parle de son mythique lieu de pouvoir qui serait tout près d'ici, comme s'il avait pu communiquer télépathiquement avec Castaneda et son vieux maître le sorcier yaqui, et il m'assure qu'il essaie de faire décoller les avions, par le seul pouvoir de sa pensée. Je me moque de lui gentiment :

— Tu te prends pour un Jedi, hein ? C'est pesant un avion, Johnny. C'est sûrement plus facile à faire tomber qu'à faire monter. Et puis, faire décoller un avion relèverait déjà du miracle dans un aéroport ordinaire, alors tu imagines à Mirabel, avec toute l'inertie qu'il y a ici ! ! ! ? ?

Il continue à fixer intensément les lourds appareils cloués au sol. Je hausse les épaules. Et pour lui changer les idées, je l'emmène dans l'enclave du *pinball* et nous nous escrimons sur de petites billes plus faciles à contrôler que de gros Boeing.

— T'as déjà pris l'avion au Mexique ? me demande Johnny.

— Non, pourquoi ?

— Il y a des familles complètes qui campent à l'aéroport, qui couchent à terre avec des couvertures. Trop pauvres pour acheter un billet. Mais pas d'autre place où aller.

Après une pause, il ajoute, frissonnant sous sa veste de cuir bardée d'écussons :

— Drôle d'hiver qu'on va passer...

— Tu trouves ?

— Non, je trouve pas, fut la réponse.

* * *

Quand le brouillard s'est dissipé, j'aurais pu croire que j'avais rêvé, sans les deux marques bien sensibles laissées sur moi par ma victime déjà vengée. D'abord il y avait cette blessure à la base du cou, comme la séquelle d'une rencontre avec un vampire, qui se rappelle à moi par des élancements douloureux. Elle se superpose presque exactement à celle infligée par Christine, plus tôt cet automne. Je me suis servi d'un fond de cognac oublié par Johnny pour désinfecter la plaie, qui a un vilain aspect. Le renard a parlé, et il n'a pas mâché ses mots, le salaud.

Et puis, le renard a pissé. Voilà le second signe : une tenace exhalaison de l'urine musquée dont la jambe de mon pantalon est imprégnée, et qui fait remonter en moi l'outrage du sombre canidé. Offense ou offrande ? Je marche maintenant avec la nette sensation de laisser dans mon sillage une traînée odorante qui balise mes allées et venues et leur confère la qualité olfactive des sentiers suivis par les vrais renards. En répandant ainsi la bonne odeur, je me sens envahi d'une vie nouvelle et animale. J'ai laissé la carcasse encore chaude là-bas, à l'emplacement du traquenard. Quand je suis revenu au chalet, une vague nausée m'accompagnait. Mais maintenant, je me sens plus léger. La neige tombe doucement et recouvre tout, taffetas émietté sur les stigmates du drame, tampon disséminé entre la réalité et moi. Je me sens négligent comme la neige qui tombe et nie tout.

* * *

À Mirabel, à force d'errer hagard à travers l'immensité lustrale des surfaces bien frottées, j'ai fini par remarquer une petite bonne femme, mince et mignonne comme tout, qui vient prendre son café seule à la cafétéria sordide de l'aéroport, non loin de la table que j'occupe et sur laquelle je scribouille comme un poétereau agitant des moignons d'ailes. Elle a les cheveux courts, elle aussi, mais le reste de son anatomie l'éloigne radicalement de Christine. Ses cheveux sont châtains, fins, presque secs, dirait-on à cette distance, son visage est plus dur, osseux, moins rond, et ses yeux clairs s'accordent à la démentielle limpidité de l'atmosphère mirabellienne. Au lieu de la plénitude mammaire qui mettait à rude épreuve l'extensibilité des chandails de Christine, celle-ci possède de petis seins discrets et pointus, pas débordants du tout, du genre concentré qui permet d'apprécier pleinement les vertus érectiles du tétin. Des petits seins qui arrivent à déjouer la rigidité de l'uniforme d'une grande compagnie aérienne. Des seins de type masculin, presque. Il y a une qualité indéniablement androgyne dans la grâce menue mais rude de sa démarche quand elle se lève, l'excitant liquide absorbé, pour passer près de moi. En quelques occasions, ses yeux bleus m'ont lacéré comme deux diamants, et je me suis senti transparent comme une vitre.

Je l'ai filée précautionneusement, mine de rien, jusqu'à son guichet, au comptoir d'une compagnie aérienne où elle exerce visiblement le métier de préposée aux billets. Mais je m'étais par trop découvert dans ma quête de précision : quand elle s'est retournée d'un seul coup, son attention infailliblement sollicitée par l'incongruité d'une présence humaine, je suis resté planté au milieu du passage, sans même songer à affecter de poursuivre une déambulation qui ne pouvait avoir aucun sens. J'étais accusé de drague vulgaire par toute la lumière impitoyable de Mirabel, par toute cette clarté sans faille qui ruisselle le long de ses impeccables plans à angle droit.

Alors je suis allé à elle, que je ne pouvais voir qu'à partir du menu buste en montant, derrière le comptoir, j'ai toussoté tandis qu'elle souriait avec une certaine appréhension et j'ai demandé négligemment :

— Combien, un billet pour le Mexique ?

Elle a poussé un soupir presque imperceptible et a murmuré :

— Ça dépend ! Où voulez-vous aller, au juste ?

J'aurais dû répondre : Mais je suis très bien ici, juste en face de toi. Mais j'hésitais, ce qui provoqua une amélioration tangible de son sourire. À la fin j'ai déclaré :

— N'importe où. C'est seulement pour avoir une idée des prix.

Elle a ri :

— Tu es venu à l'aéroport juste pour avoir une idée des prix ? Tu sais, il existe un raffinement technologique très pratique de nos jours, un prodige qu'on retrouve dans la plupart des foyers québécois, et qu'on appelle téléphone, tu sais, le machin avec un fil et un combiné ?

J'ai pris un air vexé :

— Tu me parles comme à un Sauvage... Le fait est que je n'ai pas le téléphone chez moi, tu vois... Est-ce que j'ai vraiment l'air d'un Sauvage ?

— Oui, tu as l'air d'un Sauvage, expliqua-t-elle, mais un Sauvage éduqué par des conseillers militaires soviétiques. Un Sauvage équipé avec des surplus de l'armée popov. Je me demande si je ne devrais pas faire appel à un agent de la sécurité.

J'ai hoché la tête :

— Ça m'ennuierait. Alors que pour l'instant, c'est plutôt toi qui as l'air de t'ennuyer. Tu n'as absolument rien à faire ? D'ailleurs, tu as l'air de t'ennuyer aussi durant tes pauses café. J'ai bien le goût de t'imposer ma présence, la prochaine fois, même si c'est la présence d'un primitif.

Elle n'a rien répliqué. C'est de cette façon que nous en sommes venus au rituel sacré de la prise du café ensemble.

Andréa ne m'a pas intimidé, même au début. Elle se projette tellement tout entière à la surface de son corps qu'on a la certitude de pouvoir s'en emparer rien qu'en tendant la main. Ici, pas de profondeurs de receleuse piégée. Andréa est une surface au pays des surfaces et rien ne se conquiert mieux qu'une surface. Elle a elle-même aplani toute difficulté d'un geste engageant de la main, affirmant tout de go : « Tu me plais beaucoup, toi. Qu'est-ce que tu viens foutre à l'aéroport, en plein jour, si tu ne prends pas l'avion ? » Je lui ai patiemment exposé que je me prenais pour un roi, comme le fou de Gogol, que je me trouvais en exil dans une misérable bicoque au bout de la plaine, que quand j'ai su que Mirabel était un château, j'ai décidé de l'investir et d'y établir ma cour, sauf que je ne savais pas si les chiens étaient admis dans la bâtisse, car ma cour se composait en tout et pour tout de deux corniauds malingres, et enfin je lui ai appris qu'il ne me manquait plus qu'un trône d'où je pourrais commander toute la région. À son air indulgent, j'ai vu que ça ne faisait pas très sérieux. Ça a fait encore moins sérieux quand j'ai dû lui révéler que l'essentiel de mon emploi du temps, ces jours-ci, passait par le billard électrique, mais que ça ne me coûtait pas très cher, parce que je collectionnais les parties gratuites. Elle a paru à la fois amusée et rebutée.

— C'est de l'enfantillage, non ? D'ailleurs, je reconnais que ça te convient à merveille, avec tes vieilles fripes de l'armée. Il n'y a que les enfants pour s'habiller en militaires. Ils peuvent se permettre d'être innocents. Si la vraie guerre éclate, ce n'est pas eux qui iront se battre.

Je me suis senti le devoir de protester :

— N'empêche qu'à Beyrouth, les enfants jouent à la guerre dans un décor plutôt réaliste. Tu n'as jamais besoin de jouer, Andréa ?

Elle pousse un gros soupir :

— J'avoue que ça me ferait peut-être du bien. Je m'ennuie tellement ici. Regarde-moi tout ce vide autour. On a de la difficulté à ne pas se croire sur une autre planète ou dans une station orbitale, coupés de tout. Quand je travaille de nuit, c'est encore plus impressionnant. Tu devrais voir ça : des lumières partout, blanches et blessantes, à croire qu'on monopolise une baie James complète seulement pour notre château de lumières, pas un être humain en vue. Trop de lumière, peut-être... La lumière fait peur au monde. Un aéroport, c'est comme un gigantesque interrogatoire. Oh oui, je m'ennuie, Édouard ! Je m'ennuie de nuit, avec toutes ces lumières !

— Alors pourquoi tu restes ici ? demandai-je, sceptique.

— Je reste ici pour pouvoir partir, justement. J'ai besoin d'argent, pour voyager, pour pouvoir partir moi aussi. Tu te rends compte ? Tous ces billets d'avion qui me passent entre les mains. Un jour, il y en aura un pour moi, tu verras. Pour l'Asie, pour l'Afrique, ou ailleurs. Quand j'aurai assez d'argent, je ferai des voyages et je verrai des vraies nuits. Je verrai les Mille et une nuits.

En disant cela, elle a pris ma main, et moi, en retournant ma paume, je lui facilite la prise. Puis, l'attirant au moyen de cette menotte qu'elle m'abandonne, je la fais lever et lui intime l'ordre silencieux de me suivre. Je lui dis : je connais un petit coin, moi, où c'est toujours la nuit. La nuit avec des néons rouges et des éclairs et des étincelles. Je la mène par la main, à travers le vaste aéroport aux aires tapissées de tonnes de bonnes intentions, la mène par sa main docile que je lâche bientôt, par respect pour sa position d'employée salariée, mais nous continuons à progresser dans une bonne entente muette, potestative et synallagmatique, sur laquelle aucun contrat dûment signé ne saurait prendre le pas. Je la mène à l'intérieur de l'enclave où les machines à boules reposent comme des appareils ménagers bigarrés et refroidis. Il n'y a personne à des lieues à la ronde. Tout est paisible et sombre là-dedans, et je regarde de près Andréa qui me retourne avec espièglerie cette scrutation insistante. Nous sommes seuls, seul et seule, isolés du monde entier par les cloisons ivoire ou blanc crème. Et ça se passe comme ça :

J'explique brièvement à ma compagne impromptue le fonctionnement de l'un des engins qui attendent, piaffant de leurs reflets chromés, et je lui paie même sa partie en introduisant le trente sous de la tentation dans la fente prévue à cet effet. La voici qui joue au *pinball*, redevenue gamine à la lueur des éclairs sanglants que décoche la machine, et moi sur celle d'à côté j'essaie de m'absorber dans une autre partie, mais je n'arrive pas à m'amuser, face à face avec mon reflet esseulé dans le plexiglas. C'est la partie d'Andréa qui m'intéresse. Bientôt je suis derrière elle, tout contre elle, et mes doigts rejoignent ses doigts sur les boutons de commande de l'artillerie lourde, et je participe au feu d'artifice, l'embrassant doucement dans son cou osseux, envoyant des influx nerveux directement dans sa colonne en S qui monte au front à travers les vertèbres moelleuses sur lesquelles ma main court comme sur le clavier d'un instrument de musique à cordes pincées, les nerfs à fleur de peau qui envoient les billes fuser dans le plastique en fusion sous la cloche de verre carillonnante. Et quand elle se retourne pour m'embrasser, je la soulève de terre pour entourer mon bassin de ses jambes et je fais deux pas en avant, sans cesser de boire à sa bouche, pour asseoir ses petites fesses sur l'inanimé en flammes et nous faisons bientôt l'amour, mon pantalon sur les talons, elle, jambes repliées sur leur position de provocation électrique en batterie au boutte, se laissant aller en arrière sur le cercueil froid et embrasé auquel je me colle le bas-ventre comme jadis, m'englant l'hypogastre dans le métal électrifié, et quand finalement elle doit réprimer un cri afin d'assurer la discrétion de nos agissements clandestins, je cherche frénétiquement de mes index durs les boutons de commande du billard électrique et je les percute rageusement pour garder la bille en mouvement vers le haut du plan

incliné selon mon désir fondant qui décolle. Tac Tac Tacatta-
quAlléluia ! Je poinçonne Andréa comme on poinçonne un
billet pour l'autre monde.

* * *

CHAPITRE 6

LES TRANSPORTS AMOUREUX

Je suis allé dîner chez les Paré, en pleine tempête de neige. Johnny et son père se découpaient en ombres chinoises devant le gros cube de glace de la télévision. C'est le petit Martin qui m'a accueilli, une lueur de triomphe dans les yeux. Son visage s'éclairait d'un sourire que seule une carie stratégiquement positionnée pouvait se vanter de ternir. Il l'avait eu, son renard argenté. Il n'arrêtait pas d'en parler. La mère s'avança vers moi, disant :

— Quand il a attrapé son renard, ça l'a rendu bavard, c'est pas possible. La salive lui sort par les oreilles, ma foi !

Elle avait l'air fatiguée.

J'ai accompagné le jeune au sous-sol. Il voulait me montrer la peau. L'obscurité n'y était refoulée qu'à grand-peine par la clarté pisseuse d'une ampoule munie d'une chaînette. Sur un bout de contre-plaqué, le petit trappeur avait cloué la fourrure, côté chair vers l'extérieur, en étirant fermement le cuir dégraissé au couteau. Avant même que la lumière ne se fasse, je pouvais capter, au moyen d'une narine frémissante, la chaude odeur déjà intime qui me replongea dans le trouble animal qu'elle avait le don d'insinuer en moi. La longue queue soyeuse dépassait du cadre improvisé et permettait d'en admirer la riche texture et la sombre teinte aux reflets d'argent.

— Qu'est-ce que tu comptes faire avec ton trophée, mon gars ? demandai-je.

— Je sais pas, hésita-t-il. Peut-être la vendre. Une peau de renard bleu, ça vaut très cher. Peut-être que ma mère en fera un chapeau. Elle est capable. Peut-être que tu pourrais l'acheter ?

Je me suis mis à rire, intrigué :

— Moi ? Mais j'ai pas un sou vaillant, mon gars. J'aimerais bien ça, avoir un chapeau de renard argenté, mais j'ai pas un fifrelin.

— Tu parles drôle, dit-il.

— Toi, répondis-je, il paraît que tu ne parles pas beaucoup, quand tu n'attrapes pas de renard. Est-ce que tu avais, par hasard, un renard dans la gorge ?

Il me fixa intensément pendant un instant, puis il leva un doigt vers moi, indiquant la base de mon cou :

— C'est toi, on dirait, qui a quelque chose à la gorge.

Je souris. Descendant sur la clavicule, le col de mon chandail, dans son évasement, avait laissé apparaître l'obscur stigmate. Je soufflai :

— Chut ! C'est rien. Pas un mot. C'est un accident.

Il réfléchit un peu, puis déclara sentencieusement :

— C'est de valeur que tu ne puisses pas l'acheter. En chapeau, ou en collet de fourrure. Ça aurait pu faire un beau cadeau...

— Un cadeau ? Je me mis à rire, mal à l'aise.

— Un cadeau pour Christine, déclara-t-il avec assurance. Peut-être que ça irait moins mal, si tu lui donnais un cadeau ?

— Ça ne va pas mal avec Christine.

— Elle ne vient plus les fins de semaine...

— Montons. Ils doivent nous attendre pour dîner.

* * *

À table, Johnny me parut plus absent que jamais. Il était dans son assiette, littéralement : son esprit ne rayonnait pas au-delà de la circonférence de porcelaine posée devant lui. Il avait encore l'air stone, un air qui commence à se figer à demeure, chez lui. Je l'observais à la dérobée. Fermé et noir comme un caveau à patates. Chair pâle et pâteuse, comme celle d'un tubercule étuvé. Une faible lueur filtrée par des yeux un peu fous, qui sont seuls à attester, tels des œils-de-bœuf, qu'un grenier coiffe toujours ce solide bâti et qu'au-delà il y a le ciel. Je rêve d'entrer là-dedans, de percer à jour ce monde de pensées en apparence mort. Comme le permet la dope, parfois, en procurant une faculté d'empathie sans limite. On fixe un visage et on se rend compte à un certain point qu'on peut penser à sa place. Qu'on peut pénétrer par les pores de cette carcasse cuirassée qui laisse fuir les idées. On fixe Johnny assis à sa place, *Eddy* ? Johnny immobile, comme toujours pris entre deux mouvements, *Eddy* ? comme un avion en bout de piste, quand il me regarde, comme s'il *Eddy* ? attendait un ordre de moi *Ready* ? *Eddy à dîner, c'est drôle. Tu fais partie de la famille, astheure, Eddy. T'es un frère, Eddy. Même si le père a pas encore l'air de te digérer. Le père, il est plus le même, depuis l'opération. Il regarde en l'air, il regarde à terre, il regarde la place vide au bout de la table, à côté de toi, à côté d'Eddy. Le père, il s'ennuie de sa petite fille préférée. Son p'tit poussin, comme il l'appelait dans le temps. Son poussin s'est poussé, hostie. Envolé. Pis le père, il voudrait juste faire pareil, partir en appartement, laisser toute la patente aux fonctionnaires pis sacrer son camp. Je le comprends un peu, le père. Prendre le bord au plus vite, parce que c'est le bordel, ici. Un moment donné, ça va craquer par en-dessous, comme quand il y a un tremblement de terre, toute la belle maison bien propre va s'écraser. C'est la mère qui tient tout ça ensemble. La mère va craquer. La mère elle pense que le général Montcalm aurait pu crisser le général Wolfe en bas du Cap-Dia-mant. Si elle pouvait, elle recommencerait toute la crisse d'histoire au grand complet. Elle va casser, la mère, un moment donné. Elle a l'air faite trop solide. Le père vient de parler de son p'tit poussin. Il a dit peut-être parce qu'il voulait essayer Eddy parce qu'il digère pas Eddy il a dit Je sais pas pourquoi, mais Christine vient pus ben ben souvent les fins de semaine. Et la mère répond Va falloir t'habituer son père parce que plus ça va aller plus elle va travailler là-bas et le père dit que quand elle va avoir son diplôme elle reviendra même pas parce que il y a pas d'avenir dans le coin, pour ceux qui veulent faire de l'agriculture. La mère va craquer, un de ces jours. Faut pas lui dire, que je passe en cour, surtout pas lui dire, elle va craquer, possession, accusé de possession, la mère, l'avenir de la terre, ça la pompe c'est pas possible, elle siffle entre ses dents, au-dessus de nos têtes. Signer ? Signer et s'en aller, point final, c'est ça, son père, que tu veux faire ? S'en aller s'en aller monter dans un des avions qui passent à tous les jours. Faire décoller des avions par la pensée Eddy comprend pas mon style, comprend jamais ce que je veux dire, avions avions possédé par les*

avions mais je monterai sur ma moto si les avions veulent pas
décoller pis ma moto ça va être mon avion. La bonne femme va
craquer, surtout pas lui dire, pour l'accusé de possession, elle vient
de prendre une casserole dans ses mains, elle tient ça comme un
bouclier en parlant, la salive nous revole par la tête, dans l'assiette
il y a du sang, à cause du rosbeef, pis il y a de la salive, la mère dit
à mon père Tu veux t'en aller en ville ? Mais t'es déjà dedans, la
ville, à longueur de journée devant ton poste de tévé, t'as les yeux
vrillés dessus, la ville, avec le câble. Vrillé, ça c'est ma mère. Un
mot de la mère. Shit elle met la main sur mon épaule il faut pas
qu'elle sache, pour la dope, pour la possession, faut pas qu'elle
sache que je traîne à l'aéroport pour voir les avions, elle dit, toi mon
Jean, toujours à traîner avec les tramps de la place, toujours parti
sauf quand il s'agit de dormir tes douze heures ou de te présenter à
table, tandis que même ton père travaille, des fois, ça lui arrive,
même avec son cœur en compote, elle va craquer la mère, elle crie
à Martin, maintenant, qu'il disparaît à l'aube pour reparaître entre
chien et loup, en pensant que le ménage va se faire tout seul dans
la maison. Christine a laissé un grand trou noir, quelque part. La
mère trouve pas qu'on fait une relève terrible, terrible. Elle a l'air
de l'aimer, Eddy. C'est facile pour Eddy d'avoir l'air correct, il a
pas les mêmes chromosomes qu'elle, il l'a aidée, des fois, il a joué
au bon garçon. Christ d'Eddy, il pourrait aussi bien me remplacer,
parce que moi je vais partir en avion en moto, mais non il faut
qu'Eddy vienne avec moi, Eddy, rester ? Partir ? Eddy, on dirait
qu'il est toujours entre les deux. La mère promène sa crisse de
casserole devant nos faces, comme si c'était un miroir, elle veut
qu'on se reconnaisse, qu'on voit comment on est laids, la lumière
passe par la fenêtre et rebondit sur la casserole et retombe sur nous
autres. Je ferme les yeux. On essaie de continuer à manger, on
serre la fourchette pis le couteau pis on fait comme si la mère avait
rien dit, comme si elle était pas en train de dire Partez donc toute
la gang, mes hommes, avec ma bénédiction, vous pouvez déserter
les rangs, moi je reste, je me bats, je me battrai toute seule s'il le
faut, et on se regarde, Eddy la regarde, il est dans la famille
astheure, la mère va craquer, tout à coup qu'elle pique une crise,
comme Christine, tout à coup qu'elle pique du nez, comme un 747
qui s'écrase, il faut pas qu'elle sache, pour la cour, pour ma
possession, pas qu'elle sache que je passe des journées à l'aéroport,
regarder les avions pis penser, flyer, mais parce qu'on veut pas

l'écouter, la mère, elle pousse un cri, le père, le père qui pense à son p'tit poussin, et elle donne un bon coup de casserole sur le mur. Toute la batterie de cuisine se met à résonner, cybole, ça sonne comme un coup de gong, comme John Bonham avec sa super-batterie dans les shows de Zeppelin. On entend plus rien, pour une secousse, pis une seconde après on entend la sonnette d'entrée. La mère, avec sa casserole dans la main, donne des coups en l'air avec, comme si c'était une raquette. Elle va ouvrir la porte.

C'est le bonhomme Raymond qui entre. Le bonhomme Raymond. Ma mère l'aime ben. Il se prend pour un vieux baveux de la Bible. Il dit Notre traversée du désert achève, les amis. Ah votre mère a beaucoup de mérite. Moi, je sais pas si je verrai la Terre Promise ou si je ferai comme Moïse, mais notre traversée du désert achève, je vous le dis. C'est fini, les terres de misère, mal drainées, mal irriguées, pleines de queues-de-renard. Prenez-en ma parole. Il se prend pour un grand-père de la Bible, les noms qu'on entend qui finissent en i, Jérémie, Isaïe, Élie, toute l'hostie de gang, mais pas Job, par exemple. Monsieur Raymond, il a mieux à faire avec le fumier. Dans le temps que ça bardait beaucoup, la gang de la SIC avait organisé un gros party, sur le parterre d'une vieille maison qu'ils avaient transformée en musée. Tout le monde, du grand monde chic, se promenait sur la pelouse avec des cochonneries, des p'tits biscuits au caviar, le verre de vin dans la main, le gros fun. Le bonhomme Raymond est arrivé là avec sa gang du comité des expropriés. Il était sur son tracteur, pis il tirait son épandeur à fumier en arrière de lui. Ça s'était mis à revoler, cette affaire-là, parce que ça garroche pas mal loin, un épandeur à fumier, les beaux messieurs en avaient sur leurs beaux habits, les petits biscuits goûtaient moins bon après ça. Ouais, le bonhomme Raymond, il est pas pire. Un vrai bonhomme de la Bible. Lui, il serait capable de les faire lever, les avions, juste en criant après. C'est le genre d'affaires qui pourrait se faire dans la Bible, s'il y avait des avions dans la Bible. Eddy, il est vraiment con, Eddy, toujours stické sur ses christs de renards, il demande au bonhomme Raymond c'est quoi au juste une queue-de-renard ? Le bonhomme Raymond le regarde comme s'il venait de tomber d'une autre planète, il répond que c'est une plante, il connaît pas le vrai nom, Eddy, christ d'Eddy, il doit connaître un mot grand de même, pour la même affaire. Eddy pis ses mots compliqués. La mère peut ben l'aimer. La mère va craquer, faut pas lui dire, pour la dope, possession, les avions, le bonhomme Raymond regarde Eddy d'une drôle de façon, on dirait qu'il est pas capable de décider si c'est un bon gars ou pas, Eddy, il est toujours entre les deux, il vit comme nous autres, comme un exproprié, mais dans le fond il est un peu comme les fonctionnaires, il a pris une place qui était pas à lui, il a peut-être pris la place de quelqu'un, de qui ? Je sais pas, moi, d'une famille de fantômes, peut-être. Avec moi, c'est moins compliqué, la façon que le bonhomme Raymond me regarde, il sait que je suis un pas bon, lui c'est un fermier, il est habitué au cuir deux-couleurs des vaches, il est habitué au noir et blanc, il trouve que j'ai trop de cuir noir sur le corps, c'est un bonhomme qui a mangé de la vache enragée, il est venu donner des nouvelles du procès des expropriés à la mère, ça va peut-être la calmer un peu, ou l'exciter encore plus, il faut pas qu'elle apprenne, pour ma…, c'était marqué quoi sur le papier ? Ma comparution en cour, sous l'accusation de possession, elle ferait des free games, la mère, possession de stupé-fiants, crime de possession, monsieur Raymond me regarde comme d'habitude, comme un pas bon, crime de possession, pour Eddy, il sait pas trop encore, c'est dur de se brancher avec Eddy. Le père, lui, c'est sûr, il l'aime pas pantoutte, Eddy, à cause de son p'tit poussin. Martin lui, il a l'air de l'aimer, mais oui, c'est sûr, c'est à cause des renards. Eddy ? Eddy ? Quand est-ce qu'on s'en va ? On va s'en aller, hein ? Tu vas me suivre, tu vas être derrière moi, sur le siège du passager, Eddy. Mais Martin, qu'est-ce qu'il fait, le kid ? Il montre Eddy du doigt, il dit Édouard, il doit courir les bois, lui aussi, sinon c'est quoi, ça, là ? Il montre son cou, le cou d'Eddy du bout de son doigt. C'est vrai, on voit une marque rouge, on dirait qu'il a été mordu. Moi, j'ai le fou rire, Eddy est gêné, mais moi, j'ai le fou rire, parce que moi je le sais, ce que c'est, moi j'en ai, des traces de dents comme ça, sur tout le corps, je le sais que c'est la signature de ma sœur, CriCri la Terreur, ma christ de p'tite sœur, elle l'a pas manqué, mon ami Eddy. Tout le monde se met à vouloir voir les traces de dents, le bonhomme Raymond se met à rire et il dit C'est rien, ça, j'en ai une belle, moi aussi, à peu près à la même place. Mon premier coup de matraque. Si je m'en souviens ! Deux semaines à pas pouvoir lever le bras. J'avais toute l'épaule aux couleurs de la SQ. Le père, lui, ses yeux sont comme des mitraillettes, et il regarde Eddy, parce qu'il a compris, lui aussi, le vieux cochon, il a du feu au fond des yeux, Martin, évidemment, il comprend rien, il doit penser que c'est un renard qui mord comme *ça, comme si Eddy se promenait à quatre pattes quand il va dans le bois. Il comprend rien, il est trop jeune. La mère, je sais pas si elle comprend, mais tout ce qui l'intéresse, c'est de soigner ça. Parce que ç'est pas beau, comme bobo. Monsieur Raymond me regarde comme un pas bon, le père fusille Eddy avec le feu de ses yeux, la mère, elle va craquer, une bonne fois, mais on dirait qu'elle revient sur terre, là, elle tire Eddy par la manche Viens, je vais te mettre quelque chose là-dessus, Eddy, évidemment, il s'est pas trop soigné, il est comme moi, il s'occupe pas trop de sa santé, parce que sa santé lui sert pas à grand-chose, mais la mère, elle a l'habitude, j'en ai eu souvent, des coups de dent comme ça, CriCri la Terreur, signé CriCri la Terreur, Martin il pense que c'est un renard, ça fait du bien des fois d'avoir une mère qui prend soin des affaires comme ça, j'espère qu'elle saura rien, pour mon affaire de dope, comparution en cour, à Saint-Jérôme, pour crime de possession.*

* * *

Dans ma cabane du pied de la pente dure, il fait froid. Décembre éploie ses grandes ailes de harfang sur la plaine. On appelle cela une vague de froid, et pourtant le froid ne fait jamais de vagues. Le froid aplanit les lacs, les rivières et les étangs, resserre les molécules du jus d'orange dans mon verre. Le froid ne fait pas de vagues. J'ai beau bourrer mon antique poêle de fonte de beau bouleau blanc, la chaleur s'échappe vers le dehors, par le tuyau qui monte au ciel et elle s'en va rejoindre les grands Boeing qui continuent d'étinceler là-haut. La chaleur s'en va dans le Sud. BIG BIG BIRDS FLYING OVER THE SKY Seule la chaleur peut faire des vagues.

Comme je dois économiser le combustible, et comme de toutes façons je ne fais rien de mon corps, je suis bien plus confortable pour écrire sur une table bien mate et bien nette de la luxueuse cafétéria de l'aéroport. J'y avale coup sur coup les cafés de carton en faisant aller mon crayon. Je suis au mieux avec la petite Andréa, dont la très grande disponibilité sur les lieux même de son travail nous ménage toutes sortes de petites discussions et explorations intimes. Je fais du stop dans l'air glacial, claquant des dents et hurlant des imprécations jusqu'à ce qu'un véhicule anodin daigne s'arrêter. Parfois aussi, l'ami Ben, indéfectible compère un peu benêt de mon brave

Johnny, m'offre de faire le trajet dans sa voiture, une vieille minoune aux ailes friables sur laquelle il s'acharne, durant les longs mois d'hiver, à greffer un moteur plus-que-performant. Évidemment, la queue de renard qui se balance sous son rétroviseur est synthétique.

Hier, Johnny nous accompagnait. Pendant que je regardais à gauche, vers le nord où s'étend la vaste tourbière, il contemplait rêveusement la tour de contrôle qui se dressait en l'air à droite de la route, rigide comme la norme de la langue française, et qui paraissait pousser irrésistiblement vers le ciel, comme un polype implacable.

— Man ! s'exclame-t-il, je suis sûr qu'on pourrait voir Montréal, d'en haut. Pis on pourrait voir chez nous en regardant de l'autre côté. Peut-être qu'on pourrait voir jusqu'aux frontières américaines. On pourrait voir partout !

Johnny et Ben voulaient venir flâner dans l'aérogare, où nous sommes au chaud. Mais ils n'ont pu rester bien longtemps car, vu le peu d'affluence qui résulte du trafic aérien minimal, ils ont vite été repérés par les forces fédérales responsables de la sécurité. Une prompte expulsion a suivi les ennuyantes vérifications d'identité. « Vous ne partez pas. Vous n'arrivez pas. Vous n'attendez personne. Vous n'avez rien à faire ici ! » Pour moi, évidemment, c'est différent. Certes, les sbires composant le service de sécurité local ne sont pas obligés de savoir que je suis Édouard Neuf, souverain décrocheur, et que Mirabel est mon château d'élection. Leur manuel d'instruction doit dater de quelques décennies déjà. Mais j'ai bénéficié, après avoir réussi à me soustraire à la compagnie compromettante de mes deux patibulaires amis, de la protection bienvenue de ma petite employée de la compagnie des airs.

L'uniforme tutélaire qu'elle arbore coquettement est venu intercéder en ma faveur, au moment où j'allais subir, engoncé de mauvais poil dans mon vieux treillis militaire, un sort identique à celui cavalièrement réservé à mes deux chauffeurs en blouson noir. « C'est correct, il est avec moi, ça va aller », a promis Andréa en contractant son minois osseux pour la circonstance, soulignant le tout d'un sourire linéaire et indulgent. Les deux agents de la GRC ont fait faire de la gymnastique à leurs lèvres gercées, se consultant d'un regard qui se voulait scientifique, pour finalement convenir à contrecœur que malgré mes allures de trublion en puissance, on pouvait accepter l'hypothèse de ma relative et temporaire innocence. OK, ont-ils concédé d'un commun accord, faisant montre d'une tolérance d'inspiration nettement confédérale. Mais je compte sur eux pour exercer une surveillance sinon discrète, du moins professionnelle, sur ma personne et celle de ma compagne. Je me sens l'âme d'un suspect.

Pendant qu'il était refoulé rudement aux côtés de son ami Ben, Johnny a eu le temps de m'apercevoir posant un baiser affectueux et reconnaissant sur la bouche sèche et offerte d'Andréa. Je calcule (car l'amour n'est pas seulement le cul, mais aussi le calcul) que Christine sera saisie de cette scène en temps et lieu, lorsqu'elle sera de retour chez elle pour le temps des fêtes. Cela ne me déplaît pas du tout.

* * *

Je ne transporte peut-être pas de TNT dans ma poche de fesse, au grand dam de ces inquisiteurs de la gendarmerie démontée, mais sexuellement, mes relations avec Andréa sont de la dynamite. Depuis cette fois où je l'ai prise, et même surprise sur la machine à boules discrètement rencognée au bout de l'aéroport, nous recherchons avec frénésie les occasions de nous isoler, et force est de constater qu'au sein de cet immense mausolée dressé à la mémoire des vents, s'isoler en couple relève de la facilité la plus étonnante. Bien sûr, nous sommes retournés plusieurs fois, pendant les pauses d'Andréa, à l'enclave des pinballs qui nous assure une retraite bénie sous les auspices du Jeu, dans une stricte intimité dont nous mettons chaque seconde à profit. Le petit corps sec et froid d'Andréa semble avoir besoin du support métallique de la machine à boules et de la ration d'électricité qui en jaillit pour alimenter notre tension amoureuse. Je la renverse tantôt sur *Annie* et son roide lit d'astéroïdes, tantôt sur *Stars* qui nous fait grimper au ciel, ou sur *Jungle Jaws* où l'exotisme cacophonique de la selve se referme sur notre plaisir brut. Et sur *Surf and Sun*, j'enfonce littéralement ma douce amie dans mon fantasme et elle devient elle-même, dans l'abolition orgastique, une sulfureuse sylphide qui dore au soleil de la Californie balnéaire, près des châteaux de sable pleins de puérils périls. Je nourris la machine de ma menue monnaie et je nourris le corps de ma compagne du produit de mes bourses et jamais le moindre témoin ne fait irruption dans notre alcôve lumineuse.

Mais nous avons étendu le champ de nos explorations intimes. Nous avons déniché de nouveaux recoins d'ombre, d'étroites fosses où plonger pour échapper à la nocuité cérébrale du jour nocturne de l'aéroport. Nous en avons fait un jeu, où le péril d'être découverts compense grandement, par le condiment essentiel qu'il procure, la brièveté des prouesses ainsi permises. Nous baisons derrière des plantes en pot, sur des sièges exigus munis de minuscules téléviseurs, debout derrière des comptoirs vacants, des portiques figés, des débris d'éternité. La totalité de l'architecture démesurée qui nous abrite ne nous apparaît plus que comme une fantastique cathédrale vouée à la célébration de notre cul. Car la portée de nos ébats débridés ne franchit guère les limites du domaine purement physique. Avec Andréa, je me découvre satyriasique, extrêmement prime, pour ne pas dire primaire ! Le moindre regard, de sa part, agit comme une provocation à laquelle je dois réagir. Mais je me cantonne justement au niveau de cette provocation, j'évite soigneusement de poser le pied plus loin, de passer la frontière de ce royaume des corps solides pour tomber dans le vide univers de la vocation qu'un mot seul suffit à résumer : amour !

Je possède Andréa d'une façon fulgurante, épiphénoménale, et ça pose problème, car comment diable garder son désir rivé précisément là, quand l'assouvissement apparaît permanent ? Il faudrait en élever l'objet. Il manque à Andréa ce petit quelque chose qui en ferait un objet de piété. J'abuse d'elle comme un rapace simoniaque posé dans la région par hasard, qui rouvrira ses ailes pour repartir bientôt. De plus en plus, elle s'absente de son travail où il est vrai un désolant désœuvrement règne en satrape. Elle ne se contente plus du prétexte inattaquable de la pause café qui avec son quart d'heure constamment étiré à vingt minutes ou plus, ne nous livrait jamais en vain l'un à l'autre, pour monter nos chorégraphies à ne pas conseiller aux cardiaques. Andréa en est rendue à s'inventer des courses à la grandeur de l'aéroport, des courses qui n'ont d'autre raison que le martèlement prédateur de son petit cœur musclé. Nous nous retrouvons haletant déjà, nous touchant déjà, entonnant déjà le récitatif tâtonnant des cochonneries qu'elle affectionne. Nous ne pensons qu'à Ça, Ça parle en nous et Ça parle au diable.

Les jours où elle travaille de nuit, nos accrochages atomiques sont grandement favorisés. L'aéroport est, si possible, encore plus vacant, vide de toute vie, pur assemblage de matériaux mats. On croirait arpenter une superstation militaro-spatiale dévastée par un agent infectieux, secret déclencheur de la première grande guerre bactériologique de l'univers. Seuls Andréa et moi avons survécu, car notre union est pure, c'est-à-dire azoospermique, libre de toute contamination vitale. Et l'agent de la mort, c'est la vie. Notre union est stérile comme l'ordre du jour d'une assemblée syndicale. Nous ne désirons que creuser, fouiller la plaie aux lèvres toujours rouvertes du plaisir. Yes Sir !

* * *

Un soir, je l'attendais, affalé sur l'un de ces sièges qui vous imposent, pour peu que l'on veuille collaborer financièrement, un tête-à-tête technologique avec la télé. Je suis tombé sur un de ces bons vieux films de violence aveugle grâce auxquels Hollywood a depuis longtemps tracé le portrait-type du héros de l'idéalité américaine, retracé à l'Ouest, au-delà de la vieille frontière : l'homme hors-la-loi, le super-héros justicier, l'anarcho-macho-capitan-capitaliste qui prend à charge et à cœur le respect de ses propres intérêts, au nom de cette illusion immortelle qu'est la liberté. Rapetissé aux dimensions de cet écran collé à moi comme une bouteille de sérum dont la canule invisible et ondulatoire aurait imprégné, nourri, pourri mon cerveau englué dans cette même lumière bleue qui nimbait dans mes pensées la nuque étroite du père de Christine, je macérais dans l'éther irradié par l'écran, attendant une fille qui me procurerait la joie, qui me curerait le corps comme on se cure les dents, comme on se lave les mains. Et par mes yeux fixés sur une héroïne hurlante, violentée, violée, sanglante, cruentée, au secours de laquelle allait se porter le All-American-Boy avec la bouée de sauvetage qu'il calerait bien confortablement contre les ballons de football jouissifs de la belle môme-pétard du 4 juillet, par mes yeux fixés que j'aurais voulu arracher, je mangeais du mythe américain à pleines poignées, je mâchais le tigre de papier du Grand Timonier, l'Amérique

chimérique ! Liberté sexuelle aux vieux cochons qui nourris-
sent des penchants pervers pour les petites filles ingénues sur
leurs genoux, aux vieux pédophiles ratés qui tentent de contenir la dilatation de leur pupille, qui écoutent leurs films salaces
et qui se prennent pour des lovelaces. Bastards ! Moi aussi, je
me voyais écouter ces bas spectacles, tard le soir. Moi aussi, la
télé du rêve encastrée dans la bedaine, je me sentais un cœur
de cochon...

Voici venir Andréa, de sa démarche de petit automate
entièrement polarisé par le plaisir. Frêle et menue, fraîche du
jour, vulvaire et vulnérable. Je m'arrache à la glue photonique
de la télé et la soulève de terre dans mes bras. Salut chérie.
Salut. L'aéroport est désert, et sous la terre couve le désert. Et
la chair dorée est un désert en chaleur que je suis chargé
d'irrriguer.

— Comment ça va au travail ?

Andréa se renfrogne.

— Mal. Tout le monde se meurt d'ennui. Ils ont rien
d'autre à faire que de potiner. Tu te souviens de Lisa, la grosse
fille laide qui était avec moi l'autre fois ? Elle a le feu, elle est
jalouse de moi, elle m'espionne tout le temps, elle se doute
sûrement de ce qui se passe...

Andréa cligne de l'œil pour moi tout seul :

— Ça doit se sentir. Je dois sentir l'amour...

Je rétorque en la serrant plus fort :

— Hum Hume. Ça sent bon. Ça sent très bon...

Puis je laisse s'intercaler un silence pour que tous les deux,
nous dévorant des yeux, nous ayons le temps de savourer ce
qui vient. Je lui souffle :

— Arrête de penser au travail. Viens.

Nous devons décider d'un nid d'amour, comme un couple
d'oiseaux perdus dans la toundra, sans points de repère. Nous
jasons comme un jeune ménage qui marchande une maison.
Nous n'avons besoin que d'un repaire. Je lui dis :

— Tu sais, depuis que nous trippons ensemble, j'en ai passé
des heures ici. C'est presque en train de devenir mon chez-
moi, cet aérogare de luxe.

— On trippe, mais on ne voyage pas. En fait, nous sommes
on ne peut plus stationnaires. Ici, les gens partent, arrivent, il
n'y a que nous qui ne bougeons pas.

— Nous ne bougeons pas. Mais nous remuons en étole, par exemple.

Elle s'esclaffe, puis aussitôt grimace de douleur et lance des Ouille Ouille pathétiques dans le silence ronronnant du grand incubateur.

— Qu'est-ce qu'il y a, chère amie ?

Il y avait qu'elle avait mal aux dents. Une rage de dents. Elle s'obstinait depuis des mois à ne pas aller chez le dentiste, parce que ça coûtait trop cher. Elle aimait mieux souffrir. Je la serrai de mon mieux pour la réconforter, mais c'est avec ma langue que je décidai de porter mes attentions au-dedans de sa bouche.

— Ça va te soulager, prétendis-je, à moitié mutin.

Elle sursauta :

— T'es fou ! Ça fait trop mal ! Lâche-moi !

Elle me repoussait avec humeur. Je persistais à badiner :

— Pourtant, si on fait l'amour, ton organisme va se mettre à sécréter tout un tas d'endomorphines et la douleur va s'endormir sagement. Tu veux qu'on essaie ?

— T'es pas drôle et tu ne penses qu'à ça.

Elle s'éloignait.

Nous nous promenions à l'endroit, vers l'extrémité de l'aéroport, où on trouve tant de plantes en pot s'élançant vives vers le ciel que c'est comme si la formidable bâtisse n'avait pas parfaitement réussi à étouffer la campagne sous sa masse, comme si la végétation avait pu perforer le béton des bases de l'édifice, se faufiler à travers les structures d'acier et se frayer une voie à travers l'épais plancher de la salle d'attente. Je me suis laissé tomber au creux d'un profond fauteuil de cuirette verte, réplique exacte de ceux qui avaient déjà servi à abriter bon nombre de nos spasmes et pulsations d'amoureux. Je l'invitais doucement en laissant glisser de ma paume un peu du terreau emplissant un pot à ma portée :

— Viens te fondre dans le vert, chère. Tu vois ? Ici c'est encore la campagne. On est en contact avec la terre. Les plantes nous cachent parfaitement, c'est comme un petit bois à vocation amoureuse.

Elle vint appuyer son séant sur un bras du fauteuil et se mit à me dévisager avec une calme inquiétude. Je la trouvais plus désirable que jamais, et en même temps, pour la première fois, je concevais quelque honte de ce désir, c'est-à-dire de la concentration exclusive de mon attirance sur le corps de ma compagne. Il me vint cette stupéfiante constatation, tout à coup : je ne m'étais jamais intéressé à elle en tant que personne. Je ne lui avais jamais posé de questions sur sa vie, son passé, sa famille, ses amis. Je l'avais prise comme un innocent fragment détaché de la construction sans aspérités de l'aéroport, quelque chose de neutre voué à un usage précis, comme une machine à boules, comme une pièce du puzzle humain sans cesse reconstitué par les allées et venues rares mais régulières des voyageurs, par les départs et les arrivées remodelant sans cesse le magma des migrations. Elle m'était restée superbement étrangère, tout occupé que j'avais été à posséder, possséder, posséder encore ce petit corps poisseux collant si confortablement au mien.

— Est-ce que tu te rends compte, me demanda Andréa, que nous avons fait l'amour chaque fois que nous nous sommes vus ? C'est... pas mal physique, l'affaire, hein ? Est-ce que ça ne serait pas uniquement ça ?

Ce n'était même pas un reproche : elle constatait, elle aussi.

— Au moins, au moins ça marche de ce côté-là, philoso-phai-je bassement.

Je lui pris les mains, geste qui avait l'avantage de la neutralité, à mi-chemin entre l'intention affectueuse et le désir de possession. Elle demanda, d'une voix où perçait comme une gêne :

— Tu n'as pas, des fois, le goût d'autre chose, de plus...

Alors j'ai respiré profondément et j'ai décidé de jouer franc jeu. Je lui ai parlé de Christine. Elle a pris ça comme une claque sur la gueule, puis s'est hâtée de se replier sur une position plus facile à défendre. Il lui fallait une retraite honorable. Elle m'apprit avec assurance qu'elle avait un chum en ville. Mais elle prit soin d'ajouter :

— Il me semble que c'était bien, entre nous deux, hein ?

— C'était bon, en tout cas, si ce n'était pas bien.

— Elle t'aime pas, l'autre ?

— L'autre ? Avec elle, l'amour, c'est comme un passager dans une salle des pas perdus. C'est comme avoir soif, mais avoir terriblement peur de l'eau. Tu comprends ? Mon amour d'elle, on dirait que c'est seulement le besoin d'être privé d'elle. Je me demande si je ne rêve pas de la posséder juste pour apprendre à me passer d'elle, comme de celles qui l'ont précédée. Mon grand amour, c'est toujours le prochain. Nous deux, c'est venu trop vite, on s'est trop conjugués au présent, peut-être.

L'aéroport était plus sombre qu'à l'ordinaire. Après ces paroles, il restait encore à se prendre l'un l'autre. Ce fut notre coït le plus éprouvant, le plus complet jusque dans l'ultime retranchement frémissant de la déflagration orgastique. Et quand elle se mit à crier, sans faire aucun cas du caractère officiellement public des lieux qui nous entouraient et du danger de la survenue toujours possible d'un gardien ou d'un simple pante, sa rage de dents se réveilla et elle hurla, et je ne savais plus si elle hurlait son plaisir ou sa douleur buccale, si elle trompetait la plénitude de sa joie ou le lancinement ravivé d'un abcès dentaire se rebellant. Sa rage de dents et la culmination éclatante du plaisir se confondaient à mon bonheur.

* * *

J'aime bien pisser au *Pullford*. Les murs des vécés y sont si fortement imprégnés de la pénétrante odeur de l'urine que ça ressemble à une invitation à se vider la vessie un peu partout, sans égard à la présence de l'urinoir maculé de rouille et d'urée qui semble ne se trouver là que pour donner bonne contenance à l'ensemble. Dommage que Hospodar ne puisse entrer.

J'étais là hier soir, en compagnie de Johnny et de l'ami Ben. Le vaste Inn était désert, comme d'habitude, comme écrasé par une malédiction ancestrale. Nous, nous jouions au billard, au fond de l'abside, et nous enchaînions les cross-sides et les cross-coins, avec un vague désabusement de masturbateurs ludiques. À tout bout de champ, Johnny laissait sortir un long soupir de ses poumons et gémissait lugubrement : « Ah, si le printemps peut venir, que je sorte ma moto. Je me sens en cage, quand je suis pas sur ma moto ! Il nous faudrait un char. Le char à Ben, on peut pas y compter, il marche jamais. Même qu'il a passé au feu hier. » L'ami Ben grommelle quelque chose, sa grosse hure de sanglier prise au collet de sa bière. « Ça crachait le feu, hostie ! »

Là-bas, derrière le comptoir, nos hôtes s'activaient comme de coutume, comme des tortues déjà un peu sur le dos. Monsieur, madame Pullford. Monsieur fait la comptabilité de son établissement d'hôtellerie, à son rythme d'aï ravagé par quelques embolies. Et madame fait la comptabilité de son union et association avec le propriétaire dudit établissement d'hôtellerie, établissement perdu au bout des champs, acculé aux contreforts laurentiens, collé à la forêt, si près de la ville que personne n'y vient jamais. Have we paid the Hydro Bill ? Elle en consomme, du courant, cette institution catatonique. Mais ici, même l'électricité est statique.

Johnny n'a pas apporté son ghetto blaster, alors nous nous sommes rabattus sur le vénérable juke-box de la maison, un meuble que nous ne manipulons que frappés de respect. Et c'est nul autre que le vrai Elvis, le King en personne, qui nous offre ses chaudes rengaines par-delà l'armée de ses imitateurs. HOUND DOG

Je suis sur le point de jouer mon coup, quand Johnny me pousse du coude. Je le regarde, sans modifier d'un iota ma position. Il esquisse un léger signe de tête en direction du comptoir. Je me redresse et suis son regard. Un vieil homme escargotique se dirige vers le couple d'aubergistes, à petits pas secs qui permettent à ses pieds de ne pas quitter le sol. La force gravitationnelle paraît le réclamer impérieusement. Sa progression ambulatoire est si hésitante qu'on le croirait à chaque pas sur le point d'enjamber sa propre fosse. Il est très vieux et creusé, déjà tout tourné vers le dedans. Sur son visage émacié à l'extrême, le squelette a commencé à tirer la peau à lui, à grandes poignées, comme quand une concubine malcommode se met à s'accaparer les draps et qu'on se retrouve tout nu dans la nuit. La chevelure de neige, encore abondante, ne suffit pas à faire rejaillir un peu de noblesse sur les traits qu'elle couronne. On dit parfois de certaines voitures qu'elles ne tiennent en un seul morceau que grâce aux autocollants qui les recouvrent. C'est l'impression que fait ce vieux-là : il ne tient debout que par la grâce de la haine et de la hargne qui sont écrites sur sa face. Il s'en est fait une haire qui soutient de peine et de misère sa charpente effritée. Je le reconnais tout de suite. C'est le bonhomme Bourgeois.

Même le King, impressionné, ralentit son tempo, comme pour l'accorder, sous le coup d'une exhortation mystérieuse, à la démarche poussive du vieux. « Ça marche plus, cette vieille bébelle-là », remarque Johnny sans quitter l'intrus des yeux. Monsieur et madame Pullford eux-mêmes se sont immobilisés, ce qui ne constitue qu'une différence qualitative minime avec le régime habituel de leur activité. Ils le regardent venir, comme frappés de stupeur. Et maintenant, la musique déjà languissante s'éteint doucement, fin du disque, en un decrescendo à contrecœur, comme font souvent les groupes rock qui aiment tellement s'entendre jouer qu'ils deviennent extrêmement réticents à l'idée de mettre fin abruptement à l'une de leurs pièces. Nous pouvons capter distinctement les paroles prononcées par le vieil homme.

— Une Molson EX ! (sur le ton d'un ordre).

— Ou Oui monsieur, balbutie monsieur Pullford, un instant ébaubi mais vite ressaisi.

— On ne vous voit pas souvent par ici, monsieur Bourgeois ! susurre la bonne dame Pullford.

— Ouais ! jappe celui-ci avec une espèce de fierté.

Il laisse passer un bout de temps sans rien dire, comme pour essayer de montrer qu'il n'est pas venu là dans un but précis, pendant que le bonhomme, obséquieusement, lui sert sa bière. Mais quelque chose cloche. Il a l'air de tout sauf d'un honnête campagnard venu étancher une soif honnête. Après avoir jeté un coup d'œil au fond de la grande salle où nous composons un public fondu dans l'ombre (Joue ! murmure Johnny. T'es rendu à la huit. Mais je suis incapable de bouger) il lance d'une voix forte, surprenante pour un physique aussi laminé, et que ne saurait tout de même pas justifier la surdité normale des deux hôteliers sénescents :

— Vous ne sauriez pas, vous, monsieur Pullford, qui est le sinistre individu qui a tué mes deux chiens ?

Silence de mort. La phrase est tombée dans le vide, résonnant bien plus comme une condamnation que comme une simple interrogation. Un peu lent à réagir, monsieur Pullford regarde autour de lui, effleure notre présence de ce faisceau fatigué qu'il dirige vers le fond de la bâtisse, puis hausse les épaules avec une perplexité extrême :

— Je saurais pas vous le dire, monsieur Bourgeois. J'ai bien entendu dire que vos chiens avaient été tués. C'est effrayant, des affaires de même.

La bonne femme l'interrompt pour approuver avec ostentation :

— Oui, ben effrayant. Ben effrayant, des affaires de même.

Bourgeois leur fait face en hochant la tête, un rien méprisant : Hum hum. Soudain, sans prévenir, il darde la canne sur laquelle il s'était appuyé jusque-là et en frappe le zinc du comptoir à coups redoublés, tremblant de fureur :

— Parce que si, si, monsieur Pullford, si je réussis à savoir le nom du sinistre individu qui a tué mes deux chiens, c'est bien simple, je le fais arrêter et mettre en prison !

Les deux vieux se reculent, effrayés. Bourgeois se tient droit comme un i, et on se rend compte que dans sa colère, il n'a nullement besoin de sa canne et pourrait bien la fracasser sur le crâne du premier venu.

— Ça n'en restera pas là, vous allez voir ! Je ne me reposerai pas tant que je ne l'aurai pas trouvé, le saligaud. Il paraît qu'on se promène sur mes terres et qu'on coupe du bois sans ma permission ? Vous ne savez vraiment rien, monsieur Pullford ?

Bourgeois est hors de lui. Il en avale sa bière de travers, et ça lui fait de l'effet.

Avec ses artères fragiles, le vieux Pullford ne prise guère la démonstration de force. Il titube en cherchant de sa main tendue et tâtonnante le dossier d'une chaise où prendre appui. Sa bonne femme s'écrie, au comble de la confusion :

— Voyons donc, on vous dit qu'on n'a rien entendu, monsieur Bourgeois ! On vous le dirait, soyez sûr. Si on entend quelque chose, on vous tiendra au courant.

Bourgeois s'est renfrogné et la contemple froidement. Puis il laisse tomber, avec l'aplomb d'un négociateur en chef :

— Si vous pouvez obtenir des informations sur le maudit animal qui a fait le coup, madame, monsieur, vous serez récompensés. J'offre une prime pour tout renseignement utile à propos de cette affaire-là.

— Une prime ?

Les deux vieux se regardent. Bourgeois se pavane, clopin-clopant, comme un paon qui n'aurait qu'une patte.

— Oui, messieurs dames ! Une prime ! J'ai de l'argent en quantité industrielle, j'en ai de reste, je ne sais pas quoi en faire, et j'achève ma vie. Il ne me reste qu'à régler ça. Je veux venger mes bons chiens, et je vais y mettre les moyens.

Madame Pullford s'éclaircit la voix :

— Une prime, ça veut dire combien, ça, une prime, monsieur Bourgeois ?

Celui-ci regarde au plafond, l'air faussement modeste :

— Je n'ai pas encore décidé, madame Pullford... pas encore décidé. Mais je peux vous garantir que ça va être substantiel.

Les époux Pullford se regardent.

— Substantiel ?

— Oui, oui, pavoise le vieux possédant. Substantiel ! Je ne suis pas un ingrat. Vous verrez...

Les époux se regardent encore, se grattent. Have we paid the Hydro Bill ? Bourgeois leur tourne le dos, disant, pensif :

— J'aurais pensé que vous deux, avec votre position privilégiée, vous pourriez peut-être avoir entendu quelque chose...

Et sans plus leur prêter attention, il se met en marche, comme une vieille tortue des Galapagos au grand galop. Il se dirige droit sur nous.

Johnny se secoue soudainement, se tourne vers moi et crie, avec une légère crispation de colère :

— Tu joues-tu ou tu joues pas, Malarmé ? T'es rendu à la huit, oublie-pas !

Je me penche à nouveau sur la table. La boule est loin, en ligne avec la poche. Et en ligne avec Bourgeois, encore plus loin, qui approche. On dirait qu'il marche sur la boule noire, soufflant comme un phoque. Je joue et la boule noire s'engouffre dans la poche. Lorsque je me redresse, Bourgeois est là. Il semble vouloir nous regarder jouer, mais la partie est finie. Il me fixe intensément, de ses yeux profondément enfoncés, comme des billes dépolies dans des orbites abyssales. La blanche roule toujours. Ceci est mon coup. Il me regarde. Puis il se tourne brusquement vers Johnny et, plein d'omnipotence, l'index pointé, il ordonne simplement :

— Toi, le grand... Viens avec moi.

Glace. Johnny me lance un regard furtif, hausse les épaules et se met à le suivre en direction de l'encoignure où luit le nouveau *pinball* récemment acquis par les Pullford. Patrac, la boule blanche qui roulait toujours, ricochant de plus en plus capricieusement, vient de basculer dans un angle. Je sursaute.

— Ah, t'as perdu, man !, s'exclame l'ami Ben, tout joyeux.

Ça transige ferme là-bas. Du coin de l'œil, mine de rien, je surveille Johnny qui refile un petit paquet au vieux, et ce dernier qui lui tend quelques billets de banque en douce. Je n'aime pas ça du tout. Ensuite, l'affaire conclue, le bonhomme Bourgeois s'éloigne, à son allure infime, vers la sortie signalée par des lettres rouges et Johnny revient vers nous, visiblement embarrassé. Je ne peux attendre :

— Qu'est-ce que c'est, mon Johnny, que ces manigances-là ? Tu viens de me vendre pour toucher la prime ? T'es un vite, toi, mon gars !

Il se fend d'un sourire énigmatique :

— Non, man, tu le croiras pas.

— Quoi donc ? Dis-le donc, saint-symbole !

Je brûle, je veux lui arracher les mots de la bouche. Johnny éclate d'un bon gros rire indulgent :

— Figure-toi que le vieux m'a acheté du stock. C'est aussi simple que ça.

— Quoi ?

— Ben oui, man. Du hasch. Il a pris tout ce que j'avais. Grosse vente, bonhomme...

— Mais ça va pas ? Il est complètement malade ! À son âge ?

J'ai crié un peu fort. Johnny regarde en direction de la sortie EXIT où justement parvient la frêle silhouette qui paraît s'absorber en elle-même, se résorber en un trou noir faisant tache d'huile à l'intérieur.

— Justement, déclare Johnny. Justement. Il est malade.

Il me regarde.

— Paraît qu'il souffre le martyre. Le vieux ne veut rien savoir de l'hôpital. Il reçoit une infirmière à domicile, de temps en temps, c'est tout. C'est une vieille tête dure. Mais il s'accrochera pas longtemps. Il est tout crevé de cancer...

Je réfléchis, luttant contre une compassion insidieuse.

— Alors il s'offre un petit viatique en fumée pour suppor- ter son agonie ? En tout cas, ça explique le petit trafic entre lui et le kid du Heavy, le samedi soir de la bagarre. Et les yeux qu'il avait. Tu crois qu'il est sérieux, Johnny, à propos de la prime ? Il me semble que ça n'a pas de bon sens, investir dans des chiens morts.

Johnny hausse les épaules :

— À cet âge-là, tout se peut, Eddy. Il est un peu gaga, le vieux. Le hasch ne doit pas aider. Paraît qu'il veut déshériter tous ses enfants. Fait que la prime, il doit avoir les moyens de la payer.

— Je me demande si les Pullford savent, pour les chiens.

J'ai baissé le ton. Johnny hausse les épaules, mouvement qui relève chez lui du naturel le plus achevé. Il regarde au-dessus de nous, le plafond trop haut, les murs trop loin :

— Je sais pas, Eddy, mais je trouve qu'il y a beaucoup d'écho, ici. Ben ! Mets de la musique, sacrament ! De la musique !

— OK, Oh Yeah. Music ! Let's go, man ! Yessire ! OK les boys ! HOUND DOG

Et nous retournons au billard, à coup d'un dollar, faites vos mises, rien ne va plus.

* * *

Ce soir, il y avait du monde, à Mirabel. J'étais devenu tellement habitué à la désertification de ce délire d'architecto-nique conçu pour résister à la prochaine glaciation que j'ai été surpris d'y trouver des êtres vivants. Peut-être quelques départs importants et des arrivées très attendues s'étaient-ils trouvés concentrés dans le temps, en concurrence, par un incroyable hasard horaire ? Mon petit Brasilia nordique brasillait dans la nuit boréale. Il régnait à l'intérieur une fébrilité peu commune. Je suis allé droit au guichet où devait travailler Andréa, pour y constater, non sans surprise, que ma petite préposée, dont je connaissais maintenant par cœur la répartition des heures de boulot, n'était pas à son poste. Je suis resté planté là une seconde, indécis, mais je n'ai pas eu le courage de m'enquérir, auprès de la grosse fille ricaneuse qui vaquait là d'un air sournois, du motif de l'absence de son électrisante collègue. La grosse me décocha un regard mauvais, allumé d'une lueur vaguement triomphale que je ne désirais pas interpréter de façon plus approfondie. Peut-être Andréa était-elle tout sim-plement partie prendre un café ?

J'ai décidé d'arpenter l'aéroport en ouvrant l'œil. Il y avait décidément plus de gens que d'habitude. La grosse termitière terminale paraissait se réveiller d'un seul coup, et je croisais des préposés affairés, accaparés, égarés par cette fébrilité dont ils n'avaient jamais eu l'habitude. Le long de la rambarde qui délimitait la passerelle surplombant l'aire d'arrivée, des gens étaient alignés, m'offrant la vision de leurs dos, comme pour une exécution de masse. Il y avait un parfum de grandes séparations dans l'air, un goût salé de déchirantes effusions, et je n'ai pas été surpris de trouver sur les traits d'Andréa, qui faisait les cent pas vers l'extrémité peuplée de plantes où nous avions fait l'amour la dernière fois, une affectation dramatique et un bouleversement sincère.

— Qu'est-ce que tu fais là, ma fille ? ai-je demandé, surpris.

— Je t'attendais, mon gars, répondit-elle, stoïque.

Puis, avec un sourire triste :

— J'ai perdu ma job.

Malgré les efforts héroïques qu'elle avait consentis afin de se dominer, elle se coula, ruisselante de larmes, entre mes bras noueux. J'étais révolté :

— Hein ? Comment ? Ils ont osé faire ça ? Quoi ? Pourquoi ? Qu'est-ce qu'ils ont dit ?

Elle se recula quelque peu et essaya de sécher les larmes qui noyaient ses joues.

— Ils ont dit : « Surplus de personnel ». Pas assez de tâches à effectuer. Et ils ont parlé d'une note d'inconstance à mon dossier...

Elle se détourna et s'appuya à la rampe. Sur l'immense aire de stationnement où venaient se garer les avions en sortie de piste, un gros Boeing s'était mis à rouler pesamment, s'éloignant de l'aérogare et s'orientant lentement selon l'axe que dicterait la direction des vents. Andréa soupira :

— Je ne pourrai pas partir de sitôt. Tu te rends compte, Édouard ? Tous ces billets qui me sont passés par les mains... Mexique, Brésil, Bali, Bahia, Australie, Tahiti, Thaïlande, Nouvelle-Zélande... des billets pour partout dans le monde, et il n'y en a pas un seul pour moi. Comme dirait ma mère, quand on est né pour un p'tit pays...

Je songeais, sérieux.

— Crois-tu, Andréa, que ton renvoi ait quelque chose à voir avec moi, avec nos... promenades, escapades, nos pirouettes, je veux dire ? Peut-être que nous avons été surpris, dénoncés ? Les agents de la GRC, tu te souviens ? Ma tête ne leur revenait pas. Ils se sont peut-être arrangés pour nous filer. Ou peut-être ta collègue, la grosse vache, qui avait l'air de bonne humeur, tout à l'heure...

Elle haussait les épaules, confuse :

— Je ne sais pas... peux pas dire, Édouard...

C'est alors que j'ai senti l'aiguillon, quelque part en moi. Ça ressemblait à ce que j'ai ressenti quand j'ai donné un coup de pied dans la vitrine, rue Ontario : une colère gratuite, mais néammoins nécessaire. J'ai annoncé avec humeur :

— Attends, viens, on va aller parler à ton patron !

Andréa a baissé les bras, découragée :

— Tu ne vas pas faire ça, Édouard ? Il n'y a rien à faire. Je prends l'autobus tantôt. Je m'en retourne, c'est tout...

Mais Édouard Malarmé bouillait, voilà la vérité. Comme si un petit micro, celé au plus profond de mes chairs, s'était mis tout à coup à diffuser un message vindicatif, un message de rage. Il me venait une grande fureur justicière dont je n'avais jamais eu la moindre prémonition (sauf la fois de ce coup de pied avant-coureur). J'ai laissé tomber entre mes dents :

— On va voir qui est-ce qui commande ici !

Et Andréa bredouilla, stupéfaite :

— Qu'est-ce que tu veux dire, Édouard ? Tu n'as aucun pouvoir, ici ! Qu'est-ce que tu veux dire ?...

Déjà je traversais l'immense parquet, je fendais l'air inondé de lumière cruelle, Andréa caracolant sur mes talons, investie de l'impossible mission de raisonner Édouard Malarmé, de raisonner l'irraisonnable, de raisonner un roi ! Les gens se détournaient un instant du spectacle de la piste et nous regardaient passer, pensant à la classique chicane de couple qui accompagne départs et arrivées. Parvenu devant le comptoir de la compagnie, je me suis mis à invectiver soigneusement la grosse employée sidérée qui en oublia de garder sa bouche fermée. Un filet de salive, sur son menton, trahissait une certaine émotion. Elle répétait en secouant la tête :

— Je comprends rien à ce que vous dites, monsieur, voulez-vous bien...

Moi, je réclamais à grands cris le patron :

— Je veux voir le patron, je veux voir celui qui dirige ici, celui qui a le contrôle, Who's in charge, sacrament ? Je veux voir le Grand Boss !

Et mes cris éperdus s'adressaient à tout l'aéroport à l'écoute. Je devais écarter du revers de mon avant-bras la pauvre Andréa qui tentait désespérément de s'interposer et de conserver un reste d'honorabilité à son congédiement. Finalement, perdant tout à fait la tête, j'ai franchi d'un bond le comptoir et je me suis mis à farfouiller à gauche et à droite, rageur, tandis que la grosse et hideuse préposée, se servant de son pharynx comme d'une sirène de police à longue portée, rameutait les malabars de service. Je ne me souviens plus très bien de la suite. J'ai été empoigné solidement par les agents, et tandis que ceux-ci me fournissaient gratuitement une escorte vers la sortie, je me tournais à demi vers le comptoir, vers Andréa malheureuse, vers la grosse virago confondue et haineuse, et je criais, en arrosant de postillons le visage des porteurs d'uniforme m'entourant :

— Je reviendrai ! Je reviendrai, ma grosse torche ! Attends-moi, Andréa, je reviendrai ! Je reviendrai, Mirabel ! Je suis chez nous au Canada ! Je suis chez nous à Mirabel ! Je reviendrai, sacrament !

J'étais ivre de rogne.

Ce raptus inattendu décida de ma rupture avec Andréa. Je ne l'ai pas revue. Après tout, un aéroport est un endroit idéal pour une séparation, non ?

* * *

Impulsion-expulsion. Comme les deux mouvements d'une même fonction. Comme la respiration. Ayant jugé, c'est tout à leur honneur, que je ne constituais pas un danger sérieux pour la société, et surtout pour la Société d'Investissement du Canada, les préposés au maintien de l'ordre m'ont laissé filer. Par désœuvrement, j'ai entamé un véritable processus d'hibernation. Je ne fais rien d'autre, de toute la journée, que de me replier opiniâtrement sur ma maigre attribution de chaleur corporelle. Et je mets les chiens à contribution. Comme ils sont naturellement doués pour la paresse, ils me servent de calorifères vivants. Je me pelotonne entre les deux, au chaud comme un chiot, et je soupire d'aise.

Plus besoin de petit bois d'allumage. Plus besoin de gros poêle de fonte en chaleur à mes pieds. Il suffit de s'entourer d'air. La réponse à mon problème, c'est l'air. Lorsque je me glisse dans mon sac de couchage en duvet d'oie, qui peut me tenir au chaud jusqu'à moins quarante, le ciel du Sud est contenu dans les interstices qui bayent aux corneilles entre les petites barbules de la plume. Oui, à l'heure où j'écris, je suis immergé dans la plume ! Et je n'en sors plus. Ma seule crainte, s'il ne me pousse pas d'ailes durant mon sommeil, c'est de mourir à petit feu, de m'intégrer lentement et insensiblement à ma carapace de kératine, tissu mort, et de me momifier en bonne et due forme. Alors, quand le désert aura fait surface et que les terroristes arabes régneront sur la région, que l'aéroport et le stade olympique seront des monuments antiques, des archéologues et des anthropologues s'introduiront ici, découvriront mon cadavre conservé, tout blanc et couvert de plumes et s'exclameront :

— Ah, une momie ! Voilà certainement la sépulture d'un roi !

Oui, une momie, ma mie. Les pharaons, avec Walt Disney et le roi des aulnes de Tournier, ont été les seuls humains, que je sache, à prétendre pouvoir échapper à la putréfaction rédemptrice de notre enveloppe charnelle. Va pour un pharaon. Je serai le pharaon qui venait du froid. Je serai un dieu à bec d'oiseau.

Sexuellement, je suis très passif, pensif. Très réflexif. Seul le présent, sur ce plan, se refuse à la conjugaison. Au passé, il y a Andréa, et nos implosions ravageuses rythmées par les crépitements du billard électrique. Au futur, il y a Christine, Christine, mon os magique enterré quelque part, ma mie pleine de moelle...

On dirait que je couve quelque chose. Je me sens fiévreux. J'ai chaud et puis j'ai froid. Depuis l'incident qui m'a mis hors de moi, à l'aéroport, je sens un vide à l'intérieur. Je touche souvent à la petite plaie qui s'ouvre à la base de mon cou, qui commence à se cicatriser et qui se rappelle à moi par des élancements dérangeants. La mère de Johnny a mis du peroxyde et du mercurochrome là-dessus. Elle n'a pas posé de questions, elle ne sait même pas que je suis en quelque sorte le dépositaire de la bête, que Maître Renard m'a confié un secret inscrit dans sa salive. Je pense souvent à la livrée d'argent qui sèche en cet instant dans la cave humide des Paré, qui sera tannée par un petit Martin appliqué, traitée par sa mère besogneuse. J'imagine, dans mes fantasmes, le joli cou de Christine emmitouflé, enserré par un soyeux collet de fourrure. Mais elle ne voudra jamais d'un cadeau fait d'une pelleterie. Elle va s'identifier trop spontanément au renard. Elle ne saura jamais que je n'ai voulu que le sauver, le pauvre animal. Quel acte manqué !

Je couve sûrement quelque chose. Je sue dans mon sac. Je ne sais pas quelle date nous sommes. Il n'y a qu'une succession de jours froids. Je sais seulement que Noël approche. Édouard Malarmé a mis son drapeau en berne. Édouard Malarmé hiberne.

* * *

Pour une surprise, c'était une surprise. Je dormais depuis si longtemps que lorsque je suis péniblement revenu à moi, je ne me reconnaissais même pas, dans la mémoire physique des miroirs. Je me suis tiré stupéfait d'un long engourdissement. Des cris joyeux retentissaient au-dehors. « Ho Hé ! Hé Ho ! y'a quelqu'un là-dedans ? » J'ai pensé, revenant à moi et à mes chimères : déjà le désert ? Les savants, archéologues et anthropologues ? J'ai donc dormi jusqu'au désert ? Mais j'ai bientôt reconnu la voix. C'était effectivement l'organe d'un scientifique. C'était Burné qui appelait. Burné, mon apocalypse sur pattes. J'ai essayé de me remettre sur pied, pour aussitôt constater avec ahurissement que le processus de momification de ma personne avait progressé au-delà de mes espérances. J'étais incapable de me remettre d'aplomb, incapable de négocier mon retour à la réalité. Il ne me restait qu'à m'époumoner :

— Ho Burné ! Par ici ! Burné ! Par ici, vieux mec !

Il a poussé la porte et s'est mis à tâtonner à l'intérieur, butant en maugréant sur des obstacles à la répartition capricieuse.

— Sacrifice ! On n'y voit rien ! Édouard ? Tu es là ? Dans le noir ? Nom de Dieu, il était temps que j'arrive ! Édouard

Malarmé, brebis égarée ! Je suis là, je t'apporte les lumières de la science, courage ! Aaaah ! Qu'est-ce que c'est ? Qui est là ?

— C'est ton propre reflet dans un miroir, mon vieux...

— Ah, un miroir... et un autre, là-bas. Bon Dieu, Malarmé, c'est un véritable palais des glaces, chez vous ! Des miroirs dans le noir ! Malarmé, permets-moi donc de tirer ces jolis rideaux roses qui te coupent de la dure réalité de la vie du dehors. Allez, finies les folies ! Tu es peut-être nyctalope, mon vieux, mais moi, je suis une bête diurne. Ah, voilà !

Une cascade de lumière déferle sur le plancher et me brûle les rétines. Ma nuque s'enfonce dans le coussin de plume et m'entraîne de tout son poids en arrière, fuyant le flux de blancheur qui renverse les restes de mes rêves. Combien de temps ai-je somnolé là, après avoir décidé que j'en avais soupé du jour ? Les jambes légèrement écartées, apparaissant très grand au-dessus de moi, Burné se tient là, au grand jour éblouissant, équipé de pied en cap, sac à dos débordant de son barda, raquettes à neige dépassant de son dos. Il étend les bras, comme pour saluer une évidence :

— Me voilà. Édouard ! Me voilà, vieux. J'ai eu du mal à trouver la place, non pas que ce soit bien loin, mais c'est plutôt creux comme endroit, avoue. Un vrai trou ! Mais à nous les grands espaces, Malarmé, mon vieux. Et d'abord, qu'est-ce que tu fais là, pauvre vieux type ! On dirait que tu t'es couché là dans ta tombe, horrible et insignifiant fainéant. Ah, il était temps que j'arrive ! Allez, debout ! Lève-toi et marche. Et d'abord, il faut faire du feu. Il faut faire du café. Je n'en ai bu que sept depuis le matin. Édouard, avec du feu et du café, notre avenir est assuré. Je vais le faire si fort que ton image va faire péter les miroirs sur les murs. Où est-ce que tu remises ton bois, dis-moi ? Il n'y a plus de bois ? Très bien. On va arracher quelques planches ici et là, il n'y paraîtra pas. Ah Édouard, ce qu'il te manque, c'est le rationalisme et le pragmatisme d'un vrai scientifique. Je vais sauver ton âme amoindrie, mon gars.

Il n'arrête pas. Il vibre tout entier, comme une machine à sons. Le voilà déjà qui s'échine à démantibuler le comptoir de feu la cuisine, expectorant des ahans rageurs lorsque le bois fait mine de vouloir résister à sa grande entreprise de constitution par la force d'une réserve de combustible. Quant à moi, il m'a fallu son aide pour me lever, car j'étais redevenu peu à peu

étranger à la faculté autrefois familière de faire usage des
quatre membres impartis à notre espèce lors du partage premier. Je chancelais en tentant, avec force grimaces, de rétablir
une circulation sanguine satisfaisante dans mes vaisseaux
congestionnés par une stase générale de tout ce qui était
liquide et vital en moi. De son côté, Burné maniait la hache
avec ce plaisir enthousiaste et puéril de l'intellectuel qui
renoue avec le travail des mains. Sa main gauche, d'ailleurs,
faillit voir le feu de bien plus près que sa sœur, à titre de
matériau plutôt que de partie affectée à la manipulation.
Drôlement dangereux avec sa hache, le Burné, mais tout de
même efficace, et beau à voir, parce que le feu sacré brûlait
quelque part en lui. Déjà la flamme ronronnait dans le petit
poêle en prise directe sur le ciel, et je commençais, la facilité
du fonctionnement cérébral me revenant, à me réjouir de
l'irruption inopinée de mon vieux copain. En un temps deux
mouvements, il avait déniché une casserole douteuse sous une
pile de vieille vaisselle :

— Et pour l'eau courante ? Ah, je vois... neige fondue au
menu. Mais c'est formidable, Édouard ! Un vrai retour à la
nature ! J'espère bien que tu vas m'emmener déterrer des
racines médicinales qu'on mastiquera lentement tout en mé-
ditant. Et peut-être aussi abattre un orignal dans son ravage, à
coups de hache, dont on pourra dévorer goulûment le foie tout
en exécutant des danses religieuses autour du feu. Mais il faut
faire attention au foie, Édouard, à cause du cadmium, et le
cadmium, c'est pas un cadeau.

Subodorant quelque sarcasme, je répondis simplement :

— Ce scrupule scientifique t'honore, mon ami Burné.

Sitôt l'eau bouillante, il recommença à fureter dans le
désordre de mes affaires.

— Pas de café ? Pas de café ? Tu veux me tuer, Édouard ?
Tu ne désires rien de moins, secrètement, que mon éradication
totale de la surface de la planète ? À une époque où on
retrouve des petits pots de Nescafé jusqu'aux confins de la
Papouasie ! Bon. Du thé fera l'affaire. Mais alors un thé fort.
Fort ! Une infusion à faire fondre la chair humaine. Comme
dans *Le Survenant*, tu te souviens, Édouard ? Un thé qui... (et
il accompagna sa tirade d'une démonstration qui me força à
baisser précipitamment la tête)... qui porte la hache ! Han !

Tiens ! N'y allons pas de main morte : neuf poches, autant qu'il y a de sacs d'air dans le corps d'un oiseau, pour peu que je me souvienne. Le meilleur thé que j'aie bu, Édouard, c'était, tiens-toi bien, avec un régiment de militaires en grande manœuvre, sur la côte ouest de l'île de Vancouver. Ces gens-là faisaient leur thé dans une grande chaudière et calculaient environ deux poches par personne, en fait ils ne calculaient pas du tout, ils en mettaient tout plein et ils faisaient bouillir longtemps, sans jamais retirer les sacs. Des vraies forces de la nature... ils mangeaient aussi des moules avariées, ils les faisaient bouillir dans la même chaudière, et n'avaient aucun problème d'estomac.

Je tentais faiblement de le raisonner :

— Burné, fais pas le fou...

Il faisait de grands gestes pour me rassurer :

— Ce thé-là va nous donner des ailes, Édouard. Et peut-être aussi cette parole ailée dont parle Homère. Tu sais, il paraît que les Inuit ne font pas deux pas dans le grand désert blanc sans se munir d'une bouilloire et d'une réserve de thé. C'est pas ce que tu appellerais un des fondements de la sagesse, toi ?

Je ne sais si la conversation fut ailée ou graveleuse, mais ce thé, presque difficile à verser dans les tasses tant sa texture était riche, ne nous laissa pas beaucoup d'occasions de communiquer, occupés que nous étions à élaborer des grimaces susceptibles de rendre compte du passage du pseudo-liquide dans nos gosiers et œsophages.

Burné était en vacances. La période des examens venait de se terminer et il avait besoin d'air. Amen les examens ! Après la saoulographie carabinée en laquelle avaient culminé les deux semaines de nuits blanches et de dépense mentale, il avait emprunté la grosse voiture paternelle et il avait foncé sur la 13 et sur la 15, humant l'air du nord avec avidité en filant le long de la ligne blanche. J'ai commis l'erreur de lui demander :

— Comment ça a été, les examens ?

Il s'est écrié, sincère comme un premier de classe :

— Ah, super ! Écoute, en fait, je n'avais pas d'examens, tu vois ? Je n'ai que deux cours, à la maîtrise. Des travaux à remettre, qui sont encore à remettre, j'ai eu des « incomplets ». Mais que de fumée sans feu et d'arrosages éthyliques, mon ami ! Attends, le premier matin, j'ai fumé trois joints avec mon cousin Pete, et un autre tout seul tout de suite après. Ensuite, voyons, on a bu trois grosses bières, je veux dire à la brasserie *Le Tonneau*, tu le sais bien, et puis deux bouteilles de vin blanc, parce qu'on était invité chez...

Je le coupe, impatient :

— Oui, bon, je vois le genre, Burné. Je ne te demande pas un examen de conscience. J'espère que tu as l'intention de t'aérer un peu la matière grise, mon vieux, parce qu'ici, il faut surtout compter sur le bon vieux O_2 pour se griser.

Burné bondit sur ses pieds :

— O_2, mais c'est sûr, c'est sûr. Je suis venu vivre une histoire d'amour avec O_2, mon gars. Aéré ? Mais je vais tellement me l'aérer, la cervelle, vieux, que quand je partirai d'ici, je vais réer comme un chevreuil en rut majeur ! Allez ! Finis tes croque-nature, vieux grano grand-guignolesque ! J'entends l'appel immémorial de la sombre forêt qui hurle en nous ! Et le gazouillis glacé du ru qui aspire à percer la neige ! Allez ! En route !

Burné était sur les nerfs. Mais pis, il avait l'énergie nécessaire pour soutenir les prétentions de ses nerfs. Il s'est lancé dehors, raquettes aux pieds, avec la fougue d'un jeune braque allemand poursuivant des pigeons. Ayant décroché du mur mes vieilles pattes d'ours de fabrication amérindienne, j'ai entrepris de le suivre, étourdi comme un ressuscité. Se ruant sur la trace des chiens, roulant avec eux dans la neige épaisse, Burné a fait le fou toute la journée. C'est si facile avec lui.

* * *

Le feu crépitait dans le poêle. Le chalet craquait de toutes parts, solives et poutres travaillaient, les clous de six pouces se contractaient et pétaient, il faisait froid partout sauf à côté, tout à côté, tout contre, tout collé contre le poêle. Nous étions éreintés, écrasés, pleins du ragoût de boulettes Cordon Bleu dont les cacannes forment un long succédané de cordon ombilical n'atteignant jamais la cuisine familiale. Le thé, acide comme un millier de forêts d'érables, nous encaustiquait tranquillement les entrailles. De longs silences défilaient. Nous connaissions tous deux la personne la plus apte à peupler ces absences mutuelles. Au bout d'un moment, n'y tenant plus, j'ai proféré le nom sacré.

— Qu'est-ce qu'elle devient, Burné ? Tu dois bien l'apercevoir, des fois, dans les couloirs de ton sanctuaire du savoir ? Est-ce qu'elle sort encore avec son tata protestant ?

Burné réfléchissait.

— Ce qu'elle devient ? Rien de bon, Édouard. Rien de bon, j'en ai bien peur. Je vais même te mettre au fait de certains ragots qui circulent parmi les potaches, mon vieux. Il paraît que notre petite Christine ferait montre de tendances plutôt saphiques, par les temps qui courent. On la voit toujours avec une grosse fille sans grâce, une maritorne irrécupérable si tu vois ce que je veux dire, et les gars, nombreux il faut le dire, qui se sont fait congédier par Christine se sont mis à colporter des potins, tu comprends ? Des conjectures sur sa vraie nature, comme qui dirait.

— Bullshit, Burné. Tu sais bien que ce sont des moyens de défense pour ego et orgueil égratignés. Je suis sûr qu'il n'y a pas un mot de vrai là-dedans. Quand je pense à Christine, je...

— Oui ?

Mais je n'avais plus rien à dire. Burné reprit :

— Alors comme ça, tu es convaincu qu'elle ne couche pas à Gomorrhe. Bon, tu as peut-être raison. Mais il reste que ça expliquerait bien des choses. D'après les informations de source sûre que j'ai pu recueillir au cours de quelques saouleries, il semblerait bien que le bellâtre blond n'ait pas encore été agréé dans son lit. C'est la relation la moins érotique que je connaisse, mon vieux. Il faut vraiment avoir le sang-froid d'un fils d'Albion pour ne pas se désespérer. Il garde son flegme, il en est admirable.

Je soupire, puis je donne une grande claque sur la cuisse de Burné.

— Alors tu vois, mon vieux, il ne faut pas désespérer ! Le terrain est toujours libre. Tu te rends compte de ce que ça signifie ? Le terrain est libre, Burné !

— Terrain, terrain... c'est vite dit. J'en fais souvent, du terrain, moi. Tous les matins. Mais il n'y a pas de danger que j'attrape une belle chose comme elle dans mes pièges à ravageurs. Non, la petite Christine, il faut bien l'avouer, c'est une ravageuse pas ordinaire. Elle fait beaucoup fonctionner les langues des gars, là-bas, tu sais ? Mais pas de la façon dont lesdites langues aimeraient fonctionner, si on leur laissait le libre choix. Bah ! Je suis trop cultivé pour que les filles comme elle me laissent labourer leur utérus. Le soc de mon cœur, il a le tranchant usé, Malarmé, à force de frapper du roc ! Il faudrait que je m'allège la tête un peu, vieux. La remplir d'air chaud et en faire une montgolfière. Tiens, je roule un gros joint et nos têtes vont rouler en l'air, mon gars.

En sortant dehors, tandis que nous fumons le gros joint, Hospodar accourt en pissant partout, suivi d'Icoglan qui se colle le nez avec délectation sur tous ces urinoirs de fortune.

* * *

Le lendemain, j'ai vite retrouvé le Burné gonflé à bloc du bon vieux temps, le grand tracassé à ressort, l'homme qui se lève plus vite que son âme. À six heures, avec des ténèbres d'une qualité indéniable massées aux fenêtres, il était debout, accroupi plutôt, et il ringardait les braises blanchies, avec énergie.

— Tu ne dors pas assez, Burné ! Merde, on vient tout juste de se coucher. Il faut au moins récupérer un peu !

Mais lui, il se redresse, flamboyant, et de la bûche qu'il tient à la main, il semble vouloir pourfendre une armée de fantômes.

— Récupérer ? Récupérer quoi ? Récupérer, ça ressemble à reculer, ça ressemble à père, à grand-père, à arrière-grand-père ! *Vade retro, satana* ! On n'a pas le temps, Édouard ! Récupérer quoi, des forces ? Malarmé, Malarmé, réveille-toi, saint-simulâcre ! Tu connais la loi : Rien ne se récupère, rien ne se crée. La force est avec toi. La force que tu penses avoir perdue, elle continue de faire vibrer des molécules quelque part dans le monde. Il s'agit d'entrer en vibration avec la force perdue, vieux débris ! Tiens, la force que tu as mise dans ce fameux long cross-coin sur la huit, à la fin de la dernière partie hier, demandons-nous un peu, allez, fais aller tes méninges moisies, demandons-nous un peu ce qu'il en est advenu. En ce moment, pas une boule ne bouge. Les bandes, la table, les tuiles du plancher en ont transmis l'onde à la terre. Malarmé, tu as communiqué une impulsion à toute la planète ! Tu es ressenti par tout le système solaire !

Tout cela, il me le hurle à l'oreille, et je le brasse avec mes demi-rêves déchirés brutalement. Il exécute des pirouettes folles, des cabrioles, il se tient la tête à deux mains, comme si elle allait exploser, et il s'écrie :

— Malarmé ! Debout ! Debout ! Rebondis, Bon Dieu !

La veille, grâce à la voiture de son père, nous avons fait de copieuses emplettes à Saint-Canut, et le déjeuner comprend œufs, bacon et fèves aux lard, tout le menu des bûcherons et bouilleurs d'étrons de la Haute-Mauricie, Haut-les-cœurs ! Bas-les-corps ! Avec un café de la couleur d'un Cafre au sortir de sa mine de charbon. Il aurait fallu, pour que je puisse distinguer ce que je m'enfournais sans conviction dans le gosier, que je me serve d'allumettes en guise d'épontilles, pour garder mes yeux ouverts, comme les Allemands sur le mur de l'Atlantique, attendant tout chiffonnés le jour J. Oui, c'est le matin d'une grande bataille, comme la fois de la chasse aux canards, je sens qu'il y aura de l'action, et que des corps joncheront la neige rougie.

Déjà Burné échafaude des plans d'action, trépignant sur place, entamant une gigue de tous les diables.

— Aujourd'hui, Édouard, nous allons nous lancer dans une grande expédition, au-delà des confins du monde connu, ni plus ni moins. On va vérifier si ta forêt est si vaste que tu le prétends, rascal ! Tu seras mon guide métis, oui j'ai dis métis, parce que ce matin, Malarmé, plus que jamais, ton sang indien rougeoie comme une rivière dans tes yeux. Pendant que grand-papa Malarmé était aux chantiers, à se bourrer de ragoût de boulettes gelé, le Sauvage est passé à la maison, hein ! Mais lui aussi, l'homme, là-bas, se mettait au mieux avec une belle Indienne potelée comme un souvenir, une belle Indienne neuuuuu, ahi ahi ahan, une belle Indienne neuuuuu, ahi ahi ahan (il danse). Et moi, je suis Bernard le Saint, missionnaire qui a du chien, futur martyr au foie amoché, venu prêcher la bonne nouvelle dans un sobre style scientifique épuré, objectif, je dis bien, objectif ! Objectivement jésuitique serait plus juste...

Je regardais Burné en face et j'arrivais à oublier le bruit qui s'échappait sans arrêt de sa glotte primordiale, de sa glotte gigotante et sanglante, et le son devenait une trame indistincte sans signification. Son verbalisme me faisait peur, je pressentais que tout cet exubérant tissu de langage ne pouvait recouvrir au fond qu'un vide inexpugnable, inexprimable. Ça me donnait le goût de le creuser, Burné, pour essayer d'atteindre ce cratère noir et sans fond dont ne sortirait plus aucun son. Nous sommes partis alors que l'aube et une dernière étoile amorçaient à peine la célébration du jour.

Burné en a eu pour son argent. Il n'était plus très prolixe, sur le chemin du retour. Il en perdait ses raquettes, de fatigue, et s'enfonçait jusqu'aux aisselles dans la neige traîtresse. Il répétait sans arrêt : Je suis fatigué. Je suis mort. Et puis, il était déprimé, Burné. Il voyait des signes de mort partout, comme Kerouac à son dernier voyage dans l'Ouest. Il y eut d'abord cette traînée sanglante au milieu du ravage des chevreuils, loin derrière le *Pullford*, qui trahissait le passage de braconniers faisant glisser sur la neige leur sinistre butin. Puis nous avons trouvé un pauvre porc-épic foudroyé au beau milieu du sentier, ses petites menottes noires ramenées sur ses yeux, comme terrassé simplement par un accès d'insupportable lucidité. Puis, pour couronner la journée, il y eut la découverte d'un raton laveur gelé, la patte prise à un piège d'acier, sur le bord d'un ruisseau. Chaque fois, c'était un coup au cœur pour Burné, une estocade en plein dans sa sensibilité, alors que les chiens, eux, laissaient éclater une joie sauvage et inquisitrice. La mort planait sur la région.

Au soir, Burné, crevé, s'était tu. L'efficace trame sonore s'était défaite, le cataplasme de mots était tombé. Ce qui se tapissait au fond du trou noir allait pouvoir remonter. Au moment où il se hissait dans la voiture paternelle pour retourner à la ville, je lui ai demandé :

— Quand est-ce que tu viens t'installer avec moi, vieux ?

— Bah ! Peut-être plus tard... Je ne sais pas. Tu vois, je pensais que les sciences, c'était la mort de mon âme. Mais il suffit que je me pointe ici pour que la mort montre le bout de son nez aussi. Je sais bien qu'on meurt un peu chaque jour, surtout quand on part, il paraît. Mais moi, Malarmé, je suis déjà pas mal mort, de toutes façons. De fatigue... de tout...

— Il faut jouer, Burné. Continue à jouer... au billard... à tout.

Nous nous sommes serrés la pince longtemps, nous pressant les paumes de toutes nos forces. L'exultation des chiens semblait déplacée. Ils étaient frénétiques. Ils envoyaient de longs chapelets d'aboiements se répercuter sur les frondaisons de la forêt, et de loin en loin, d'autres cabots clabaudaient, leur répondant chaudement, et le concert lugubre conférait une texture animale à la nuit glacée. J'ai vite compris le pourquoi de ce déchaînement vocal. À l'ouest, vers le *Pullford* invisible entre la rivière et les collines, une lune immense achevait de s'arracher à l'horizon de la plaine. Elle était rouge comme une blessure, et elle forçait la neige étale à rendre ce reflet sanglant qui colorait la nuit. L'immobilité de toutes choses était formidable.

Entre deux hurlements de chiens enchaînés, je crus distinguer un petit bruit bizarre, comme produit par un phénomène de succion. Me tournant vers mon compagnon, je m'aperçus qu'il pleurait. Secouant la tête, il parvint seulement à dire, doucement : « C'est beau. »

C'était vrai.

Burné regardait la lune comme si elle avait été sa prochaine destination. Il n'était plus là, tout là-bas, déjà. Me déplaçant d'un pas dans la neige insinueuse, je lui ai passé mon bras autour du cou, et nous sommes restés là à regarder la lune, pendant que les chiens hurlaient.

* * *

On prétend que pour les solitaires, Noël est le pire temps de l'année. Moi, je me fous de Noël comme du nerf vague de Wagner. J'aime la neige, mais les Noël sont de moins en moins blancs. L'hiver lui-même s'en va dans le Sud, enfermé dans le fret des gros Boeing. Déjà, on voit des dindons sauvages dans les Cantons de l'est, et on fera pousser des oranges dans nos cours, un jour.

Les petits Richard sont venus glisser sur la pente voisine de ma cabane, cet après-midi, avec leur traîne sauvage et leur luge de plastique et leur branle-cul de haute technologie avec freins à l'appui. Et les chiens leur balançaient des étrons fumants dans les jambes, pour les ralentir. Puis, vers la fin de l'après-midi, ils sont rentrés chez eux et sont allés s'envoyer, sans doute, un chocolat chaud derrière cette cravate qu'on finira bien par leur passer au cou à eux aussi. Ensuite ils ont reparu, avec leur père, cette fois, qui arborait sa tronche hilare des beaux jours, et qui les encourageait à tirer leur longue traîne sauvage disparaissant sous le faix brinquebalant d'une petite corde de bois. Je ne savais trop que dire, alors il se chargea lui-même de la verbalisation de nos sentiments réciproques :

— Allez, les enfants, rentrez-moi tout ça dans sa shed. Non, laisse faire, Édouard, les enfants s'en occupent. À cet âge-là, c'est un jeu, travailler, hein ? Ils changeront bien assez vite. Oui, j'ai pensé que tu devais commencer à être à court de combustible. C'est pas chaud, hein, par les temps qui courent ! Et puis, comme tu sais, j'aime tellement bûcher que je coupe toujours beaucoup trop de bois. Ça n'entame pas mes réserves.

Il attrapa une bûche au vol et la considéra en connaisseur :

— De la bonne « plaine », Édouard, et du chêne rouge, aussi. Les meilleures essences !

Comme je me tenais toujours coi, submergé par l'émotion, il tira de la poche de sa canadienne une bouteille de quarante onces et déclara malicieusement :

— Eh, parlant de chauffage, j'ai pensé aussi à ta tuyauterie interne, mon gars. C'est du scotch, et du meilleur. J'ai pris la peine de m'informer auprès des vieux Pullford. Ils m'ont dit que tu avais pris du fort seulement une fois, et que c'était du Johnny Walker. Alors...

J'ai souri, puis, pris d'une inspiration, j'ai dit : « Attends donc un peu » et je suis disparu à l'intérieur, pour ressortir aussitôt avec deux petits verres, dont celui qui est orné de la vignette du club play-boy. On a trinqué. Il a levé son verre en proclamant :

— À Noël et à la nouvelle année !

Ensuite, après avoir fait honneur à sa consommation, il s'est frotté les mains, ragaillardi, et il a dit :

— Bon, il est bien beau de rire et de badiner... mais j'ai du travail, moi. Un Noël en famille, c'est de l'ouvrage, Édouard. Tu dois te trouver chanceux, dans le fond, d'échapper à tout ça ?

J'ai dit :

— Ouais...

Puis, au moment où il rameutait sa marmaille, je lui ai demandé, très vite, s'il était au courant de la prime que voulait offrir Bourgeois pour tout renseignement pouvant mener au responsable du sort réservé à ses chiens. Il a répondu aussitôt, comme s'il avait déjà prévu la question :

— Oui, le vieux fou lui-même est venu m'en parler. Il avait l'air d'avoir une drôle d'idée derrière la tête. Moi, je n'ai pas dit un mot à personne, mon gars. Et puis, je vais te dire une bonne chose : si jamais quelqu'un s'avise de réclamer la fameuse prime, on s'arrangera pour savoir qui c'est, j'ai des antennes pour ces choses-là. Et je te promets qu'on prendra les moyens pour lui exprimer notre mécontentement.

Et ce disant, il replia un index dardé devant lui, pressant avec un sourire une gâchette imaginaire.

— Salut, et dors sur tes deux oreilles.

Dans la véranda, contemplant l'empilement soigneux de toutes ces bûches de Noël, j'avais la larme à l'œil, j'étais pris d'une vieille nostalgie que le scotch éveillait en décapant le fond de mes tripes nouées. Oui, nostalgie. La banlieue ramène toujours les siens en son sein. La banlieue ne vous bannit jamais. J'avais voulu y échapper, dans ma fuite centrifuge vers la périphérie. J'avais voulu boycotter les fêtes en famille, goûter à la lie de mon exil volontaire, ne retourner voir ma mère qu'au jour de l'An, pour qu'elle me remette le cadeau mensuel du Bien-Être, et pour apposer un baiser réticent sur sa joue rêche et froide. Mais la banlieue ne se laisse pas distancer. La banlieue s'anordit avec moi. Déjà, sur la route de la Rivière-du-Nord, ça se bâtit ferme, avec une furie toute banlieusarde. On achète la forêt, on fore dedans, on creuse des excavations pour enfouir des fondations, on fonce en bulldozer et on trace des chemins de terre et on érige une construction au bout, n'importe quoi qui tienne debout, fût-ce seulement du papier noir dans lequel on perce portes et fenêtres, et il n'en faut pas plus pour avoir un chez-soi, pas plus que le papier qui dit : Propriétaire. Terrains et maisons au bout des champs de maïs. Adieu bail et bonjour corneilles ! Pas plus, pour être heureux.

Jean-Pierre Richard est un pionnier en son genre. Il se trouve aux avant-postes de la banlieue. Il possède une maison de brique et il tond son gazon. Il possède une cour assez grande pour pratiquer son drive au golf, à l'aide d'une balle d'exercice trouée qu'il peut envoyer dans le bois et les trappes de sable. La civilisation, c'est un bâton et une balle. La civilisation, c'est une bouteille, un gros bateau monté dans une bouteille. La civilisation, c'est le bâton et la bouteille. Et c'est une scie, la scie à chaîne Homelight, la lumière du foyer. Jean-Pierre Richard, thaumaturge tutélaire, mon fournisseur de bois et de boisson, m'est apparu comme un ange délégué par ma mère, un ange élyséen qui veille sur la chaleur de mon corps et sur celle de mon âme. Amen.

* * *

Je suis allé au *Pullford*, porté par ces réflexions enrichissantes. J'aime y voir ma solitude se refléter dans l'architecture. Sur le pas de la porte, je me suis arrêté. Un avis était placardé, avec de grosses lettres foncées dans la partie supérieure, et de plus petites en bas. Ça disait : RÉCOMPENSE REWARD en gros, et après avoir déchiffré les caractères plus petits, je suis entré. Les grelots ont tinté, et les vieux Pullford n'ont pas paru surpris de me voir surgir de la nuit de Noël. D'ailleurs, Johnny se trouvait là, l'air un peu gêné, mais il partait, de toute façon. Il ralliait les rangs de sa famille, lui. Affectant un air désinvolte, je lui ai demandé :

— Sûr, Johnny, tu ne veux pas prendre une grosse bière avec ton vieux pote Édouard ?

— Pas le temps, vieux, expliqua-t-il. Cette année, on va à la messe de minuit à dix heures, parce que le père est plus capable de veiller trop tard, avec sa santé...

Je hochais la tête, pensivement. Puis, sarcastique :

— La messe de minuit à dix heures ? C'est drôle... c'est comme midi à quatorze heures, non ? OK, je te souhaite un joyeux Noël, mon Johnny.

Il me tendit une poigne nerveuse qui cherchait à se dérober à l'emprise de mes doigts. Au moment de sortir, il revint sur ses pas et me mit la main sur l'épaule. Il dit, avec une certaine tristesse :

— Tu sais, Eddy, moi, je voulais t'inviter, pour le réveillon, chez nous. Mais c'était pas facile. Ma sœur a amené son Anglais, le blond à qui t'as écrasé le nez dans le West-Island. C'était pas facile de t'inviter, ça se faisait pas, tu comprends, Eddy ?

Il paraissait sincèrement désolé, et moi j'étais plus troublé par cet épanchement de sollicitude inattendu que par l'impossibilité confirmée de passer le réveillon de Noël en famille, dans la seule famille où j'aurais voulu vraiment le passer. J'ai adopté un ton ferme et serein pour déclarer :

— Johnny, tu t'en fais pour rien. Je suis très bien tout seul. Promets-moi seulement de venir te saouler avec moi d'ici le jour de l'An. On prendra de grandes résolutions, puis on ira dégueuler dans la neige.

Il a juré, et il est parti.

Le plus difficile à accepter, en cette sacrée nuit, n'était pas l'absence d'une invitation à partager l'intimité de la famille Paré ; c'était de savoir qu'un autre avait réussi à obtenir ce privilège insigne à ma place. Mon état de disgrâce se trouvait en quelque sorte officialisé par l'accréditation de cet axe Steve-Christine. Mais qui sait ? Peut-être la présence du béjaune à ce party de Noël ne constituait-elle au fond que la prorogation d'une mascarade institutionnalisée ? Oui, c'était ça : le petit Anglais n'était qu'une façade, une barrière de protection dressée entre elle et moi, une clôture transculturelle. J'en avais la conviction. Mais il me fallait entre-temps aller au bout de la déprime, me colleter au *pinball* de la plage californienne et essayer d'accumuler les parties gratuites, parce que rien d'autre n'est gratuit, surtout la nuit de Noël. Il me fallait ne pas penser à Christine Ne pas penser à Ne pas penser Ne pas Pas...

Les Pullford n'avaient pas de sapin, n'avaient pas décoré cette année. Parce que Have we paid the Hydro Bill ? je suppose. Ils vaquaient à leur train-train, nullement perturbés par la solennité publiquement reconnue de la fête en cours. Ils en ont vu d'autres, les vieux. À leur âge, c'est chaque jour de gagné qui devient un cadeau. La télévision débitait ses sottises subventionnées et ses adaptations américaines pour anti-darwinistes en mal d'évolution, et elle me paraissait si étrangère, tout à coup... comme une greffe mythologique. Je me souvenais du commentaire d'un ami, retour du Mexique, qui n'arrivait pas à comprendre pourquoi toutes les femmes étaient blondes sur les écrans mexicains, alors que dans le pays on n'en rencontrait pour ainsi dire jamais. La télé était américaine, c'est tout. Je dressai sur-le-champ un réquisitoire contre la blondeur, contre la superficialité de la blondeur, contre l'impérialisme de la blondeur, contre la monopolisation des ondes

par la blondeur, et contre la monopolisation des blondes par
la blondeur.

C'était Noël et je n'avais pas de cheminée ouverte sur le
ciel, pas d'âtre rougeoyant pour faire place au gros ventre du
donateur. En lieu et place, je n'avais que le *pinball* incandes-
cent pour relancer l'oncle Sam par-dessus la frontière, pour
attiser le Stars and Stripes mangé aux mites. L'oncle Sam
n'aime pas le rouge. Ce sale sudiste est en froid avec le gros
sage du nord, soupçonné de communisme. Ah, je ne crois plus
au père Noël, il ne me reste que la foi en l'oncle Sam. Les
missiles ont remplacé les missels. Le père Noël ne m'apporte
plus rien, mais l'oncle Sam m'a donné le *pinball*. J'ai troqué le
traîneau pour la diligence et Yip Yah, en avant. Je titube et je
déconne pleins tubes, après moult liqueurs de malt, lorsque je
formule enfin, peu avant minuit, mes vœux de joyeux Noël
aux Pullford, mari et femme, pâles comme un lavis. Je tâte la
main molle du mari et je goûte au fard de la vieille femme.
Joyeux Noël, m'sieurs dames ! Joyeux Noël tout le monde !
Joyeux Noël, Léon ! Et si vous avez été de sages sycophantes,
le bonhomme Bourgeois vous récompensera. Oui, c'est moi,
mes vieux, qui ai tué le père Noël ! Non, je veux dire, les
chiens, les chiens de traîneau, oui, le husky, vous savez ? Le
père Noël est un intrus, un salaud, oui, cet adipeux vieillard
ne manifeste donc aucun respect de la propriété privée ? Je
viendrai comme un voleur... Tir à vue ! Tirer avant, récom-
penser après. Le sang ne salit même pas ses vêtements que
seule la suie salit. Récompense pour tout renseignement, pour
tout saignement... Quelle peut donc bien être la vie sexuelle
du Père Noël ? Suis sûr qu'il lutine quelque part, qu'il se tape
quelque grosse Inuk dans sa nuit de six mois. Pire, le père Noël
est un incestueux, le chef du clan archaïque, feu le chef du
clan archaïque selon Darwin selon Freud. Récompense pour
tout ce qui touche le meurtre du Père Noël, père au cœur de
cochon, petite quéquette en quête de poupées. Mon père Noël
à moi n'est pas mort, tout juste mourant, et dans sa grande
sagesse hérissée de pointes, il a imaginé la plus belle récompense qui se puisse offrir aux confins d'un pays dépossédé, pour
peu que l'on y pense. Ses terres ! Rien que ça ? Ses terres
entières ! Pour le repos de deux chiens qui y pissèrent en paix.
Je sais ce que je dois faire, maintenant, pour avoir droit à un

cadeau de Noël faramineux. Je n'ai qu'à aller vendre chèrement ma propre peau, sûr de valoir beaucoup moins qu'un
chien.

* * *

Une étoile filante fulgure un instant dans le firmament
gelé. Elle pique droit sur le chalet, au-delà des épinettes de
Norvège, tandis que je reviens de l'auberge. Les étoiles filantes,
l'hiver, ont l'air encore plus fragiles. Le grand *pinball* céleste est
devenu un frigo. Quand je pense qu'il doit y avoir un Macdonald, à Bethléem, en ce moment.

* * *

Ma nuit de Noël aura finalement comporté son petit
miracle home-made. Qu'une jeune vierge accouche d'un mou-
tard dans la chaleur animale d'une étable, je ne vois rien là de
bien exceptionnel. On aura connu, dès cette époque, une
quelconque forme de fécondation artificielle. D'ailleurs, peut-
être la vierge Marie était-elle dépourvue d'hymen, dès la
naissance, rendant problématique toute vérification officielle
de sa virginité. Qui a dit qu'elle était vierge ? A-t-on fait
enquête, comme les Sherlock du palais de Buckingham, pour
déclarer à la face du monde : c'est une vraie jeune fille ! Non,
le miracle aura plutôt résidé dans la flaccidité organique du
père Joseph. Pour un charpentier, il avait le madrier mou, pour
le moins.

Mon miracle à moi est plus contemporain : une jeune
vierge qui déserte sa famille en pleine nuit de Noël, qui plante
là, autour du sapin familial, frères et parents, et surtout son ami
de cœur et son ami de l'âme (faute de se voir accorder l'accès
au reste), qui laisse là la dinde ruisselante de beurre au milieu
de la table, et la bûche débordante de crème et de « costarde »
que l'on s'apprête à flamber, une jeune vierge, douce et irréprochable enfant, qui déserte sa famille en la sainte nuit pour
s'enfoncer dans la ténèbre extérieure, franchir un pont sinistre,
suivre un sentier sinueux, se perdre dans le noir, s'enliser dans
la neige croûtée et cruelle pour venir enfin frapper à la porte
d'une construction en comparaison de laquelle la grotte de la
Nativité aurait décroché les trois étoiles. Ce qui confère
surtout son caractère miraculeux à cet avènement, c'est que si
cette jeune vierge-là n'enfantera point, en cette nuit marquée

d'une croix au calendrier, elle est tout de même, indéniablement, à la recherche d'un enfant. À la recherche d'une infante perdue. À la recherche de l'enfant qu'elle fut.

Moi, c'est ce que je crois, et c'est la seule foi que j'accepte en ce bas monde. Pour tout le reste, je veux être une bête qui prend son pied.

Les chiens, qui se balancent comme de l'an quarante de la nuit sacrée et du recueillement de rigueur, ont entonné un chœur de tous les diables, un chœur repris au loin dans la campagne. OUAOUUUUUH... C'est qu'ils n'étaient pas encore habitués à son odeur, c'est que la nuit s'est remplie d'un seul coup de l'inconnue. Ça valait bien une petite ode de choc. Je venais tout juste d'allumer le feu, ça commençait à grésiller et à crépiter joyeusement. Quand je l'ai aperçue dans l'embrasure de la porte, j'ai été sans voix. Deux larmes se sont changées en diamants dans les mines de charbon de mes yeux. Je me suis effacé pour lui céder le passage, j'ai levé bien haut la lampe où brûlait à défaut d'encens le pétrole des terroristes du globe et des nouveaux mages armés de carabines magnum, et j'ai éclairé de mon mieux le plancher, les murs et le plafond confondus dans la crasse coulante, la cheminée noire par laquelle ne déboulerait jamais le donateur ventru, les nombreux miroirs dans lesquels j'avais pu mesurer régulièrement la profondeur de ma chute, le poêle à croupetons ronflant comme un bœuf bougon, et nous deux, nous deux Agnus Dei, elle avec son beau visage bouleversé comme une glèbe par les sillons des larmes, oui, car elle avait perdu de sa superbe, la petite Christine, elle n'avait plus l'injure à la bouche, elle ne m'appela même pas « grosse grenouille » cette fois, elle avait descendu d'une volée de marches, elle braillait elle aussi, en aveugle dans la nuit, et j'ai compris qu'elle m'avait cherché dans le désert, dans le désert qui était sous la neige, sous les arbres, sous les arbustes, sous les buissons et les broussailles, sous l'humus, sous le sol minéral, sous le tuf, sous la roche-mère, sous le nifé, sous le magma maternel, dans le désert où règne le feu central et la chaleur pure, j'ai compris qu'il était dit que nous devions nous retrouver, parce que nous ne sommes faits ni de fer ni de nickel, parce que nous sommes de bois et de boisson, et nous nous sommes jetés au feu, l'un sur l'autre, et enfin, enfin, je l'ai serrée, et je l'ai réchauffée comme un soleil sous une serre.

* * *

— Alors comme ça, tu les as plaqués là, en plein party ? C'est trop drôle... Explique-moi ça encore, et d'abord passe-moi la bouteille...

Elle me refile le lourd quarante onces. Nous avons décidé, d'un accord tacite, de faire la noce. Le scotch lui arrache des grimaces et lui arrache des larmes, mais elle est bien résolue à passer outre, à travers la peine, et elle avale bravement, de plus en plus gaie. Nous sommes blottis tout contre le poêle, où brûle avec bienveillance le bois de Jean-Pierre Richard, le justicier de la banlieue. Nous nous sommes enfouis sous la peau d'ours noir léguée à moi par ma vieille tante, et à elle par les Indiens de la Haute-Mauricie, nous sommes recouverts de la chaude pelisse de cet animal sacré qui a accordé son pardon piaculaire à la bande révérencieuse de ses tourmenteurs. Et je serre Christine ma Christine contre moi, et pour la première fois elle se laisse couler contre mon corps. Dans la lueur diffuse qui s'échappe de l'antique fournaise de fonte, son visage flotte dans la nuit et se solidifie, comme une goutte d'ambre qui aurait préservé au-delà des âges quelque chose d'unique et de fragile comme un insecte fossilisé, pour moi. Son beau front haut qui ne fait pas de concessions à la chevelure coupée court, ses tempes d'or, et ses joues que le whisky écossais avive, ses joues...

— Je ne sais pas ce qui m'a pris. Je te jure que je ne sais pas. Je me suis chicané avec mon père. J'ai piqué une vraie crise, une vraie de vraie, cette fois-ci...

Je me cale plus confortablement contre elle, j'absorbe une goulée à la régalade, je goûte la scène qu'elle va me rapporter.

— Vas-y, raconte-moi, Christine. Accouche !

— Malarmé, grosse patente tout croche ! Laisse-moi y aller à mon rythme, veux-tu bien ? Passe-moi la bouteille, ça va m'aider à débloquer. D'ailleurs, il faut dire que le vieux Mau-Mau s'est laissé un peu aller, ce soir. Il a pris un coup, et ça faisait longtemps que je ne l'avais pas vu saoul en famille. À cause de son cœur, tu comprends ? Les recommandations du médecin, et tout et tout.

— C'est pour ça que tu l'as chicané ?

— Mais non, grosse grenouille ! Non, mais dès le début, il y avait quelque chose qui me mettait mal à l'aise. MauMau s'entend très bien avec Steve, tu sais ? Au point que ça m'agaçait, même. Il en faisait trop. Ma mère, elle, était bien plus réservée. Elle ne veut rien savoir des Anglais.

— Elle a bien raison ! glapis-je d'une voix rauque. Ah la brave femme ! Elle a bien raison. Tu pactises avec l'usurpateur, ma fille. En Irlande du Nord, ça te vaudrait le goudron et les plumes !

Elle m'assène un bon coup de coude, sans que la stabilité de notre étreinte ne s'en trouve menacée :

— Malarmé, grosse grenouille molle. Cesse de m'appeler ma fille. Et puis, je sais bien que tu n'es au fond qu'un éternel nostalgique, mais tu pourrais m'épargner le petit couplet xéno-phobe du nationaliste inadapté, merde ! Mais bien plus que ça, Malarmé. Je vais te dire : moi aussi, j'ai horreur des Anglais. C'est même pour cette raison que j'ai un tchomme anglo-phone. Une espèce de défi... Tu trouves ça drôle ?

— Pas du tout, chérie.

Nouveau coup de coude.

— Bon. Non, c'était plutôt, tu vois, une sorte d'obséquio-sité, si tu me passes le terme, l'à-plat-ventrisme paternel. Il admire tellement les Anglais, parce qu'ils prennent soin de leurs affaires et savent se faire des beaux parterres. Pour lui, des vacances en Nouvelle-Angleterre, c'est l'orgasme sur la carte. Il répète tout le temps : c'est propre, là-bas. C'est propre. Ils ont le sens de la propriété. Il le dit souvent. Le West-Island, c'est la même chose. Et Steve, pour lui, représente un peu tout ça. Alors il s'est mis à le coller et à le faire parler, tout admiratif, tu comprends ?

— Excuse-moi, j'ai dit, mais tu devrais être contente, ma petite Christine, de voir que ton choix suscite une approba-tion paternelle si enthousiaste. Parce que c'est bien ton choix, hein ? Ou alors, c'était ton choix ?

Elle se redresse, indignée :

— N'essaie pas de me mêler, Malarmé manqué ! Laisse-moi parler ! Laisse-moi boire du whisky, et contente-toi de boire mes paroles. Je te raconte un incident important !

— Sûr.

— Schhhhht... Donc je sentais que quelque chose n'allait pas, tu vois. Mais Steve voyait que ça cliquait avec le paternel, alors il s'est mis à en ajouter, tu comprends ? Il a des vues très sérieuses sur moi, le salaud, alors il s'est arrangé pour faire voir à MauMau qu'il connaissait la terre, ils ont parlé agriculture, et qu'il était sérieux et qu'il nourrissait des projets sérieux. Il lui a fait savoir qu'il avait de l'argent de côté, qu'il voulait s'acheter du terrain, et c'est vrai, parce qu'il est tranquille et qu'il thésaurise pas mal, mon petit ami Steve.

— Ton petit ami Steve, fis-je, rêveur. Évidemment, il doit être plein aux as. Un million de fois préférable à un pauvre petit Malarmé B.S. qui dilapide ses seuls trente sous dans les machines à boules.

Elle me donna un bon coup de poing, en pleine poitrine. J'aurais encaissé bien plus, pour elle.

— Veux-tu bien te la fermer, grosse patate molle ! J'ai pas fini. Allez, quoi : tu me trouves chez vous, à la porte de ton taudis, en pleine nuit de Noël, et tu ne trouves rien de mieux à faire que de râler. Est-ce qu'il va falloir vraiment que je me contente de la compagnie des chiens ? Bon, alors, c'est là que ça a commencé à se gâter, tu vas voir.

Elle s'arrête pour avaler une autre gorgée de scotch. Ça ne la fait même plus grimacer.

— À mesure que je les écoutais parler tous les deux, mon cœur battait plus vite et plus fort. Ça me cognait dans la poitrine, qui pourtant est bien coussinée, tu le sais, Malarmé. Steve était en train de dire à mon père qu'il se cherchait un terrain boisé, quelque part, pas trop loin du West-Island, pour entreprendre des expériences de culture sauvage, ail des bois, médéoles de Virginie, tu vois le genre. Et qu'il aimerait bien s'installer dans la région, par la même occasion, parce qu'il est originaire de Lachute, et tout et tout. Je ne sais pas si tu comprends, Malarmé. Si tu peux comprendre la colère qui montait en moi, tranquillement. Parce que mon père et mon tchomme parlaient de terre devant moi, et que moi je comprenais, c'était bien trop évident, que le véritable enjeu c'était moi, ça avait toujours été moi... Ce soir, j'ai compris des choses, Malarmé. J'écoutais tout ça la bouche ouverte. Steve en mettait au maximum. Finalement, il a demandé à mon père : « Est-ce que la terre vaut cher dans le coin ? » Et mon père a paru réfléchir, pas très longtemps, et il a répondu distraitement en me regardant, dans les yeux, tout à coup : « Non, la terre ne vaut pas tellement cher, ici. » J'avais déjà vu ces yeux-là quelque part, tu comprends, Malarmé ? C'é-taient les yeux de chien battu du père MauMau. Je me suis rendu compte que je le haïssais comme c'est pas possible. J'ai compris que je ne lui avais jamais vraiment pardonné...

— De s'être laissé exproprier ? Il n'avait pas tellement le choix, Christine... il n'avait pas le choix...

Mais elle secouait la tête, comme pour me signifier que tout ne pouvait pas être aussi simple, et elle répétait pensive-ment :

— Les mêmes yeux que la fois où il s'est assis pour signer l'Offre... les mêmes yeux de chien battu que la fois... Je le déteste. Je le déteste. Et il a continué à boire, ensuite. À boire beaucoup.

— C'est tout ?

— Mais non, grosse grenaille ! À un certain moment, j'étais dans la cuisine en train d'aider ma mère au service, j'étais toute seule dans la cuisine, et il s'est approché, sous prétexte de dénicher une autre bouteille de vin, le vieux cochon...

Elle me regardait, désabusée. Les rasades d'alcool don-naient un vernis cynique à son regard. Je me suis impatienté :

— Et puis ?

Elle a soupiré :

— C'est plutôt pénible à raconter, Malarmé. Il a voulu savoir des détails intimes sur ma relation avec Steve. Il m'a demandé si je couchais avec lui. Il a même employé des mots cochons. Je l'ai envoyé promener. J'étais troublée. Je me sentais à la veille de craquer. Lui, il avait l'air perdu. Perdu.

Comme elle ne parlait plus, il m'est revenu un vieux fantasme impie, et je jure que j'avais la voix d'un ecclésiasti-que quand j'ai exhorté :

— Alors, qu'est-ce qui s'est passé, ma belle ? Allez, dis-moi tout. Considère-moi comme ton confesseur, si ça te chante. Ça me convient, si c'est le seul moyen d'accéder à tes secrets. Alors ?

Sa tête oscillait lentement, bercée par l'ivresse. Elle s'abandonnait un peu plus, comme très lasse. Elle dit d'une voix lointaine :

— Alors ? Alors il m'a touchée, Malarmé. Mon père m'a touchée, effleuré délibérément les seins, je veux dire. Les tétons, tu comprends ?

— Hum.

— Et le contact m'a comme électrifiée. J'ai poussé un grand cri d'écœurement et je me suis mise à l'engueuler. À l'engueuler comme du bois pourri. Je l'ai engueulé pour dix-huit années de silence, je l'ai engueulé pour vrai parce que je l'avais toujours engueulé pour le plaisir, ou du moins c'est ce que je pensais. Oh Malarmé, tu aurais dû entendre ça ! Les tendres épithètes que je te décoche parfois, ce sont des mots doux en comparaison. Je l'ai traité de tous les noms, Malarmé, de tous les noms possibles. Mais ce qui revenait le plus souvent, c'était vieux cochon. Vieux cochon. Et il a paniqué. Il a voulu me faire taire, ses yeux me suppliaient de me taire, et il m'a serré la gorge pour me faire taire. Il m'a vraiment serré la gorge. Et j'ai tout compris d'un coup. Je me suis senti comme si le cordon ombilical était resté autour de mon cou toutes ces années, et que c'est lui qui en avait tenu le bout. Et il serrait, le vieux MauMau, il serrait. Alors j'ai commencé à taper.

J'étais presque tenté d'ironiser méchamment, de lui dire que ses péripéties familiales tenaient du téléroman. Mais je ne pouvais pas. J'étais suspendu au récit, moi aussi, et je sentais, plus que jamais, que nous touchions au nœud de la chose. Elle continua :

— Mais tu n'as rien entendu encore. Alerté par la qualité vibrante et le registre aigu de mes vocalisations, Steve se précipite dans la cuisine, et quand il voit MauMau qui me serre le cou et moi qui lui tape dessus, il ne fait ni une ni deux et s'en prend à mon père. Tu imagines, Édouard Malarmé ? Mon timide amoureux, invité dans ma famille pour la première fois, qui s'en prend à mon père, qui l'envoie dinguer contre le fourneau, brutalement, et mon père, qui doit compter, comme tu le sais, sur une valve de porc greffée à son cœur pour contrôler son sang, mon père, eh bien mon père s'affaisse, pris d'un malaise.

Cette fois, je lui dis, sincèrement admiratif :

— Christine, je n'en crois pas mes oreilles. Dis-moi que ce n'est pas vrai. C'est un conte de Noël mis en scène par Michel Tremblay en collaboration avec Mia Riddez. Dis-moi que c'est de la fiction...

— C'est la vérité, mon vieux Malarmé. Et attends, il manque encore l'acte final, le dénouement dramatique : ton bon ami Johnny, qui n'a pas arrêté de manifester son hostilité à Steve de toute la soirée, ton ami Johnny, au milieu des cris de ma mère, presque aussi perçants que les miens, ton Johnny se porte au secours de son père, il empoigne mon ami Steve par le collet et lui envoie son poing bardé d'un bracelet de métal à pointes tu ne devineras jamais où, Malarmé, hein ? Tu ne devineras jamais où ?

Je crie triomphalement, au comble de l'euphorie :

— Sur le nez ! Sur le nez ! Ah !

Elle s'empresse de confirmer :

— Sur le nez, Malarmé. Sur le nez du pauvre Steve. C'est une vraie manie. Le sang se met à pisser partout, tu vois le tableau ? Mon père, qu'on a réussi à pousser sur une chaise, mon père dont on cherche les pilules de nitro frénétiquement, et mon tchomme qui perd pratiquement connaissance, le nez fracassé, et qui fait une fontaine rouge au-dessus de l'évier, deux femmes qui crient à tue-tête, deux frères qui se regardent, dépassés de loin par les événements... alors, tu te figures bien la scène ? C'est le moment exact que j'ai choisi pour exécuter ma sortie. Fuck Noël ! Fuck les cadeaux ! J'avais déjà, comme qui dirait, mon voyage. Ça te fait rire, Malarmé ? Ça te fait rire ? Quand je suis sortie dehors, il y avait un gros avion qui passait très bas, tellement bas que j'ai baissé la tête, sans m'en rendre compte. Tellement bas que j'ai eu l'impression que je n'aurais qu'à sauter un peu pour m'accrocher à son ventre et monter à bord. Et partir loin.

Oui, je riais. Je me roulais par terre, littéralement, cherchant à entraîner Christine, qui s'accrochait à deux mains à la bouteille de quarante onces, dans le mouvement rotatif de mon hilarité. Je hurlais :

— Oui, je ris ! Je ris parce que c'est trop ! Trop beau ! C'est merveilleux ! Tu es avec moi, Christine. Et quand je pense à ce pauvre type, Steve, je veux dire, pardon, il n'a vraiment pas de chance avec son nez, c'est incroyable.

Christine se mit à rigoler elle aussi.

— Il faut dire que ce n'est pas à toi que ça risque d'arriver, hein, Malarmé à la manque ? Ton nez, il est fait comme un fortin, ou un soc de charrue, je suis sûre qu'on se ferait mal aux mains à vouloir seulement l'ébranler.

— Ah tu te moques de mes muqueuses, hein ? Oui, c'est vrai, mon nez est un soc, et il est fait pour exhumer des choses. Allons, viens ici que je te règle ton cas. Christine, je t'aime comme un fou. Je ne peux pas vivre sans toi, je ne peux même pas survivre, je peux à peine sous-vivre.

Pour la première fois, elle ne s'objecta pas à ce genre de prise de position. Elle reconnut simplement :

— Ce soir, j'ai le goût d'être avec toi, Édouard Malarmé. C'est tout ce que je peux dire. Johnny m'avait dit qu'il t'avait rencontré au *Pullford*. Je ne pensais jamais que tu passerais Noël ici. Tu sais, pendant que je m'éloignais de la maison, je les ai vus sortir mon père et le mettre dans l'auto. Direction l'hôpital, je pense bien. Il levait ses pieds devant lui, pendant qu'ils le portaient, il se laissait traîner, on aurait dit qu'il ne voulait pas entrer dans l'auto. Je pense qu'il était bien, quand même, dans la maison. Il aurait voulu partir, mais pas de cette façon-là, j'imagine. Et puis Steve a suivi, en partance pour l'urgence lui aussi, il tenait son nez d'une main, avec un mouchoir plein de sang. Noël à l'hôpital ! Parlez-moi d'un Noël blanc...

Voulant lui changer les idées, je lui dis :

— Tu sais Christine, j'aurais aimé t'offrir un cadeau de Noël, quelque chose de somptueux... mais attends, j'ai peut-être quelque chose pour toi.

Me relevant et titubant, je me suis dirigé vers l'une des anciennes chambres où un matelas lacéré recouvrait un sommier déglingué. Sur le matelas, la petite poupée reposait, souriante, l'air heureux, malgré la dureté de ses conditions de vie. Je l'ai prise, l'ai cachée derrière mon dos et l'ai mise dans les mains de Christine, avec une emphase empreinte d'une certaine solennité.

— Elle était ici quand je suis arrivé, lui ai-je soufflé en guise d'explication.

— Elle me rappelle une poupée que j'ai déjà eue, fit-elle rêveuse en se tapant une autre lampée de scotch.

Je me serrais contre elle, ému par anticipation. J'ai demandé :

— Parle-moi d'elle.

Elle a haussé les épaules :

— Je me souviens seulement qu'elle ressemblait à celle-là.
Il paraît que je jouais plutôt dur, avec elle. Mais c'est ça, les
enfants...

— Qu'est-ce qu'elle est devenue, ta poupée ?

— Elle s'est retrouvée en mille morceaux. Je ne sais pas
pourquoi...

— Tu ne te rappelles vraiment pas ?

Elle réfléchissait. Puis elle a paru se secouer, soudain
soupçonneuse :

— Non ! Et puis, qu'est-ce que ça peut te faire, grosse
patente tout croche ? Qu'est-ce qui te prend de t'intéresser à
mes jouets d'enfant, tout à coup ? Oh, je commence à être
vraiment saoule, Malarmé. C'est vrai, j'ai déjà eu une poupée
comme celle-là et je l'ai cassée. Qu'est-ce que tu veux que je
te dise de plus, grosse nouille ? Il va falloir dormir un peu,
peut-être ?...

Elle roula sur le côté, ronflant déjà doucement.

Mais moi, je la pressais contre moi, et je continuais à lui
parler. Je murmurais des choses comme : tout ce que je veux,
c'est un peu de ta chaleur. Te donner la mienne, surtout.
Quelques calories comme cadeau de Noël. Mon plus beau
Noël. Je me sens à la fois fort comme le bœuf et niaiseux
comme l'âne. Mon plus beau Noël, Christine. Elle eut un
hoquet satisfait et inclina la tête sur mon épaule, pendant que
je buvais de nouveau au goulot du quarante onces. Nous étions
en train de passer au travers de la bouteille, du col au cul. La
civilisation, c'est un bateau ivre monté dans une bouteille. En
regardant tendrement Christine et en versant incognito quelques larmes d'alcool, je ne pouvais me défendre de tracer un
pieux parallèle. La poupée avait glissé de ses mains sur son
giron et s'était coincée entre ses jambes largement ouvertes :
c'était comme si Christine, en cette nuit de Noël à la limite
du loufoque, avait été en train d'accoucher d'une fille.

* * *

CHAPITRE 7

SAMOURAÏ OU MOUTON

Lorsque je me suis réveillé, Christine avait déjà disparu, seule son odeur avinée était restée. Et lorsque je suis arrivé chez Johnny, qui ronflait pesamment au milieu de l'après-midi, le petit Martin m'a appris qu'elle venait de s'en retourner à Sainte-Anne-de-Bellevue. J'en ai éprouvé un vif regret, un remords tout physique : celui de ne pas l'avoir clouée là, sur ma couche, en lui enfonçant mon pilum empenné de poils dans le ventre. De ne pas l'avoir punaisée là comme une peau, à l'aide de mon crochet de chair, comme une pelleterie pour couvrir mon cœur et le garder au chaud.

Revenu à ma cabane, il ne me restait que la poupée potelée, exaspérante par son sourire de bonheur inventé. Je l'ai manipulée rudement, lui tordant les bras, lui écartant les jambes à les rompre. Il me venait la tentation de me prendre pour un sorcier, de lui faire subir les sévices détournés que l'on réserve aux poupées vaudou. Je me suis recouché. Je n'avais rien d'autre à faire. Je suis redevenu zombi.

À défaut d'être sorcier, je me sens bel et bien possédé. Le sorcier invente des guérisons. Moi, je préfère m'inventer des maladies. J'ai tout loisir de laisser travailler mon imagination, dans cette claustration de mon corps. Je renverse la causalité, je pars d'un symptôme et lui associe l'affection qui sied. J'imagine, les yeux fermés, une myriade de micro-organismes à l'œuvre dans mes profondeurs. Je me sens porteur d'œufs, la rigoureuse immobilité qui me garde au chaud sous un monceau de duvet s'apparente à une incubation. Je compose avec mon hypocondrie, je ponds des symphonies étiologiques. Cette altérité acquiert une sournoise autorité en moi. Merde, je ne suis pas encore mûr pour mourir !

* * *

L'hiver se passe et je dors comme une marmotte de terre.

* * *

J'ai encore été tiré de ma stuporeuse retraite. Décidément, pas moyen d'hiberner tranquille, ici. Je n'ai pas touché à mes carnets depuis un bon moment. Je me suis levé si peu souvent, me sustentant de provisions minimales, que je craignais avoir définitivement perdu l'usage de mes deux jambes. Or, c'est un bonhomme tout à fait ingambe qui a fait irruption dans mon repaire, sa bonne barbe givrée par les derniers froids de février. Hospodar et Icoglan faisaient retentir le matin de leur clameur indignée. Comment ? Encore un intrus ? L'inviolabilité du domaine d'Édouard Neuf serait-elle de plus en plus compromise ?

Rapidement sur pied, en dépit de problèmes de circulation assez aigus, je me suis ressaisi à temps pour serrer la pince au Dr Baderne qui, emmitouflé dans un profond parka bien hermétique, ressemblait à quelque découvreur, Peary au pôle, par exemple, tout juste débarqué sur une terre lointaine. Ses grosses Sorel résonnaient fortement contre les planches voûtées supportant nos deux poids. Il s'écria, extrêmement jovial :

— Ah, Edward ! Sais-tu, mon gaillard, que tu ne donnes pas de nouvelles souvent ? Oui, j'en étais réduit à toutes sortes de conjectures sur ton sort. Heureusement que j'ai pu entrer en contact avec ton ami Bernard, qui m'a expliqué la façon d'accéder à ta retraite. Ah, mon gaillard, tu t'es fait rare, vraiment. J'éprouve à te voir presque autant de joie que peut en procurer la découverte d'une nouvelle espèce. D'ailleurs, mon brave Edward, je peux bien le dire, ton aspect évoque irrésistiblement quelque mutation survenue secrètement. En apparence, tu n'as plus grand-chose d'humain. Observe-toi donc un instant dans ce très joli miroir. Tu vois ? Tu ressembles à un hybride né de Big Foot et du yéti, ce qui ne serait pas pour déplaire à un biologiste, mais c'est que je viens te parler en civilisé, garçon, alors rallume le feu dans ce beau petit poêle trapu, je cours ramasser un seau plein de neige. On va faire du café, et tu vas te décrotter un peu, mon pauvre ami, allez, allez, Baderne est en ville, en campagne, plutôt. J'exige d'être reçu avec tous les égards dus à ton vieux maître.

Bientôt, nous étions à même de nous réchauffer et de nous restaurer devant une cafetière fumante. Baderne avait réussi à assujettir sa corpulence remarquable à la surface restreinte d'une vieille chaise bancale. Quant à moi, j'étais parvenu, à force d'aspersion d'eau bouillante et de friction vigoureuse, à déloger la croûte de chassie qui avait entravé jusque-là la pleine ouverture de mes yeux douloureux. Le docteur Baderne saluait cette remise à jour avec son entrain coutumier :

— Ah, te voilà comme un sou neuf, Edward. Dis donc, cette barbe, sais-tu que tu commences à ressembler enfin à un vrai biologiste ? C'est la barbe qui fait le biologiste, tu l'as sûrement remarqué. Parce qu'en tant que spécialiste de la vie, le biologiste doit être aussi un spécialiste de la virilité. À la rigueur, un petit bouc ne peut pas nuire. C'est un minimum. La barbe nous rapproche des bêtes que nous avons pour fonction d'étudier. Le mimétisme, c'est l'idéal pour celui qui fait du terrain, hein ?

— Qui fait du terrain..., approuvai-je en écho.

Puis, me secouant :

— Alors, Dʳ Baderne, quoi de neuf ? Comment vont les affaires ? Comment se porte l'institution, devrais-je dire ?

Il s'ébroua et souffla comme un mégaptère faisant surface, illusion accrue par le panache de vapeur qui fut expulsé de ses narines :

— Oh oh, j'ai quelques problèmes, Edward. Oh, rien de grave. Quelques problèmes. Il se trouve que mes loups se sont sauvés. Oui, mes loups, tu les as vus, tu te souviens ? Mes trois beaux loups qui étaient si tranquilles, Edward. Ils dormaient toute la journée et ne hurlaient qu'à la pleine lune. De vrais bons loups. C'est justement par une nuit de pleine lune qu'ils se sont sauvés. Tu te souviens de l'enclos où ils étaient confinés ? La grille devait bien avoir, quoi, quatre mètres de haut, avec des rangs de barbelé tout en haut. Mais c'était la pleine lune. Ils ont tout simplement sauté par-dessus, comme si de rien n'était. Ça a eu l'air si facile, Edward, que je n'ai pas pu m'empêcher de penser que tout le temps qu'ils étaient restés là, à intimider les humains de leurs grands yeux jaunes et à lorgner avec dédain les toutous et caniches de bonne famille, tout ce temps ils ne se trouvaient là que de leur plein gré. On dirait qu'ils attendaient simplement leur heure, et que l'heure venue, absolument rien n'aurait pu les empêcher de prendre le large et de répondre à l'appel du grand Nord et de la lune.

Feignant un air désolé, j'ai demandé :

— Et vous ne les avez pas retrouvés ? Personne n'a vu leurs traces ?

Il soupira.

— Justement, c'est bien là le problème, Edward. Au contraire, ils ont beaucoup fait parler d'eux, depuis cette fameuse nuit. Même que l'on crie maintenant au loup partout dans le West-Island. C'est une vraie panique. Les loups ont, semble-t-il, zigouillé un toutou en train de lever la patte dans l'arboretum, ils ont égorgé trois ou quatre moutons qui prenaient l'air derrière une bergerie, ils auraient même attaqué un cheval et son cavalier, sur un paisible parcours équestre. Je reçois des réclamations de partout. Il suffit maintenant qu'une bestiole quelconque décède d'une manière un tant soit peu violente sur l'île de Montréal pour que l'on m'expédie immédiatement la facture. Montréal se plonge avec un ravissement terrifié dans le Moyen-Âge. Ah Edward, ton vieux professeur est devenu une espèce de bouc émissaire. On a réclamé ma démission à grands cris. On a décrété que mon aire de recherche représentait un danger public, une menace pour les enfants, et pour les chiens, etc., en veux-tu en v'là ! Tu sais comment sont les gens, Edward. Tu te souviens, dans le boisé de Saraguay, des braves mères de famille qui avaient peur pour leurs enfants, à cause des castors ? Il aurait fallu que ces enfants-là mènent une vie plutôt végétative pour que les ingénieux rongeurs aient une chance d'attenter à leur intégrité physique. Bref, mon bon Edward, dans le West-Island ces jours-ci, on crie Haro sur le Baderne. On crie gare au loup, comme dans le bon vieux temps. Et ça me donne drôlement le goût de sortir ma carabine pour leur faire entendre raison, à cette horde enragée. Ah, la civilisation me pèse, parfois, mon ami... Et mes trois compères demeurent insaisissables. Tu te rends compte ? Des loups aux portes de Montréal ! Voilà une touche d'exotisme qui ne sera pas pour déplaire à mes amis français, eux qui frissonnent à la vue d'une tête d'orignal empaillée dans une taverne de l'est de la ville. On pourra dire aux touristes : « Oui, oui, c'est la pure vérité, messieurs dames, on chasse encore le loup à trente kilomètres de Montréal. Et les Indiens sont toujours aux portes de la ville ! »

Il s'arrêta, fatigué. À force de parler de ses soucis, il avait visiblement, sans le vouloir, renforcé leur pouvoir de préoccupation. Il se frottait maintenant les tempes avec le pouce et l'index, en baissant la tête. J'étais songeur.

— Des loups aux portes de la ville. C'est vrai que la situation est unique. Montréal n'est quand même pas Sept-Îles. Vous savez, Dr Baderne, ça me rappelle cette nouvelle de Boris Vian, qui est un peu l'antithèse d'un conte de loup-garou, puisque c'est le loup qui devient un homme et s'en va à la ville.

Il esquissa un sourire et se détendit :

— Ah oui, évidemment. Le loup qui est un homme pour l'homme... les combinaisons abondent.

— Docteur Baderne ?

— Oui, Edward ?

— Ça vient d'où, le mythe du loup-garou ?

— Oh, tu sais, Edward, chez les peuplades primitives, on retrouve certaines pratiques magiques où les chasseurs, pour s'attirer les faveurs de leurs dieux, souvent incarnés par des bêtes, se couvraient des fourrures de leurs gibiers et dansaient rituellement afin de préparer ou de commémorer la partie de chasse. Des cérémonies propitiatoires, en quelque sorte. L'homme redevenait, le temps d'une fête, par la magie de l'identification, un animal couvert de poil. Ces célébrations païennes auraient, au cours des âges, été récupérées par l'Église catholique et les autres instances morales, heureuses de pouvoir brandir, au-dessus de certaines brebis noires peu enclines à l'assiduité liturgique, l'éternelle menace d'une rechute de la bête humaine dans son état de disgrâce originelle.

— Je vois.

Je me levai à nouveau pour servir du café, un café substantiel que Baderne goûtait beaucoup, à en juger par les grimaces horribles qui tordaient son bon masque de bonze.

— Oui, Edward, ça nous ramène à l'âge du totémisme, tout ça. Mais le mythe s'est perpétué. En Angleterre, vers le Moyen-Âge, on observait un phénomène saisissant qui fut connu sous le nom de rage de Berserkr. D'où l'expression courante : *going berserkr*. Les *berserkr* étaient de pauvres diables qui erraient dans les campagnes, vêtus de peaux de bêtes, et que l'on croyait détenteurs de pouvoirs surnaturels. Ces êtres étranges étaient sujets à des accès de furie diabolique qui les poussaient à se précipiter sur les bonnes gens pour les massacrer sans rémission. Les descriptions de ces crises, par des auteurs de l'époque, mentionnent, chez les joyeux drilles adonnés à ces emportements, des symptômes tels que salivation abondante et absence de toute prudence. Comme tu le vois, Edward, notre bonne vieille rage n'est jamais loin, et elle nous montre ici encore le bout de son nez insolent.

— Vous ne manquez jamais une occasion de parler d'elle, pas vrai, docteur Baderne ?

— Ho ! Ho ! Ho ! Tu as raison, Edward. J'ai encore l'air de te donner un cours. C'est un pli professoral que j'ai de la difficulté à perdre. Mais tu sais, même dans un grand amphithéâtre, j'ai toujours préféré m'adresser aux quelques rares étudiants qui écoutent vraiment, à ceux dont on sent qu'il sont le véritable terreau dans lequel germera la parole féconde. Dans mes cours, je peux bien te le confesser, mon boy, j'ai souvent eu l'impression que je ne parlais qu'à toi. Oui, à toi, Edward. Tu t'asseyais toujours à l'arrière, le plus loin possible, mais j'avais la conviction de te rejoindre, par-dessus tous les autres. Je t'avais repéré. Je sentais de grandes choses fermenter en toi. En toi, je sens que mes mots sont une vraie semence, qu'ils prennent tout leur sens.

Il s'était attendri, me couvait d'un regard voilé.

— Vous êtes trop bon, docteur Baderne, protestai-je. Mais croyez-moi, je ne peux pas être un chercheur valable. Je me cherche encore moi-même, vous comprenez ?

— Mais nous nous cherchons tous, mon boy. Nous nous cherchons tous. La recherche, c'est une auberge espagnole, nous y trouvons ce que nous y apportons, et nous y trouvons surtout ce « nous » que nous y fabriquons à mesure. La science t'offre des objets. Il t'appartient à toi d'y introduire un sujet, ton sujet, le sujet Edward Malarmé. Tu verras, mon boy, tu trouveras ta place, toi aussi, dans le monde scientifique.

— Vous croyez, docteur Baderne ?

— Je le crois, mon cher Edward.

Je réfléchissais. Mais entre-temps, Baderne revint sur terre, ce qui déplaça une certaine quantité d'air.

— Mais Edward, viens donc dehors ! Attrape tes pattes d'ours sur le mur, j'ai apporté mes queues de castor, allons marcher dans les bois, ton vieux professeur passe bien assez de temps entre quatre murs à disserter dans des directions douteuses, je suis venu ici bien plus pour prendre l'air que pour faire du vent avec ma glotte.

* * *

Un peu plus tard, nous gravissions le raidillon derrière le chalet. Baderne, pour un sexagénaire, ne s'en tirait pas trop mal, même s'il suait abondamment dans son parka conçu pour se balader en terre de Baffin au mois de janvier. C'était le milieu de la journée et déjà le soleil au zénith retrouvait un peu de mordant. L'hiver commençait à céder du terrain. Baderne poursuivit, comme s'il n'y avait jamais eu d'interruption :

— Mes recherches sur la rage n'avancent pas beaucoup, Edward. Je n'ai pas tout mon temps à y consacrer. J'ai besoin de toi, c'est toi que j'attends, mon boy. Je m'inquiétais de toi, ces derniers temps, oh oui.

Il s'arrêta et m'observa franchement :

— D'ailleurs, tu n'as pas l'air au meilleur de ta forme. Regarde-moi donc. Ah mais, c'est que tu es tout pâle ! Pourtant, le grand air devrait te faire du bien ? Ton alimentation, peut-être ? J'espère, Edward, que nous avons encore l'honneur de te compter parmi les carnivores. Les graines, c'est bon pour les oiseaux, mon ami. Les animaux les plus intelligents sont des prédateurs. Toutes proportions gardées, évidemment. Je te parle loup, coyote, renard... C'est que la chasse demande le meilleur de l'instinct. Le chevreuil ? Mais non ! Il a haussé la peur au niveau d'une forme d'intelligence, c'est tout. Regarde-les où ils ne sont pas chassés, ils sont bêtes comme des vaches. La proie ne déploie de l'astuce que quand elle est chassée, le prédateur, que quand il chasse. Dans tous les cas, la ruse et l'intelligence animales sont le fait de ceux qui chassent...

Et il continuait comme ça, il aurait fallu une avalanche pour l'arrêter, et encore. Il levait les bras au ciel :

— Les mésanges, Edward, les mésanges à tête noire !
Chickadee hein hein ? Chickadee hein hein ?

Je crois qu'il les effrayait plutôt, avec son parka rouge vif.
Il ressemblait à un gros épouvantail.

— Ce sont les petits anges de la forêt, hein, Edward ? Avec
les mésanges, on n'est jamais tout seul dans le bois. Mais
qu'est-ce que j'entends ? Ah, geai bleu... oui, mais ce ricanement, beaucoup plus loin ? Bien sûr, il y a un grand pic dans
le coin ! J'avais cru remarquer... Écoute-moi ces gros-becs, ah
les gourmands ! Tu as vu les juncos là-bas, sous les pruches ?
La forêt est très belle ici... Grands bois, vous m'effrayez
comme... regarde, voilà un pic chevelu, tiens, tu peux l'entendre, et là-bas, si je ne me trompe, un grimpereau brun vient de
s'éclipser, à moins que ce ne soit une sittelle à poitrine rousse,
ça dépend du sens de sa progression le long du tronc, le
grimpereau monte toujours, lui, allez viens, Edward, allons
voir !

Et je suivais Baderne, je me laissais porter par le flot de ses
paroles, entraîner par sa silhouette débonnaire. La forêt redevenait vivante autour de lui. Il allait de l'avant, gaillard,
produisant toutes sortes de bruits incongrus avec sa bouche,
dans le dessein d'attirer les petits oiseaux curieux, les mésanges
et leur suite céleste. Plus que jamais, je le voyais en saint
François d'Assise. Bientôt, nous fûmes à l'endroit pierreux et
dégagé d'où la vue pouvait embrasser toute la région. Au loin,
par-delà la rivière gelée, les rectangles blancs des champs nus
et la mosaïque irrégulière des boisés, la tour de contrôle était
visible. Baderne prononça gravement :

— Tu sais que c'est un vrai gâchis ce qu'ils ont fait de
l'agriculture, par ici ? Des fermes superbes, qui appartenaient
aux mêmes familles depuis cinq, six générations. Ah Edward,
ils ont voulu instituer l'agriculture planifiée, l'agriculture des
kolkhozes. Mais ils se sont heurtés à la même évidence que le
père Staline : un fermier qui n'est pas propriétaire n'est plus
un fermier. Un travailleur, un ouvrier, je veux bien. Comme
dans n'importe quelle usine. Mais pas un fermier. Eh ! Tu sais,
reprit-il, ils m'ont consulté, dans la phase de planification, à
propos des problèmes que peuvent poser les oiseaux, avec
toutes ces terres agricoles autour. Parce que vois-tu, ces gros
volatiles d'acier qui prennent le ciel d'assaut en grondant à

pleins réacteurs, eh bien, il suffit d'un seul goéland, d'un seul pigeon, d'une seule petite mécanique emplumée pour les abattre, les rabattre au sol. C'est merveilleux, non ?

Je trouvais ça merveilleux, moi aussi.

— Vois-tu, Edward, nous avons pris l'habitude de nous choquer, de nous horrifier quand il prend à un de ces mastodontes volants la fantaisie de s'écraser. Nous tenons pour acquis que des masses pareilles puissent s'élever dans les cieux sans poser aucun problème. Est-ce que ce n'est pas ça, plutôt, qui devrait nous étonner ? Est-ce que chaque décollage n'est pas plus improbable que chaque écrasement ?

Quand Baderne vit, sur la neige, des pistes de renard descendant en droite ligne vers la plaine, il murmura à voix basse :

— Saison des amours, hein ! Ils deviennent plutôt imprudents, à cette période de l'année. Ouais, beaucoup de renards, par ici. Un foyer de rage, je te l'ai déjà dit.

Il laissa encore son champ de vision coïncider avec l'étendue de la plaine. Là-bas, en bout de piste, un 747 s'arrachait aux forces de la gravité, ouvrant lentement l'angle qu'il formait avec la terre. Baderne répéta, songeur :

— Un simple petit oiseau, un seul être vivant, pigeon ou goéland, et tout ce gros machin de métal retourne à la terre.

Puis il se tourna vers moi, ses yeux bleus et jeunes à la fois pétillants et graves, et il me demanda :

— Alors, Edward ? Prêt pour la rage ?

Je fus un instant sans voix.

— Qu'est-ce que... qu'est-ce que vous voulez dire ?

Il eut un bon rire :

— Ah, ne fais pas cette tête-là, Edward, mon ami. Je te parle de mon projet de recherche sur la rage. La vaccination des bêtes sauvages. Le défi que leur irrédentisme sanitaire nous pose. Tout ça. Je n'attends plus que toi, Edward, je n'attends plus que toi. C'est un sujet de maîtrise superbe. Je veux faire de toi le maître de la rage !

Et il partit d'un grand éclat de rire, auquel je fus à demi tenté de me joindre.

* * *

Apoastre : point de la trajectoire d'un satellite ou d'un astre secondaire qui est le plus éloigné de l'astre principal

Indémaillable : dont les mailles ne peuvent se défaire

Cartulaire : recueil de chartes décrivant les titres des propriétés et privilèges temporels d'une église ou d'une communauté

Septicité : caractère de ce qui est septique

Nuaison : durée d'un même vent, d'un même état atmosphérique

Veuglaire : canon des XIVe et XVe siècles, plus long que la bombarde, qui se chargeait par la culasse

Au microscope électronique, le virus de la rage arbore la forme d'une balle de fusil. Ce sont des choses comme ça que je veux savoir.

Le mot Paissance ressemble à la fois au mot Paix et au mot Puissance. C'est drôle.

* * *

PRINTEMPS 1984

Je me suis débarrassé des mots. Je les ai relégués au dictionnaire, là où, plus que partout ailleurs, ils ont l'air et l'art de n'être que des mots. Je ne veux plus qu'ils sortent de là, qu'ils s'agencent comme des soldats sur les lignes ennemies. Pour retrouver le chemin de la sobriété stylistique, je n'ai eu qu'un mot à prononcer. J'ai dit Oui à Baderne. Oui pour la vie, oui pour la biologie. Il veut me convaincre que la vérité scientifique peut être belle, et j'aimerais le croire. J'aimerais croire que la rage peut être un objet d'étude désincarné, et non pas une sombre obsession planant sur ma conscience. Baderne va m'accueillir à l'ombre de ses barbelés, dans son laboratoire au milieu des labours, comme ces créatures blessées qu'il ramasse avec amour pour les remettre sur pattes et du même coup servir la science. Lorsqu'il m'arrive par hasard de rouvrir l'un de mes carnets, je bute sur les mots comme sur des bornes massives alignées entre mes yeux et la réalité. Je ne comprends plus les mots, ils ont acquis durant cette période de froid une texture rêche, une consistance étrangère, ils sont devenus un monde qui me récuse, un monde exotique pour lequel j'ai perdu mon passeport. Je ne vais plus dans les zenanas et les zaouïas, je ne danse plus de zapatéados, je ne joue plus de zarzuelas. Je suis loin des mots et ils s'éloignent lentement, implacablement, comme les gros Jumbo Jets éléphantesquement blancs et vides. Ils sont devenus un luxe.

Pourtant, j'ai un goût amer d'invention dans la bouche. J'ai besoin de nommer ce qui me guette dans l'ombre. Nommer nommer nommer. On ne nomme jamais que des manières de mourir. Je me sens fiévreux, fatigué. Je ne mange plus. Je ne dors plus. J'ai mal à la tête. Ce matin, j'ai eu la nausée et j'ai vomi un peu de bile dans la neige salie qui s'accroche par plaques au sol mouillé, souillé de crottes de chien. Je me sens toujours léthargique, bien que le beau temps soit en train de revenir au galop. Mon hibernation devrait prendre fin, mais on dirait que j'ai pris goût au ralenti.

Je me complais dans des auto-examens malsains : fièvre, fatigue, anorexie, insomnie, céphalée, nausée, léthargie, malaise général, troubles cénesthésiques, lancinements paresthésiques, en voilà des mots ! Pour un hypocondriaque, il y a là abondante matière à délectation. Nommer, c'est déjà guérir un peu. Comme Céline dans sa prison danoise, je n'ai rien d'autre à faire que de ressasser, le jour et la nuit, l'accumulation de mes symptômes. La seule blessure concrète que je puisse toucher du doigt, au milieu de ce délire pathologique, c'est la petite cicatrice qui s'ouvre à la base de mon cou, et que mes gros chandails de laine et mes bonnes chemises de flanelle étaient parvenus à occulter durant la morte saison. Juste là, à l'endroit où Christine m'a mordu, quand j'ai voulu la prendre, et où le renard m'a mordu lui aussi, quand j'ai voulu le déprendre. Leurs marques réciproques se chevauchent sur mes chairs. Avec un plaisir masochiste, je palpe cette blessure à mon cou, cette blessure à mon courage. La double morsure se réveille et se rappelle à moi.

Ce qui est arrivé entre le renard et moi, et entre Christine et moi, c'est absolument intime. Je n'ai pas voulu des lumières crues d'un scialytique sur mes petites plaies personnelles. Si Édouard Malarmé est empoisonné, il mourra comme meurt un roi empoisonné.

* * *

Les chiens ont l'air tristes aujourd'hui. Moi aussi. La vision d'un grand *pinball* céleste me poursuit toujours, au point de devenir une obsession. Ça dure depuis le soir de la mi-août où le ciel était devenu, par la magie des Perséides, un fabuleux feu d'artifice. L'autre soir, au milieu de l'hiver, j'étais avec Johnny, dehors, et nous étions stone comme des balles, gelés à fendre pierre. Et nous avons aperçu des lumières étranges et suspectes qui se déployaient à la grandeur de l'horizon, au sud. Et nous avons halluciné, longtemps. Intoxiqués par les Spielberg et compagnie, nous imaginions déjà que des visiteurs des étoiles s'amenaient avec assurance au-dessus du pays, que les étoiles voyageaient, venaient vers nous, enfin, qu'elles nous emmèneraient loin, et que nous aurions accès aux merveilles d'un au-delà situé très haut. Mais la réalité, bien plus prosaïque, n'a pas tardé à imposer sa force d'évidence. C'étaient de vulgaires avions, de gros Jumbo Jets qui traçaient ce ballet de nitescences nocturnes au loin. L'irrégularité et la brusquerie ellipsoïde de certains mouvements d'approche, qui nous avaient fait miroiter l'illusion d'une invasion de la terre par des vaisseaux ultraperfectionnés, n'étaient le résultat que des manœuvres d'atterrissage imposées aux Big Boeing.

Dégoûté, j'ai dit à Johnny :

— Tu vois, les technocrates nous avaient promis mer et monde, mais tout ce qu'ils nous ont donné, finalement, c'est du vide, cristallisé sous forme d'un beau grand aéroport. C'est ça, Johnny, la différence entre eux et nous. Eux, ils se croient toujours obligés de faire des prévisions, alors que nous, nous nous contentons souvent d'avoir des visions.

— J'aime mieux me salir les pattes avec de la graisse de bicycle qu'avec un salaire, assura-t-il.

— On est en attente, pas vrai ? On attend quoi ? On attend la tentation, hostie !

— L'attentation, murmura Johnny, les yeux dans le beurre, et dans les lointaines lumières du ciel.

J'étais perdu dans mes pensées, je pensais à sa sœur. J'étais perdu dans sa sœur. Brave Johnny. Il avait été mon guide vers elle. C'est grâce à lui que j'ai compris, confusément : la poupée, la crise cardiaque. L'offre. Compris que pour Christine, l'émancipation première était liée à une affaire de mancipation de terre. Qu'elle a les pieds pris dans le plastique d'une poupée, dans le passé.

Et pourtant, ce qu'elle avait l'air de rayonner, la première fois que je l'ai vue, sur le pont ! Elle irradiait toute chose avec une sorte de rage. Elle régnait déjà sur moi. Elle était déjà ma reine. Mais elle voudrait, la maudite, que je me contente de l'aimer dans le temps, dans l'écart nous séparant, et jamais dans l'espace de nos corps. Ce n'est quand même pas son dadais puritain qui va lui signer son arrêt ménorrhéique. Mais soit ! Qu'à cela ne tienne, Étienne ! Je ne ferai pas comme mon modèle monarchique, mon homologue d'Angleterre, le roi des décrocheurs, qui a tout laissé tomber pour suivre l'élan de son cœur. Je me suis engagé dans le mouvement inverse. C'est la fin de la session, Christine va revenir ici, et moi je m'en vais là-bas, je raccroche, je reprends du service. Je laisse là mon royaume en plan, et le château de Mirabel, et je sacre mon camp. Je laisse là mes rêves et je cingle vers le revers de mes folies.

* * *

Johnny est venu me voir aujourd'hui, annoncé de loin par la pétarade qui accompagne la chevauchée de sa grosse moto. Il s'est amené étincelant dans le petit chemin de sable, éclatant de tous ses chromes bien bichonnés, le moteur au ralenti faisant entendre un feulement de grand félin dompté. J'ai franchi le ru par le ponceau précaire, passant devant mon flamant rose qui a résisté à l'hiver et à la tentation d'émigrer, et je suis monté vers Johnny qui restait là, écartillé sur son engin, trop bien réconcilié avec l'objet de sa vie pour s'en éloigner, ne fût-ce que de quelques pas.

— Salut mon Johnny !, ai-je lancé joyeusement.

Il n'a même pas répondu. Toute sa musculature malaire était monopolisée par le sourire béat qui faisait presque pâlir la peinture scintillante de la motocyclette. Il finit par articuler quelque chose en levant la visière de son casque :

— Salut mon Eddy. Je suis venu te chercher. Pour faire un tour. Ça va te faire du bien. T'es pâle. T'as l'air malade.

Sans plus de préambule, il m'attribue le second casque qui, perché sur le dossier coussiné à l'arrière, a attendu tout l'avant-midi une tête passagère à enserrer. Tenant haut la jambe, je saute à califourchon sur le destrier d'acier, et nous partons, d'abord lentement, et précautionneusement, à cause du sable coulant qui cherche à faire déraper le véhicule, puis, parvenus sur le chemin de la Rivière-du-Nord, dans un grondement exaltant empli de l'odeur du printemps, à toute allure, sous les aboiements exaspérés des chiens du voisinage, nous filons.

Nous filons sur la petite route sinueuse, passons en trombe devant la vaste demeure tranquille du bonhomme Bourgeois, où rien ne bouge, et à laquelle Johnny, la tête à angle droit, décoche un regard appuyé. Nous volons au-dessus des ruisseaux gonflés par la débâcle, les ruisseaux qui ne murmurent plus, qui ne chantent plus, mais qui ont entonné un hymne guerrier, un véritable rugissement dévastateur. Johnny n'a pas de destination précise en tête. Go with the flow, comme au pool. Il désire seulement rouler, pour le plaisir, rouler jusqu'à ce que tout soit laissé derrière. Et je vais dans la même direction que lui. *Eddy...* En fait, c'est seulement aujourd'hui, je crois, que j'ai compris le vrai sens de ma relation à Johnny. *Eddy dans mon dos...*

Si Johnny ne me parle jamais beaucoup, c'est qu'il n'a rien à me dire. *Eddy dans mon dos, c'est drôle. Je sens ses mains serrées, dans mes côtes, il est pas gros, Eddy, dans mon dos...* Tout échange verbal, entre nous, est forcément inutile et redondant, parce que nous nous comprenons a priori en nous passant fort bien de la parole. Autant j'ai pu me fondre, surtout lors de sa dernière visite, dans l'âme à vif de Burné, autant je colle au corps de Johnny, *Si c'était pas un peureux, Eddy, on y serait allés depuis longtemps, défoncer la maison du bonhomme Bourgeois. Mais c'est un peureux, je le sens qui s'accroche au cuir de mon blouson...* à tel point qu'il me paraît être un double du mien. En ce moment, je suis tout contre lui, tassé sur le siège de la moto. Pour lutter contre ma force d'inertie qui profite de la puissance de l'accélération pour essayer de me précipiter sur la route derrière nous, je me penche et me tiens à Johnny, je lui serre les côtes de mes mains crispées. Je tiens à Johnny, *Les ruisseaux sont gros, l'eau est haute, il faudrait aller pêcher la truite, quand ça va redescendre, pêcher comme quand on était petits, je gage que Eddy sait même pas comment prendre une truite de ruisseau, défoncer la cabane du bonhomme, pis partir avec le motton, Eddy c'est un peureux, je vais lui faire peur* et tandis que la moto dévale à une vitesse folle la côte qui descend vers la rivière et l'autre pont, près de

Saint-Canut, Johnny tient mon sort entre ses guidons. Je m'en remets entièrement à lui, sans un mot. Pas un mot. En consacrant l'inutilité du bavardage, cette balade à moto peut accéder au statut de métaphore de notre relation. Je suis juste derrière Johnny, *Il dira rien, mais il est mort de peur, moi j'ai rien à perdre, tant qu'à passer en cour, avec mon affaire, qu'est-ce que le papier disait ? Comparution sous une accusation de possession, aussi bien passer pour une chose qui en vaut la peine, faire assez peur au vieux qu'il va en crever drette là dans nos mains, juste donner un p'tit coup de main, une p'tite poussée au cancer,* dans le même axe que lui, et je le suis comme son ombre, sans poser de questions. Nous allons dans la même direction, comme si le mythique et rutilant moyen de transport était devenu notre destin.

Pour m'impressionner, mais aussi, bien plus, pour se conformer aux diktats de ses pulsions profondes, Johnny joue du poignet en pilote de course, et pousse son engin passé les limites de la prudence. J'ai peur, j'ai peur, ça penche terriblement, *Pis pourtant, Eddy doit pas être si peureux que ça, parce qu'il faut pas oublier qu'il a caboché le grand danois à Bourgeois, quand même, il fallait le faire, j'ai déjà tiré un chien de cette race-là au fusil à pellets, quand j'étais flo, et ça l'avait juste achalé un peu, Eddy, au douze, fallait le faire* et pourtant, sans dire un mot, je place mon existence sur le même plateau que mon ami Johnny. Le plat pays de Mirabel, nous le parcourons en fous. Il me semble, à un moment donné, que nous sommes sur le point de *Pencher, pencher, c'est ça que j'aime le plus, c'est comme se laisser tomber, tu vois l'asphalte qui monte vers toi, on dirait, c'est comme tomber, sauf que la vitesse te sauve, la vitesse te garde dans les airs, et Eddy, il doit pas aimer ça, il doit pas être un peureux, pourtant, il dit rien, faire peur au vieux Bourgeois pis se sauver avec le motton, au Mexique, moi je suis déjà un criminel, j'ai un dossier, accusé de possession, Eddy dans mon dos, Eddy il me suit même quand il a peur* décoller et de rejoindre là-haut les gros Boeing dont parfois on peut voir le sillage tout blanc strier le ciel. Et lorsque, tournant à gauche, sur la route de l'aéroport, nous volons à la rencontre de l'immense édifice étendu sur la plaine, avec la tour de contrôle, comme toujours, bien en vue à l'arrière-plan, et que nous dépassons un panneau de signalisation implorant : Maximum 70 km/heure, Johnny presse en-

core plus, comme si c'était possible, la poignée de l'accéléra-
teur, comme par pure provocation, et c'est à 200 km/heure,
peut-être, *Là, j'y vais au fond, c'est là qu'on va voir, mon ami*
Eddy, si t'es un peureux, c'est ça, accroche-toi, tu te rends compte,
là, que t'es avec un hostie de fou, un maudit drogué, les avions
veulent pas décoller, hein ? je veux te faire peur, Eddy, pour que tu
comprennes que la loi, y a rien là, la loi, c'est pesant, c'est la
pesanteur, hostie d'Eddy, pis comme tu vois, on n'est pas trop
pesants, hein ? pis on va être de moins en moins pesants, on y va,
Eddy, tiens-toi bien, Eddy, tiens-toi après moi, aie pas peur, Eddy
que nous cavalons devant l'aéroport de Mirabel, devant ses
flics, fonctionnaires et factionnaires. Oui, j'ai peur, je suis mort
de peur, mais je tiens tout entier à Johnny, et avec lui, il n'y a
pas besoin de parler, pas besoin de prier.

* * *

Ce matin, Hospodar avait disparu. Les chiens ont fini par
occuper une place si prépondérante dans ma vie que je ne les
voyais plus. Leur présence équivalait, par sa rassurante
constance, à celle du soleil et de la lune. Hospodar avait
disparu. Icoglan, toujours sur mes talons, semblait un peu plus
triste que d'habitude. Avec elle, j'ai entrepris des recherches
sommaires aux alentours, gravissant les collines, fouillant le
fond des combes, puis ratissant les fourrés près de la rivière. En
vain. Mais lorsque je suis revenu, fourbu, à mon domaine,
Hospodar était là, campé sur ses pattes, et nous regardait venir,
Icoglan et moi. À mesure que je m'approchais, je me rendais
compte que quelque chose clochait dans son attitude. Il trépi-
gnait de façon étrange. Puis il a exécuté, comme sous le coup
d'une frayeur subite, un curieux bond sur place. Ensuite,
comme Icoglan s'apprêtait à le rejoindre, souriant de toute sa
grande langue, il s'est mis à gronder agressivement. Je l'ai
appelé doucement, et il a réagi par un véritable sursaut de
terreur, comme si un coup de canon eût remplacé ma voix.
Tournant sur lui-même, hagard, devant Icoglan interdite, il a
commencé à manger de la terre. Pas des feuilles, pas des
herbes, pas un bâton ou un os. De la terre. Pour rire, j'ai crié :
« Alors, tu retombes en enfance, chien géophage ? Tu manges
de la terre, maintenant ? Mais un bon conseil, mon vieux : ne
mange pas de cette terre-là. Elle ne t'appartient pas. Elle ne

m'appartient pas non plus. C'est de la terre qui appartient à monsieur Bourgeois, cher chien. Ce n'est pas pour nous. »

Visiblement vexé par ce conseil pourtant cordial, Hospodar s'est éloigné la tête basse, d'abord à petits pas erratiques, puis plus résolument, et c'est en ligne droite qu'il a gravi le raidillon menant à la forêt, où déjà s'installait l'obscurité. Il est monté par là, exactement comme le renard qui était venu me reluquer, l'été dernier. Icoglan, elle, gémissait à petits coups à peine audibles, et elle me regardait, plus triste que jamais, n'y comprenant rien.

* * *

Ce matin, je me suis rasé, lavé, peigné et apprêté au départ. Je me suis préparé mentalement à dire adieu à ma tanière. J'étais dehors, je contemplais une dernière fois le vieux chalet croulant, quand Christine est arrivée. C'était la première fois qu'elle venait depuis la nuit de Noël. Qu'elle était belle, sous l'éclairage neuf du printemps ! Elle portait, parce que la brise est encore fraîche, ce gros chandail de laine qui rend si bien hommage, dans son extension, à la majesté de la poitrine de mes pensées. Elle conservait ce visage un peu grave d'actrice tragique répétant son rôle, et ce regard pénétrant qui me donne chaque fois l'impression d'être percé à jour et connu d'elle depuis la formation de la croûte terrestre. Ses cheveux avaient poussé quelque peu, et se rebellaient dans son cou.

— Tu es superbe !, lui ai-je avoué en lui faisant la bise.

Elle nous a repoussés, le compliment et moi, d'un geste altier et dédaigneux.

— Eh, grosse grenouille molle ! Tu ne changeras donc jamais ? Tu penses vraiment me séduire en me flattant dans le sens du poil ? Je ne suis pas comme les autres, moi...

— Ça, je sais bien, Christine... alors, tu es en vacances ?

— Ouais, je suis de retour à la maison. J'en avais assez de la vieille buveuse de thé. Elle en était rendue à surveiller mes fréquentations, l'affreuse chipie.

— Oh, de ce côté-là, elle ne doit pas avoir trop de problèmes avec toi, fis-je remarquer malicieusement.

— Espèce de Malarmé..., repartit-elle avec mépris.

Puis elle me décocha un bon coup de poing à l'estomac, que j'étais mal préparé à encaisser. Elle se gaussa sans pitié :

— Tu faiblis, mon vieux, tu faiblis. Tu vieillis, mon vieux. Habituellement, tu ne te pliais pas en deux, quand je te touchais.

Ah Christine... tes coups comme des caresses... ton poing au lieu de ton sein... c'était de la provocation, je l'ai compris. Et toi, tu ne comprenais pas à quel point il fallait être fou de toi pour ne pas te gifler comme une gamine impertinente. Nous nous sommes mis à marcher, gravissant la côte. Il y avait encore de la neige grisâtre dans le sous-bois. Christine avait des ailes dans le dos. Moi, du plomb dans les pieds. Elle me harcelait :

— Allez, qu'est-ce que tu attends ? Grouille-toi, Malarmé ! À force de vivre comme un pépère et un ermite, tu as fini par acquérir le physique de l'emploi. Tiens, taille-toi une canne, ou ramasse un bâton sec et noueux. J'ai pas envie qu'on m'accuse de t'avoir fait mourir d'épuisement...

Je ne sus que répliquer :

— Mourir d'épuisement en courant après toi, quel sort enviable, ouf !

— Grosse patate molle.

D'ailleurs, elle était injuste. Avec mon visage rasé de près, avec mes joues hâves et mon physique amaigri, je n'avais l'air ni d'un ermite, ni d'un homme des bois. J'avais l'air plutôt punk, aussi sec et sombre qu'elle, dans mes fripes militaires. J'étais, en toute franchise, beau comme un cœur. Nous sommes montés dans le bois de pruche, où planait la pénombre. Certains oiseaux étaient revenus, comme les premières fauvettes, celles qui ont le croupion jaune. Ça chantait timidement. Fidèle à son habitude, Icoglan restreignait ses déplacements à la stricte superficie occupée par mon ombre, tandis que la femelle humaine, plus indépendante, allait devant et se livrait à un examen minutieux de la végétation encore engourdie. Elle se penchait, s'appliquait, se concentrait, tant et si bien que j'ai fini par comprendre qu'elle avait quelque chose à me dire. Elle attendait le moment propice pour parler en jetant son dévolu sur les plantes. À la fin elle se retourna et demanda négligemment :

— À propos, tu savais ce qui s'est passé, avec ton ami Bernard ?

— Burné ? Non. Qu'est-ce qu'il a encore fait, ce vieux gredin ?

Elle paraissait gênée d'en parler. Elle commença d'une voix neutre :

— Il est devenu un peu fou, ces derniers temps...

Ça me rassurait. J'ai dit :

— Ah oui ? Oui, oui, je sais bien, je le connais. Mais qu'est-ce qu'il a fait ?

Elle me fit face :

— Non, Édouard. Je te parle pas de son comportement habituel. Je veux dire vraiment fou.

Cette fois, j'ai eu besoin de m'asseoir sur une souche.

Christine restait debout devant moi, parlant, comme un procureur résumant une cause pour instruire un procès. Elle lui avait parlé, au café étudiant, un soir. Il avait l'air super-déprimé. Il lui avait dit qu'il était tanné de ramasser des insectes morts dans ses pièges. Il lui avait dit qu'il s'identifiait de plus en plus aux insectes, qu'il se trouvait de plus en plus d'empathie à leur endroit. Elle a cru qu'il plaisantait. Elle lui a rappelé qu'elle aussi, quand il avait voulu légitimer le viol, au café étudiant, elle avait invoqué l'image de la mante religieuse, pour se défendre, et qu'il n'était pas le seul à s'identifier aux bébittes qu'il étudiait. Il avait souri, il s'était éloigné. Et il s'était saoulé. Il avait fumé, aussi. Plus tard dans la soirée, il l'avait prise par le bras et lui avait dit : « Va-t-en ou je te saute dessus ! »

Tandis qu'elle s'arrachait à sa prise et qu'elle se dirigeait vers la sortie, il avait crié des choses comme : « C'est moi qui suis pris au piège ! Moi ! Je réclame le droit des insectes à ne pas être étudiés ! Je suis contre le trappage des insectes et pour le tapage nocturne ! » Les gens étaient amusés, personne n'avait bougé. Ils trouvaient ça très drôle, mais Christine voyait bien que ce n'était pas drôle du tout. Mais il y allait de sa sécurité physique. Elle avait senti une grande violence passer dans le bras de Burné, alors elle était partie. Le reste, elle l'avait entendu raconter, et elle me le rapporta, avec une inflexion légèrement angoissée, après une bonne respiration.

C'était arrivé le lendemain. C'est Pietr Zanieczyszczen, l'étudiant polonais au doctorat, qui lui avait raconté l'affaire. Pietr Zanieczyszczen travaillait dans le même verger que Bur-

né. Il marquait des charançons au carbone 14. Pietr Zanieczyszczen, je le connaissais, de nom. C'est lui, je crois, qui avait
eu l'idée de transporter toute une forêt dans un champ, pour
étudier les déplacements de ses fameux charançons. À l'université, on a dit que c'était un coup de génie. Moi, ça m'avait
fait rêver, de mettre comme ça une forêt sans racines là où il
n'y avait eu qu'un champ.

Ce matin-là, Burné était arrivé de bonne heure, comme
d'habitude, pour faire la tournée de ses pièges à insectes. Il
paraît qu'il chantait très fort, dans le verger, et qu'il n'avait pas
l'air dans son état normal. Ce qui veut dire : dans son état
normal selon Pietr Zanieczyszczen. Même que le Polonais a eu
peur, quand Burné est venu vers lui, à un moment donné. Mais
ce vieux Burné ne s'en est pas pris à lui. Il s'est plutôt emparé
du contenant de peinture au carbone 14 que Pietr Zanieczyszczen conservait dans son attirail, et il a commencé à s'en mettre
sur lui, sans rien dire. Quand Pietr Zanieczyszczen lui a demandé ce qu'il faisait là, et s'il était devenu fou, il a répondu, très
calme en apparence : « Comme ça, vous pourrez me suivre,
moi aussi. Parce que je sacre mon camp. Mais comme ça, au
moins, je serai radioactif, tu vois, mon ami ? L'université
pourra me retrouver n'importe où, avec un équipement appro-
prié, et, qui sait, m'envoyer mon diplôme par la poste restante,
peut-être ? » Pour finir, il en a même avalé un peu, de cette
peinture, avec une mine vraiment réjouie. Alors Pietr Zanieczyszczen s'est jeté sur lui en criant : « Fais pas ça, Bernard, tu
vas t'empoisonner ! » Mais trop tard. Burné a seulement grimacé un peu, puis il a dit : « Voilà, voici le premier étudiant
radioactif de l'histoire, mon ami. La GRC pourra me retrouver
partout, maintenant. »

Ce qui était une drôle de chose à dire. Et quand Pietr
Zanieczyszczen a décidé : « Viens avec moi, Bernard, on va
t'aider », Burné a répondu, d'une voix très douce : « Mais
non, mais non... tout est sous contrôle, mon ami. Tout est sous
contrôle... sous contrôle. » Et il est parti, comme ça.

J'étais abasourdi. Mais Christine continuait : le soir même,
Burné a disparu, avec l'auto de son père. On l'a retrouvé trois
jours plus tard, sur la route, aux environs de Vancouver. Il
roulait comme un fou, il avait roulé sans arrêt. Il a déclaré aux
policiers qu'il allait en Californie. L'auto avait été rapportée

volée. Ils l'ont arrêté. Dans un sens, la GRC avait fini par le retrouver, comme il l'avait prédit.

Je ne cessais de dire : « Incroyable. Incroyable. » Comme Christine ne parlait plus, j'ai demandé :

— Qu'est-ce qu'il est devenu ?

Elle a haussé les épaules :

— Bon, pour la peinture, ce n'était pas très grave. Plutôt symbolique, comme geste, si tu veux mon avis. Mais ils l'ont mis en observation, à l'hôpital, dans une aile psychiatrique. Il est là-bas, maintenant.

— Une aile psychiatrique, répétai-je pensivement. Une aile psychiatrique.

Puis, plus un mot.

* * *

Quand je me suis relevé, au bout d'un long, très long moment, pensant à ses présages de l'hiver, j'ai marmonné :

— Au moins, il n'est pas mort.

Christine m'a pris le bras et a murmuré, avec une tendresse inhabituelle :

— Viens.

Elle me regardait en coin. Elle finit par dire :

— Ce que tu es maigre, Malarmé ! Tu as l'air malade ! Tu en as mangé, de la misère, hein ? Mais tu es beau comme ça. Très beau, même. Je trouve toujours les gars plus beaux quand ils sont amochés un peu.

— Ouais. Avec toi, ils ont toutes les chances de le devenir, de toutes façons.

Tout près, un coq de gélinotte, à intervalles réguliers, tambourinait dans le sous-bois, pour attirer les futures pondeuses. Je pouvais l'imaginer, la queue largement ouverte, bombant la poitrine comme un petit paon, la collerette gonflée et frémissante. Le bruit était celui d'une moto qui décolle.

— C'est vrai que je suis en mauvais état, fis-je. Il est temps que je parte. Même si tu m'aimes mieux comme ça...

Elle demanda, avec un rigoureux détachement :

— Alors comme ça tu t'en vas, Malarmé ? Es-tu satisfait de ton séjour, au moins ? As-tu appris des choses ? Qu'est-ce que tu étais venu chercher, en premier lieu ?

— J'ai appris à jouer au *pinball*, en tout cas. Mais je ne sais pas ce que j'étais venu chercher, à part un loyer gratuit. Tout ce que je sais, c'est que je suis tombé amoureux de toi.

— Ah.

— Je suis en amour avec toi.

— Ah bon.

— Je t'aime.

C'en était trop pour elle. Elle déclara simplement :

— Apprendre à jouer aux machines à boules, et apprendre à me prendre, moi, c'est deux choses différentes, Malarmé.

Et elle pressa le pas.

Un avion passa dans le ciel, avec une lenteur qui s'accordait au rythme méditatif de notre marche. Nous avions atteint le mamelon rocheux qui domine les environs. Au loin, on apercevait, bien sûr, l'aéroport, la tour de contrôle. Christine déclara, s'éloignant décidément du sujet inaccessible de mes balbutiements :

— Oui, le *pinball*, le billard, et tout. Ta passion enfantine pour le jeu, hein, Malarmé ? Ça me fait penser, tu te souviens de ce projet mégalomaniaque du brave maire de Montréal ? Quand il parlait de transformer toute la zone de Mirabel en un gigantesque parc d'attraction. Une espèce de Disneyland du nord. Une enclave américaine en plein territoire québécois. Ah, les gros pourris sont tous pareils, décidément. Qu'ils parlent français ou anglais, français avec un accent québécois ou avec un accent français, anglais avec un accent d'Angleterre ou avec un accent de Terre-Neuve, les gros et les puissants, c'est tous des pourris et c'est comme les pommes. Il faut mordre dedans, comme des chiens enragés, il faut les nettoyer jusqu'au trognon, le plus vite possible, parce que sinon, ce n'est pas long que leur belle chair blanche pourrit et fait pourrir tout le panier. Il faudrait que les politiciens soient en ciment, comme le stade. Les hommes d'État ne sont corrects que quand ils sont en statue, et que les pigeons leur chient dessus. Mais même là, même immortalisés, quand les pigeons leur chient dessus et que les pluies acides leur pissent dessus, on se rend compte qu'ils ne sont pas incorruptibles. Même dans l'immortalité. Grosses panses pleines de piastres pourries !

Allez, tu t'imagines bien ça, là, Malarmé ? S'étendant sous nos yeux, à perte de vue ? Drapeauland ! Le Disney du nord !

Quand il va mourir, je suis sûre qu'ils vont le congeler, lui aussi, et le mettre sous son stade pour qu'il se conserve aussi longtemps. T'aimerais ça, toi, Malarmé, couler des jours paisibles dans le béton d'une œuvre immortelle ? Drapeauland ! Imagine ! Des manèges partout, une grande roue, des montagnes russes, des cris, des lumières, des feux d'artifice, Malarmé, du tir à la foire, des clowns, des palais de glaces et des musées des horreurs, la mascarade totale, les visiteurs en bermudas l'été, les barbes à papa, les enfants braillards, les enfants qui braillent même s'ils sont le prétexte de tout ça. Oui, tout ça, tout ça, Malarmé, au nom des rêves des enfants : Drapeauland ! Le pays de Drapeau. Tu vois ça d'ici, Malarmé ?

J'avais fermé les yeux et je voyais ça d'ici, en effet. Et même quand je les ai rouverts, je voyais encore ça, d'ici, ce grand parc d'attraction. Je voyais ça. Avec une nuance ambivalente dans la voix, j'ai dit :

— Et pourquoi pas ? C'est peut-être la seule chose qui reste à faire avec tout ce gâchis. Oui, un grand terrain de jeu. Des épreuves d'adresse, de précision, de force. Un royaume du Jeu. Avec des feux d'artifice tous les soirs, à la grandeur du ciel. Oui, Christine, je commence à croire que ça me plairait pas mal. Mirabel a été une farce depuis le début. Pourquoi pas continuer dans cette veine-là ? Pourquoi pas pousser la plaisanterie jusqu'au bout et nous en mettre plein la vue ? Oui, je vois assez bien Édouard Malarmé régner sur un empire du Jeu. Pourquoi pas ?

Je n'étais qu'à moitié sérieux. J'étais surtout amer, en fait, à cause de mon départ. Et je voulais la piquer, quelque part, je voulais la choquer, l'agresser, parce que je sentais que là résidait ma seule chance. J'avais visé juste. Elle s'est redressée, et j'ai senti la violence courir le long de son dos arqué à la limite et se diffuser jusqu'à ses extrémités. Elle m'a fait face, les épaules rejetées en arrière, le cou droit, la tête haute, l'expression fière, les yeux flamboyants, la bouche frémissante comme une blessure fraîche, et j'ai su à cet instant, et pour toujours, que c'est cette Christine-là que j'aimais, que je l'aimais dure comme ça, toujours prête à me bondir dessus et à me mordre et à me griffer, et que j'étais décidé à l'aimer même si faire mal ne peut pas vouloir dire aimer. C'est pour cette Christine-là que je veux mourir.

Elle était encore toute à ma question, tendue jusqu'à la torture par ma question, et elle a formulé sa réponse comme on crache, avec un merveilleux mépris :

— Pourquoi pas ? Parce que c'est chez nous !

Et en même temps qu'elle embrassait le paysage exproprié d'un geste large et brusque, elle cria, avec une rage désespérée, cette fois :

— Chez nous ! Parce que c'est mon terrain de jeu à moi, Malarmé, pas le tien ! Et pas celui de Montréal ! Et pas celui de l'Amérique et pas celui de monde entier, même !

Elle éclatait. Elle piquait une colère. Une crise.

— T'es comme eux autres, Malarmé ! Un mégalomane, toi aussi ! Mais un mégalomane qui ne fait rien ! Tu te prends pour Rambo, mais je te vois plutôt du côté des petits Vietnamiens qui se font planter par douzaines. T'es un foie jaune, Malarmé ! Un p'tit Québécois ! Les Anglais seront toujours plus forts que toi ! Un mouton de Panurge, une brebis galeuse, un agneau du Bon Dieu, un bouc castré ! Un Québécois en voie d'extinction, Malarmé ! Les Japonais vont prendre le dessus partout, avec leur haute technologie, parce qu'on est en voie d'extinction, et toi le premier, Malarmé. Tu vis comme un moine, mais Rambo ne sera jamais un moine bouddhiste, maudit pas bon !

Sa virulence semblait sortir de nulle part, d'une source sous ses pieds. Elle marchait sur moi à mesure qu'elle parlait, et je reculais, me sentant menacé, physiquement, pour la première fois depuis longtemps. Elle hurla encore :

— Les Japonais, ils se battent encore, à Narita, contre leur gros aéroport. Ils se battent à coups de bâton, eux autres. Je les regardais à la télévision, quand j'étais petite, et j'avais le goût de demander à mon père, qui était là, écrasé à deux pieds de l'écran : « Pis toi, p'pa, qu'est-ce que tu fais là ? Pourquoi tu l'as signé, le bout de papier ? Pourquoi t'as pas voulu saigner un peu, toi aussi ? »

Elle m'avait agrippé par le chandail et elle serrait, et elle continuait à parler. J'avais peur. Elle scandait ses phrases comme des slogans :

— Il faut du sang, des fois, Malarmé ! Il faut défoncer, Malarmé à la manque ! Grosse grenouille molle ! Grosse patate pourrie ! Grosse patente tout croche ! Tu sais ce qu'ils ont

fait, les minuscules Japonais, à Narita, Malarmé ? Les minuscules Japonais, ils se sont glissés par un conduit d'aération,
juste avant l'ouverture de l'aéroport, et ils ont grimpé jusqu'au
sommet de la tour de contrôle. Et là, à coups de bâton, de
gourdin, de massue, à coup de tout ce que tu voudras, ils ont
fracassé tout ce qui se trouvait là, tous les appareils coûteux,
les systèmes de surveillance électronique, les écrans cathodi-
ques, les témoins lumineux, est-ce que je sais, moi ? Ils leur ont
infligé des milliers de dollars de dégâts, tu vois ce que je veux
dire, Malarmé ?

Ils ont tout mis à sac, VLAN dans la haute technologie !
C'est comme ça qu'on fait, tu vois ? Pendant ce temps-là, tes
amis, pardon tes ex-amis communistes trippaient à se croire
des vrais bandits et bandaient à la vue d'un revolver dans une
taverne ! Eh Malarmé ! T'es juste un p'tit Québécois assis sur
ton cul, sauf que t'as décidé de transporter ton cul sur le bord
du bois, pour mieux le cacher, parce qu'il te fait honte,
Malarmé. Adossé aux Laurentides, c'est confortable, hein ?
Entre le nord et le sud ! T'aimes te croire en état de siège,
hein ? T'es assis entre deux chaises, Malarmé. T'es écartelé
au-dessus de la rivière, pis la rivière pue ! Ça sent la mouffette,
Malarmé ! Maudite mouffette de Malarmé ! Va falloir que tu
choisisses, mon gars. Entre le modèle québécois et le modèle
japonais. Entre le mouton et le samouraï. Le mouton se laisse
immoler mais le samouraï, lui au moins, il choisit son bourreau, et souvent il se choisit lui-même. Je sais bien que ton
père ne doit pas aimer les modèles japonais, hein Malarmé ?
Le Seigneur roule en Chevrolet, c'est ce qu'il dit, hein ?
Choisis, mais ne reste pas sur tes deux chaises, Malarmé. Ne
reste pas assis, tu me fais trop penser à mon père. Mais
dépêche-toi Malarmé, parce que le bonhomme Disney s'en
vient, le mort-vivant préféré des petits enfants, ils vont le
dégeler et il va envahir le nord. Allez, Malarmé, fais de quoi,
Bon Dieu ! Ou alors couche-toi et meurs. Mais fais pas comme
mon père. Mon père est couché sur son lit de mort, mais c'est
comme s'il était couché sur moi. Il m'étouffe, Malarmé ! Il
m'étouffe ! J'ai besoin d'air, j'ai besoin de toi, Édouard ! Malarmé !

À bout de souffle, elle s'est tue, et il était temps. Je n'aurais
pas tenu. Elle non plus. Elle s'est comme brisée après sa tirade,

elle est devenue toute molle et elle a glissé dans mes bras, plus par une formidable lassitude, me sembla-t-il, que par besoin réel.

* * *

Sur le chemin du retour, tandis que le soleil, s'abaissant, faisait la fête avec la cime encore nue des arbres, je me sentais envahi par une étrange surexcitation. Les paroles de Christine m'avaient fait entrer en résonance, je vibrais intérieurement. J'avais été tenté de lui rétorquer : pourquoi tu ne fais rien, toi, pourquoi tu ne la pratiques pas, ta violence tant désirée ? Mais j'avais compris, ensuite. C'était à moi de jouer. Les exhortations de Christine étaient *ad hominem*, c'était à moi seul de réagir, de me réveiller. La violence ne pourrait pas toujours n'être que verbale. J'avais encore une fièvre m'échauffant le front, mais à cette pyrexie tranquille venait se superposer un état d'anxiété et d'agitation extrême, une hyperactivité qui me donnait le goût de foncer droit devant, de déraciner les arbres, de me frapper la tête contre la terre, de mordre dans l'humus. La harangue de Christine m'avait enflammé, m'avait inoculé un immense désir d'agir, au hasard, de partir en peur en direction de l'horizon, d'être un amoureux amok faisant tournoyer son cimeterre aveuglément. Je comprenais Burné, Burné au volant de la grosse voiture paternelle, lancé vers le Pacifique dont les lames seules possédaient quelques chances de l'arrêter. Burné radioactif fonçant comme un kamikaze fou vers l'ouest et vers le levant, comme un possédé de la Jihad islamique plein de hasch au volant d'une cargaison de bombes. Je comprenais.

— Comment va ton père ? demandai-je innocemment.

Elle observa un silence avant de répondre.

— Il est revenu à la maison. Mais il est sur le dos, tout le temps. Plus écrasé que jamais. Le médecin a dit que le moindre effort, la moindre émotion pourraient lui être fatals.

— Peuvent pas l'opérer ?

— Trop tard. Ça prendrait une transplantation, et il a décidé qu'il ne voulait pas. Il dit que son vieux cœur est encore bon. La déportation de sa famille, ça, il était prêt à l'accepter. Mais pas un changement de cœur.

— Est-ce qu'il savait que tu venais ici ?

— Je lui ai dit que j'allais faire un tour dans le bois. Mais il savait ce que ça voulait dire. Depuis la nuit de Noël, il parle contre toi sans arrêt. Il dit que tu m'as saoulée. J'étais malade de brosse, le lendemain, tu aurais dû voir ça... Martin lui a raconté, c'est sûr. Mon père ne t'aime pas beaucoup, Édouard.

Ça, j'avais cru remarquer. J'ai demandé doucement :

— Et toi, Christine, tu l'aimes, ton père ?

Elle baissa la tête, puis répondit :

— Un père, c'est un père, hein ? Je suis la chair de sa chair, si on veut. Je ne peux pas le haïr. Mais c'est un faible, un lâche, et personne ne pourra me forcer à l'aimer d'un point de vue moral.

— Sa faiblesse ? m'impatientai-je. À cause de l'expropriation ? Tu oublies son cœur malade, Christine.

Elle se troubla :

— Ça ne fait rien. C'est la même chose.

— Ah, c'est la même chose ?

Christine se fâcha :

— Écoute, Édouard Malarmé, grosse grenouille molle ! Je sais pas. Je sais pas de quoi tu parles. J'aime autant qu'on ne parle pas.

Mais moi, j'étais pompé, comme on dit, et j'avais encore le goût de parler. Je savais qu'il fallait encore jouer sur les mots. Juste un peu. Ensuite, on pourrait passer à autre chose. J'étais irrigué par tout un flux d'énergie vaguement perverse. Je haussai le ton, moi aussi :

— Tu le trouves faible moralement, et tu le trouves faible physiquement. Et comme la chose que tu méprises le plus au monde, c'est la faiblesse, alors tu le méprises moralement, et tu le méprises physiquement.

Son visage s'était bizarrement convulsé. Elle combattait des choses qu'elle ne connaissait pas. Elle hurla, pour que toute la forêt entende :

— Je l'haïs ! Je l'haïs à mort ! À mort !

Je poursuivis posément :

— Donc, tu n'aimes pas ton père. Ni physiquement. Ni spirituellement. Alors tu l'aimes comment, ton père, Christine ? Je vais te le dire : tu l'aimes inconsciemment. Consciemment, tu le détestes, et quelque chose t'a fait croire que c'est à cause de sa réaction devant l'expropriation. Mais il y a quelque chose en toi, ma petite Christine, qui connaît une bien meilleure raison de le détester, et c'est aussi une raison tordue de l'aimer, sans que tu le saches. Je crois que...

— Tu crois que quoi, grosse... ? fit-elle d'une voix suraiguë.

Elle commençait à craquer. Je me sentais méchant. Maniaque. Presque insensible. Plein d'une objectivité clinique. Nous étions parvenus devant l'entrée de mon vieux chalet délabré. Christine venait de s'immobiliser sur le pas de la porte et, tournée vers moi, elle répéta sa question d'une voix tendue à la limite de l'hystérie :

— Tu crois que quoi, Édouard Malarmé, grosse patate pourrie ?

Je ne pus que dire doucement :

— Je crois qu'il s'est passé quelque chose entre ton père et toi.

— Pas vrai. Non.

— Quelque chose que tu as oublié...

— Malarmé, tu mens, salaud de Malarmé de...

— ... mais que ton corps n'a pas oublié.

— Tu divagues, tu inventes... !

— C'est toi qui inventes. Christine.

Elle ne disait plus rien. Elle a disparu à l'intérieur, en courant, et je me suis senti tout-puissant, détonnant mélange de confesseur et de docteur à demi sorcier, et je l'ai suivie. Icoglan, qui s'était assise un peu à l'écart de notre duo, n'avait rien perdu de nos propos, et sans y comprendre goutte quant à la portée, elle se contentait du ton qu'ils avaient atteint pour conforter sa tristesse naturelle. Christine s'était jetée sur le vieux matelas lacéré sur lequel j'avais pris l'habitude d'étendre mon sac de couchage. Elle avait les yeux ouverts et elle pleurait. Elle avait les yeux ouverts et elle regardait. Juste sous ses yeux, inerte sur le plancher souillé, la vieille poupée lui retournait son regard, avec une nuance malicieuse et tendre, un peu insultante vu les circonstances. C'était ton cadeau, Christine. Le cadeau de Noël dérisoire d'un pauvre petit con qui ne possédera jamais rien, qui n'aura jamais rien d'autre à t'offrir que son grand corps convulsé. Et il faudra que tu te donnes à un brave blondinet universitaire anglophone, parce que moi j'ai pris le parti de tout refuser, et la seule chose pour laquelle j'aurais tout accepté, toi, tu me la refuses encore.

À ce moment précis, je suis devenu enragé. La colère qui sévissait jusque-là en sourdine m'a noyé les yeux dans sa mer rouge. Je suis devenu furieux, d'un seul coup. Je me suis mis à tourner en rond autour du lit en donnant des coups de pied au hasard, dans le vide, sur les traîneries. Christine me regardait maintenant. Et puis je fendais l'air du tranchant de la main, comme un mauvais imitateur de Bruce Lee, et je râlais et je grognais, et je boxais et pourfendais le vide en soufflant. Oui, j'étais un boxeur, j'étais le grand musulman triomphant, le meilleur, le plus grand, Mohammed Ali, et je ne désirais que me taper en champion quelque houri dans les jardins d'Allah au bout d'un champ et en regardant Christine étendue là à mes pieds, j'ai eu une honteuse hallucination, mon vieux fantasme est revenu me hanter cette photo de Brigitte Bardot parue dans une obscure feuille de chou destinée à assouvir les instincts génésiques devenus sadiques Brigitte Bardot qui était chevauchée par un grand Noir du genre marathonien surprise par le photographe Noir sur Blanc et je voyais tous les Maghrébins de l'univers coloniser la terre à l'envers et le désert gagnait du terrain et je me préparais au terrorisme érotique Brigitte Bardot étendue sous un grand Noir houri tremblante Je suis le plus grand plus grand qu'eux...

Alors Christine a compris, je le sais. Elle s'est remise debout et avec un grand cri s'est jetée sur moi. Et moi je me suis jeté sur elle. La terre de Mirabel a tremblé sous mon ventre et j'étais un réfugié musulman terroriste halluciné pendant que Brigitte Bardot se faisait saisir sa statuette d'ivoire importée interdite tabou transgressé à Mirabel et j'ai arraché enfin ce gros chandail de laine en déchirant ses mailles et j'ai plongé ma langue et mordu aux appas roulé dans l'ordure de Idi Amine Acide Dadaïste exterminant à la mitraillette les derniers éléphants de mes fantasmes d'Afrique freak où le désert galope à la vitesse du gnou et du grand koudou jusqu'à Ouagadougou et j'ai arraché son jeans brutalement et elle se laissait faire avec cette réserve qu'elle me mordait et me griffait évidemment petite panthère noire avec sa gymnastique de la jungle et me laissait faire chaud mordu et griffé pendant que Brigitte Babardot bien baisée sur les banquises par les terroristes d'Idi Ami armés de pals chauffés à blanc inondées par la marée noire des terroristes qui déferle à l'aéroport où Brigitte

Bardot brandit sa timide statuette d'éléphant-totem qu'elle pourrait bien se fourrer dans le et dont Romain Gary disait qu'ils donnaient le pouvoir, les éléphants, de résister aux tortures nazies comme celle où on dressait des chiens dobbermans ou autres des grands danois cochons peut-être à agresser sexuellement les jeunes jolies Juives pleines de jus princesses juives captives et ce n'est pas pire que l'homme-éléphant qui était né de l'accouplement d'une femme blanche avec un pachyderme selon la légende et j'ai libéré ma grosse patente tout croche et ma grosse patate pourrie battait à sang à l'heure et j'ai fait ce que font tous les terroristes de derrière les rideaux dans le ventre de la terre qu'ils revendiquent et tous les soldats en campagne rasée et tous les primitifs poilus de la forêt qui est futur désert de sable passe-moi le Sahel et le Sahara et Sonora et tout ça.

J'ai fait l'amour à Christine. *Eddy ? Eddy cette fois-ci ça y est* Ça s'est fait tout seul. Elle s'est figée sous moi. Je me suis laissé aller et ce n'est que quand est venue progressivement la jouissance, après la stupeur initiale, qu'elle a recommencé à se débattre, à me griffer, à me mordre, à attiser mon venimeux plaisir par ses sursauts désespérés. Elle s'est mise à hurler, *Eddy deux cent à l'heure, ça y est mon man, en kilomètres, évidemment, cette fois-ci ça va* mais j'étais sourd, sourd de sourdre en entier du plus profond de mes tripes. J'étais toute colère et je lui fis chanter l'utérus comme une terre et avant que je me rende compte de ce qui se passait, elle avait allongé le bras dans son désespoir et sa main avait rencontré la vieille poupée vautrée sur le sol souillé alors quand j'ai reçu un premier coup de poupée sur mon dos tout en sueur j'ai demandé en haletant et trouvant la force d'être ironique en même temps : C'est comme ça, Christine, que tu as cassé... ta première poupée ? Elle ne disait rien *Oh Eddy cette fois-ci je sens que c'est parti mon Kiki, c'est parti ma CriCri, j'ai pas peur, Eddy, moi j'ai pas peur pis j'aimerais* et continuait à me frapper furieusement avec le jouet pendant que je m'élevais sur elle en entonnant une action de grâce à l'intention de mon plaisir. Et j'ai compris alors, entre deux secondes spasmodiques, que ce que j'ai toujours voulu, c'est simplement que le jeu cesse d'être gratuit pour répondre à la nécessité. Oui, que la partie gratuite devienne un besoin. Que la boule noire devienne incontournable. Que la perdrix partie en trombe devienne ma vie. Que le Jeu devienne enfin le Devoir. Et que la petite poupée devienne une femme.

Et la poupée me tapait dessus et à un moment donné, *les avions, Eddy, les avions sont pesants mais ils peuvent voler et la loi c'est la pesanteur Eddy et la loi ça peut être voler quand la route est comme une piste Eddy il faut pas avoir peur pas à deux cent à l'heure Eddy j'aimerais que tu me* sa petite tête se trouva à quelques pouces de mon visage grimaçant de joie et je vis dans les yeux brillants et le sourire figé de la poupée qu'elle prenait du plaisir, qu'elle prenait son pied, *Ça y est Eddy c'est parti mon man* et que c'est même elle qui prenait tout le plaisir dans la main de Christine révoltée et ruante et Brigitte Bardot se fait saisir sa statuette d'ivoire *Pour possession Eddy mais ils m'auront pas parce que là* son talisman sacré son totem-éléphant enfoui dans la mémoire et se fait assaillir par une armée de Noirs au sperme charbonneux se changeant en diamant pour porter un rude coup à la pureté des toutous-blanchons de Blanc-Sablon et à l'innocence *parce que là je lève le fly comme un chevreuil Eddy un drapeau blanc noir chevreuil volant* fini les blanchons hurlent les Noirs à mitraillette en massacrant les bébés à coups de trique et Christine me tape dessus avec sa poupée comme le font les chasseurs de Blanc-Sablon sur le dos des blanchons et au moment où je jouis j'entends mon cri de guerre indien voilé de rouge comme par une giclée de sang *Eddy ça y est mon man je porte plus à terre cette fois-ci c'est flyé mon affaire j'ai pas peur Eddy pas peur du bonhomme pas peur du juge Crime de possession Eddy je touche plus à terre à rien Eddy je décolle de la vie oh ça va fesser cette fois-ci ça va pas peur Eddy Eddy ? Tu me suis ? Tu* et d'ailleurs elle m'a labouré les flancs et je me repose en elle qui a fini par se contracter aussi. Par se contracter. Avant la détente. Elle a rejeté la poupée au loin, au sol, knock-out technologique par gros boxeur musulman Allah Akar et je m'aperçois, du coin de l'œil, que la poupée est complètement démantibulée, démembrée, la petite poupée est en morceaux par terre et Christine est entière battue sous moi. Ce n'était pas un viol. Plutôt un vol. Je voyais des étoiles.

* * *

Quand ça a recommencé, c'est elle qui en a pris l'initia-tive. Je venais de dire, pour la décrisper, et en me tassant contre son corps en boule à cause de l'exiguïté du lit : « Si tu restes avec moi assez longtemps, j'achèterai un plus grand lit, un queen, peut-être, pourquoi pas ? » Elle a soupiré et m'a simplement serré en soufflant dans mon cou, comme un parfum : « Encore. » Ce qui fut fait, avec une enviable férocité partagée. Cette fois, elle aussi se prenait au jeu, et elle ne pouvait plus concevoir l'amour, maintenant, sans une utilisa-tion forcenée de ses dents et de ses ongles. Elle était devenue passionnée, pas du tout passive, tandis que je me contentais de la secouer ferme. Ça a duré longtemps, parce que j'étais comme qui dirait dû, et donc tout le temps dur. À un certain moment, je l'ai soulevée dans les airs et, sans pour autant que nous cessions de faire de la gymnastique, je l'ai entraînée à travers la pièce, m'avançant dans la pénombre tel l'Adam archaïque de Tournier, l'entité duelle des débuts de l'humani-té, continuellement secouée de transports amoureux terribles, en proie à une éternelle volupté. Je lui ai fait faire une espèce de tour pervers du propriétaire, à ma petite reine, sans jamais cesser de la faire aller et venir sur place, contre mes reins, et devant chaque miroir je nous arrêtais, je l'invitais à nous regarder, à nous exciter, à étudier le fonctionnement purement mécanique de cette merveille mouvementée, et dans le chalet c'était maintenant une orgie, une multiplication de corps copulants que les miroirs se renvoyaient comme des ragots de commères cagotes, d'un mur à l'autre, et c'était étourdissant et ça n'arrêtait plus, parce que la position debout inhibe l'éjacu-lation et parce que chaque fois que le rythme allait s'affaissant, une glace reculant les limites de la place m'offrait une autre image inédite de nos anatomies grouillantes dont les mouve-ments affolés finissaient par se perdre dans l'infini. C'était comme si tous les coïts d'une existence humaine avaient été concentrés au même instant dans une seule pièce et projetés simultanément dans toutes les directions. J'ai baisé avec Chris-tine pour toute la vie.

C'était moins drôle quand j'ai voulu savoir, fatale curiosité, si elle m'aimait. Elle répondit, comme à la blague, qu'elle m'aimait bien, oui, un peu comme un grand frère. Ce qui m'amena à observer que décidément, nous restions dans l'inceste, veut veut pas. Elle me donna un bon coup de coude, s'octroya un gros pinçon à même mon biceps et me mordit avec vigueur au ventre, tout en disant, ce qui causa un bruit obscène en raison du taux d'occupation de ses lèvres : « Malarmé... Grosse patente tout croche ! » Nous sommes partis d'un grand éclat de rire, preuve que je ne prenais pas tout au tragique, quand même. Mais je ne devais pas rire longtemps. Elle posa sur moi un regard très grave, tout à coup, et déclara sans ambages, retrouvant un peu de cette dureté que j'avais appris à éprouver :

— Tu sais, Édouard, ça ne pourra pas durer longtemps, entre nous deux.

Je me suis redressé, inquiet.

— Comment ça ?

Elle a feint le détachement, son arme préférée :

— Ben, je vais partir, tout simplement.

— Partir ? Où ça, partir ? Quand, partir ?

Je paniquais un peu.

Elle, elle restait calme. Elle expliqua, sur le ton qu'elle aurait adopté pour me faire part de vérités universellement connues :

— En Californie. Je fais la côte ouest des États-Unis en bicyclette. Avec Steve. Tout est préparé. Les billets d'avion sont même achetés.

Je compris, en une seconde, que je devrais rester cool aussi, et accueillir le coup mortel avec dignité. Compris que je devais garder ma rage pour après, pour la suite, pour réagir, pour rugir comme un avion à réaction. Que tout était joué, bref. Je me suis laissé aller sur le dos.

— La Californie ? Ben oui, j'aurais dû y penser. Ah, tu es bien chanceuse. Ah ça, oui. La Californie. Tu sais que sur le *pinball* du *Pullford*, il y a une plage de Californie ? Enfin, j'imagine que c'est la Californie. À cause de la couleur des Kids. Une parodie de paradis, tout fourni.

Il devait y avoir de la tristesse dans ma voix, parce qu'elle s'est crue obligée d'ajouter :

— Tu sais, Édouard, je t'aime beaucoup. Et c'était super-bon. Tu auras été mon professeur. Mon professeur de biologie.

Je rigolais :

— Ah oui, c'est vrai ! J'oubliais. Je suis destiné à faire une maîtrise, un doctorat, et à devenir professeur de biologie. Ou à devenir fou comme Burné. Mais tu as parfaitement raison, Christine. Il faut toujours un professeur. Il faut toujours un précédent, un premier. Je serais même tenté de dire un primitif... Hi Hi... Il faut toujours un primitif.

Elle s'entêtait à vouloir me consoler :

— Entre nous, c'est quand même surtout sexuel, Édouard. Je veux dire, l'attirance que j'avais pour toi, c'était surtout ça. Et c'est pour ça que mon père avec son cœur de cochon ne t'aime pas. Il l'a senti, à quel point tu me séduisais. Il savait par où tu le menaçais. Avec Steve, c'est différent. C'est comme une longue amitié, qui s'est bâtie au fil des rencontres. Ça vient avec la quantité des échanges : à un moment donné, il y a un saut qualitatif et l'échange devient de l'amour, sans qu'on s'en rende compte.

— Autopsie d'une relation tranquille, décrétai-je cyniquement.

Mais ça me flattait plutôt, ce statut d'objet « surtout sexuel ». De l'objet au symbole, il n'y a pas loin, que je me disais. Et puis, maintenant, je savais exactement ce que j'avais infligé à Andréa. Je dis, avec un demi-sourire :

— À la fin de l'automne, j'ai laissé une fille pour la même raison, à l'aéroport. Parce que ce n'était que sexuel. Comme si le sexuel n'était pas tout...

Christine observa finement :

— Comme c'est drôle. Tu as quitté une fille à l'aéroport, et moi, je vais retrouver un autre gars, bientôt, à un autre aéroport.

— Oui, dis-je en la regardant dans les yeux. Les aéroports sont vraiment des endroits très érotiques.

Alors j'ai eu envie d'elle encore, c'est venu comme une fièvre et une douche d'anxiété désespérée, et ça a recommencé, notre petit corps-à-corps à petits coups. Je m'y suis abîmé comme au centre d'une grande dépression.

* * *

CHAPITRE 8

LA RAGE

D'avoir eu Christine ne me donne rien. Il faudrait que je la possède pour l'éternité, pour avoir le sentiment de l'avoir aimée ne serait-ce qu'une seconde. Alors j'attends qu'il se passe quelque chose. Je suis en latence. Je traîne aux alentours.

Je vais en forêt avec mon vieux Baïkal sous le bras, et on dirait que je deviens fou. Je marche vite, je vais droit devant, je fonce dans les entrelacs de branches traîtresses. Parfois, je passe insensiblement de la marche à la course, sur de courtes distances, jusqu'à en perdre le souffle. Icoglan me suit encore fidèlement, intriguée par cette dérogation au rythme naturel de mes déambulations, mais respectueuse de ses raisons profondes. Lorsque des branches souples et hérissées se mêlent de me résister, je grogne, je gémis et m'arc-boute, ahanant, poussant et tirant, jusqu'à ce que la résilience cède sous mes efforts furieux, et parfois je suis projeté en avant et m'étale de tout mon long. Alors le chant des oiseaux, plutôt qu'une symphonie accueillante, devient un chapelet de lazzis goguenards, et je me surprends à en rechercher les auteurs innocents, le fusil en l'air, visant à travers les cimes. Ôtez-vous de là, Édouard Malarmé n'est pas patient. Édouard Malarmé est de mauvais poil !

Hier, je suis allé à la carrière de calcaire et je me suis mis à tirer sur les vieilles machineries des hommes, le bélier mécanique hongré et le vieux camion enlisé et scalpé. J'ai tiré comme Johnny avait tiré sur ces mêmes carcasses obsolètes, avec la même furie joyeuse. Et, comme si ça n'avait pas suffi, je me suis emparé d'un bout de métal qui traînait là et je me suis mis à taper sur les véhicules immobilisés, faisant résonner fer contre fer, fracassant les vitres qui tenaient encore, cabossant le métal à qui mieux mieux. Mais ça ne m'amusait pas vraiment.

Plus tard, en allant vers la cabane à cheval, de l'autre côté des marécages, je me suis perdu. J'avançais en automate halluciné, fouetté par les longues griffes de la végétation haineuse. Je croyais connaître ce bout de forêt comme le fond de ma poche, mais il faut dire que je n'ai jamais très bien connu le fond de ma poche. Je me suis mis à errer en râlant, dans la forêt qui se refermait de tous côtés. Et puis au sommet d'une petite butte, j'ai aperçu un renard qui me regardait venir, avec un air narquois, assis dans une flaque de soleil, et comme je commençais à croire que tout était de sa faute, à cette maudite bête, j'ai épaulé ma pétoire et j'ai tiré. Mais il n'a pas bronché, et en m'approchant, j'ai constaté que je m'étais simplement mépris sur la nature d'une souche pourrie. Plus loin, j'ai aperçu Hospodar qui était couché sur le flanc, comme il faisait souvent quand il quémandait une caresse, et je me suis écrié joyeusement, à l'adresse de Icoglan : « Eh, regarde, ma belle, on a retrouvé ton chum de chien ! » Mais Icoglan n'accourait pas à mes appels, et en venant tout près, Hospodar est devenu un tronc d'arbre tombé sur le sol, à demi retourné à l'humus, déjà.

Je perdais les pédales, mes sens me trompaient, je sentais qu'il était plus que temps de sauter sur ma bicyclette et de m'en aller loin d'ici, loin de cette forêt sombre et hantée où se tapissent dans l'ombre mes pulsions et mes peurs. Je comprenais pourquoi les pionniers paranoïaques avaient cru voir un Indien derrière chaque arbre, et chaque arbre se changer en Indien. Pris d'un véritable accès de fureur, je me lançais contre les troncs des hêtres qui ressemblent à des pattes d'éléphant, je les ébranlais, je voulais les déraciner, les briser, je voulais faire le vide, créer un beau grand désert où on pourrait voir tout le ciel peser sur la terre. J'étais fou, sauvage, véritablement enragé, et tandis que Icoglan conservait toute sa dignité animale, je me suis surpris en train de mordre avec ferveur à l'écorce d'un grand bouleau blanc, et je me suis rendu compte aussitôt, quand mes dents ont saigné, que je n'étais pas un castor du Canada. Et puis j'ai couru encore, couru, et toute l'agitation est retombée, comme semée derrière moi sur le sol de la forêt, et j'ai fini par retrouver mon chemin.

* * *

Hospodar ne quémandera plus jamais de caresses. Il est couché sur le flanc, pour de bon. C'est Jean-Pierre Richard qui m'a appris la nouvelle. Il était triste. Hospodar était un vieux routier, dans la région. Et c'est finalement sur la route qu'il est mort. Son petit numéro de bravoure, il l'aura tenté une fois de trop. Il s'est précipité en aboyant furieusement sur la première auto qu'il a vu passer, comme d'habitude, mais cette fois, il n'a pas su frôler le pare-choc juste assez, du bout de son nez, comme il en avait fait un art, et rester en retrait, par un pouce à peu près, des roues mortelles de la voiture. Cette fois, c'est l'auto qui a eu le dernier mot. J'ai pensé que ce devait être une Chevrolet. J'ai dit à Jean-Pierre Richard, pour le consoler :

— Ça devait arriver. Il courait des risques énormes, et il commençait à se faire vieux.

Mais Jean-Pierre Richard secoua la tête d'un air sceptique.

— Voyons, Édouard, mon vieux chien ne se serait pas fait attraper comme ça, tu le sais bien. Non. Des enfants du voisinage ont vu la chose arriver. Ils ont vu le chien qui marchait en plein milieu de la route, et il avait un comportement bizarre, il paraît. Quand l'auto s'est présentée, on dirait que le chien l'a attendue, face à face, comme pour un duel, tu comprends ? Les enfants lui ont crié de se tasser, mais le chien a fait exactement le contraire. Il s'est mis à courir en droite ligne vers l'auto. As-tu déjà vu une affaire de même ? Il a rebondi jusque dans le champ, tellement ça a frappé dur. De plein fouet. C'est arrivé comme ça.

Je réfléchissais, troublé moi aussi.

— Qu'est-ce qui a pu lui arriver, Jean-Pierre Richard ?

Il a haussé les épaules :

— Je suis allé porter la carcasse chez le vétérinaire. Il y a eu des cas de rage signalés dans le coin, dernièrement. Le vet m'a dit qu'il n'y avait pas de chance à prendre avec ça. Il va falloir que je fasse vacciner la chienne, aussi...

J'ai regardé Icoglan qui était en train de me lécher affectueusement la dextre. Elle me bavait dessus. Je n'ai pas retiré
ma main.

* * *

Je pensais ne plus revoir Christine. Or elle est revenue
assez rapidement, mais pas pour faire l'amour. Plutôt le
contraire. Burné avait finalement raison, avec ses signes fu-
nestes. Tel un aruspice, dans les carcasses conservées par
l'hiver, il avait bien décelé l'approche de la grande faux
ravageuse. La seule chose qu'il ne pouvait pas savoir, c'est que
sa prophétie s'appliquerait à quelqu'un qu'il n'avait jamais vu.
Quelqu'un qui était comme son frère et que seul moi je
connaissais.

Dans mes miroirs, j'avais un air terrible, apocalyptique.
L'air d'un dragon. L'air parfait pour draguer. Mais Christine ne
venait pas pour ça. Je ne dors plus, je ne mange presque plus,
je suis trop nerveux pour m'étendre et j'ai déliré une partie de
la nuit. Je suis amoureux. Mais Christine ne venait pas pour
ça. Quand elle s'est amenée, elle se trouvait dans une condition encore plus lamentable que moi. J'ai eu de la peine à la
reconnaître, tout d'abord. Son visage était bouffi, ses yeux
profondément enfoncés dans leurs orbites et presque fermés
pour faire toute la place aux larmes. J'ai songé que la seule fois
où je l'avais vu sécréter des larmes, ç'avait été des larmes de
rage. Pas maintenant.

Je n'ai pas eu besoin de poser des questions. Un seul geste
de la tête, anxieux, a suffi. Elle a fait : Johnny... et sa voix s'est
mouillée. Je me suis détourné, je suis allé lentement jusqu'à un
grand arbre, et je me suis cogné la tête contre son tronc, à
plusieurs reprises, de plus en plus fort, comme un pic-bois en
quête de petites larves mussées dans la matière pourrie. J'essayais de ne pas pleurer, mais quand j'ai compris qu'il me
faudrait serrer Christine dans mes bras, je n'ai pas pu me
contenir, et nous avons connu une étreinte assez triste, comme
un vestige de passion, éteinte par le souffle de la mort, déjà. Je
ne pouvais m'exprimer qu'avec beaucoup de difficultés, parce
que les pleurs et la parole se disputaient vivement ma voix,
mais il fallait quand même que je sache. « Comment ? » Et
quand elle a fait : « En moto », dans un sanglot, j'ai su que je

n'avais pas besoin de demander où. Ça, je le savais. Je le
sentais. Comme un chien savant. Elle s'est laissée tomber sur
un vieux tabouret qui traînait, s'est essuyé les yeux, encore et
encore, et pendant qu'Icoglan pleurait aussi sans avoir besoin
de savoir pourquoi, elle a entrepris, d'une voix hachurée, un
récit absent.

Juste en face de l'aéroport. Personne ne comprend. La
route est en ligne droite. Non, il y a un virage. Un léger virage.
Léger. Il a foncé droit sur un pilier de ciment. Le viaduc
d'accès à Mirabel. Il allait vite. Très vite. Perte de contrôle. La
police dit : perte de contrôle. Peut-être boisson. Drogue. Reste
pas grand-chose du corps. De toutes façons. Venait de se
chicaner avec le vieux. Avec MauMau. Son père. MauMau-
Cœur-de-Cochon. Chicane. Manqué le virage. Perte de
contrôle.

Je me répétais, les yeux fermés : Perte de contrôle. Perte de
contrôle. Et ça ne me consolait pas du tout, mais pas du tout.
Un long moment s'est écoulé. Puis j'ai aperçu un homme en
costume sombre qui descendait par la sente et venait dans
notre direction. Il m'a semblé l'avoir déjà vu quelque part.

— Mon oncle Justin, annonça Christine à voix basse. Tu
l'as déjà rencontré. Mon père ne voulait pas que je reste toute
seule, dans les circonstances. Il a stationné son auto un peu
plus haut. Justin, pas mon père.

L'oncle Justin était parvenu au petit pont improvisé et il
étendait déjà les bras, comme un fil-de-fériste, pour s'assurer
de ne pas souiller le bas de son pantalon dans la vase jaune,
quelques pieds plus bas. Il avait un air compassé, composé, et
ça rendait d'autant plus ridicules ses efforts de baladin pour
maintenir son équilibre sur le ponceau grossier.

Christine ajouta, très vite et à voix plus basse :

— Je voulais te prévenir, Édouard. Pendant que j'étais avec
toi, avant-hier, mon père est allé voir le bonhomme Bourgeois.
Johnny a essayé de l'empêcher, à cause de sa santé, il était pas
supposé sortir, Johnny s'est même chicané avec lui, mais le
père n'a rien voulu savoir. C'est pour ça que Johnny est parti
en moto, pour se calmer, parce que d'après Martin, mon grand
frère était tellement en maudit qu'il a failli le frapper, le père
MauMau, ni plus ni moins. Je voulais te le dire...

Elle regarda de côté. Justin, le sourcil froncé, approchait à grands pas. Elle me chuchota :

— Mon père a dit à Johnny qu'il prendrait les grands moyens pour que tu arrêtes de « m'achaler ».

Déjà Justin était près de nous, et il disait sombrement :

— Ah, bonjour, Édouard, bonjour. Triste journée. Ben triste journée pour toute la famille. Ah c'est un ben bon garçon qu'on perd là, un ben bon garçon qui avait ses défauts et ses problèmes personnels, c'est sûr, et il causait ben des soucis à ses pauvres parents, c'était pas un ange, notre Johnny, mais c'était un ben bon garçon et c'est une ben triste journée. Un ben terrible accident. Paraît qu'il restait pas grand-chose à mettre dans le cercueil. Non, pas grand-chose. C'est ben étrange, la façon que c'est arrivé. Ben étrange. C'était un ben bon garçon, peut-être qu'il était en boisson... en tout cas il a pas été capable de rester sur la route, pas été capable de suivre le chemin... C'est ben étrange...

Je ne sais trop si c'est la mise en garde furtive de Christine, ou le fait que le Justin se comportât comme un hybride d'ange gardien et d'agent secret à côté d'elle, ou peut-être est-ce sa parodie d'éloge funèbre insupportable qui m'échauffa les oreilles avec sa profusion de « ben ben ben », comme si la mort de Johnny que moi, je pouvais éprouver par tous les pores de ma peau transformés en plaies vives, comme si la mort de Johnny eût été au fond un bien déguisé, un ben ben grand bien. Quand bien même l'oncle Justin aurait voulu maquiller ses émotions et les voiler pudiquement du noir filet du deuil, il y avait ce mot ben, bien, ce maudit leitmotiv baveux partout dans sa bouche de croque-mitaine. Mais aucune cause extérieure ne suffirait à justifier la montée de la fureur qui inonda mes centres nerveux. C'est venu comme une vague organique, de l'intérieur le plus intime. C'était vissé en moi, maintenant, et ça avait une existence et des réactions autonomes.

J'ai perdu le contrôle, moi aussi. Je me suis mis à frapper le mur de planches de la cabane, sourdement, en geignant et en grondant, selon un rythme lent qui allait en s'accélérant. Je donnais de grands coups de poings dans le chalet, comme si j'avais voulu lui donner le coup de grâce, le mettre à terre définitivement, comme la maison des trois petits cochons.

— Tu vas te faire mal, Édouard, me prévint Christine.

Justin ajouta :

— C'est vrai, mon jeune, faut pas se mettre dans des états comme ça... mais je comprends ta...

Alors j'ai hurlé, hors de moi :

— Qu'est-ce que vous comprenez à mes états, hein ? Qu'est-ce que vous comprenez à mes états ? Je suis dans tous mes états, c'est vrai... Vous, monsieur Justin, vous serez jamais que l'homme d'un seul état, l'homme d'un état unique, et je vous interdis de faire semblant de pleurer sur Johnny. Moi, je peux pleurer, parce que j'avais ma place derrière lui sur sa moto, et j'aurais pu être là, j'aurais dû être là quand il a planté... Planté !

Je l'avais agrippé par le col, maintenant, et j'avais le goût de l'étrangler, inclination qu'il devait lire dans mon rictus luisant car il avait blêmi et cherchait à m'échapper en bredouillant :

— Du calme, voyons, c'est assez, du calme...

Mais il ne m'appartenait plus d'être calme. Il ne m'appartenait même plus d'être moi. Je ne me possédais plus, comme on dit. Je poursuivais, disant n'importe quoi :

— Planté ! Planté ! Johnny a planté ! Vous vous rendez compte ? Après avoir planté tant d'arbres dans les forêts de l'Ouest, il a fini par se planter lui-même. Est-ce que vous ne trouvez pas que c'est une belle mort, pour un planteur, et pour un fils de fermier dépossédé ? Se planter ! Non, vous trouvez pas, hein ? Parce que vous avez un costume noir, avec une cravate, la tenue de ceux qui prennent au lieu de planter, de ceux qui perçoivent au lieu de semer. La tenue de ceux qui vendraient la grand-mère avec la terre du bout du rang !

Et je continuais à crier comme ça, dans la même veine, à gorge déployée. L'oncle Justin était très pâle. En fait, il était devenu blanc comme un linceul, et ses gestes pour s'arracher à ma vindicte étaient gauches et désordonnés.

Christine essayait de s'interposer, un peu dépassée par l'action. J'avais saisi l'oncle Justin par le menton et je pressais très fort, mes ongles s'enfonçant dans ses joues rugueuses. Christine hurlait, au comble de l'énervement. Elle s'est mise à me taper dessus, hystérique. Alors, me laissant totalement aller, acceptant sans plus de conditions l'empire de la force qui grandissait en moi, j'ai lâché Justin pour décocher un soufflet imparable et formidable à la pauvre fille. Elle est tombée à genoux, stupéfaite. Elle ne pleurait pas, et moi aussi, j'étais un peu surpris. Justin l'a relevée sans perdre une seconde en la prenant sous les aisselles, et il a dit, d'un air alarmé :

— Viens. Viens vite. On s'en va.

Et elle m'a regardé une dernière fois, avec des yeux où je voyais reflétées ma tristesse et ma peur.

* * *

Je me suis réfugié dans la cabane à cheval du bûcheron, de l'autre côté du marécage. Je savais que j'en aurais besoin un jour, de cet amas de planches à l'équilibre capricieux. D'abord, ce fut l'abri d'une bête de trait. Maintenant, c'est le refuge d'Édouard Malarmé. Pour une fois, j'habite une niche à ma mesure, tout juste assez grande pour Icoglan et moi. Une cabane de bûcheron ; bûcherons et bouilleurs d'étrons ; chantiers de la Haute-Mauricie ; belles sauvagesses et loups-garous ; l'ours, animal sacré ; bûcherons et bouilleurs d'étrons.

Je suis sur la paille, replié sur une position précaire, avec à peine quelques provisions. Après l'esclandre survenu hier avec Christine et l'oncle Justin, il n'était pas question de me présenter au salon funéraire pour offrir mes sincères condoléances à la famille éprouvée. Pas question de l'éprouver encore davantage, cette famille, par exemple en provoquant un arrêt cardiaque définitif chez le père, par ma simple apparition. Pas plus qu'il ne saurait être question d'assister à l'office funéraire dans l'imposante église de Saint-Canut, ou dans celle, neuve et plus agressivement moderne, de Sainte-Scholastique. J'imagine qu'un mort se fout un peu du modernisme.

Non, le pèlerinage que j'ai décidé d'effectuer, après le départ de l'oncle à demi étranglé et de sa nièce bouleversée, il avait pour destination l'endroit précis où l'âme de Johnny a pris son envol pour vrai, où l'âme de Johnny a fait corps jusqu'au bout et jusque dans le ciment avec l'engin sous ses jambes. J'ai ressorti, pour la première fois depuis la fin de l'hiver, ma bonne vieille Tinorossinante, un peu rouillée par l'inaction. Elle piaffait littéralement pour s'arracher aux sables fluides du petit chemin. Parvenu à la route de la Rivière-du-Nord, j'ai eu une surprise. L'eau était partout. Toutes les neiges sales fondues au nord avaient gonflé la rivière qui, comme une bedaine obscène se répand sur le bas-ventre sitôt la ceinture défaite, n'avait eu à surmonter que le léger soulèvement des deux rives pour voir toute la plaine s'offrir passivement à elle. L'eau venait jusqu'au chemin, envahissant les bois touffus où les lièvres avaient dansé et chanté sous la pluie des petits plombs, l'automne dernier. L'eau recouvrait tous les champs et caressait furieusement le ventre du pont vert accroché à ses fondations, montant à l'assaut du chemin qu'elle circonvenait et engloutissait de part et d'autre de l'austère ouvrage de fer. L'eau de la Rivière-du-Nord, brune et boueuse, repoussait les limites de son empire jusqu'à la route provinciale, de l'autre côté, jusque dans la cour de chez Christine. Tout n'était, presque à perte de vue, tout n'était qu'eau. C'était comme si la rivière, impatiente et pleine de sa puissance neuve, se prenant pour un fleuve, avait décidé tout à coup que ce n'était pas la peine d'attendre jusqu'au lac des Deux Montagnes, qu'on pouvait très bien s'étendre ici, former un grand plan d'eau, et pourquoi pas la mer, tant qu'à y être ? Il y avait même un aigle-pêcheur qui planait sur place au-dessus de cette imitation géographique, agitant avec excitation ses longues ailes courbées au coude, et qui devait se dire : Moi, je n'ai rien contre, pourvu qu'il y ait du poisson, et pas trop de poison.

La rivière déchaînée charriait un tas de cochonneries, des monceaux d'immondices qui venaient s'accrocher, comme des noyés à une épave, à la structure à demi submergée du pont, et les graffiti salaces et les dessins cochons de la main des enfants nageaient ensemble dans l'ordure. Tinorossinante eut besoin de tout son courage pour passer, se mouillant les roues jusqu'aux moyeux, tandis que je m'efforçais de garder mes pieds au sec en laissant la pédale à elle-même pour la partie inférieure de sa révolution. Cette fois, plus que jamais, j'avais l'impression que la rivière constituait, et avait toujours consti- tué une barrière physique, une véritable frontière entre le nord montagneux et le sud plat de la province. Et je franchissais l'obstacle comme un Don Quichotte écolo qui aurait troqué sa vieille carne contre un vélo. Mais en même temps, cette frontière avait perdu sa linéarité, et en s'étendant de part et d'autre du tracé prévu, elle devenait confuse et ambiguë, perdant son caractère de démarcation nette. La frontière li- quide atteignait d'une part l'orée de la pinède où se dressait ma cabane, et ses vaguelettes léchaient d'autre part les piquets de clôture de la cour arrière chez les Paré. L'eau était partout. La frontière était partout. Le pays était devenu la frontière.

Ensuite, j'ai perdu tout cela de vue, j'ai longé les dunes, l'érablière, le chemin de fer suranné, la maison séculaire habitée par le pépère à la pipe et l'autre, presque en face, habitée par les motards. Je n'ai pas vu Ben, il devait être en deuil, lui aussi, à sa façon. J'ai vu la petite route fermée qui mène à la carrière de calcaire et je me suis souvenu du jeu de cache-cache avec les hélicoptères. J'ai emprunté une autre route abandonnée, qui fait un coude, et qui est fermée par un tas de sable, comme par une dune tombée là par hasard. Une petite route qui ne conduit nulle part. Qui ne mène qu'au ciel, comme toutes les routes.

Revenu sur le chemin de l'aéroport, j'ai bientôt longé la grande tourbière millénaire, où la mort dort dans la matière, et j'ai longé l'interminable clôture que je savais être la grille d'une cage immense. J'ai vu la tour de contrôle se dresser dans le ciel, à la fois épiscope et champignon, troisième œil et parasite, et plus loin, l'orgueilleux château de Mirabel s'est détaché, masse noire étincelante contre le ciel accolé à la terre. On aurait dit le repaire de Dart Vader. Le trafic aérien avait l'air tranquille. J'ai changé de voie, soulevant amicalement Tinorossinante par le cadre, parce que je savais que Johnny s'était cassé la gueule en sens inverse, en revenant. C'est le cœur serré que je me suis approché, pied à terre, du viaduc devenu mausolée où reposait ce qui de Johnny n'avait pu être rapaillé pour remplir la bière. En m'enveloppant de sa masse, le béton m'a procuré un peu de pénombre, et un silence relatif, rompu parfois par le passage d'un automobiliste qui devait bien se demander ce que je pouvais faire là, sous un viaduc, à contempler un mur blanc. Il ne pouvait pas savoir que ce viaduc-là avait été le lieu d'un passage particulier, une voie d'accès non seulement à l'aéroport, mais aussi au paradis des motards.

Il y avait des taches de sang sur le ciment, et j'ai versé des larmes, quand j'ai compris à quel point il était encore proche de moi, mon ami, dans tout cet inanimé. En regardant ce sang, j'ai martelé le béton à poings nus, en braillant et en hurlant et en gémissant et en rugissant, m'écorchant douloureusement les poignets, et quand un autre automobiliste a ralenti pour voir ce qui se passait, je lui ai lancé un regard tel qu'il a eu la frousse et qu'il est reparti en trombe. Je me suis rendu compte que j'avais soif, tout à coup. Pas seulement soif de vengeance; simplement soif. Il n'y avait pas la moindre goutte d'eau en vue. Pour me changer les idées, j'ai examiné les traces de l'accident. Je n'ai pu récupérer que quelques fragments de métal projetés très loin. La police avait bien nettoyé. Il n'y avait pas le moindre indice de freinage ou de dérapage. Comme si ce vieux Johnny, s'en allant bien droit, avait simplement décidé soudain d'infléchir sa course, de tourner son guidon et de projeter son corps sur le côté, avec la machine penchée de toute sa masse, pour aller se fracasser contre le pilier inamovible. Comme s'il avait simplement décidé soudain de tourner à gauche et de se diriger vers l'aéroport, désirant y parvenir directement, à travers toute l'épaisseur du béton, y parvenir à travers sa structure même, à travers le matériau du vide, et se rendre jusqu'au cœur de l'affaire.

Il y a deux sortes de personnes : celles dont on s'aperçoit surtout de la présence, et celles dont on s'aperçoit surtout de l'absence. Johnny ne parlait pas beaucoup. C'était un faiseur, pas un parleur. À peine un faiseur : un viveur, un existeur, tiens. Johnny ne parlait pas avec les mots, il parlait avec sa moto. Il me parle aussi avec sa mort. Il me parle maintenant avec sa mort à moto.

* * *

En revenant, sur la route de Mirabel, pédalant avec cette frénésie sans objet précis qui est devenue mon état d'âme prépondérant, j'ai tout à coup senti quelque chose souffler dans mon dos, en même temps qu'un roulement de tonnerre se propageait à la campagne. J'ai vu une tache sombre, comme une grosse mouche, traverser mon champ de vision de l'arrière vers l'avant, me dépassant en coup de vent, et le bruit infernal est venu tout de suite après, décalé d'une seconde, submergeant la plaine de son onde formidable, puis continuant long-temps à résonner, à retomber sur la terre tremblante, tangible comme une pulpe, glissant sur le ciel comme une masse molle à la poursuite de son noyau lancé là-bas à une vitesse folle. Il m'a fallu tout ce temps pour seulement comprendre que je venais d'être survolé par un avion à réaction, par un avion de chasse. J'en ai senti un autre venir, senti les molécules d'air se tasser et se rentrer dedans, et cette fois j'ai eu le temps de me baisser la tête avant que le chasseur à réaction ne trace sa longue cicatrice sonore dans l'espace. Et un troisième approchait, maintenant. Alors, pris d'une hallucination paranoïaque subite, je me suis jeté dans le fossé, y entraînant mon vélo, sans ménagement, tandis que le jet, crachant un cône de flammes, fendait l'air qui se figeait comme une mayonnaise. Je me roulais par terre, tragique et farfelu, j'étais convaincu que c'est à moi qu'ils en voulaient. Je me croyais en guerre, je me croyais une cible.

Les chasseurs, après avoir effectué comme si de rien n'était le tour de l'horizon, revenaient en formation serrée, le leader devançant de peu les deux autres. Ils survolaient l'aéroport et revenaient vers moi caché dans mon fossé. C'était sans doute un exercice préparatoire en vue d'un spectacle d'acrobatie. Ils ressemblaient à ces fameux F-18 dont on avait fait si grand cas et qui s'étaient rendus célèbres par leur tendance marquée à s'abîmer au sol ou en mer en toutes sortes d'occasions. Une irrésistible envie de détaler m'a fait me dresser sur mes jambes et entreprendre un sprint zigzagant sur le bas-côté de la route. La formation en fourchette laboura les airs au-dessus de ma tête, à basse altitude, m'assenant un rugissement déchirant qui m'envoya encore bouler sur le sol, où je suis resté blotti, tremblant, mordant la terre à pleines dents. Je suis demeuré là un bon bout de temps, tandis que les avions effectuaient passage sur passage, possédant le ciel comme leur bien propre. Ils tracèrent des figures de ballet, des loopings, des vrilles. J'en voyais un décélérer de façon perceptible, puis monter brusquement en chandelle, et il montait jusqu'à se perdre dans le flou gris d'en haut, et il reparaissait bientôt, en arrière, tombant comme une masse vers le sol menaçant, après avoir complété une boucle phénoménale, et il se redressait en catastrophe et rasait le sol en agitant ses ailes joyeusement.

À ce moment, je compris que ce n'était pas encore un *casus belli*. Que je ne constituais pas la cible privilégiée des chasseurs de la réaction. Que les F-18 jouaient, tout simplement. Qu'ils jouaient à un jeu universel, qu'ils jouaient à la guerre. Et ils semblaient s'amuser ferme. C'était merveille de les voir aller, d'un horizon à l'autre, réduisant le ciel entier aux dimensions d'une bulle de verre. Je compris en les regardant évoluer qu'ils possédaient ce qu'on appelle la maîtrise du ciel. Oui, la maîtrise du ciel. Et, pour n'être que des jeux pratiqués à la grandeur de l'espace aérien, leurs arabesques n'en dégageaient pas moins un parfum d'essentialité. Il y avait de la grâce dans les manœuvres aériennes de ces engins de destruction. La grâce de la guerre. Le jeu qui répond à la nécessité. Qui devient le devoir. Je pensai alors, et je pense encore, et toujours, à mon grand *pinball* céleste.

* * *

Oh Rage ! Oh Désespoir !
Oh Jeunesse ennemie
N'ai-je donc si peu vécu
Que pour cette fin amie ?

Lorsque je suis revenu, en fin d'après-midi, de mon hommage vélocipédique à ce vieux Johnny (que le Grand Contrôleur Aérien ait son âme), ma narine a frémi, avant même que le chalet soit en vue. J'avais été capable de sentir le renard à distance, maintenant c'était autre chose. L'odeur elle-même était indéfinissable, mais on ne pouvait se méprendre sur sa provenance. C'était rance au possible, écœurant. Ça sentait le vieux, le déjà pourri. Ça sentait la mort lente.

J'avais de la visite. Une visite qu'au fin fond de moi, j'attendais depuis le début. Depuis toujours. Icoglan est venue vers moi, supportant dignement le veuvage. Elle grondait, mais elle restait calme. Elle pressentait elle aussi que nous n'avions pas affaire à un intrus ordinaire. Lorsque je suis entré en sifflotant, il était là, le dos tourné. Il était là et il m'attendait. Il a pivoté sur lui-même avec une lenteur calculée, comme un vieil acteur étudiant ses effets, comme un vieux Cid outragé, magané et vicieux, et il a dit d'une voix chevrotante qui s'efforçait d'accéder à des intonations comminatoires :

— Monsieur... Malarmé, je pense ?

J'ai respiré profondément, sachant que ça allait être le rôle de ma vie, et j'ai dit :

— Oui, c'est ça, je pense, moi aussi. Et en fait, ça n'a rien à voir avec la pensée. On vous aura communiqué mes noms et adresse actuelle, j'imagine, et votre contribution intellectuelle aura été minime dans cette affaire, pas vrai, monsieur Bourgeois ?

Il s'est avancé, et un rai de lumière coquettement filtré par les rideaux roses est venu le frapper de plein fouet. Alors, j'ai pu apprécier le travail de la mort sur la frêle structure du bonhomme, un travail de génie, un travail de sape. Il était miné par en dessous, comme le pont de fer sur la rivière en crue, il était dégravoyé correct, le vieux, sa tombe était toute creusée. Il a esquissé une grimace pouvant passer pour un sourire et il a prononcé douloureusement :

— Vous avez l'air spirituel, monsieur Malarmé. Ça faisait longtemps que je n'avais pas entendu une repartie spirituelle. Mais j'ai justement deux ou trois mots à vous dire, et des mots qui risquent d'être, je pense, beaucoup plus terre-à-terre.

— Terre-à-terre, ai-je répété avec un signe d'assentiment.

L'expression me paraissait juste. J'ai dit, avec une jovialité un peu forcée, et pour paraphraser Hamlet :

— Deux ou trois mots, et toute une histoire, si vous voulez. Vous n'êtes plus très jeune, vous devez bien avoir une histoire derrière vous, pas vrai, monsieur Bourgeois ?

Il grimaça encore, et cette fois je compris que ces mimiques torturées n'étaient que l'expression superficielle d'un long combat intérieur contre la douleur. Pas seulement, comme je l'avais d'abord cru, une marque de dédain à mon endroit. Il recomposa sa figure et déclara d'une voix grave et rocailleuse :

— Je ne suis pas ici pour vous raconter des histoires, monsieur Malarmé. Et de toutes façons, les histoires qui circulent sur mon compte, vous devez les connaître, je pense. Ou vous croyez les connaître...

Encore une fois, je ne pouvais qu'acquiescer :

— C'est vrai, les gens sont bavards, c'est effrayant. La campagne, c'est toujours une vraie potinière, hein ? Surtout s'il y a incitation. Tenez, je suis sûr que vous en avez entendu une bonne, dernièrement. Une histoire qui valait son pesant d'or. Non, mieux que ça, une histoire qui valait son pesant de terre, qui valait du terrain, quasiment un territoire, même. Et dans cette histoire, j'étais le personnage principal, moi le petit squatter, est-ce que je me trompe ? Et est-ce que j'errerais lamentablement, monsieur Bourgeois, en avançant que c'est un monsieur mal en point, plus jeune que vous mais presque aussi égrotant, qui s'est traîné jusque chez vous pour vous raconter cette bonne histoire-là ?

J'avais parlé plus fort. Il eut un pénible geste d'apaisement.

— Oui, oui, je sais, le recours à la délation est une chose bien laide, monsieur Malarmé. Mais regardez-moi, regardez-moi bien. Ne suis-je pas devenu moi-même une chose bien laide ?

J'eus encore un signe d'assentiment. Il poursuivit :

— Mais je crois que, ainsi que vous semblez le suggérer, le monsieur qui s'est rendu coupable de cette dénonciation ne vivra pas assez longtemps pour profiter du fruit de son geste. Mais sa famille, par contre, le pourra, elle. La famille Paré, monsieur Malarmé, deviendra juridiquement propriétaire de mes terres, dès la constatation officielle de mon décès. Alors, est-ce que vous ne trouvez pas que c'est une histoire qui finit bien, compte tenu de l'intérêt que vous avez manifesté pour certains membres de cette famille ?

Je baissai la tête et répondis :

— Il y a au moins un autre membre de cette famille, monsieur Bourgeois, qui ne pourra pas profiter de votre récompense posthume. Un membre qui a d'ailleurs quitté ce monde au moment précis où son père posait son geste infâmant. Belle protestation, hein, qu'en pensez-vous, monsieur Bourgeois ?

Il secoua sombrement la tête :

— Oui, oui, je sais, ce jeune homme qui me...

— Qui vous procurait de la drogue, complétai-je. Parlant d'histoires, vraiment, vous ne semblez pas les craindre, hein ? Un vieux monsieur à l'air très digne et à l'allure respectable qui accomplit des démarches douteuses auprès d'un revendeur de substances dont la consommation est considérée illicite au terme de la Loi ! Vous n'avez pas honte, monsieur Bourgeois ?

Il grimaça de nouveau. Nous nous faisions face.

— Spirituel. Très spirituel, monsieur Malarmé. Vous finiriez presque par me plaire, si le plaisir était encore une chose possible pour moi. Mais le vilain rôle de police que je dois interpréter présentement, c'est tout ce qui me reste, monsieur Malarmé. Tout ce qui me reste. La police au lieu du plaisir. Et vous vous doutez bien que je suis venu vous signifier ni plus ni moins que votre expulsion de ces lieux, n'est-ce pas ?

Acquiescement. Il ajouta :

— J'ai la loi pour moi. Je suis le propriétaire. Je possède tous les papiers.

— Très bien, ripostai-je. Vous avez la loi de votre côté, monsieur Bourgeois. En ce moment. Quand ça fait votre affaire. Mais quand vous passez de l'autre côté de la clôture, quand vous vous abaissez à marchander de la dope, par exemple, la loi ne devrait plus s'appliquer, pas vrai ?

Il eut une moue de dénégation, et encore, aussitôt, une grimace.

— Vous ne comprenez pas, monsieur Malarmé. Laissez-moi vous expliquer. Il y une différence majeure, fondamentale. Le vieil homme qui s'abaissait, comme vous dites, à acheter de la drogue ne faisait de mal à personne. Il ne se faisait pas de bien non plus, bien sûr. Il voulait seulement atténuer, dans la mesure du possible, des souffrances fulgurantes, vous comprenez ? Et, accessoirement, il se trouvait à aider modestement, à encourager, comme on dit, un jeune désœuvré de la région, dont vous avez souligné tantôt le départ plutôt hâtif, comme quoi cet encouragement commercial aura eu peu d'effet, finalement.

— Ce jeune désœuvré, monsieur Bourgeois, il ne vous aimait pas beaucoup, déclarai-je avec morgue, comme pour le mettre au défi. Il parlait régulièrement d'aller vous régler votre cas. Vous voler, vous tuer. Il l'aurait fait pour moi, surtout. Je suis sûr qu'il l'aurait fait, s'il n'avait pas eu l'accident, pendant que son père allait se traîner devant vous. Je regrette, maintenant, de l'avoir raisonné, mon Johnny.

J'avais parlé plus bas. Le vieux hochait la tête de façon résignée :

— Bien sûr. Bien sûr. Oh, il aurait fallu qu'il se dépêche un peu, pour battre le cancer de vitesse. Quant à l'argent, pourquoi pas lui ? Mon argent, à ma mort, ira à n'importe qui. C'est le dernier de mes soucis. À vous, même, je n'ai rien contre. Je l'ai mis dans mon testament : À n'importe qui ! Sauf... sauf à mes fils. Sauf à mes trois fils.

J'attendais qu'il épilogue, mais il changea de direction :

— Vous m'avez fait dévier du cours de ma plaidoirie, monsieur Malarmé. Je crois avoir réussi à vous prouver que mon court passage dans l'illégalité ne faisait en définitive de mal à personne, et ne pouvait qu'amoindrir le mal de son auteur. Tandis que vous... vous...

Il s'agita un peu, leva vers moi un index tremblant :

— ... vous... votre occupation illégale de ces lieux porte un grand coup au cœur d'un vieux malade qui n'espérait plus que terminer son séjour sur terre dans la paix. Votre occupation de ce lieu est maligne, c'est un sacrilège, une profanation !

Il souffrait beaucoup en disant cela. J'ai levé la main pour modérer ses transports :

— Ça, il va falloir que vous me l'expliquiez, monsieur Bourgeois, parce que je ne vois vraiment pas en quoi ma présence ici peut vous léser. J'ai même rendu la place plus habitable qu'avant, si vous voulez mon avis, cher propriétaire. Remarquez, je conçois aisément que vous ayez une dent contre moi, depuis l'affaire de vos chiens, dans laquelle je me suis trouvé en état de légitime défense, je vous le signale.

Après un instant, j'ai ajouté, gêné :

— Il paraît que vous les aimiez beaucoup, vos chiens...

Il baissa la tête, et la souffrance relâcha suffisamment son étreinte pour lui permettre un sourire amer.

— Les chiens... Ah oui, les chiens ! fit-il rêveusement. C'est vrai, c'est ce qui m'a mis en rogne contre vous, monsieur Malarmé, avant même de vous connaître. Mais les chiens, c'était une lubie, ce n'était rien, comparé à ce qui rend si odieuse votre présence dans ce chalet.

Il fit une pause, grimaça, puis poursuivit :

— Les chiens, au fond, ils remplaçaient mes fils, vous comprenez ? Ils étaient ma seule famille, depuis la mort de ma femme. Je me suis rabattu sur leur affection, parce que j'avais perdu celle des autres, des étrangers que sont mes fils.

Au prix de coûteux efforts, il parvint à se retourner et il m'indiqua, d'un geste large, la vue qui s'offrait par la fenêtre, montrant les deux autres chalets abandonnés, de l'autre côté du ruisseau : celui qu'avaient habité Hospodar et Icoglan, et l'autre, plus loin, où il ne devait y avoir que des souris.

— Voyez-vous, monsieur Malarmé, moi, j'ai tout fait de mes mains. Je suis parti de rien. Oui, votre génération de fainéants, d'incapables et de braillards me fait bien pitié, monsieur Malarmé. Moi aussi, j'ai vécu une grande crise économique, quand j'avais à peu près votre âge. Je ne me suis pas lamenté sur mon sort. J'ai pris mon destin en mains, monsieur Malarmé. Regardez-moi aujourd'hui : j'ai une grosse maison, de l'argent, je possède un moulin à papier, près de Saint-Jérôme, vous le savez sans doute. Je possède, je possède surtout des terres, évidemment.

Il s'abîma dans une courte rêverie, et j'attendais qu'il continue.

— Les chalets aussi, monsieur Malarmé. Je les ai faits de mes mains, tout seul, pour m'amuser, pour me reposer. Regardez-les ! Oh, un peu délabrés, c'est évident. Ravagés par l'usure, les outrages du temps. C'est inévitable. Ces dernières années, j'ai été trop malade pour continuer à m'en occuper.

— Parce que c'est vous qui vous occupiez de les entretenir ? l'interrompis-je.

Il hocha la tête affirmativement.

— Je m'en acquittais religieusement, comme d'un devoir sacré. Oui, je veillais à tout, et tout était beau et propre, je vous le dis.

Ma curiosité était piquée. J'ai demandé :

— Mais personne n'y habitait, alors ?

Il a encore grimacé. On pouvait presque voir le cancer lui courir sur la face. Il a lâché dans un souffle :

— C'était pour mes enfants, monsieur Malarmé, vous comprenez ? Pour mes enfants... Je pouvais me le permettre. Je ne leur demandais pas un sou, c'était un cadeau, c'était... en fait, c'était ça, leur véritable héritage.

— Et alors ?

— Alors ils n'en ont pas voulu.

Il se tut un instant, et sa respiration oppressée envahissait la pièce assombrie. De plus en plus, je subodorais l'instant où, assemblage fragile et friable, il me tomberait en morceaux dans les bras. Il me parla de ses enfants. Ses enfants avaient réussi. Ils étaient reconnus. En un sens, il était fier d'eux. Il y en a un qui était critique de l'opposition officielle au fédéral, pour les questions agricoles. Un autre était à la tête d'un petit empire financier, le National Holding, bien québécois malgré son nom, et qui commençait à faire trembler les actionnaires majoritaires jusque dans les conseils d'administration de New York. Le troisième poursuivait une carrière scientifique très impressionnante aux États-Unis. Il faisait de la recherche pour le compte de l'armée et commandait des émoluments très importants. Riches et respectés, qu'ils étaient, les fils Bourgeois. Leur père avait le visage convulsé en disant ça. Ça n'avait pas l'air de cesser jamais, ce qui montait du dedans de lui pour briser ses traits. Il prit appui sur une mauvaise chaise qui traînait tout près, parce que la station debout commençait à le fatiguer.

Le problème, c'est que le vieux avait fait un rêve. Il était riche, mais il s'était toujours senti appartenir à la terre, à ses terres, à la région. À mesure qu'il s'enrichissait, il achetait d'autres terrains, mais il restait ici. Il agrandissait ses possessions, mais il ne reniait rien. Il était d'une vieille famille du comté, il était enraciné ici, et il avait rêvé que ses fils s'enracineraient aussi, ne serait-ce que les fins de semaine, il ne faut pas trop en demander. Il avait rêvé que ses fils partiraient de la ville, les week-ends, avec femme, enfants et petits-enfants, pour venir se retremper dans leurs origines. Mais ses fils avaient trop bien réussi pour ça. L'un était aux États, l'autre à Ottawa, et le troisième était à Montréal, mais il partageait son temps entre Toronto, New York et Tokyo. Depuis leur construction, après la guerre, les trois chalets n'avaient pratiquement pas été habités. Au début, les jeunes garçons y avaient dissimulé des amours défendues et de saines saoulographies. Ensuite, ils avaient disparu. Et avec le temps, ils s'étaient payé des résidences secondaires ailleurs, sans doute bien plus luxueuses. Au bout de quelques années, le vieux avait compris. Après avoir requis la permission de ses fils, Bourgeois avait essayé de louer ses chalets. Pendant un été, il y avait eu une famille avec de jeunes enfants, dont une fillette adorable d'environ quatre ans.

Le bonhomme baissa les yeux, vit les fragments du jouet martyrisé et déclara :

— D'ailleurs, je peux voir, d'après ces vestiges sur le plancher près de vos pieds, que cette fillette, dont je me souviens bien parce qu'elle était très mignonne, a laissé au moins un souvenir ici. Parce que je ne pense pas, monsieur

Malarmé, que ce soit votre genre de jouer à la poupée, n'est-ce pas ? Vous êtes bien plus du genre à jouer au petit soldat.

Il avait dit cela à cause de mes fripes kaki, j'imagine. Je souris :

— Savez-vous, monsieur Bougeois, que sur le plan des reparties, vous ne vous défendez pas mal non plus, à ce que je constate. Mon Dieu, j'aurais aimé avoir un père qui parle comme vous.

Il ferma à demi les yeux :

— L'esprit, c'est peut-être déjà tout ce qui me reste, après tout. Mon corps est à la veille de compléter son processus de pourrissement interne, comme vous pouvez le voir, même du dehors.

Il me faisait frissonner. Il se pencha, fut tenté de s'asseoir, puis soudain se redressa et continua à vaciller, à trembler, à essayer d'adapter à son visage, petit à petit, le masque transparent de la mort. Il eut l'air de se secouer laborieusement pour dire :

— Mais c'est ce que je n'ai pas supporté, de voir des étrangers ici, vous comprenez ? De voir jouer dans la cour une adorable petite fille qui n'était pas ma petite-fille à moi. Je ne pouvais pas imaginer ne plus être chez moi, ici. J'avais conçu les chalets pour mes fils, comme de nouvelles versions de leurs chambres d'enfants. Des chambres d'enfants pour l'âge adulte. J'aurais voulu venir ici selon mon bon plaisir, jouer avec les petits, parler et boire une bière avec les grands, prendre l'air. J'aurais été un vieillard heureux, monsieur Malarmé. Je n'ai plus jamais loué les chalets, et je suis venu, avant ma maladie, autant de fois que je le voulais. Mais c'était pour visiter une famille fantôme.

Il se ménagea encore un silence, puis il donna l'impression de se durcir quand il articula :

— J'ai entretenu ces chalets comme on entretient des tombes, monsieur Malarmé. Ils étaient vides, mais pour moi, seule ma descendance avait le droit et le pouvoir de les remplir. C'est pourquoi je n'exagère pas quand je dis que vous vous êtes rendu coupable d'un sacrilège, et je le répète, j'ai bandé mes dernières forces pour venir vous expulser.

Il avait dit cela avec une violence et une haine contenues, et alors j'ai senti qu'il était temps que le vieillard s'en aille, parce que j'étais en colère, moi aussi, et parce que je sentais que je ne pourrais absolument pas répondre de moi et de la sécurité de ce qui me passerait entre les mains. Je me suis reculé sans cesser de le regarder, parce qu'il valait mieux, pour lui, creuser la distance entre nous. Je sais que j'aurais dû partir, que c'était à moi de partir et que j'avais déjà décidé de partir, de faire exactement ce que le vieux m'intimait maintenant de faire. Mais quelque chose me retenait encore. Je sentais que je ne pouvais plus reculer, et pourtant je reculais. J'ai reculé jusqu'à être acculé à un coin, et alors mes mains crispées qui cherchaient une prise, quelque chose à empoigner pour me retenir, mes mains tâtonnantes ont rencontré mon vieil ami le Baïkal de calibre douze, dont le contact glacé comme un lac de Russie m'a fait chaud au cœur, comme un verre de vodka sur glace. Et j'ai senti un immense ressentiment m'envahir, parce que je trouvais ça trop con, parce que moi, au fond, je n'avais cherché qu'une famille tout ce temps, pendant que mon père vendait des autos et que ma mère lisait Jack Kerouac, et que ce vieux bonhomme pourri cherchait lui aussi une famille, une famille aussi fantômale que la mienne, et que nous nous étions rencontrés ici, moi cherchant des parents, lui cherchant des enfants, et qu'il n'avait en tête que le maudit projet de m'évincer de son chalet-mausolée chéri pour pouvoir mourir en paix.

Alors en brandissant mon fusil, voyant rouge, je me suis mis à lui crier ce que je pensais :

— Ah oui ? Vos dernières forces, hein ? Vous pouvez bien les garder, parce que je pars de toute façon. M'expulser ! M'expulser ! C'est bien digne de vous, vieux rat d'égout. C'est tout ce que vous savez faire, expulser. Expulser puis expirer, hein ? Expulser votre air vicié dans l'atmosphère, expulser vos eaux usées dans la rivière. Oui, parce que je ne sais pas si vous savez, monsieur Bourgeois, mais votre cancer, il n'est pas seulement confiné en vous, votre cancer, il déborde de vous et il suppure à la grandeur de la terre. Oui, votre cancer aussi, vous l'expulsez comme vous respirez, et il bat comme un cœur crevé, comme une aile déchirée, comme un poumon gonflé de gaz mortifères et goudronné, sur toute la planète ! Oui, l'eau s'épaissit, monsieur Bourgeois, et même les arcs-en-ciel sont empoisonnés ! L'eau est en voie de disparition et le désert s'en vient, je vous l'annonce. L'eau est ensemencée par votre cancer. Vous irriguez la terre avec du pus, monsieur Bourgeois ! Mais c'est une eau qui ne laissera que de la poussière toxique, comme vous, quand vous allez vous décomposer ! Je comprends maintenant pourquoi vous vouliez vous jeter dans la rivière, la première fois que je vous ai vu ! Vous vous vantez de vos possessions, monsieur, mais à quoi bon, si vous êtes en train d'installer le désert sur la terre ? On ne possède rien dans un désert, monsieur Bourgeois ! On ne possède pas un désert comme on possède la terre ! Seuls les nomades ont droit au désert, et c'est pour ça que je m'en vais, monsieur Bourgeois. Oh, il est temps de vous retirer, monsieur Bourgeois, parce que votre tâche est finie. Vous avez fait du beau travail, vraiment ! Et vous avez procréé de grands travailleurs, des drogués du travail, en vérité, de si grands travailleurs qu'ils n'ont même plus le temps de penser à celui qui leur a montré à travailler. Beau travail, monsieur Bourgeois, beau travail !

J'aurais pu continuer longtemps, comme ça, à confronter ce que j'avais sur le cœur avec ce que contenait son cancer, mais il s'est dressé, tremblant, frémissant d'indignation, suffoqué et presque assommé. Il ne put gémir que :

— Ça suffit ! Assez, vous m'entendez ? Ça suffit.

Et il marchait sur moi, il me chargeait, le vieux lion. J'ai dardé le fusil devant moi et, me prenant au jeu, j'ai dit avec arrogance :

— Ça suffit vous-même, monsieur le propriétaire. Je vous conseille de rester où vous êtes.

Mais il avançait droit sur moi, comme la fois du *Pullford*, quand il avait l'air de marcher sur la boule noire, juste avant la fin de la partie.

— N'avancez pas, monsieur Bourgeois !

Il marchait sur moi, menaçant, malgré sa décrépitude, affichant une déformation faciale où se lisait à la fois la douleur, le dégoût et le désir de destruction. Il râla :

— C'est ça, mon jeune, c'est ça ! Tire donc ! Sois brave et tire ! Penses-tu que j'ai peur ? Penses-tu qu'on peut avoir peur de la mort quand on la sent déjà dans la moelle de ses os ? Hein ? Penses-tu que tu changerais grand-chose à ma vie en me tuant maintenant ? Penses-tu que j'ai peur de toi ? Non mais... c'est toi qui as peur, hein ?

As-tu peur, Eddy ? Faut pas avoir peur, pas peur, Eddy...

Ça a déclenché tout le reste. La rage m'a repris. J'ai eu des visions. Au visage de l'homme fini, je voyais se superposer toutes sortes d'autres visages d'hommes, le visage de Bourgeois se décomposait et se recomposait à une vitesse folle, et chaque partie isolée, le nez, les yeux, les oreilles, les joues, le menton, la bouche, le front acquérait tout à coup une importance stupéfiante et imposait son caractère au reste de la physionomie, sa face était maintenant une mécanique combinatoire détraquée qui me présentait le portrait du père de Christine, puis celui de l'oncle Justin, et celui de Baderne, et même, finalement, furtivement, celui de mon propre père, complet, avec le double menton, gros et fat mais contenu, compressé à l'intérieur des linéaments en constant réarrangement du visage du vieux. J'hallucinais carrément, et tandis que le thorax du cancéreux touchait au bout de mon fusil pointé sur lui, et qu'il me disait, défait et plus cacochyme que jamais : « Oui, c'est ça, vas-y, tue-moi, tue-moi, qu'on en finisse au plus vite, au plus sacrant, vas-y tire, si tu l'oses... », j'ai compris que j'avais devant moi le grand patriarche du clan archaïque en personne et que je n'étais qu'un petit-fils subrogé, incarnation et condensation de tous les petits-fils absents complotant pour détrôner le pacha, le vieux pouacre vicieux régnant en tyran sur la terre femelle et refusant d'évoluer selon Darwin et remplaçant les mutations par la tératogenèse et je me suis dit, comme disait Johnny, Pas besoin de penser, Pas besoin de penser, juste besoin d'appuyer, si peu, sur les deux gâchettes, pour mettre fin au gâchis de toute une vie et pas besoin de PAN j'ai tiré des deux canons en même temps, pratique qui n'est pas recommandée par le fabricant, mais le fabricant était un armurier des rives du Baïkal en Russie tsariste et travaillait probablement pour Nicolas II ou le patriarche de l'Église orthodoxe ou Raspoutine lui-même alors je me suis dit à bas le tsar ou plutôt à haut, Yip Yah, dans les étoiles, et le vieux a d'abord grandi de deux pieds, il a levé de terre bien droit, puis son corps avec un grand trou noir au milieu a opéré une translation horizontale rigoureuse à travers la pièce, sans que le bonhomme ne se départisse un instant de son air surpris, ses lèvres paraissant articuler encore Tue-moi tue-moi tandis que, la chose visiblement faite, le corps s'écrasait bien à plat contre un miroir où il y eut aussitôt beaucoup de sang, puis il glissa au sol bien docilement et se ramassa sur lui-même, roulé en boule autour du gros trou noir qui était au milieu de lui. Je l'ai regardé assez longtemps, parce que c'était mon premier mort frais. Puis je me suis mis en quête d'un linceul décent, et ce que j'ai trouvé de mieux, pour couvrir le cadavre croulant et coulant de ma vieille victime expiatoire, ce fut l'antique peau d'ours mangée aux mites des Indiens Attikamegs qui demandent pardon à l'animal sacré avant de le tuer. Alors comme il vaut mieux tard que jamais (il paraît), tout en ajustant la peau de l'ours à ce corps humain, j'ai prononcé, en m'écoutant parler parce que j'étais le seul à pouvoir m'entendre : « Excuse. Excuse-moi, vieux. » Puis j'ai sacré un bon coup de pied dans le tout, qui était mou. Ensuite je suis parti.

* * *

Autour de la cabane à cheval, je vois des choses horribles dans les arbres. Les arbres deviennent des créatures de cauchemar qui veulent m'arracher au sol, m'emporter dans les airs. Les arbres tirent l'eau du sol, la pompent en eux et la soufflent dans le ciel, en gros nuages boursouflés et blancs, comme des baleines à dents.

Je suis redevenu comme un enfant, colérique et capricieux. Je casse tout. Je casse les arbres pour voir la forêt, pour retrouver les Indiens. Je les torture. Je lacère leur écorce, comme font les ours du nord avec leurs griffes. Je fouis le sol comme une taupe, comme cette sorte de taupe, le condylure étoilé, qui a un appendice en forme d'astre. J'ai soif et j'ai peur de l'eau. Le ruisseau est devenu boueux, brouillé, je serai malade si je m'y désaltère. J'ai soif et je grimpe aux arbres. Il va falloir que j'aille au ciel pour boire à mon goût, pour m'abreuver aux nuages de lait, pour connaître enfin l'éternelle adipsie.

* * *

J'ai découvert le cadavre d'un renard, tout près d'ici. Il avait le nez enflé, énorme, hérissé de dards de porc-épic argentés et gonflés d'air. Comme une pelote d'aiguilles ou une poupée vaudou. Lorsque j'ai définitivement quitté le chalet de Bourgeois, mes yeux sont tombés sur le cactus rachitique que j'avais eu l'idée d'arracher à la vie de banlieue, à l'automne.

Contre toute attente, il avait survécu à l'hiver. Je l'ai pris doucement par le pot, l'ai emporté au pied des collines et là, je l'ai transplanté dans la terre humide du printemps. Ce faisant, je me récitais : Johnny aurait été fier de moi, de me voir planter comme ça. Johnny aurait été fier de moi. Je me suis relevé. Ce cactus-là valait bien une pierre tombale.

Hier soir, je regardais le ciel étoilé. Je cherchais Sirius, le chien-étoile de la constellation d'Orion. J'ai capté la course en clin d'œil d'une étoile filante qui a traversé complètement le ciel, du nord au sud. Je crois que c'était un clin d'œil de Sirius, le chien-guide-étoile de la constellation d'Orion. Une étoile filante, c'est une étoile de Bethléem au siècle de la vitesse. Lors de la fameuse nuit du quatorze août, alors qu'elles étaient partout, à la grandeur du ciel, il était impossible de faire un vœu, on n'avait pas le temps d'y penser, ou alors il fallait vouloir tout, absolument tout. Et vouloir tout, c'était vouloir le grand *pinball* céleste.

Au matin, j'ai pris mon fusil et je suis parti. Comme une fusée.

* * *

Comme je suis dorénavant un assassin, je me suis d'abord dit qu'il me faudrait bien retourner sur les lieux du crime. Il faisait très froid, de nouveau, comme si l'hiver avait lancé une contre-attaque, sa campagne du printemps. La neige, encore présente par larges plaques cariées, s'était durcie et coupait comme de la vitre. En cheminant dans le bois, en direction du chalet de Bourgeois, qui ne vois-je pas venir à moi ? Martin Paré, le petit maudit. Il portait un havresac sur son dos, et une hachette à la main, et il avait un air toujours aussi farouche sur son visage pâle. Mais surtout, surtout, il portait fièrement une coiffure superbe, flamboyante, hallucinante : il portait le mythique renard argenté sur sa tête. La longue queue drue et étincelante faisait office de cimier dans le vent. Oui, j'ai vu le grand renard argenté lui-même, je n'ai vu que lui, qui venait à moi sur deux pattes. J'ai vu un hybride fantasmagorique s'avancer majestueusement dans la forêt : un humain dont la tête était un renard !

Revenu de ma surprise et de ma vision, j'ai abordé le gamin avec humeur :

— Tiens ? Tu n'es pas au salon funéraire, toi ? C'est quand même ton frère qui est là, non ?

Il me répondit d'une voix faible qu'il ne pouvait pas sentir ça, la famille et les funérailles, et que ça ne changerait rien qu'il soit là ou non. Il m'apprit qu'il s'en allait trapper le rat musqué, à l'étang à castor, là-bas. Mais je demeurais agressif. Je voyais en lui un coupable, tout à coup. Peut-être même une victime. Je voulus savoir :

— C'est toi qui as dit à ton père que Christine était saoule quand elle est revenue de mon chalet, le matin de Noël ? C'était pas de tes affaires, mon p'tit christ !

Sentant la soupe chaude, il reculait, imperceptiblement, en fixant sur moi des yeux où il y avait un peu de peur. Soudain, sans trop savoir ce que je disais, je me suis écrié :

— Donne-moi ton chapeau !

Cette fois, il a eu l'air effaré :

— Quoi ?

Je m'énervais de seconde en seconde.

— Tu as bien compris. Je veux ton chapeau de renard. Donne-le moi !

Il a porté la main à son casque, comme pour le protéger, mais ça ne produisit qu'une parodie de salut militaire. Alors je l'ai mis en joue avec mon deux-canons et j'ai répété, menaçant :

— Donne.

Il s'est mis à pleurer. Il devait y tenir beaucoup, à son trophée.

— Pourquoi ? Pourquoi ? demandait-il, désespéré.

— De toutes façons, l'assurai-je, tu n'en auras plus besoin, mon garçon. L'été s'en vient, il va faire chaud. Tu le mettrais quand même pas durant l'été, ton chapeau de poil ? Tu serais ridicule.

— Pis toi ? répliqua-t-il, geignard. Tu seras pas ridicule avec un chapeau de poil ?

Très sérieux, d'une voix grave, j'ai répondu :

— Non. Non, mon p'tit gars. Moi, je ne serai pas ridicule avec un chapeau de renard.

Il me l'a cédé, je l'ai ajusté avec satisfaction à ma grosse tête, et ce fut comme une couronne d'argent ceignant mon front, solennellement. Une couronne de renard. Et j'ai com-

pris que le règne qu'Édouard Malarmé n'avait cessé de revendiquer, ce règne auquel était promis Édouard Neuf, eh bien,
c'était le règne animal, tout simplement. J'ai laissé le gosse en
plan, le visant une dernière fois avec le fusil en lui recomman-
dant de ne rien dire et de se tenir tranquille. Ensuite, malgré
le poids et la chaleur du casque sur ma tête, je me sentais des
ailes.

* * *

À la tombée du jour, je suis entré une dernière fois dans le
chalet abandonné que Bourgeois a fait de ses mains, et où il
est mort des miennes. Oh, je suis peut-être un raté, mais lui,
garanti, je ne l'ai pas manqué. Il y a eu un éclaircissement de
voix dans l'obscurité, je me suis retourné, saisi, le fusil épaulé,
et Jean-Pierre Richard se tenait là. Il était armé, lui aussi.
Comme un cow-boy, il tenait dans son poing le pistolet dont
il s'était servi pour mettre les mâtins de Bourgeois en déroute.
Nous étions face à face, comme pour un duel. Mais il me
rassura bien vite :
— Woh, woh, Édouard ! Ami. Ami. Je suis venu en ami.
Nous avons baissé nos armes. Il a dit :
— Je me demandais vraiment où tu étais passé. Je m'inquiétais, pour tout dire. C'est moi qui ai fait la découverte du
corps. La police est venue, tout ça. J'ai dit que je ne voyais
absolument pas qui pouvait avoir fait ça, que c'étaient probablement des voleurs qui l'avaient entraîné ici pour le faire
parler plus à l'aise.
Je ne pus dire que :
— Merci.
Mais il balaya ma reconnaissance d'un geste :
— C'est naturel, Édouard. C'est naturel, ce que j'ai fait. Et
c'est naturel, ce que tu as fait, aussi. Je ne veux pas savoir
comment c'est arrivé, si c'est un accident ou pas, mais c'est
naturel. Pour moi, c'est pas une grosse perte.
— C'est lui qui le voulait, dis-je, la gorge subitement
serrée.
Jean-Pierre Richard continuait :
— Mais tu sais, tu n'as pas que des amis, dans le coin. Alors
tu ferais mieux de ne pas trop traîner...
Je le rassurai aussitôt :

— Je m'en vais, Jean-Pierre Richard. Je m'en vais. Merci pour tout.

Je lui ai tendu la main, mais il ne put m'offrir en effusion que sa dextre à lui, occupée par le pistolet, et de cette façon l'arme me menaça brièvement. Il baissa la main, gêné, riant de cette situation ridicule. Nous sommes sortis et il faisait à peu près noir, et plus froid. Jean-Pierre Richard observa, enjoué :

— Tu as un fichu de beau chapeau, Édouard. C'est de la vraie fourrure ?

— De la vraie, confirmai-je.

— C'est pas trop chaud ? demanda-t-il encore, plein d'une prévenance surprenante. Sibyllin, je lui répondis :

— Il n'y a rien de trop chaud. Rien de trop chaud.

Et je me suis enfoncé dans la nuit, tandis que lui se fondait sur place dans le noir, et je ne me suis plus retourné. Les chiens des voisins aboyaient au loin. Au moment où je commençais à m'éloigner, il s'est frappé le front subitement, et il a crié :

— Ça me fait penser, Édouard. J'ai eu des nouvelles de mon vétérinaire. Figure-toi que c'était bien ça : la rage. Il y a presque une épidémie dans la région. Tu n'aurais pas vu ma chienne, par hasard ? Il faut que je la fasse vacciner au plus sacrant, s'il est pas déjà trop tard.

Je savais que Icoglan était collée à moi quelque part dans le noir, comme mon ombre. J'ai dit :

— Je ne l'ai pas vue, Jean-Pierre Richard.

* * *

Il faisait une pleine lune superbe. Un vrai temps de loup-garou. Ça a facilité ma progression, parce qu'au-delà de la route provinciale, que j'ai traversée penché, en catimini, j'ai pris par le bois. Et le bois était sombre comme un inconscient, mais le ciel était clair. La lune gravide me guidait de sa lumière sanglante. Elle était dans mon dos et me poussait en avant. J'ai marché une bonne partie de la nuit, dans le bois, suscitant autour de moi toutes sortes de froufroutements, de frôlements, de ululements. J'ai encore eu des hallucinations, des crises, j'ai bûché à grands coups perdus, à la ronde, dans la forêt indifférente qui absorbait tout et m'absorbait aussi. Et dans les précieuses bonaces qui m'encalminaient tout à coup au milieu de la houle des feuilles, je pensais : « Il faut que je me maîtrise.

Du calme. Que je me maîtrise. Encore un peu. Maîtriser la rage qui est en moi, comme on maîtrise un étalon sauvage, comme on devient son maître, pour le diriger et lui faire sauter les clôtures. »

Finalement, je suis arrivé au bord de la grande tourbière, qu'il m'a fallu traverser. J'enfonçais jusqu'aux genoux dans la sphaigne, dans la matière morte et moite. J'étais fatigué. J'aurais pu me laisser tomber là, me laisser recouvrir par la mousse blanchâtre, préservé, comme le Roi des aulnes, pour les siècles des siècles, par l'acidité de cet ancien lac étouffé. J'aurais pu céder à la gravité, me laisser sombrer dans la terre, choir comme la pomme de Newton et m'engloutir sous le sol. Mais je savais que j'étais destiné à une autre force, que pour moi le géotropisme devrait céder sa place à une autre forme d'attraction. Et j'avais soif, soif, en m'avançant sur ce lac aux eaux enfouies, aux eaux refoulées sous le matelas mou où je devais m'interdire le sommeil. J'avais soif quand j'ai atteint l'épaulement de la route, et je me suis souvenu que le chevreuil de Mirabel avait eu soif, lui aussi, un certain jour de chaleur, de l'autre côté de la clôture.

Un peu plus loin, il y avait toutes ces lumières. Il était là, devant moi, le vaste château de la Technologie, et je me tenais devant lui, moi, le petit pratiquant du totémisme. Devant l'aéroport, il y avait cette crypte de béton qui avait bu le sang de Johnny, qui avait recueilli les miettes de Johnny. Je ne me demandais plus ce qu'il avait cherché de ce côté. Un lieu de pouvoir ? C'était bien trop évident. Je comprenais enfin ce qu'il avait voulu dire, ou plutôt seulement indiquer, par la direction ultime qu'il avait prise au moment de l'impact.

En traversant la route déserte, je me suis aperçu que Icoglan me suivait encore, pas à pas. Elle s'était si bien incorporée à mon ombre que je l'avais oubliée.

Je me suis penché sur elle, j'ai enlevé un moment ma coiffure, qui avait l'air de la troubler et qui me donnait chaud, si chaud, et je l'ai serrée un long moment dans mes bras, ma bonne vieille chienne. Elle s'est excitée et s'est mise à se trémousser, parce qu'elle croyait que je ne voulais encore que jouer. Mais j'ai prononcé, avec gravité : « Tu restes ici, Icoglan, ma chienne. Les bons chiens ne traversent pas les clôtures. Pas plus que les chevreuils et les chevaux de trait.

Mais les loups, eux, ils sautent parfois par-dessus, comme les étalons sauvages. Et les renards, eux, ils passent au travers, par les trous. Malarmé, lui ? Attends de voir ce qu'il va faire, Malarmé. »

Je me suis tourné vers la clôture, mon fusil passé en bandoulière, et ma rage est revenue, plus terrible que jamais. J'ai empoigné le grillage de mes deux mains et je me suis mis à le secouer, frénétiquement, comme un forcené, en poussant un grand cri, un long hurlement de bête. Je l'ai secoué long-temps, convulsivement. Puis j'ai commencé à monter, à grim-per le long de l'obstacle, me hissant en grognant jusqu'aux deux rangs de barbelés qui m'ont donné du mal. À force de me déchirer les poignets, j'ai réussi à passer par-dessus et je me suis laissé retomber lourdement de l'autre côté. En me relevant, j'ai regardé Icoglan, maintenant séparée de moi, qui me disait Adieu ou Au revoir, dans sa naïveté souveraine.

Alors j'ai marché en évitant les endroits trop éclairés. J'ai songé à Hospodar, au virus de la rage qui est en forme de balle de carabine. Je me sentais moi-même devenu un véritable projectile. C'est moi tout entier qui passais dans l'âme de mon fusil. J'étais devenu une balle, c'est moi qui serais dans le *pinball*, cette fois. Parvenu au pied de la tour de contrôle, longtemps, j'ai regardé en l'air. C'était impressionnant. Et puis, chose qui n'est pas pour déplaire à un jeune romantique atteint de don-quichottisme en phase terminale, on y entrait comme dans un moulin. Au lieu de la carte plastifiée et magnétisée, je n'ai eu qu'à introduire une once et quart de petits plombs dans la fente, et la porte s'est dérobée devant moi. J'ai gravi la tour de contrôle sans être autrement inquiété, en prenant l'ascenseur, comme tout le monde.

J'ai déjà lu quelque part que les contrôleurs aériens consti-tuent, selon une étude sérieuse, la catégorie de travailleurs professionnels la plus fortement soumise au stress. Mais la cueillette de l'échantillonnage n'avait sûrement pas couvert le territoire de l'aéroport international de Mirabel. Lorsque Édouard Malarmé, terroriste de son état, a fait irruption là-haut, l'arme à la hanche, prêt à faire feu, dans la salle circulaire des opérations, il n'y a trouvé qu'un gros homme trapu et gélatineux qui, en fait de contrôle, avait visiblement donné congé à son Surmoi. Il ronflait pesamment sur son siège pivotant, le menton appuyé sur sa poitrine stertoreuse que soulevaient des vagues poussives. Comme il ne se réveillait même pas, Édouard Malarmé a pu s'adonner en toute quiétude à la contemplation du saisissant spectacle qui s'offrait à lui. D'abord, il y avait les étoiles, qui étaient plus proches, déjà. Mais aussi, sur la terre, les feux des pistes leur répondaient, découpant de longues avenues lumineuses, désertes dans la nuit de la campagne éteinte. Et au-delà, on devinait, on apercevait le halo corrosif ceignant le ciel de Montréal, et non loin de là, il y avait Dorval, bien sûr, Dorval où Christine et son gandin blond prendraient leur essor conjugal, pour le meilleur et pour l'empyrée, s'envoleraient vers la Californie et la caléfaction de leurs corps, iraient habiter cette portion de plage de plexiglas qui s'allumait au bout de mon *pinball* macho et insuffleraient des énergies au bon vieux mythe américain Toujours Plus Loin Ohé ! Evohé ! Attends-moi, Christine ! Je te possède encore, car si tu prends l'avion, Édouard Malarmé, lui, possède le ciel, maintenant. Oui, je peux détourner ton avion, à cette heure, ma fille, et je peux détourner tous les avions, car les aéroports sont les cathédrales des terroristes et je suis un terroriste érotique, un futur fedayin de la libido libérée, je congédie le porteur d'eau en moi, je suis destiné au désert, je suis jeune et aride, roi fécal arabique, nous n'irons pas seulement à Cuba, fille, nous irons partout, sur tous les vols du monde libre qui converge ici, à ma gauche, où on voit le festival photonique de Mirabel qui clignote et draine la baie James, Mirabel de mes baises endiablées sur le dos de l'Éléphant Blanc, sur la tête des blanchons pissant le raisiné de la colère, Christine ! Christine ! Je suis pour fourrer, Christine, pour fourrer et pour la fourrure ! Tu devrais voir la tête que j'ai, Christine ! J'ai la tête d'un renard, non, pas seulement la tête, je porte un renard comme un étendard, c'est ma bannière de banlieusard en guerre ! C'est toi qui m'as mené ici, toi qui m'as mené à Mirabel, Christine ! Toi et le renard, quel beau couple ! Devant moi, à l'instant, s'étale une formidable débauche de quincaillerie électronique et techno-liturgique, avec des voyants partout et des écrans verts à crever et des radars à rêver et des cadrans lumineux circulaires pour regarder des numéros de cirque lumineux et des boutons, des boutons, des boutons comme un immense bourgeonnement automatique et des manettes en tous sens pour commander à tous vents, Christine ! Je te vois là-bas au bout de ma mire, forniquant sur une plage de Californie qui n'est que la frange du désert que sont toutes les chairs dans un pays qui s'assèche. J'ai soif, Christine ! J'ai soif et j'ai peur de l'eau ! Où que tu sois sur terre, ma fille, tu vas danser dans mon *pinball*, maintenant. Tu vas te baigner sur une plage dorée et tu étancheras ma soif mieux que toutes les Golden du Québec. Et toi, Johnny, ta moto était un avion, mais tu ne le savais pas, hein ? Quant à Burné, eh ! Burné, vieux ! J'irai te rejoindre, dans ton aile psychiatrique ! Dans ton nid de coucous parasités ! Je te retrouverai, avec mes grandes antennes, maudit Burné radioactif ! Andréa, tu partiras en voyage, comme tu voulais, où tu voudras, tes désirs seront mon ordre affectif, je serai ton transporteur amoureux. Eh, Christine, baby blue ! Pour un bébé qui est né sans oxygène, pour un nouveau-né cyanosé, bleu comme un renard argenté, tu ne trouves pas que je ne manque pas d'air, que j'ai même des airs de grandeur, ma fille ? Des airs, des airs ! Je suis devenu le Renard-des-Airs !

Quand le gros homme se réveillera, je n'aurai pas de misère à le maîtriser. À moins que je me fâche vraiment, à moins que ma rage se réveille elle aussi et me suggère la fantaisie de lui décharger mon fusil dans son gros ventre qu'on dirait enceint, Christine ! Et ensuite je vais m'amuser avec toute cette mécanique pour l'instant muette. Je vais tout casser, Christine, tu m'entends ? Je vais tout casser, comme tes petits Japonais radicaux-gauchistes de Narita. Mais avant, j'ai l'intention de bien m'amuser, d'en profiter, d'en user à mon gré de cet arsenal futuriste ! De tripper, tu m'entends ? Voyager, voyager en terroriste, pas en touriste ! Amenez-en des avions ! Je vais les faire chanter et leur faire danser des ballets dans l'espace aérien, et tout ça sera merveilleusement gratuit, Christine ! Tout ça ne sera qu'une longue partie gratuite, chérie ! Tu m'entends ? Non mais tu m'entends ? Rodger Rodger OK NOW RODGER RODGER ROD ROD GER GERONIMO ! ALLÔ PAPA TANGO ZOULOU ALLÔ PAPA TANGO ZOULOU ! RODGERONIMO ! En avant pour le grand *pinball céleste*, le grand *pinball* inter-galactique ! Ça va être l'envolée des envolées, jusqu'à la prochaine épizootie ! Tout est sous contrôle. Over.

Montréal, 5 février 1988 (premier JET)

Achevé d'imprimer
en novembre 1989
MARQUIS
Montmagny, QC